英語論文重要語彙717

安原和也 著

三修社

はしがき

　本書は，英語学術論文を執筆したり読解したりする際に，どの学術分野の研究者でも必ず知っておかなければならない最低限の基本英単語を，アルファベット順で，コンパクトに且つ網羅的に，そして機能的にまとめた一冊である。見出し項目として挙げられた基本語彙は，著者の学術上の経験から厳選された 717 項目であるが，特定の学術領域には限定されない（すなわちどの学術分野でも使用する可能性が極めて高いと考えられる），英語論文の構成に必要不可欠の重要な英単語を中心に選択している。717 の見出し語彙には，その語彙の発音記号・品詞名とともに，その語彙の学術的意味，すなわち日常的な意味や特定分野に限定される専門的な意味ではなく，論文英語一般に関係する意味を厳選して掲載している。そして，英語論文において高頻度で使用されうると考えられる，その見出し語彙を用いた英語表現のパターン例（すなわち使用例）も，各語彙につき平均で 5 〜 7 つ程度例示され，その見出し語彙を実際に英語論文の中でどのように用いればよいかが，簡潔に且つ分かりやすく提示してある。また，その 717 の見出し語彙と密接に関係する，覚えておきたいその他の重要な論文用英単語（とりわけ，伝統的に派生語と呼ばれる語彙やその見出し語彙と意味的に関連する類義語）についても，「関連語彙」の項目を設けてその見出し語彙に併記している。これにより，見出し語彙が英語論文の中でどのように発展的に（あるいは拡張的に）用いられうるかを，この場合もその語彙の発音記号・品詞名・学術的意味・使用例とともに具体的に明示している。さらに，巻末には，日本語と英語の両言語からの豊富なキーワード検索（［日本語］約 5000 項目，［英語］約 2900 項目）も添付してあり，単なる学習用として本書を利用するだけではなく，論文執筆時や論文読解時の際に必要となってくる英語論文表現をスムーズに探し出すための工夫も施されてある。

　本書の最大の特長としては，その語彙それ自体（すなわち意味やスペルや発音）よりも，その語彙の表現法ないし使用法（すなわちその語彙を実際に論文の中でどのように用いるのか）を覚えることに，その主眼が置かれている点にある。したがって，本書では，従来型の単語集によくあるような適当な例文（具体的には，特定分野に不慣れな学習者には高度すぎて意味不明で，且つ実際の言語使用においてもなかなか活用できそうにない例文）が提示されるのではなく，あくまで論文英語にとって最大限に有益で，且つ論文初心者でも意味の上で容易に理解できて，また実際の論文内でも積極的に活用していけるような表現パターン例を，吟味に吟味を重ねて厳選してある。また，本書で取り上げられた見出し語彙と関連語彙の厳選については，どの分野の研究者であっても，その語彙を認識できるだけではなく，その語彙を実際の論文の中で十分に運用できるようにならなければならない，英語論文に必須の重要語彙に限定してあるのも，本書の重要な特長である。さらに，本書では，表現パターン例にはすべて対訳（日本語訳）が併記されているが，その日本語についても，学術的という敷居の高さのために堅苦しい表現になってしまうことをできるだけ避けて，それでいて学術的にも適切と考えられる，より現代的な日本語表現を用いるようにして対訳を構成してある。くわえて，従来型の単語集では，見出し語彙には発音記号が併記されていても，派生語や類義語になると発音記号が一切併記されない不親切な学習教材が目立つと言えるが，本書では，語彙学習における発音の重要性も強く意識させる意味で，見出し語彙のみならず，関連語彙にも丁寧に発音記号を併記する方針を選択している。

　本書では，とりわけ学習の利便性を最大限に考慮して，見出し語彙としては 717 の英単語にその焦点を絞っているが，関連語彙も含めて本書全体で見ると，全部で約 1800 語にも及ぶ英語論文重要語彙が本書には掲載されている。また，見出し語彙と関連語彙の使用例として提示され

る表現パターン例としては，本書全体で約 10000 例にも及ぶ，バラエティー豊かで，且つ利用価値の高い，分野フリーの英語論文表現が収録されている。この意味では，英語学術論文に関心のある大学生や大学院生が，英語学習の一環として高度な英語表現法を習得するのに，本書は極めて有益であると考えられる。また，英語によるレポート作成や，英語による論文執筆（とりわけ卒業論文や修士論文）において，英語表現の方法を確認したり調べたりする際にも，本書は大きな利用価値を備えていると言ってよい。くわえて，本書には，研究生活へと進んでいく際に必須となる，分野フリーの英語論文重要語彙とその具体的な使用例が分かりやすくまとめてあるという点では，大学院入試に向けての基礎的な英語学習（具体的には特定分野に限定されない論文英語一般の学習）にも最適の教材であると言える。とりわけ，本書では，比較的覚えやすく，且つ実際の論文内でもすぐに活用できる短い使用例が豊富に提示されているので，そのまま暗誦したり音読したりすることで，論文英語特有の表現感覚を例文ごと頭の中にインプットしていくと効果的である。

　最後に，本書を執筆・編集する上で，とりわけ寶壺貴之（岐阜聖徳学園大学短期大学部）・井土康仁（藤田保健衛生大学）の両氏から，建設的なコメントや温かい励ましを数多く頂いたことについて，ここに記して感謝申し上げる。また，本書の企画から編集に至るまで，本書の出版に向けてご尽力を頂いた，三修社の斎藤俊樹氏にも，心より深く御礼を申し上げたい。なお，本書の内容は，学術研究助成基金助成金（基盤研究 (c)）「英語学術表現の教材開発に関する基礎研究」（研究代表者：安原和也，課題番号：23520747）の研究成果の一部であることを末筆ながら付記しておく。

2011 年 11 月 京都にて
著　者

●本書の構成について

本書では，以下の構成法に基づいて，英語論文重要語彙が提示されます。

> 見出し語彙番号 □ 見出し語彙 / 発音記号 / 品詞名 学術的意味
> **《使用例》**
> 　　見出し語彙を含んだ表現パターン例とその日本語訳が提示されます。
> 　　・各語彙につき平均で5〜7つ程度の表現パターン例が提示されます。
> 　　・見出し語彙は，分かりやすくする意味で，太字で表記してあります。
> **《関連語彙》**
> 　　見出し語彙と関連のある論文用英単語（とりわけ派生語と類義語）が
> 　　提示されます。
> 　　・見出し語彙によっては関連語彙が提示されない場合もあります。
> 　　・この項目でも，見出し語彙と同様に，発音記号・品詞名・学術的意
> 　　　味・使用例が提示されます。
> 　　・この項目の見出しとなる語彙についても，使用例では太字で表記して
> 　　　あります。

なお，表現パターン例（使用例）の一部には，代替要素として以下のような略記が使用されている場合がありますので，注意してください。

　　　　　ABC ＝ 名詞表現　　　　S+V ＝ 文表現
　　　　　XYZ ＝ 名詞表現　　　　to do ＝ 不定詞表現
　　　　　LMN ＝ 名詞表現　　　　doing ＝ 動名詞表現

《構成の一例》

> **005** □ **academic(al)** /ækədémik(əl)/ 形 学術の，アカデミックな
> 《使用例》
> an **academic** discipline（学術分野）
> an **academic** journal（学術雑誌）
> **academic** arguments（学術上の議論）
> **academic** affiliations（学術上の所属先）
> in an **academic** style（アカデミックなスタイルで）
> in **academic** writing（アカデミック・ライティングでは）
> 《関連語彙 A》
> **academically** /ækədémikəli/ 副 学術的に，学術上は
> 　**academically** unreliable sources（学術的に信用できない情報源）
> 　describe these phenomena **academically**（これらの現象を学術的に記述する）
> 　be **academically** problematic（学術的に問題がある）
> 　**Academically**, it is more useful to do（学術上は−する方が有益である）

●キーワード検索（巻末参照）について

　日本語と英語の両言語からのキーワード検索を巻末に掲載しています。abbreviation や「略記」などの語レベルのキーワードから，必要な英語論文表現をスムーズに探し出すことができます。ただし，キーワード検索に掲載された数字は，そのキーワードが掲載されたページ数を表しているのではなく，そのキーワードを含んだ英語表現を掲載している「見出し語彙番号」を表している点に注意してください。また，キーワード検索においても，「見出し語彙」と「関連語彙」については，分かりやすくする意味で，その数字が太字で表記されている点にも注意してください。

目 次

はしがき …………………………………………………………… 3
本書の構成について ……………………………………………… 5

英語論文重要語彙 717 …………………………………………… 8
キーワード検索（日本語）……………………………………421
キーワード検索（英語）………………………………………465

A

001 ☐ **abbreviate** /əbríːvieit/ 動 省略する，省く

《使用例》

abbreviate this structural complexity（この構造上の複雑性を省略する）
various properties **abbreviated** as X（X として略された様々な特性）
be **abbreviated** here as C（ここでは C として省略される）
an **abbreviated** version of Johnson (2000)
　（Johnson (2000) の短縮版, 簡略版）
this discussion is **abbreviated**
　（この議論は省略されている, この議論は省かれている）

《関連語彙 A》

abbreviation /əbriːviéiʃən/ 名 略語，省略（形），略記
　the following **abbreviations** are used（以下の略記が用いられる）
　the **abbreviations** used in the glosses（注釈で用いられる略記）
　be used as an **abbreviation** for XYZ Theory
　　（XYZ 理論の省略形 / 略語として用いられる）
　For **abbreviations**, see Table 1.（略記については表1を参照のこと）

002 ☐ **absolute** /ǽbsəluːt/ 形 完全な，絶対的な

《使用例》

an **absolute** predictability（完全な予測可能性）
an **absolute** value（絶対値）
Johnson's (2000) **absolute** denial of XYZ theory
　（Johnson (2000) による XYZ 理論の完全否定）
be relative rather than **absolute**（絶対的というよりも相対的である）
cannot be **absolute**（絶対ではありえない）
this priority is not **absolute**（この優位性は絶対ではない）

《関連語彙 A》

absolutely /ǽbsəluːtli/ 副 完全に，絶対（的）に，全く
　be **absolutely** correct（完全に正しい）
　be **absolutely** necessary（絶対に必要である）
　an **absolutely** crucial notion（全く重要な概念）
　it is **absolutely** useless to do（-することは全く役に立たない）
　it is **absolutely** clear that S+V（-ということは全く明らかである）

003 ☐ **abstract** /ǽbstrækt, æbstrǽkt/ 形 抽象的な
　　　　　　　　/æbstrǽkt/ 動 抽出する，捨象する

/ǽbstrækt/ 名 要旨

《使用例》

abstract nouns（抽象名詞）
a highly **abstract** notion（かなり抽象的な概念）
be fairly **abstract**（かなり抽象的である）
this discussion is too **abstract**（この議論は抽象的すぎる）
be **abstracted** from these experiences（これらの経験から抽出/捨象される）
an **abstract** of this paper（この論文の要旨）

《関連語彙 A》

abstractly /ǽbstræktli, æbstrǽktli/ 副 抽象的に
  more **abstractly**（より抽象的に(は)）
  somewhat **abstractly**（やや抽象的に）
  though **abstractly** defined（抽象的に定義されるけれども）
  interpret them **abstractly**（それらを抽象的に解釈する）
  be shown/represented **abstractly** in Figure 2（図2では抽象的に示されている）
  be **abstractly** similar to (5)（抽象的には(5)に似ている）

abstraction /æbstrǽkʃən/ 名 抽象化，抽象性
  increase **abstraction**（抽象性を増加させる）
  a further **abstraction**（さらなる抽象化）
  the **abstraction** of such experience
    （このような経験の抽象化, このような経験の抽象性）
  be acquired by **abstraction**（抽象化によって習得される）
  at/on different levels of **abstraction**（様々な抽象化レベルで）

abstractness /ǽbstræktnəs, æbstrǽktnəs/ 名 抽象性
  such a level of **abstractness**（このような抽象性レベル）
  the degree of **abstractness**（抽象性の程度）
  the meaning of this **abstractness**（この抽象性の意味合い）
  the **abstractness** of this framework（この枠組みの抽象性）
  along a scale from **abstractness** to concreteness
    （抽象性から具体性へ至るスケールに沿って）

---

004 □ **abundant** /əbʌ́ndənt/ 形 豊富な

《使用例》

abundant empirical evidence（豊富な経験的証拠）
abundant examples of personification（擬人化の豊富な事例）
be comparatively **abundant**（比較的豊富である）
there is **abundant** evidence that S+V（－という豊富な証拠がある）

concrete examples are **abundant**（具体事例は豊富に存在する）

《関連語彙A》

abundance /əbʌ́ndəns/ 名 豊富
 an **abundance** of examples（豊富な事例）
 an **abundance** of linguistic data（大量の言語データ）
 an **abundance** of research（かなり多くの研究）
 be generated in **abundance**（豊富に生成される）
 exist in great **abundance**（かなり豊富に存在する）

abundantly /əbʌ́ndəntli/ 副 かなり，十分に，豊富に，豊かに
 be **abundantly** simple（かなり単純である）
 be **abundantly** justified（十分に正当化される）
 occur/appear **abundantly** in this paper（この論文の中に豊富に出てくる）
 it seems **abundantly** clear/evident that S+V（－なのはかなり明らかなように思える）
 this **abundantly** proves that S+V（この点は－ということを豊かに証明している）

abound /əbáund/ 動 たくさんある
 abound with these illustrations（これらの説明図であふれている）
 abound in vitality（生命力にあふれている）
 abound in the field of chemistry（化学分野に多く見られる）
 such examples **abound**（このような事例はいくらでもある）
 misprints **abound** in this book（この本には誤植が多くある）

005 □ **academic(al)** /ækədémik(əl)/ 形 学術の，アカデミックな

《使用例》
 an **academic** discipline（学術分野）
 an **academic** journal（学術雑誌）
 academic arguments（学術上の議論）
 academic affiliations（学術上の所属先）
 in an **academic** style（アカデミックなスタイルで）
 in **academic** writing（アカデミック・ライティングでは）

《関連語彙A》

academically /ækədémikəli/ 副 学術的に，学術上は
 academically unreliable sources（学術的に信用できない情報源）
 describe these phenomena **academically**（これらの現象を学術的に記述する）
 be **academically** problematic（学術的に問題がある）
 Academically, it is more useful to do（学術上は－する方が有益である）

006 □ **acceptable** /ækséptəbl/ 形 容認できる，容認可能な

《使用例》
an **acceptable** sentence（容認可能な文）
an **acceptable** interpretation（容認できる解釈）
an **acceptable** procedure（容認できる手順）
be completely/fully/perfectly **acceptable**（完全に容認できる）
be equally **acceptable**（同様に容認可能である）
be more **acceptable** than (5b)（(5b)より容認できる）

《関連語彙 A》
accept /æksépt/ 動 容認する，受け入れる
　accept this dichotomy（この二分法を容認する）
　accept the position that S+V（－という立場を受け入れる）
　a generally **accepted** theory of conceptual integration
　　（一般に容認された概念統合理論，確立された概念統合理論）
　be not **accepted** as a mere repetition（単なる繰り返しとしては容認されない）
　it is widely **accepted** that S+V（－ということが広く知られている，認められている）

acceptance /ækséptəns/ 名 容認
　the **acceptance** of this view（この見解の容認）
　the cognitive notion of **acceptance**（容認という認知的概念）
　regarding the **acceptance** of this distinction（この区分の容認に関しては）
　function as a sign of **acceptance**（容認の合図として機能している）
　have received little **acceptance**（ほとんど容認されていない）
　there is general **acceptance** that S+V（－ということが一般に認められている）

acceptability /ækseptəbíləti/ 名 容認可能性
　the **acceptability** of this sentence（この文の容認可能性）
　this difference in **acceptability**（この容認可能性の相違）
　judge the **acceptability** of this inference（この推論の容認可能性を判断する）
　have an effect on **acceptability**（容認可能性に影響を与える）
　when it comes to **acceptability**（容認可能性については，容認可能性の点では）

unacceptable /ʌnækséptəbl/ 形 容認できない，容認不可能な
　unacceptable examples（容認不可能な事例）
　grammatically **unacceptable** sentences（文法的に容認できない文）
　be completely **unacceptable**（全く容認できない）
　be judged as **unacceptable**（容認できないものとして判断される）
　this situation seems **unacceptable**（この状況は容認できないように思える）

007 □ **accidental** /æksədéntl/ 形 偶然の

《使用例》

an **accidental** coincidence（偶然の一致）
an **accidental** relation（偶然の関係）
be totally **accidental**（全くの偶然である）
from such **accidental** circumstances（このような偶然の状況から）
by the **accidental** discovery of this function
　　（偶然にもこの機能を発見することで）
this combination is not **accidental**（この結び付きは偶然ではない）

《関連語彙 A》

accidentally /æksədéntəli/ 副 偶然に
　more or less **accidentally**（多かれ少なかれ偶然に）
　accidentally the same amount of energy（偶然にも同量のエネルギー）
　arise **accidentally**（偶然に生じる）
　be **accidentally** absent（偶然にも欠けている，偶然にも存在しない）
　be **accidentally** represented by the same form（偶然にも同じ形式で表示される）

accident /æksədənt/ 名 偶然
　entirely by **accident**（まったく偶然に）
　be discovered/found by **accident**（偶然発見される）
　it is no **accident** that S+V（－なのは偶然ではない）
　it is not an **accident** that S+V（－なのは偶然ではない）
　Perhaps, it is a mere **accident** that S+V.（－なのはおそらく単なる偶然であろう）

《関連語彙 B》

coincidence /kouínsidəns/ 名 一致，偶然の一致
　the **coincidence** of ABC and XYZ（ABC と XYZ の一致）
　note its **coincidence**（その偶然の一致に注目する）
　this is a **coincidence**（これは偶然の一致である）
　it is no **coincidence** that S+V（－というのは偶然ではない）
　it cannot be a **coincidence** that S+V（－というのは偶然ではありえない）

coincidental /kouinsədéntl/ 形 偶然の
　coincidental similarities（偶然の類似性）
　these differences are **coincidental**（これらの違いは偶然である）
　it is not **coincidental** that S+V（－というのは偶然ではない）

coincidentally /kouinsədéntəli/ 副 偶然に
　be **coincidentally** vertical（偶然にも垂直である）
　not **coincidentally**（偶然という訳ではないが）

008 □ **accordance** /əkɔ́:rdns/ 名 一致

《使用例》

in **accordance** with the discussion so far（ここまでの議論に従って）
in **accordance** with this principle（この原理に従って）
strictly in **accordance** with this classification
　（厳密にはこの分類に従って）
be classified in **accordance** with this criterion
　（この基準に従って分類される）
be in **accordance** with this doctrine（この学説と一致している）
be not in **accordance** with the law of universal gravitation
　（万有引力の法則に従っていない）

《関連語彙 A》

accord /əkɔ́ːrd/ 動 一致する，与える　名 一致
　accord substantially with ABC theory（実質的には ABC 理論と一致している）
　accord great importance to the third principle（第3原理をかなり重視する）
　this **accords** with the following facts:（この点は以下の事実と一致している）
　in **accord** with this general tendency（この一般的傾向に従って）
　be in perfect/complete **accord** with Johnson's (2004) view
　　（Johnson (2004) の見解と完全に一致している）
　be quite in **accord** with the fact that S+V（―という事実とかなり一致している）

according /əkɔ́ːrdiŋ/ 形 (to とともに) ―によれば，―に従って
　according to Johnson (2000)（Johnson (2000) によれば）
　according to the editors（編者によれば）
　according to this principle（この原理に従って）
　according to this hypothesis（この仮説によれば）
　according to the second criterion（2つ目の基準に従えば）

accordingly /əkɔ́ːrdiŋli/ 副 従って，それに従って
　be **accordingly** removed from this analysis（従ってこの分析から除外される）
　reconstruct the past **accordingly**（それに従って過去を再構築する）
　must be judged **accordingly**（それに従って判断されなければならない）
　it is **accordingly** supposed that S+V（従って―であると仮定されている）
　Accordingly, Poland (2005) maintains that S+V
　　（従って, Poland (2005) は―と主張している）
　Accordingly, this relation is implicit.（従って, この関係は非明示的である）

《関連語彙 B》

coincide /kouinsáid/ 動 一致する，同時に生じる
　coincide with these observations（これらの見解と一致している）
　coincide with the results in Figure 4（図4の結果と一致している）
　ABC and XYZ do not necessarily **coincide**（ABC と XYZ は必ずしも一致しない）
　these patterns **coincide**（これらのパターンは一致している，これらのパターンは同時に

生じる)

coincident /kouínsidənt/ 形 一致した，同時の
be **coincident** with the former logic（前者の論理と一致している）
be **coincident** with the process above（先のプロセスと同時に生じる）
be generally **coincident** with the following facts:
　（一般には以下の事実と一致している）
as long as the purposes are **coincident**（その目的が一致する限り）

009 □ account /əkáunt/ 名 説明，考慮　動 説明する，占める

《使用例》

account for this difference（この違いを説明する）
can be **accounted** for by this principle（この原理によって説明できる）
a comprehensive **account** of these data（これらのデータの包括的説明）
the **account** offered here（ここで提示された説明）
the **accounts** put forth by Poland (2001)
　(Poland (2001) によって提案された説明)
account for 10.2 percent of the data（そのデータの 10.2% を占める）
take **account** of cultural differences（文化差を考慮する）
on **account** of the fact that S+V（—という事実のために）

《関連語彙 A》

accountable /əkáuntəbl/ 形 説明できる，説明可能な
　an **accountable** entity（説明可能な実体）
　accountable phenomena（説明可能な現象）
　be naturally **accountable**（自然に説明できる）
　be an **accountable** matter（無理もないことである）
　may not be **accountable**（説明できないかも知れない）

010 □ accurately /ǽkjurətli/ 副 正確に

《使用例》

quite **accurately**（かなり正確に）
as **accurately** as possible（できるだけ正確に）
predict this structure more **accurately**（この構造をより正確に予測する）
be **accurately** described as one facet of conceptual structure
　（概念構造の一面として正確に記述される）
may **accurately** reflect this difference
　（この違いを正確に反映しているかも知れない）

《関連語彙 A》

accurate /ǽkjurət/ 形 正確な
  an **accurate** depiction（正確な描写）
  a detailed and **accurate** discussion（詳細で正確な議論）
  a grammatically **accurate** sentence（文法的に正確な文）
  in an **accurate** manner（正確に）
  present **accurate** information（正確な情報を提示する）
  may be **accurate** in structural terms（構造的観点からは正確なのかも知れない）
  it is more **accurate** to say that S+V（-であると言う方がより正確である）
  it would be more **accurate** to do（-する方がより正確であろう）

accuracy /ǽkjurəsi/ 名 正確さ
  the **accuracy** of the responses（その反応の正確さ）
  some degree of **accuracy**（ある程度の正確さ）
  in terms of **accuracy**（正確さの観点から）
  be recorded with **accuracy**（正確に記録される）
  show an improvement in **accuracy**（正確さにおいて向上を示す）

---

011 ☐ **achieve** /ətʃíːv/ 動 到達する，達成する

《使用例》

achieve further generalizations（さらなる一般化に到達する）
be **achieved** by analyzing these phenomena
  （これらの現象を分析することで達成される）
can be **achieved** simultaneously（同時に達成されうる）
a means of **achieving** these purposes（これらの目的を達成する手段）
in order to **achieve** these goals（これらの目標を達成するためには）

《関連語彙 A》

achievable /ətʃíːvəbl/ 形 達成できる，到達可能な
  be probably **achievable**（おそらく到達可能である）
  be easily **achievable**（容易に達成できる）
  be still not **achievable**（まだ達成できていない）
  be not **achievable** by doing（-することでは到達できない）
  this is also fully **achievable**（これも十分に到達可能である）

achievement /ətʃíːvmənt/ 名 功績，業績，達成，到達
  a succession of **achievements**（一連の功績）
  such great **achievements**（このような偉業）
  Poland's (2000) **achievement**（Poland (2000)の功績）
  a major **achievement** in theoretical physics（理論物理学における大きな功績）
  another **achievement** of cognitive psychology（認知心理学のもう1つの功績）

the **achievement** of this goal（この目的の達成，この目的への到達）

012 ☐ acknowledge /æknɔ́lidʒ/ 動 認める，感謝する

《使用例》

acknowledge the importance of this concept（この概念の重要性を認める）
acknowledge the need to do（−する必要性を認める）
many scholars **acknowledge** that S+V
　（多くの学者が−であると認めている）
it is widely **acknowledged** that S+V（−ということが広く知られている）
I would like to **acknowledge** John C. Klein
　（John C. Klein 氏に感謝したい）

《関連語彙 A》

acknowledgment /æknɔ́lidʒmənt/ 名 謝辞，認識
　Acknowledgments（謝辞）
　in **acknowledgment** of her helpful comments（彼女の有益なコメントに感謝して）
　an **acknowledgment** of the problem（その問題の認識）
　the consequence of this **acknowledgment**（この認識の帰結）
　there is little **acknowledgment** that S+V（−という認識はほとんどない）

013 ☐ actually /ǽktʃuəli/ 副 実際には，実際に

《使用例》

an **actually** observed phenomenon（実際に観察された現象）
be **actually** quite common（実際にはかなり一般的である）
though **actually** different（実際には異なっているけれども）
when this is **actually** used（これが実際に使われる時には）
such a concept **actually** exists（このような概念が実際に存在する）
this is not **actually** the case（これは実際には正しくない）
this assumption may **actually** be true
　（この仮定は実際には正しいかも知れない）

《関連語彙 A》

actual /ǽktʃuəl/ 形 実際の
　an **actual** example of personification（擬人法の実例）
　an **actual** individual（実在の個体）
　reflect the **actual** situation（その実際の状況を反映している）
　imply an **actual** change（実際の変化を含意する）
　in **actual** fact（実際には）

in **actual** language use（実際の言語使用では）

actuality /æktʃuǽləti/ 名 実際，現実，実在性
 the notion of **actuality**（実在性という概念，写実性という概念）
 but in **actuality**（しかし実際には）
 differ from **actuality**（現実とは異なる）
 do not occur in **actuality**（実際には生じない）
 In **actuality**, this situation is impossible.（実際にはこの状況は不可能である）

actualize /ǽktʃuəlaiz/ 動 実現する
 be **actualized** in the process（そのプロセスの中で実現される）
 if this is **actualized**（もしこれが実現するならば）
 in order to **actualize** this purpose（この目的を実現するためには）
 this interpretation is not **actualized**（この解釈は実現されない）

actualization /æktʃuəl(a)izéiʃən/ 名 実現，実現化
 this **actualization**（この実現化）
 the **actualization** of this principle（この原理の実現）
 the level of self-**actualization**（その自己実現のレベル）
 with reference to its **actualization**（その実現に関しては）

014 □ additional /ədíʃənl/ 形 さらなる，追加の

《使用例》
an **additional** advantage of this account（この説明のさらなる利点）
an **additional** aim of this paper（本論文のさらなる目的）
additional examples（さらなる事例，追加の事例）
additional empirical evidence（さらなる経験証拠）
provide **additional** support for this analysis
 （この分析をさらに裏づけている）
require **additional** work（さらに研究が必要である）
need an **additional** principle（追加原理が必要である）
additional thanks go to Professor John Poland
 （John Poland 教授にも感謝する）

《関連語彙 A》
add /ǽd/ 動 加える，追加する，付言する
 add an extra element to this structure（この構造に余分な要素を加える）
 add a few more examples（数例をさらに追加する）
 (Poland 2001: 22, emphasis **added**)（(Poland 2001:22, 強調は筆者による)）
 such **added** elements（このような追加要素）
 need to be **added** to the inventory（そのリストに加える必要がある）

Johnson (2008) **adds** that S+V（Johnson (2008)は−と付言している）
　　it should be **added** at this point that S+V
　　　（−ということをここで付言しておくべきである）

additionally /ədíʃənəli/ 副 さらに，加えて
　　this hypothesis can **additionally** be tested（この仮説も検証されうる）
　　these examples are **additionally** complex（これらの事例も複雑である）
　　this problem becomes **additionally** complicated
　　　（この問題がさらに複雑化してしまう）
　　Additionally, it is worth noting that S+V（加えて−にも注目する価値がある）
　　it may **additionally** be helpful to do（−することも有益であるかも知れない）

addition /ədíʃən/ 名 追加
　　in **addition**（さらに，加えて）
　　in **addition** to this（これに加えて）
　　in **addition** to these definitions（これらの定義に加えて）
　　in **addition** to English examples（英語の例に加えて）
　　by the **addition** of this extra process（この余分なプロセスの追加によって）
　　be not the mere **addition** of elements（単なる要素の追加ではない）

015 □ **address** /ədrés/ 動 扱う，取り組む，検討する

《使用例》
address these questions（これらの課題に取り組む）
address the nature of grammar（文法の性質について検討する）
be **addressed** in detail in Section 4（第4節で詳しく扱われる）
another phenomenon **addressed** in this book
　（本書で扱われるもう1つの現象）
in order to **address** this problem（この問題を検討するためには）

016 □ **adequate** /ǽdikwət/ 形 適切な，妥当な

《使用例》
be perfectly **adequate**（全く妥当である）
be descriptively **adequate**（記述的に妥当である）
a descriptively **adequate** theory（記述的に妥当な理論）
an **adequate** account of these phenomena（これらの現象の妥当な説明）
in an **adequate** context（適切な文脈内では）
this analysis would be **adequate**（この分析は妥当であろう）

《関連語彙 A》

adequately /ǽdikwətli/ 副 適切に，十分に
  describe this phenomenon **adequately**（この現象を適切に記述する）
  understand these conditions **adequately**（これらの条件を適切に理解する）
  in order to **adequately** characterize this function
    （この機能を適切に特徴づけるためには）
  be **adequately** reflected in these models（これらのモデルに適切に反映されている）
  cannot be **adequately** explained by this model
    （このモデルでは十分に説明できない）

adequacy /ǽdikwəsi/ 名 妥当性
  a matter of descriptive **adequacy**（記述的妥当性の問題）
  be lacking in descriptive **adequacy**（記述的妥当性を欠いている）
  the **adequacy** of using this model（このモデルを使うことの妥当性）
  question the **adequacy** of the view（その見解の妥当性を疑問視する）
  evaluate the **adequacy** of this framework（この枠組みの妥当性を評価する）

017 □ **admit** /ædmít/ 動 認める

《使用例》
admit this connection（この関係を認める）
as Johnson (2000) implicitly **admits**
  （Johnson (2000) が暗黙の内に認めているように）
as the author **admits**（著者が認めているように）
Winter (1999) **admits** that S+V
  （Winter (1999) は－ということを認めている）
it must be **admitted** that S+V（－ということが認められなければならない）

018 □ **adopt** /ədɔ́pt/ 動 採用する，取る

《使用例》
adopt this definition（この定義を採用する）
adopt the position that S+V（－という立場を取っている）
the criterion **adopted** here（ここで採用された基準）
have long been **adopted**（長い間採用されてきた）
The ABC model is **adopted** in this paper.
  （本稿では ABC モデルが採用される）

《関連語彙 A》
adoption /ədɔ́pʃən/ 名 採用，採択
  the rate of **adoption**（採用率，採択率）
  the **adoption** of the technique（その技術の採用）

the **adoption** of this principle（この原理の採用）
the **adoption** of biological terminology（生物用語の採用）
this **adoption** cannot be justified（この採用 / 採択は正当化できない）

adoptable /ədɔ́ptəbl/ 形 採用可能な，採用できる
　be **adoptable** as a principle（1つの原理として採用できる）
　be not **adoptable** in this paper（本稿では採用できない）
　whether this method is **adoptable** or not（この方法が採用できるかどうか）
　this system is **adoptable**（このシステムは採用可能である）
　such a strong stance would not be **adoptable**
　　（このような強い立場は採用できないであろう）

019 □ **advance** /ædvǽns/ 動 提示する，提唱する

《使用例》
be **advanced** in Klein (2001)（Klein (2001)において提示される）
have been **advanced** as an alternative to this model
　（このモデルの代案として提唱されてきた）
advance three types of proposals（3タイプの提案を提示する）
the claim **advanced** in Chapter 3（第3章で提示された主張）

《関連語彙 A》
advancement /ædvǽnsmənt/ 名 提唱，提示，発展
　the **advancement** of new theories（新しい理論の提唱）
　the **advancement** of Principle A（原理 A の提示，原理 A の提唱）
　in the **advancement** of cognitive linguistics（認知言語学の発展において）
　contribute to the **advancement** of applied physics（応用物理学の発展に貢献する）

020 □ **advantage** /ædvǽntidʒ/ 名 利点，強み

《使用例》
an important / a significant **advantage**（重要な利点）
have several **advantages**（いくつかの利点がある）
be an **advantage** of this approach
　（このアプローチの1つの利点 / 強みである）
another **advantage** is that S+V（別の利点としては − が挙げられる）
highlight its **advantages** over previous accounts
　（それがこれまでの説明よりも勝っていることを強調する）
take **advantage** of this method（この方法を利用する）

《関連語彙 A》

disadvantage /dɪsədvǽntɪdʒ/ 图 欠点, 不利な点
　the **disadvantages** of this explanation（この説明の欠点）
　a **disadvantage** in theorizing（理論化における不利な点）
　have the **disadvantage** that S+V（－という欠点がある）
　have the **disadvantage** of doing（－という欠点がある）
　in spite of this **disadvantage**（この欠点にも関わらず）
　one of the **disadvantages** is that S+V（その欠点の1つは－ということである）

021 ☐ **advocate** /ǽdvəkeɪt/ 動 提唱する, 主張する
　　　　　　　 /ǽdvəkət (ǽdvəkeɪt)/ 图 提唱者

《使用例》
　advocate this view（この考え方を提唱する）
　advocate the need for this concept（この概念の必要性を主張する）
　advocate that S+V（－ということを主張する）
　the view **advocated** here（ここで提唱された考え方）
　the approach **advocated** by Poland (2001)
　　（Poland (2001)によって提唱されたアプローチ）
　an **advocate** of this hypothesis（この仮説の提唱者の1人）

022 ☐ **affect** /əfékt/ 動 影響を与える

《使用例》
　affect the type of representation（表示のタイプに影響を与える）
　affect the analysis presented in Section 4
　　（第4節で提示された分析に影響を与える）
　be not **affected** by this element（この要素からの影響は受けない）
　tend to be **affected** by this principle（この原理からの影響を受けやすい）
　semantic change that **affects** these elements
　　（これらの要素に影響を与える意味変化）

023 ☐ **affiliation** /əfìliéɪʃən/ 图 （学術上の）所属先

《使用例》
　an academic **affiliation**（学術上の所属先）
　a new academic **affiliation**（新しい（学術上の）所属先）
　her current academic **affiliation**（彼女の現在の（学術上の）所属先）
　other academic **affiliations**（その他の（学術上の）所属先）
　have no academic **affiliation**（（学術上の）所属先を持っていない）

《関連語彙 A》

university /juːnəvə́ːrsəti/ 名 大学
　a national **university**（国立大学）
　a private **university**（私立大学）
　Orange **University**（オレンジ大学）
　University of XYZ, Los Angeles（XYZ 大学ロサンジェルス校）
　ABC **University** Press（ABC 大学出版会）
　at XYZ **University**（XYZ 大学で）
　at the same **university**（同じ大学で）
　university-level learners（大学レベルの学習者）

faculty /fǽkəlti/ 名 学部
　Faculty of Pharmaceutical Sciences（薬学部）
　Faculty of Letters（文学部）
　the **Faculty** of Arts at ABC University（ABC 大学芸術学部）
　these two **faculties**（これら2つの学部）
　many **faculty** members（多くの教員）

department /dipáːrtmənt/ 名 学科
　Department of English（英語学科）
　Department of Psychology（心理学科）
　in many linguistics **departments**（多くの言語学科で）
　a colleague in a different **department**（別の学科の同僚）
　ten students from the **department** of mathematics（数学科からの 10 人の学生）

institute /ínstətjuːt/ 名 研究所，大学，短期講座
　ABC **Institute**（ABC 研究所）
　XYZ **Institute** of Technology（XYZ 工科大学）
　an **institute** for evolutionary anthropology（進化人類学研究所）
　a summer **institute** of cognitive linguistics（認知言語学の夏期講座）
　at this **institute**（この研究所で）

---

024 □ **affinity** /əfínəti/ 名 類似性

《使用例》

an **affinity** between Spanish and Portuguese
　（スペイン語とポルトガル語の類似性）
given the close **affinities**（そのかなりの類似性を考慮すれば）
despite its **affinity** with theoretical research
　（理論研究とのその類似性にも関わらず）
show a close **affinity** to the former structure（前者の構造にかなり近い）
display a clear **affinity** to Johnson's (2002) model

(Johnson (2002)のモデルに完全に似ている)

025 ☐ **agreement** /əgríːmənt/ 图 一致, 意見の一致

《使用例》

be in full/complete **agreement** with the latter position
（後者の立場と完全に一致している）

be in fundamental **agreement** with respect to this issue
（この問題に関しては基本的に意見が一致している）

interesting results in **agreement** with these intuitions
（これらの直観に一致する興味深い結果）

there is general/widespread **agreement** that S+V
（-ということが一般に/広く認められている）

there is little **agreement** on this point
（この点についてはほとんど意見の一致が見られていない）

there is an **agreement** of 92% between ABC and XYZ
（ABCとXYZの間には92%の一致が見られる）

《関連語彙A》

agree /əgríː/ 動 一致する, 賛同する, 認める
　agree with this argument（この議論に賛同する）
　agree with Poland's (2002) view（Poland (2002)の見解に一致している）
　agree on the fact that S+V（-という事実の点では一致している）
　cannot **agree** with XYZ theory（XYZ理論には賛同できない）
　most psychologists **agree** that S+V（心理学者のほとんどが-ということを認めている）

disagree /dìsəgríː/ 動 一致しない, 異議を唱える
　disagree with the following conclusion:（以下の結論と一致していない）
　disagree with this assessment（この評価に異議を唱える）
　disagree with London's (2006) claim（London(2006)の主張に一致していない）
　disagree on these criteria（これらの基準については一致していない）
　disagree among social psychologists（社会心理学者の間で一致していない）

disagreement /dìsəgríːmənt/ 图 不一致, 相違
　a mere **disagreement**（単なる不一致, 単なる相違）
　this kind of **disagreement**（この種の不一致, この種の相違）
　an example of partial **disagreement**（部分的不一致の一例, 部分的相違の一例）
　be in **disagreement** with the conclusion（その結論と一致していない）
　there is considerable **disagreement** between ABC and XYZ
　　（ABCとXYZの間にはかなりの相違がある）

026 □ aim /éim/ 名 目的　動 －を目的とする

《使用例》

the **aim** of this article（本稿の目的）
the main **aim** of this paper is to do（本論の主目的は－することである）
one of the **aims** of this research（本研究の目的の１つ）
with the **aim** of doing（－する目的で）
because of its **aims**（その目的のために）
aim at redefining this principle（この原理の再定義を目的としている）
aim to redefine this principle（この原理の再定義を目的としている）

027 □ akin /əkín/ 形 類似の，似ている

《使用例》

be **akin** to Winter's (1999) observation（Winter(1999)の見解に似ている）
be somewhat **akin** to the notion of perspective
　（視点という概念に少し似ている）
be conceptually **akin** to proper nouns（概念的には固有名詞に似ている）
a notion **akin** to that proposed in London (2001)
　（London(2001)で提案されたものに類似した概念）
this is **akin** to the hypothesis presented in Poland (2002)
　（これは Poland(2002)で提示された仮説に似ている）

028 □ albeit /ɔːlbíːit/ 接 －であるけれども，－であるが

《使用例》

albeit rather speculatively（かなり思索的ではあるが）
albeit somewhat limited（少し限定的ではあるが，少し限定的であるけれども）
albeit limited to these phenomena（これらの現象に限定されるけれども）
albeit from a different perspective（別の視点からではあるが）
two distinct, **albeit** related, concepts（関連はあるが全く別個の２つの概念）

029 □ alike /əláik/ 副 同様に　形 似ている

《使用例》

treat these phenomena **alike**（これらの現象を同様に取り扱う）
be basically **alike**（基本的に似ている）
become exactly **alike**（正確には似てくる，正確には似通ってくる）
seem superficially **alike**（表面上は似ているように思える）

be processed **alike**（同様に処理される）
can be described **alike**（同様に記述できる）

030 ☐ **alphabetic(al)** /ælfəbétik(əl)/ 形 アルファベット順の，アルファベットの

《使用例》
an **alphabetical** list of references（アルファベット順の参考文献リスト）
an **alphabetical** compilation of technical terms
　（アルファベット順の専門用語集）
the **alphabetical** notation（そのアルファベット表記）
in **alphabetical** order（アルファベット順で）
in reverse **alphabetical** order（アルファベットの逆順に）
on account of **alphabetical** ordering（アルファベット順のため）

《関連語彙 A》
alphabet /ǽlfəbit/ 名 アルファベット，文字体系
　the Greek **alphabet**（ギリシャ文字）
　the Arabic **alphabet**（アラビア文字）
　the Roman **alphabet**（ローマ字）
　the International Phonetic **Alphabet**（国際音標文字）
　as far as **alphabets** are concerned（アルファベットに関する限り）
　be represented by lowercase letters of the **alphabet**
　　（アルファベットの小文字で示される）

alphabetically /ælfəbétikəli/ 副 アルファベット順で
　an **alphabetically** organized list（アルファベット順で構成されたリスト）
　list these terms **alphabetically**（これらの用語をアルファベット順で列挙する）
　sort these words **alphabetically**（これらの語彙をアルファベット順に並び替える）
　be arranged **alphabetically**（アルファベット順に配列される）
　be **alphabetically** structured（アルファベット順で構造化される）

alphabetize /ǽlfəbətaiz/ 動 アルファベット順にする
　alphabetize these data（これらのデータをアルファベット順に並び替える）
　should be **alphabetized**（アルファベット順にすべきである）
　an **alphabetized** list（アルファベット順のリスト）
　a tool for **alphabetizing** lists（一覧表をアルファベット順にする道具立て）
　in **alphabetized** order（アルファベット順で）

031 ☐ **alternative** /ɔːltə́ːrnətiv/ 形 代替の，別の　名 代案，選択肢

《使用例》
an **alternative** theory（代替理論）

an **alternative** explanation/account（別の説明, もう1つの説明）
an **alternative** way to do（—するための別の方法）
the only **alternative**（唯一の選択肢, 唯一の代案）
propose another **alternative**（別の代案を提案する）
as an **alternative** to this model（このモデルの代案として）

《関連語彙 A》
alternatively /ɔːltə́ːrnətivli/ 副 あるいは
  or **alternatively**（あるいは）
  can **alternatively** be construed as a verb（あるいは動詞としても解釈できる）
  Alternatively, it is possible that S+V（あるいは, —ということも可能である）
  Alternatively, it might be objected that S+V
    （あるいはまた, —と反論されるかも知れない）
  this is **alternatively** called the principle of economy
    （これは経済性原理とも呼ばれる）

032 □ **altogether** /ɔːltəgéðər/ 副 完全に, 全く

《使用例》
explain this mechanism **altogether**（このメカニズムを完全に説明する）
ignore these views **altogether**（これらの見解を完全に無視する）
abandon this hypothesis **altogether**（この仮説を完全に放棄する）
be not **altogether** excluded（完全には除外されない）
be not **altogether** clear（全く明らかではない）
be left **altogether** unexpressed（全く表現されていない）

033 □ **ambiguous** /æmbíɡjuəs/ 形 曖昧な

《使用例》
an **ambiguous** word（曖昧な語彙）
the perception of **ambiguous** stimuli（曖昧な刺激の知覚）
be **ambiguous** between ABC and XYZ（ABCとXYZの間で曖昧である）
be **ambiguous** in five ways（5つの点で曖昧である）
be temporally **ambiguous**（時間的に曖昧である）
this relationship would be **ambiguous**（この関係は曖昧であろう）

《関連語彙 A》
ambiguously /æmbíɡjuəsli/ 副 曖昧に
  quite/very **ambiguously**（かなり曖昧に）
  an **ambiguously** used term（曖昧に使われる用語）

be interpreted more **ambiguously**（より曖昧に解釈される）
should not be defined **ambiguously**（曖昧に定義されるべきではない）

ambiguity /æmbigjúːəti/ 名 曖昧性
　these structural **ambiguities**（これらの構造的曖昧性）
　indicate **ambiguity**（曖昧性を示している）
　resolve the **ambiguity**（その曖昧性を解消する）
　cause unnecessary **ambiguity**（不必要な曖昧性を引き起こす）
　leave several **ambiguities** unresolved（いくつかの曖昧性がまだ解消されていない）
　be not due to **ambiguity**（曖昧性のためではない）
　in the resolution of **ambiguity**（曖昧性の解消において）
　there are two **ambiguities** about the latter（後者については2つの曖昧性がある）

《関連語彙 B》

unambiguous /ˌʌnæmbígjuəs/ 形 明確な
　an **unambiguous** category（明確なカテゴリー）
　an **unambiguous** clue（明確な手掛かり）
　provide an **unambiguous** response（明確に返答する）
　these results are **unambiguous**（これらの結果は明確である）

unambiguously /ˌʌnæmbígjuəsli/ 副 明確に
　draw a line between these levels **unambiguously**
　　（これらのレベルの間に明確な一線を引く）
　can be expressed **unambiguously**（明確に述べられる，明確に表現されうる）
　can be **unambiguously** classified as a natural category
　　（自然カテゴリーとして明確に分類できる）

---

034 □ **amount** /əmáunt/ 名 量　動 —に等しい，—に相当する

《使用例》
　the **amount** of knowledge（知識の量，知識量）
　a small **amount** of linguistic data（少量の言語データ）
　a vast/large **amount** of relevant data（大量の関連データ）
　a minute **amount** of air（微量の空気）
　the same **amount** of water（同量の水）
　amount to the number of verbs（動詞の数に等しい）
　amount to a rejection of this theory（この理論の否定に相当する）

---

035 □ **ample** /ǽmpl/ 形 十分な

《使用例》
　ample electric energy（十分な電気エネルギー）

in **ample** detail（十分詳細に，かなり詳細に）
make **ample** use of this notion（この概念を十分に利用する）
have received **ample** attention（十分に注目されてきた）
there is **ample** evidence to suggest that S+V
　（−ということを示唆する十分な証拠がある）
there is **ample** justification for the claim that S+V
　（−という主張には十分な根拠がある）

036 □ **analogous** /ənǽləɡəs/ 形 類似の，似ている

《使用例》

an **analogous** problem（似たような問題）
analogous results（似たような結果）
be structurally **analogous**（構造的に似ている）
an account **analogous** to Johnson (2000)
　（Johnson (2000) に類似した説明）
be exactly **analogous** to Figure 3（まさに図3に似ている）
be quite **analogous** to Principle A（原理Aにかなり類似している）

《関連語彙 A》

analogously /ənǽləɡəsli/ 副 同様に
　function/work **analogously**（同様に機能する）
　be **analogously** conceptualized（同様に概念化される）
　analogously to Pattern A（パターンAと同様に）
　altogether **analogously** to other theories（他の理論と全く同様に）
　Analogously, this utterance is easily interpretable.
　　（同様に，この発話も容易に解釈できる）

037 □ **analytic(al)** /ænəlítik(əl)/ 形 分析の，分析上の

《使用例》

an **analytical** tool（分析のための道具立て）
a more concrete **analytical** process（より具体的な分析プロセス）
analytic principles（分析原理）
this **analytic** method（この分析方法）
in **analytical** philosophy（分析哲学においては）
to avoid **analytical** pitfalls（分析上の落とし穴を避けるために）

《関連語彙 A》

analytically /ænəlítikəli/ 副 分析上，分析的に
　analytically speaking（分析的に言って，分析的に言えば）
　an **analytically** important notion（分析上重要な概念）
　distinguish them **analytically**（分析上それらを区分する）
　it is **analytically** convenient to do（～するのは分析上有益である）
　Analytically, this can be said to be correct.（分析的にはこれは正しいと言える）

analysis /ənæləsis/ 名 分析（単数）
　an erroneous **analysis**（誤った分析，間違った分析）
　the upshot of this **analysis**（この分析の結果）
　under this **analysis**（この分析のもとでは）
　propose an alternative **analysis**（別の分析を提案する）
　conduct an **analysis** of emotional expressions（感情表現の分析を行う）
　a different **analysis** can be assumed（別の分析を仮定することができる）
　whether this **analysis** is correct or not（この分析が正しいかどうか）
　this **analysis** needs rethinking（この分析は再考を必要としている）
　there are a number of problems with this **analysis**（この分析には多くの問題がある）

analyses /ənæləsi:z/ 名 分析（複数）
　more concrete **analyses**（より具体的な分析）
　the statistical **analyses** above（上記の統計分析）
　under previous **analyses**（これまでの分析では）
　in preliminary **analyses**（予備分析において(は)）
　through in-depth **analyses** of this data（このデータの詳細な分析を通して）

analyst /ænəlist/ 名 分析者
　other **analysts**（他の分析者）
　this **analyst**'s perspective（この分析者の視点）
　confirm the **analyst**'s intuitions（その分析者の直観を確かめる）
　vary among **analysts**（分析者の間で異なる，分析者によって変容する）
　be devised by **analysts**（分析者によって考案される）

analyze /ǽnəlaiz/ 動 分析する
　analyze this effect in structural terms（構造的観点からこの効果を分析する）
　analyze this problem in more detail（この問題をより詳しく分析する）
　the sample **analyzed** here（ここで分析したサンプル）
　be **analyzed** separately（別々に分析される）
　can be naturally **analyzed** as including this notion
　　（この概念を含むものとして自然に分析できる）
　this paper **analyzes** Poland's (2001) data
　　（本論文では Poland (2001) のデータを分析する）

analyzable /ǽnəlaizəbl/ 形 分析できる，分析可能な
　be easily **analyzable**（容易に分析できる）

be **analyzable** into five elements at least（少なくとも5つの要素に分析できる）
be **analyzable** in terms of length（長さの観点から分析可能である）
be **analyzable** in a similar way（同様に分析可能である）
be not logically **analyzable**（論理的には分析できない）

《関連語彙 B》

reanalysis /riːənǽləsis/ 图 再分析（単数）
reanalyses /riːənǽləsiːz/ 图 再分析（複数）
　a process of **reanalysis**（再分析のプロセス）
　this kind of **reanalysis**（この種の再分析）
　the need for this **reanalysis**（この再分析の必要性）
　three **analyses**（3つの再分析）
　in this **reanalysis**（この再分析では）
　through a **reanalysis** of these concepts（これらの概念の再分析を通して）
　no **reanalysis** is necessary（再分析は必要ない）

reanalyze /riːǽnəlaiz/ 動 再分析する
　reanalyze the models mentioned above（上述のモデルを再分析する）
　reanalyze this element as a verb（この要素を動詞として再分析する）
　by **reanalyzing** the examples in (7)（(7)の事例を再分析することで）
　need to be **reanalyzed**（再分析される必要がある）
　have been **reanalyzed** by Poland (2001)（Poland (2001)によって再分析されてきた）

038 ☐ **annotate** /ǽnəteit/ 動 注釈を付ける

《使用例》

annotate the book（その本に注釈を付ける）
be **annotated** by James Brown
　（James Brown 氏によって注釈が付けられている）
an **annotated** corpus（注釈付きコーパス）
annotated data（注釈付きのデータ）
Annotated Bibliography（注釈付き参考文献）

《関連語彙 A》

annotation /ænətéiʃən/ 图 注釈，注解
　the following **annotations**（以下の注釈）
　an additional **annotation**（追加の注解）
　the **annotation** of technical terms（専門用語の注解）
　a treatise with **annotations**（注釈付きの専門書）
　this book has detailed **annotations**（この本には詳しい注釈が付いている）

039 ☐ anonymous /ənɑ́nəməs/ 形 匿名の

《使用例》

an **anonymous** referee（1名の匿名査読者）
two **anonymous** reviewers（2名の匿名査読者）
helpful comments from three **anonymous** referees
　（3人の匿名査読者からの有益なコメント）
by an **anonymous** editor（匿名の編者によって）
as an **anonymous** reviewer states（匿名の査読者が述べるように）

040 ☐ apparatus /æpəréitəs, æpərǽtəs/ 名 道具立て，装置，器官

《使用例》

a conceptual **apparatus**（概念的道具立て）
a special **apparatus** for doing（－するための特別な道具立て）
such a conceptual **apparatus**（このような概念装置）
unlike the human perceptual **apparatus**（人間の知覚器官とは異なり）
require no additional theoretical **apparatus**
　（追加の理論的道具立てを一切必要としない）
share the same cognitive **apparatus**（同じ認知的道具立てを共有している）

041 ☐ apparent /əpǽrənt, əpéərənt/ 形 明らかな

《使用例》

be **apparent** from the discussion so far（ここまでの議論から明らかである）
this is especially **apparent** in (10)（(10)においてこれは特に明らかである）
some **apparent** counterexamples（いくつかの明らかな反例）
an **apparent** violation of Principle A（原理Aの明らかな違反）
as is **apparent** from the following examples
　（以下の事例から明らかなように）
these differences become **apparent**（これらの違いが明らかになる）
it is **apparent** that S+V（－なのは明らかである）

《関連語彙A》

apparently /əpǽrəntli, əpéərəntli/ 副 明らかに
　be **apparently** present（明らかに存在している）
　be **apparently** preferred（明らかに好まれる）
　be **apparently** unaware of this mechanism
　　（このメカニズムには明らかに気づいていない）

an **apparently** contradictory pattern（明らかに矛盾したパターン）

042 ☐ **appendix** /əpéndiks/ 名 付録（単数）
appendices /əpéndəsi:z/ 名 付録（複数）

《使用例》
Appendix A（付録 A）
Appendixes/Appendices A and B（付録 A と付録 B）
see **Appendix**（付録を参照のこと）
cf. **Appendix**（付録参照）
in **Appendices** I and II（付録 I と付録 II では）
the verbs listed in **Appendix** 1（付録 1 に列挙された動詞）
be shown/presented/given in **Appendix** B（付録 B に示される）
as **Appendix** 3 shows（付録 3 が示しているように）

043 ☐ **applicable** /ǽplikəbl/ 形 適用できる，応用できる

《使用例》
be universally **applicable**（普遍的に適用できる）
be **applicable** to the study of meaning（意味の研究に応用できる）
be **applicable** to all elements（全ての要素に適用できる）
be equally **applicable** to other phenomena（他の現象にも応用できる）
be not generally **applicable** to (5)（一般に (5) には適用できない）

《関連語彙 A》
apply /əplái/ 動 適用する，応用する，当てはまる
  in **applied** physics（応用物理学では）
  as **applied** to the study of conceptual structure
      （概念構造の研究に応用されるように）
  apply to a wide range of contexts（多様な文脈に当てはまる）
  apply the same principle to other fields（同じ原理を別の領域に応用する）
  can also be **applied** to this phenomenon（この現象にも適用できる）
  this concept cannot be **applied**（この概念は適用できない）

application /æpləkéiʃən/ 名 適用，応用
  an example of **application**（応用例）
  the **application** of this theory into other areas of research
      （この理論を他の研究領域に応用すること）
  an **application** of the same principles（同じ原理の適用）
  another field of **application**（別の適用領域，別の応用領域）
  without the **application** of a new theory（新しい理論を適用することなく）

cause a difficult problem in **application**（適用に際して難しい問題を引き起こす）
await practical **application**（実際に適用してみる必要がある）

044 □ **appreciate** /əpríːʃieit/ 動 認識する，理解する，感謝する

《使用例》
appreciate the importance of frequency（頻度の重要性を認識する）
appreciate its limitations（その限界を認識する）
appreciate this aspect（この側面を認識する）
in order to **appreciate** this point fully（この点を完全に理解するためには）
I **appreciate** the comments made by Robert Johnson
　（Robert Johnson 氏からのコメントに感謝したい）

《関連語彙 A》
appreciation /əpriːʃiéiʃən/ 名 認識，理解，感謝
　this holistic **appreciation**（この全体的理解，この全体的認識）
　the **appreciation** of art works（芸術作品の理解）
　the proper **appreciation** of this problem（この問題の適切な理解）
　in the process of **appreciation**
　　（その理解プロセスにおいて，その認識プロセスにおいて）
　for a better **appreciation** of its process（そのプロセスをより良く理解するために）
　an expression of **appreciation**（感謝表現）
　express my/our **appreciation** for their suggestive comments
　　（彼らからの示唆に富むコメントに感謝する）

045 □ **approach** /əpróutʃ/ 名 アプローチ 動 アプローチする

《使用例》
a similar **approach**（似たようなアプローチ）
a surprisingly new **approach**（意外にも新しいアプローチ）
Winter's (2000) **approach**（Winter (2000) のアプローチ）
these formal **approaches**（これらの形式的アプローチ）
a historical **approach** to language and culture
　（言語文化への歴史的アプローチ）
use a new **approach**（新しいアプローチを用いる）
approach this problem（この問題にアプローチする）
be **approached** in structural terms（構造的観点からアプローチされる）

046 □ **appropriate** /əpróupriət/ 形 適切な，妥当な，適している

《使用例》

a more **appropriate** description（より適切な記述）
an **appropriate** way to do（‐する適切な方法）
be **appropriate** on this occasion（この場合適切である）
be also psychologically **appropriate**（心理学的にも妥当である）
be seen as **appropriate** for this research
　（本研究に適していると考えられる）
provide an **appropriate** explanation（妥当な説明をもたらす）
it is more **appropriate** to do（‐する方がより適切である）
the answer would not be **appropriate**（その答えは妥当ではないであろう）

《関連語彙A》

appropriately /əpróupriətli/ 副 適切に
　use the device **appropriately**（その道具立てを適切に用いる）
　be dealt with **appropriately**（適切に処理される，適切に論じられる）
　can be **appropriately** interpreted on the basis of Principle B
　　（原理Bに基づいて適切に解釈できる）
　more **appropriately**（より適切には）
　quite **appropriately**（かなり適切に）

appropriateness /əpróupriətnəs/ 名 妥当性，適切性
　the **appropriateness** of this suggestion（この提案の妥当性）
　the notion of **appropriateness**（妥当性という概念）
　in terms of **appropriateness**（適切性の観点から）
　question its **appropriateness**（その妥当性を疑問視する）
　be a matter of **appropriateness**（適切性の問題である）
　reveal the **appropriateness** of XYZ theory（XYZ理論の妥当性を明らかにする）

047 □ **approximately** /əpróksəmətli/ 副 約，ほぼ

《使用例》

approximately 20 minutes（約20分）
approximately 40 percent of the respondents（回答者の約40パーセント）
an **approximately** 30,000-words corpus（約3万語のコーパス）
at **approximately** the same time（ほぼ同時に）
remain **approximately** constant（ほぼ一定のままである）

《関連語彙A》

approximate /əpróksəmət/ 形 おおよその，近接した
　　　　　　 /əpróksəmeit/ 動 ‐に近い，近づける
　the **approximate** distance（そのおおよその距離）

an **approximate** value（近似値）
these elements are **approximate**（これらの要素は近接している）
approximate the structure in Figure 3（図3の構造に近い）
approximate a normal distribution（正規分布に近づける）

approximation /əprɔksəméiʃən/ 图 推定，概算，接近すること
the **approximation** of velocity（速度の推定）
a rough **approximation**（大まかな推定）
a first **approximation** to this problem（この問題にまず着目すること）
in this **approximation**（この推定 / 概算では）
as a first **approximation**（大まかに言えば, 最初は, はじめは）

---

048 ☐ **arbitrary** /á:rbətrəri/ 形 任意の，恣意的な

《使用例》
an **arbitarary** cut-off point（任意の切断点）
an **arbitrary** relationship between ABC and XYZ
　（ABC と XYZ の間の恣意的な関係）
two **arbitrary** elements（2つの任意の要素）
be obviously/clearly **arbitrary**（明らかに任意である, 明らかに恣意的である）
the order of these elements is **arbitrary**（これらの要素の順序は任意である）
in **arbitrary** order（順序不同で）

《関連語彙 A》
arbitrarily /á:rbətrərəli/ 副 任意に，恣意的に
　stipulate this mechanism **arbitrarily**（このメカニズムを任意に規定する）
　define this concept **arbitrarily**（この概念を恣意的に定義する）
　be **arbitrarily** connected（恣意的に結合している）
　be chosen **arbitrarily**（任意に選ばれる）
　an **arbitrarily** determined category（恣意的に決定されたカテゴリー）

arbitrariness /á:rbətrərənəs/ 图 恣意性，任意性
　a case of **arbitrariness**（恣意性の一例）
　the **arbitrariness** of semantic extensions（意味拡張の恣意性）
　some degree of **arbitrariness**（ある程度の任意性）
　regardless of its **arbitrariness**（その恣意性にも関わらず）
　narrow its **arbitrariness**（その恣意性を狭める）

---

049 ☐ **arguably** /á:rgjuəbli/ 副 おそらく

《使用例》
be **arguably** the most detailed overview of ABC theory

(おそらく ABC 理論の最も詳しい概説である)
be **arguably** due to a cumulative effect
　　(おそらく累積効果によるものである)
this is **arguably** a different phenomenon (これはおそらく別の現象である)
further research is **arguably** necessary
　　(さらなる研究がおそらく必要である)
Arguably, this sentence is ambiguous. (おそらく, この文は曖昧である)

《関連語彙 A》
arguable /á:rgjuəbl/ 形 議論の余地がある, 疑わしい
　an **arguable** issue (議論の余地がある問題)
　a variety of **arguable** evidence (様々な疑わしい証拠)
　be certainly **arguable** (確かに議論の余地がある)
　it is **arguable** that S+V (−ということは議論の余地がある)
　it is **arguable** whether S+V (−かどうかは疑わしい)

050 □ argument　/á:rgjumənt/ 名 議論

《使用例》
a convincing **argument** (説得力のある議論)
a fallacious **argument** (誤った議論)
the **argument** that S+V (−という議論)
the **argument** put forward here (ここで提案された議論)
Poland's (2004) **arguments** on/about corporal punishment
　　(体罰に関する Poland (2004) の議論)
an **argument** against this approach (このアプローチへの反論)
assume for the sake of **argument** that S+V
　　(議論を進めるために−であると仮定してみよう)

《関連語彙 A》
argue /á:rgju:/ 動 議論する
　argue about the advantages of this theory (この理論の利点について議論する)
　argue against this proposal (この提案に反論する)
　as Johnson (2004) **argues** (Johnson (2004) が議論するように)
　as **argued** in Section 3 (第3節で議論したように)
　Winter (2000) **argues** that S+V (Winter (2000) は−であると議論している)
　it has also been **argued** that S+V (−ということも議論されてきた)
　it would be correct to **argue** that S+V (−であると議論するのが正確であろう)

argumentation /a:rgjumənteíʃən/ 名 議論, 論証

the **argumentation** of Johnson (2007)（Johnson (2007) の論証）
the **argumentation** here（ここでの議論）
for the clarity of its **argumentation**（その論証の明確さのために）
see Poland (2001) for more detailed **argumentation**
　（より詳しい議論については Poland (2001) を参照されたい）
this **argumentation** shows that S+V（この議論は－ということを示している）

051 □ ascertain /æsərtéin/ 動 確かめる，確認する，裏づける

《使用例》
be difficult to **ascertain**（確かめにくい, 確かめるのが難しい）
ascertain the number of negative ions（陰イオンの数を確認する）
in order to **ascertain** whether S+V（－かどうかを確かめるためには）
have been repeatedly **ascertained** by various experiments
　（様々な実験によって繰り返し裏づけられてきた）
it is now **ascertained** that S+V（－ということが今や確認されている）
it would be difficult to **ascertain** the plausibility of ABC theory
　（ABC 理論の妥当性を裏づけるのは難しいであろう）

052 □ ascribable /əskráibəbl/ 形 －に起因している

《使用例》
be **ascribable** to insufficient sleep（睡眠不足に起因している）
be not **ascribable** to the length of time（時間の長さには起因していない）
be mainly **ascribable** to the fact that S+V
　（－という事実に主として起因している）
the effects **ascribable** to gravitation（重力に起因する効果）

《関連語彙 A》
ascribe /əskráib/ 動 起因させる
　ascribe the influence to frequency（その影響を頻度に起因させる）
　be **ascribed** to the strength of connections（結合の強さに起因している）
　be traditionally **ascribed** to the conflict between ABC and XYZ
　　（伝統的には ABC と XYZ の対立に起因している）
　a phenomenon **ascribed** to this structure（この構造に起因する現象）

053 □ aspect /ǽspekt/ 名 側面，面

《使用例》
these two **aspects**（これら 2 つの点）

one **aspect** of continuity（連続性の一面）
an important **aspect** of metaphor（比喩の重要な一面）
various **aspects** of meaning（様々な意味の側面）
social **aspects** of language use（言語使用の社会的側面）
aspects of ABC theory（ABC 理論の諸相）
in all **aspects** of human life（人間生活のあらゆる面で）
this **aspect** is analyzed in Poland (2002)
　　（この点は Poland (2002) で分析される）

054 □ **asset** /ǽset/ 图 利点

《使用例》
other **assets** of this framework（この枠組みのその他の利点）
the **assets** of this book（本書の利点）
the primary **assets** of Johnson's (2001) account
　　（Johnson (2001) の説明が備える主な利点）
be a major **asset** for this study（本研究にとって大きな利点である）
one **asset** of the approach is that S+V（そのアプローチの 1 つの利点は －
　　ということである）

055 □ **associate** /əsóuʃieit/ 動 結び付ける，関係づける，関連づける，結合させる
　　　　　　　　/əsóuʃiət (əsóuʃieit)/ 图 共同研究者

《使用例》
associate the former with the latter
　　（前者を後者に結び付ける，前者と後者を関連づける）
strongly **associated** networks（強固に結合したネットワーク）
background knowledge **associated** with this word
　　（この語と結び付いた背景知識）
be closely **associated** with this framework
　　（この枠組みと密接に関係している）
be not **associated** with predictability at all
　　（予測可能性とは全く関連がない）
a research **associate**（研究助手）
the work of Johnson and his/her **associates**
　　（Johnson とその共同研究者による研究）

《関連語彙 A》

association /əsousiéiʃən/ 图 結び付き，結合，関係，連想
  the **association** of form with meaning（形式を意味と結び付けること）
  this pattern of **association**（この結合パターン，この連想パターン）
  in **association** with Principle A（原理 A とともに，原理 A との関係で）
  have a close **association** with these verbs（これらの動詞と密接な関係がある）
  calculate **association** strengths（結合の強さを計算する）
  there is a strong **association** between ABC and XYZ
    （ABC と XYZ の間には強い結び付きがある）

associative /əsóuʃeitiv/ 形 結合の，連想の
  this **associative** relationship（この結合関係）
  an **associative** network（連想ネットワーク）
  be partly **associative**（ある程度は連想的である）

056 □ **assumption** /əsʌ́mpʃən/ 图 仮定

《使用例》
an implicit **assumption**（暗黙の仮定）
the **assumptions** proposed by XYZ theory
  （XYZ 理論によって提案された仮定）
as a result of erroneous **assumptions**（間違った仮定の結果として）
on/under the **assumption** that S+V（－という仮定のもとで）
given the **assumption** that S+V（－という仮定があれば）
strengthen this **assumption**（この仮定を強固なものにする）
there are two problems with this **assumption**
  （この仮定には 2 つの問題がある）

《関連語彙 A》
assume /əs(j)úːm/ 動 仮定する
  assume the existence of Principle C（原理 C の存在を仮定する）
  instead of **assuming** that S+V（－ということを仮定する代わりに）
  this analysis tacitly **assumes** that S+V
    （この分析は暗黙の内に－であると仮定している）
  it is generally **assumed** that S+V（－であると一般に仮定されている）
  it would be reasonable to **assume** that S+V（－であると仮定するのが妥当であろう）
  there is no reason to **assume** that S+V（－であると仮定する理由は何もない）
  as **assumed** in traditional accounts（伝統的な説明で仮定されるように）

057 □ **asterisk** /ǽstərisk/ 图 星印，アスタリスク（*）

《使用例》

the **asterisk** in (10)（(10)のアスタリスク）
refrain from using **asterisks**（星印を使うのを控える）
be indicated by an **asterisk**（アスタリスクで示される）
through the use of **asterisks**（星印を使って）
this **asterisk** is used to do（このアスタリスクは－するために用いられる）

058 □ **asymmetry** /eisímətri/ 名 非対称性

《使用例》

a similar **asymmetry**（似たような非対称性）
such an **asymmetry**（このような非対称性）
three **asymmetries**（3つの非対称性）
the **asymmetry** between ABC and XYZ（ABCとXYZの間の非対称性）
the importance of **asymmetries**（非対称性の重要性）
explain this **asymmetry**（この非対称性を説明する）

《関連語彙A》

asymmetric(al) /eisəmétrik(əl)/ 形 非対称的な
　an **asymmetric** relationship（非対称的な関係）
　an **asymmetric(al)** perspective（非対称的な視点）
　be typically **asymmetric**（典型的には非対称的である）
　be functionally **asymmetrical**（機能的には非対称的である）
　be not **asymmetrical** in that sense（その意味では非対称的ではない）
　this relationship is **asymmetric(al)**（この関係は非対称的である）

asymmetrically /eisəmétrikəli/ 副 非対称的に
　two **asymmetrically** related entities（非対称的に関連づけられる2つの実体）
　be structured **asymmetrically**（非対称的に構造化される）
　be **asymmetrically** substituted（非対称的に置き換えられる，非対称的に置換される）
　can be defined **asymmetrically**（非対称的に定義されうる）

059 □ **attempt** /ətémpt/ 動 試みる　名 試み

《使用例》

attempt to explain these phenomena
　（これらの現象を説明することを試みる）
what has been **attempted** in this paper（本稿で試みられたこと）
a first **attempt** to do（－するための最初の試み）
an **attempt** at further refinement（さらなる精緻化への試み）
make an **attempt** to define this concept（この概念の定義を試みる）

be seen as an **attempt** to do（－する試みとして考えられる）

060 □ attribute /ətríbju:t/ 動 －に起因させる
/ǽtrəbju:t/ 名 属性

《使用例》

attribute this change to the movement of the earth
　（この変化を地球の動きに起因させる）
be **attributed** to the fact that S+V（－という事実に起因している）
some problems **attributed** to the process
　（そのプロセスに起因するいくつかの問題）
this typical **attribute**（この典型的な属性）
the redefinition of social **attributes**（社会的属性の再定義）
share at least one **attribute**（少なくとも1つの属性を共有している）

《関連語彙 A》

attributable /ətríbjutəbl/ 形 －に起因している
　be **attributable** to a different mechanism（別のメカニズムに起因している）
　be partly **attributable** to the fact that S+V（－という事実に一部起因している）
　be entirely **attributable** to these universal principles
　　（これらの普遍原理に完全に起因している）
　be largely **attributable** to the data below（主として以下のデータに起因している）
　a singularity **attributable** to environmental factors（環境要因に起因する特異性）

061 □ average /ǽvəridʒ/ 名 平均　形 平均の　動 平均して－となる

《使用例》

on (the) **average**（平均すると，平均して）
on **average** 70,000 words（平均して7万語）
the **average** of these numbers（これらの数字の平均）
its **average** length（その平均の長さ）
be higher/lower than the **average**（平均より高い/低い）
contain an **average** of five words（平均5語を含んでいる）
average 15.7 minutes（平均して15.7分である）

062 □ background /bǽkgraund/ 形 背景の　名 背景　動 背景化する

《使用例》

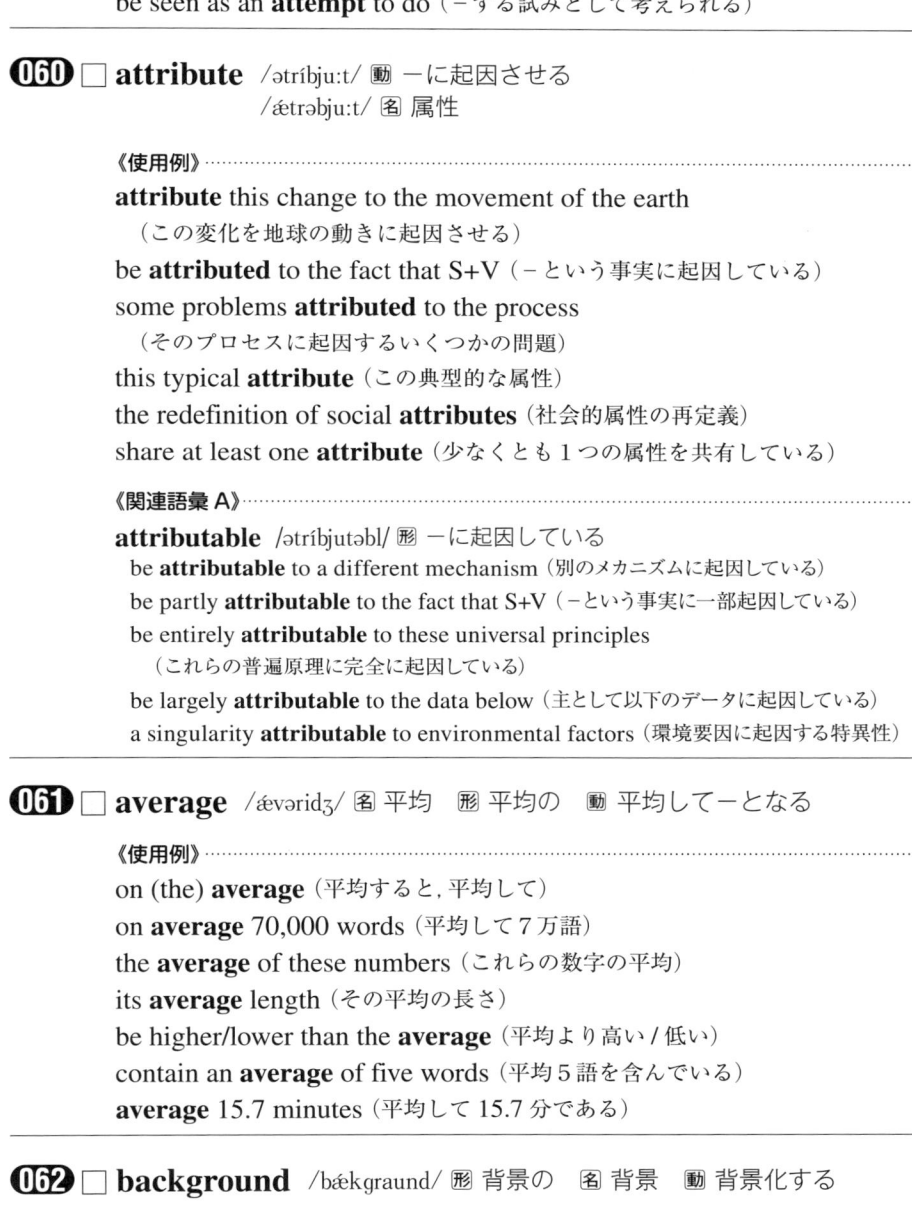

various types of **background** knowledge（様々なタイプの背景知識）

a host of scholars with different theoretical **backgrounds**
（様々な理論的背景を持つ多くの学者）
in the absence of **background** information（背景情報がないので）
be pushed into the **background**（その背景に押しやられる）
these elements are often **backgrounded**
（これらの要素はしばしば背景化される）

063 □ **based** /béist/ 形 －に基づく

《使用例》
such human-**based** criteria（このような人間ベースの基準）
be **based** on insufficient data（不十分なデータに基づいている）
be not **based** on objective evidence（客観的な証拠に基づいていない）
a judgment **based** on the researcher's intuition
（その研究者の直観に基づく判断）
based on this observation（この見解に基づいて）
based on the foregoing discussion（先述の議論に基づいて）

《関連語彙 A》
base /béis/ 名 基盤, 土台, ベース 動 －の基礎を置く
  this common **base**（この共通基盤, この共通土台）
  as a part of its **base**（その基盤の一部として）
  have the same conceptual **base**（同じ概念基盤を持っている）
  function as a **base** for this concept（この概念の基盤として機能する）
  be applied to the data **base** as a whole（そのデータベース全体に適用される）
  base this analysis on Johnson (2000)（Johnson(2000)にこの分析の基礎を置く,
    Johnson(2000)に基づいてこの分析は成される）

064 □ **basically** /béisikəli/ 副 基本的に

《使用例》
a **basically** scientific phenomenon（基本的には科学的な現象）
be **basically** different from other examples
（他の事例とは基本的に異なっている）
be **basically** governed by cognitive constraints
（基本的には認知制約によって支配される）
be **basically** not circular（基本的には循環論的ではない）
in **basically** the same way（基本的には同じ形で）
although this is **basically** correct（この点は基本的に正しいけれども）

《関連語彙 A》

basic /béisik/ 形 基本的な，基礎的な
  a **basic** cognitive operation（基本的な認知操作）
  a **basic** distinction between these concepts（これらの概念の基本的違い）
  two **basic** assumptions（2つの基本的仮定）
  the **basic** concepts of Cognitive Psychology（認知心理学の基礎概念）
  the **basic** unit of language use（言語使用の基本単位）
  the **basic** tenet that S+V（－という基本的考え方）
  the **basic** idea is that S+V（その基本的な考え方は－ということである）

065 □ **basis** /béisis/ 名 基盤，土台

《使用例》

the experiential **basis** of grammar（文法の経験的基盤）
provide a **basis** for communication（コミュニケーションの土台となっている）
explain the **basis** of language structure（言語構造の基盤を説明する）
on this **basis**（これに基づいて）
on the **basis** of the cognitive models（その認知モデルに基づいて）
be not predictable solely on the **basis** of context
  （文脈に基づくだけでは予測できない）

066 □ **bibliography** /bibliɔ́grəfi/ 名 参考文献一覧

《使用例》

a 50-page **bibliography**（50ページにわたる参考文献）
a comprehensive **bibliography**（包括的な参考文献）
an annotated **bibliography**（注釈付き参考文献）
a useful **bibliography** of clinical studies（臨床研究の有益な参考文献リスト）
in Johnson's (2008) **bibliography**（Johnson(2008)の参考文献リストには）

067 □ **bold** /bóuld/ 形 太字の，太線の　名 太字，太線

《使用例》

a **bold** circle（太線で描かれた円）
red **bold** lines（赤い太線）
bold items（太字の項目）
the figures in **bold**（太字の数字）
be shown in **bold**（太字／太線で示される）
be not in **bold**（太字／太線ではない）

068 boundary /báundəri/ 名 境界，境界線

《使用例》
a **boundary** line（境界線）
a definite/clear **boundary**（明確な境界）
a **boundary** between these areas（これらの領域間の境界）
because of traditional disciplinary **boundaries**
　　（伝統的に見られる学問の境界線のために）
have no rigid **boundaries**（厳密な境界を持たない）
mark such **boundaries**（このような境界を定める）

《関連語彙 A》
bound /báund/ 名 範囲
　the **bounds** of experience（経験の範囲）
　the **bounds** of the solar system（太陽系の範囲）
　within the **bounds** of the theory（その理論の範囲内で）
　be quite beyond the **bounds** of psychology（心理学の範囲をかなり超えている）
　exceed the **bounds** of formalism（形式主義の範囲を超えている）

069 bracket /brǽkət/ 名 括弧　動 括弧に入れる

《使用例》
round **brackets**（丸括弧（　））
angled **brackets**, angle **brackets**（山括弧，< >）
square **brackets**（角括弧，[ ]）
elements in curly **brackets**（中括弧内の要素，{ }）
the number in **brackets**（括弧内の数字）
the **bracketed** information（括弧内の情報）
the **bracketed** parts（括弧書きの部分）
be presented/shown/given/provided in **brackets**（括弧書きで提示される）

070 briefly /bríːfli/ 副 簡単に，簡潔に

《使用例》
review these factors **briefly**（これらの要因を簡単に見直す）
be **briefly** discussed（簡単に議論される，簡潔に議論される）
be **briefly** touched upon（簡単に触れられる）
as **briefly** discussed above（先に簡単に議論したように）
by **briefly** examining the role of semantic change

（意味変化の役割を簡単に探求することで）
let us **briefly** consider the following examples:
（以下の事例について簡単に考えてみよう）

《関連語彙 A》
brief /brí:f/ 形 簡潔な，簡単な
 a **brief** overview of ABC theory（ABC 理論の概観）
 a **brief** sketch of Johnson (2001)（Johnson(2001)の概要，Johnson(2001)の概略）
 a **brief** example of such processes
  （このようなプロセスの卑近な例，身近な例，簡単な例）
 in **brief**（要するに，つまり，すなわち）
 have a **brief** look at these examples（これらの事例を簡単に見る）

071 ☐ **bulk** /bʌ́lk/ 名 大半，大部分

《使用例》
the **bulk** of this article（本稿の大部分）
the **bulk** of medical knowledge（医学知識の大半）
the great **bulk** of the music（その音楽の大部分）
characterize the **bulk** of modern physics（現代物理学の大半を特徴づける）
the **bulk** of all cases are presented here（全事例の大半がここで提示される）

072 ☐ **capitalize** /kǽpətəlaiz/ 動 大文字で書く，利用する

《使用例》
capitalize the first letter（最初の文字を大文字で書く）
the **capitalized** words（大文字で書かれた語）
be **capitalized** throughout this paper
 （本稿全体にわたって大文字で書かれる）
technical terms are **capitalized**（専門用語は大文字で書かれる）
capitalize on such knowledge（このような知識を利用する）
capitalize on these similarities（これらの類似性を利用する）

《関連語彙 A》
capital /kǽpətl/ 形 大文字の　名 大文字
 capital letters and small letters（大文字と小文字）
 capital letters are used（大文字が使用される）
 be shown/represented in **capitals**（大文字で示される）
 the use of small **capitals**（小さい大文字の使用）
 words in **capitals**（大文字で書かれた語）

capitalization /kæpətəl(a)izéiʃən/ 名 大文字書き，大文字化
the rules of **capitalization**（大文字化のルール）
such as **capitalization** and italics（例えば大文字化や斜体表記）
the **capitalization** of titles and names（タイトルと名前の大文字化）
capitalization is used here to show that S+V
　（‒ということを示すためにここでは大文字書きが用いられる）

073 ☐ capture /kǽptʃər/ 動 捉える，把握する

《使用例》
capture the complex nature of thought processes
　（思考プロセスの複雑性を把握する）
capture the fact that S+V（‒という事実を捉えている）
can be **captured** relatively easily（比較的容易に捉えることができる）
an attempt to **capture** this intuition（この直観を捉える1つの試み）
one meaning **captured** by this principle
　（この原理によって捉えられる1つの意味）

074 ☐ categorize /kǽtəgəraiz/ 動 カテゴリー化する，分類する

《使用例》
our capacity to **categorize**（我々のカテゴリー化能力）
categorize these patterns（これらのパターンを分類する）
categorize the respondents into two groups
　（回答者を2つのグループに分類する）
be **categorized** as an instance of personification
　（擬人化の1例としてカテゴリー化される）
be **categorized** into three groups（3つのグループに分類される）

《関連語彙 A》
category /kǽtəgɔːri/ 名 カテゴリー
natural **categories**（自然カテゴリー）
category boundaries（カテゴリー境界）
the inner structure of the **category**（そのカテゴリーの内部構造）
a small number of auditory **categories**（少数の聴覚カテゴリー）
belong to the same **category**（同じカテゴリーに属する）
become a new **category**（新しいカテゴリーになる）
fall into two **categories**（2つのカテゴリーに分かれる, 分割される）
categorization /kætəgər(a)izéiʃən/ 名 カテゴリー化

an instructive **categorization**（有益なカテゴリー化）
a new theory of **categorization**（カテゴリー化の新しい理論）
a model of **categorization**（カテゴリー化のモデル）
categorization abilities（カテゴリー化能力）
as the basis for human **categorization**（人間によるカテゴリー化の基盤として）

categorical /kæṭəgɔ́ːrikəl/ 形 カテゴリーの
a **categorical** judgment（カテゴリー判断）
this **categorical** split（このカテゴリー分割）
a criterion for **categorical** membership（カテゴリー成員の基準）
have a **categorical** structure（カテゴリー構造を持っている）
store **categorical** knowledge（カテゴリー知識を蓄える）

075 ☐ central /séntrəl/ 形 中心的な，中核的な，主要な，重要な

《使用例》
a **central** notion in organic chemistry（有機化学における中核概念）
the **central** aim of this book（本書の主目的）
play a **central** role in this relation（この関係において中心的役割を担う）
be **central** to this conceptualization（この概念化には重要である）
the **central** claim is that S+V（その中心的主張は－ということである）

《関連語彙 A》
centrally /séntrəli/ 副 中心に，中央に，主として
a **centrally** located arrow（中心／中央に置かれた矢印）
be placed/situated **centrally**（中心に配置される，中央に配置される）
be based **centrally** on Poland's (2004) research
（主として Poland(2004) の研究に基づいている）
this is **centrally** at issue（このことが主として問題となっている）

centrality /sentrǽləti/ 名 重要性，中心性
the **centrality** of direct evidence（直接証拠の重要性）
in terms of **centrality**（中心性(中心的役割)の観点から）
recognize the **centrality** of this approach（このアプローチの重要性を認識する）

076 ☐ challenging /tʃǽləndʒiŋ/ 形 挑戦的な，興味深い

《使用例》
a **challenging** research program（挑戦的な研究プログラム）
these **challenging** results（これらの興味深い結果）
be fairly **challenging**（かなり挑戦的である，かなり興味深い）
be **challenging** in many respects（多くの点で興味深い）

present a **challenging** case（興味深い事例を提示する）

《関連語彙 A》

challenge /tʃǽləndʒ/ 動 異議を唱える，疑問視する　名 難題，課題
  challenge the assumption that S+V（～という仮定に異議を唱える）
  this dichotomy has also been **challenged**（この二分法も疑問視されてきた）
  a major **challenge**（大きな難題，主要な課題）
  take up this **challenge**（この難題を取り上げる）
  pose a theoretical **challenge** for researchers
    （研究者たちに理論的難題を課している）
  present a **challenge** to this approach（このアプローチに難題を課している）

077 □ **characterize** /kǽrəktəraiz/ 動 特徴づける

《使用例》

characterize a variety of phenomena（様々な現象を特徴づける）
characterize these relations as arbitrary
  （これらの関係を恣意的であると特徴づける）
be **characterized** as an example of metaphor
  （比喩の一例として特徴づけられる）
can be **characterized** as follows:（以下のように特徴づけることができる）
one property **characterizing** this period（この期間を特徴づける1つの特性）

《関連語彙 A》

characteristic /kærəktərístik/ 名 特徴　形 特徴的な
  these shared **characteristics**（これらの共有特徴）
  a general **characteristic** of human cognition（人間認知の一般的特徴）
  retain these **characteristics**（これらの特徴を保持する）
  this mechanism has two **characteristics**（このメカニズムには2つの特徴がある）
  the **characteristic** feature(s) of English grammar（英文法の特色）
  be **characteristic** of British English（イギリス英語に特徴的である）

characterization /kærəktər(a)izéiʃən/ 名 特徴づけ
  a more comprehensive **characterization**（より包括的な特徴づけ）
  conceptual **characterizations** of this sort（この種の概念的特徴づけ）
  in the **characterization** of language structure（言語構造の特徴づけにおいては）
  be part of its overall **characterization**（その全体の特徴づけの一部である）
  this is not a precise **characterization**（これは正確な特徴づけではない）
  another **characterization** is required here（別の特徴づけがここでは必要である）

characteristically /kærəktərístikəli/ 副 特徴的に
  characteristically different concepts（特徴的に異なった概念）

be **characteristically** Egyptian（特徴の上ではエジプト的である）
be **characteristically** used to do（-するために特徴的に用いられる）
this property is **characteristically** understood（この特性は特徴的に理解される）

078 □ circumstance /sə́:rkəmstæns/ 图 状況

《使用例》
a change of **circumstances**（状況の変化）
a variety of **circumstances**（様々な状況）
in this **circumstance**（この状況では）
in special **circumstances**（特別な状況では）
in other **circumstances**（他の状況では）
in all **circumstances**（全ての状況において）
under normal **circumstances**（通常は，通常の状況では）
under natural **circumstances**（自然な状況では）

079 □ cite /sáit/ 動 引用する

《使用例》
cite an example from Johnson (2000)（Johnson（2000）から一例を引用する）
be frequently/often **cited**（頻繁に引用される）
be **cited** in Poland (2000)（Poland（2000）で引用されている）
be also **cited** at the beginning of this section
　（本節の冒頭でも引用されている）
the research **cited** in Chapter 2（第2章で引用された研究）
by **citing** Winter (1999)（Winter（1999）を引用することで）
citing the fact that S+V（-という事実を挙げて，-という事実に言及して）

《関連語彙 A》
citation /saitéiʃən/ 图 引用
　contain several **citations**（いくつかの引用を含んでいる）
　consider the following **citation(s)**:（以下の引用について考えてみよう）
　be **citations** from Johnson (1999)（Johnson（1999）からの引用である）
　this **citation** suggests that S+V（この引用は-を示唆している）
　the **citation** in Section 4.3（第4．3節の引用）
　exaggerate the number of **citations**（引用の数を誇張する）

080 □ claim /kléim/ 動 主張する 图 主張

《使用例》

as Poland (2005) **claims**（Poland (2005)が主張するように）
Whitman (2002) **claims** that S+V
　（Whitman (2002)は-であると主張している）
this is not to **claim** that S+V（これは-であると主張している訳ではない）
a similar **claim**（似たような主張）
the **claim** of empiricism（経験主義の主張）
evidence for Johnson's (2009) **claim**
　（Johnson (2009)の主張を裏づける証拠）
in spite of the general **claim** that S+V（-という一般的主張にも関わらず）
the **claim** here is that S+V（ここでの主張は-ということである）
override this **claim**（この主張をくつがえす，この主張を無効にする）

《関連語彙A》

contend /kənténd/ 動（強く）主張する
　many psychologists **contend** that S+V（多くの心理学者が-と主張している）
　Keats (2001), for instance, **contends** that S+V
　　（例えば Keats (2001) は-と主張している）
　as Johnson (2005) also **contends**（Johnson (2005)も主張するように）
　by **contending** that S+V（-と主張することで）
　go on to **contend** that S+V（-と続けて主張している）

081 ☐ **clarify** /klǽrəfai/ 動 明らかにする

《使用例》

clarify their similarities and differences
　（それらの類似性と相違性を明らかにする）
clarify the following issues:（以下の問題を明らかにしている）
to **clarify** the nature of the problem（その問題の性質を明らかにするために）
Orwell (2000) **clarifies** that S+V
　（Orwell (2000)は-ということを明らかにしている）
some problems have been **clarified**（いくつかの問題が明らかにされてきた）

《関連語彙A》

clarification /klærəfikéiʃən/ 名 明確化
　further **clarification** of this issue（この問題のさらなる明確化）
　the **clarification** of this role（この役割の明確化）
　be in need of **clarification**（明確化の必要性がある）
　show the need for **clarification**（明確化の必要性を示している）
　need further **clarification**（さらなる明確化の必要性がある）

clarity /klǽrəti/ 名 明確さ，分かりやすさ
 for **clarity**（分かりやすくするために）
 for the sake of **clarity**（分かりやすくするために）
 for the purpose of **clarity**（分かりやすくするために）
 for reasons of **clarity**（明確さを理由にして）
 the **clarity** of argumentation（論証の明確さ）
 the lack of **clarity**（明確さの欠如，明瞭さの不足）

082 ☐ **classic(al)** /klǽsik(əl)/ 形 古典的な

《使用例》
a **classical** argument（古典的な議論）
this **classical** model（この古典的なモデル）
these **classical** examples（これらの古典的な事例）
appear in **classical** rhetoric（古典的な修辞学において登場する）
in this **classical** study（この古典的な研究では）

《関連語彙 A》
classically /klǽsikəli/ 副 古典的には，典型的には
 classically recognized structures（典型的によく知られた構造）
 as **classically** conceived（古典的によく知られているように）
 be **classically** referred to as Principle A（古典的には原理 A と呼ばれる）
 it has **classically** been believed that S+V（-であると典型的には信じられてきた）

083 ☐ **classification** /klæsəfikéiʃən/ 名 分類

《使用例》
an exhaustive **classification** of emotional expressions
 （感情表現の包括的分類）
this kind of **classification**（この種の分類）
put forward such a **classification**（このような分類を提案する）
need no further **classification**（さらに分類する必要はない）
toward(s) a **classification** of spatial relations（空間関係の分類に向けて）

《関連語彙 A》
classify /klǽsəfai/ 動 分類する
 classify these elements into three groups
  （これらの要素を3つのグループに分類する）
 be **classified** as belonging to the group（そのグループに属すものとして分類される）
 have long been **classified** as a transitive verb（長い間, 他動詞として分類されてきた）

英語論文重要語彙 717

can be **classified** into two groups（2つのグループに分類できる）
can be **classified** in structural terms（構造的観点から分類できる）

classificatory /kləsífikətɔːri/ 形 分類の，分類上の
　this **classificatory** criterion（この分類基準）
　a **classificatory** system（分類体系，分類システム）
　a **classificatory** process（分類プロセス）
　a **classificatory** category（分類上のカテゴリー）
　based on the following **classificatory** principles（以下の分類原理に基づいて）

classifiable /klǽsəfaiəbl/ 形 分類できる
　be readily **classifiable**（容易に分類できる）
　be **classifiable** into three types（3つのタイプに分類できる）
　be not **classifiable** as a cognitive operation（認知操作としては分類できない）
　these elements are not **classifiable**（これらの要素は分類できない）

---

084 □ **clearly** /klíərli/ 副 明らかに，明確に

《使用例》

show the difference more **clearly**（その違いをより明確に示す）
define these concepts **clearly**（これらの概念を明確に定義する）
be stated **clearly**（明確に述べられている）
be **clearly** problematic（明らかに問題である）
be **clearly** different from Orwell's (2001) model
　（Orwell (2001) のモデルとは明らかに異なっている）
be **clearly** beyond the purview of this study
　（明らかに本研究の範囲を超えている）
as Johnson (2000) **clearly** puts it（Johnson (2000) が明確に述べるように）
further work is **clearly** needed to do
　（−するためのさらなる研究が明らかに必要とされる）
this would be **clearly** impossible（これは明らかに不可能であろう）

《関連語彙 A》

clear /klíər/ 形 明らかな，明確な
　a **clear** example（明確な事例）
　as is **clear** from this title（このタイトルから明らかなように）
　be not entirely **clear**（全く明らかではない）
　in order to make **clear** that S+V（−ということを明らかにするためには）
　draw a **clear** dividing line between these two concepts
　　（これら2つの概念の間に明確な境界線を引く）
　it is not **clear** whether this analysis is correct or not

（この分析が正しいかどうかは明らかではない）
it is reasonably **clear** that S+V（~なのはかなり明らかである）

clear-cut /klíərkʌ́t/ 形 明確な
 a **clear-cut** categorization（明確なカテゴリー化）
 a **clear-cut** division between ABC and XYZ（ABCとXYZの明確な区分/分割）
 clear-cut examples（明確な事例）
 have **clear-cut** boundaries（明確な境界を持っている，明確な境界がある）
 be far from **clear-cut**（全く明確ではない）
 be quite **clear-cut**（かなり明確である）
 there is no **clear-cut** distinction between the two notions
  （その2つの概念の間に明確な違いはない）

unclear /ʌnklíər/ 形 不明の
 be very/quite **unclear**（かなり不明である）
 be completely **unclear**（全く不明である）
 be currently **unclear**（今のところ不明である）
 be **unclear** at this time（現時点では不明である）
 it is **unclear** why S+V（なぜ~なのかは不明である）
 it is still **unclear** that S+V（~ということは依然として不明である）
 the relationship remains **unclear**（その関係は不明のままである）

085 ☐ **closely** /klóusli/ 副 密接に，綿密に，詳細に

《使用例》
quite/fairly **closely**（かなり綿密に，かなり詳細に）
two **closely** related functions（2つの密接に関連した機能）
be **closely** related to the work of Johnson (2003)
 （Johnson (2003)の研究と密接に関係している）
be **closely** tied/linked to this principle（この原理と密接に結び付いている）
consider it more **closely**（それについてより詳しく検討する）

《関連語彙 A》
close /klóus/ 形 密接な，綿密な，詳しい，近い
 a **closer** data analysis（より綿密なデータ分析）
 a **closer** relationship（より密接な関係）
 be geographically **close**（地理的に見て近い）
 be relatively **close** to Type A（タイプAに比較的近い）
 bear a **close** resemblance to the proposal in Section 3
  （第3節での提案に酷似している）
 take a **closer** look at this example（この事例をさらに詳しく検討する）
 come very **close** to the traditional approach（伝統的なアプローチにかなり近い）

on **closer** scrutiny/examination/inspection（よく吟味すると，よく考えると）
there is a **close** relationship between ABC and XYZ
　　（ABCとXYZの間には密接な関係がある）

086 ☐ clue /klúː/ 图 手掛かり

《使用例》

a new **clue**（新しい手掛かり）
an important **clue** as to this question（この疑問に関する重要な手掛かり）
via contextual **clues**（文脈上の手掛かりを通して）
based on these **clues**（これらの手掛かりに基づいて）
further **clues** are required to do
　　（－するためにはさらなる手掛かりが必要である）
provide **clues** to understanding this mechanism
　　（このメカニズムを理解するための手掛かりを提供する）

《関連語彙 A》

hint /hínt/ 图 手掛かり，ヒント
　a helpful/useful **hint**（有益な手掛かり）
　a clear **hint**（明確な手掛かり）
　a number of **hints**（多くの手掛かり，多くのヒント）
　a **hint** as to this problem（この問題に関する手掛かり）
　serve as a **hint**（1つの手掛かりとなる）
　there is no **hint** of this distinction（この区分に関する手掛かりは何もない）

cue /kjúː/ 图 手掛かり
　the only **cue**（唯一の手掛かり）
　a new **cue**（新しい手掛かり）
　other concrete **cue**s（その他の具体的な手掛かり）
　as a **cue** to do（－するための1つの手掛かりとして）
　this **cue** is highly reliable（この手掛かりはかなり信頼できる）
　there are no **cues** about the origin of language
　　（言語の起源に関する手掛かりは何もない）

087 ☐ cogent /kóudʒənt/ 形 説得力のある

《使用例》

a **cogent** argument（説得力のある議論）
cogent evidence（説得力のある証拠）
Johnson's (2003) **cogent** criticism（Johnson (2003)の説得力のある批判）
be more **cogent** in some respects（いくつかの点でより説得力がある）

present **cogent** reasons（説得力のある理由を提示する）
these arguments are **cogent**（これらの議論は説得力がある）

《関連語彙 A》

cogency /kóudʒənsi/ 图 説得力，妥当性
 the **cogency** of this view（この見解の妥当性）
 with great **cogency**（かなり説得的に，かなりの説得力で）
 with more **cogency**（より説得的に）
 assess the **cogency** of this argument（この議論の妥当性を評価する）
 query the **cogency** of fundamental human rights
  （基本的人権の妥当性を疑問視する）

cogently /kóudʒəntli/ 副 説得力のある形で，説得的に
 more **cogently**（より説得力のある形で）
 explain this fact **cogently**（この事実を説得力のある形で説明する）
 be **cogently** presented in Poland (2000)
  （Poland (2000) において説得力のある形で提示されている）
 this requirement is **cogently** satisfied in (10)
  （この要件は (10) では完全に満たされている）

088 □ **coherent** /kouhíərənt/ 形 一貫性のある，首尾一貫した

《使用例》

a **coherent** category（一貫性のあるカテゴリー）
a **coherent** analysis of metaphorical phenomena
 （比喩現象についての一貫性のとれた分析）
a semantically **coherent** interpretation（意味的に筋の通った解釈）
build/construct a **coherent** structure（一貫性のある構造を構築する）
be sufficiently **coherent**（十分に首尾一貫している）
in a **coherent** manner/way（首尾一貫した形で，一貫性があるように）

《関連語彙 A》

coherently /kouhíərəntli/ 副 一貫して
 more **coherently**（より一貫した形で）
 can be **coherently** accounted for（首尾一貫して説明することができる）
 should be defined **coherently**（一貫した形で定義されるべきである）
 employ these metaphors **coherently**（一貫してこれらの比喩を用いる）
 to **coherently** deal with various phenomena
  （様々な現象を一貫して取り扱うためには）

coherence /kouhíərəns/ 图 一貫性
 the same logical **coherence**（同じ論理的一貫性）

its inner **coherence**（その内部の一貫性）
by means of **coherence**（一貫性によって）
provide **coherence** to the process
　（そのプロセスに一貫性をもたらす，そのプロセスに一貫性を与える）
must exhibit **coherence**（一貫性を示さなければならない）

C

089 ☐ **collaboration** /kəlæbəréiʃən/ 名 共同

《使用例》
in **collaboration** with Mark F. Poland（Mark F. Poland 氏と共同で）
in close **collaboration** with Paul London（Paul London 氏と密に協力して）
present this paper in **collaboration**（この論文を共同で発表する）
can be used in **collaboration**（一緒に使うことができる）
occur in **collaboration** with adverbs（副詞と一緒に生起する）

《関連語彙 A》
collaborate /kəlǽbəreit/ 動 共同研究する，共同する
　collaborate with Amy Johnson（Amy Johnson 氏と共同研究する）
　collaborate with other researchers（他の研究者と共同研究する）
　these systems **collaborate**（これらのシステムが同時に機能する）
　collaborate with these elements（これらの要素と一緒に機能する）

collaborative /kəlǽbəreitiv, kəlǽbərətiv/ 形 共同の
　collaborative research（共同研究）
　a **collaborative** project（共同プロジェクト）
　a **collaborative** process（共同プロセス）
　through this **collaborative** work（この共同研究を通して）

collaboratively /kəlǽbəreitivli, kəlǽbərətivli/ 副 共同で
　a **collaboratively** constructed context（共同で構築された文脈）
　study **collaboratively**（共同研究する）
　be carried out **collaboratively**（共同で行われる）
　collaboratively with John Smith（John Smith 氏と共同で）

collaborator /kəlǽbəreitər/ 名 共同研究者
　Elizabeth London and her **collaborators**（Elizabeth London とその共同研究者）
　the model developed by Johnson and his **collaborators**
　　（Johnson とその共同研究者によって開発されたモデル）
　by a number of **collaborators**（多くの共同研究者によって）
　together with various **collaborators**（様々な共同研究者とともに）

090 ☐ **column** /kɔ́ləm/ 名 縦の行，縦の列

《使用例》

the third **column** in Table 3（表3の3つ目の列）
the left-hand **columns**（左側の縦列）
in the last/final **column**（最後の行に）
in the leftmost/rightmost **column**（最も左の列に，最も右の列に）
at the bottom of each **column**（各々の列の一番下に）
as indicated in the right-hand **column** of Table 2
　（表2の右側の列に示されるように）

《関連語彙A》

row /róu/ 图 横の行，横の列
　in the first **row**（1列目に）
　in the second **row**（2列目に）
　in the last **row** of Table 4（表4の一番下の列に）
　as the third **row** in Table 5 shows（表5の3行目に示されるように）
　be represented in the middle **row**（真ん中の行に示されている）

091 ☐ **commonality** /kɔmənǽləti/ 图 共通性，共通点

《使用例》

this **commonality**（この共通性）
the **commonalities** between them（それらの間の共通点）
despite these **commonalities**（これらの共通性にも関わらず）
capture the **commonalities**（その共通性を捉える）
there are **commonalities** among these verbs
　（これらの動詞の間には共通点がある）

《関連語彙A》

common /kɔ́mən/ 形 共通の，一般的な
　a **common** pattern of pronunciation（一般的な発音パターン）
　the properties **common** to these frameworks（これらの枠組みに共通した特性）
　be quite/very **common** in Japan（日本においてはかなり一般的である）
　have the following features in **common**（以下の共通特徴がある）
　have much in **common** with Type A（タイプAと多くの共通点がある）
　it is not **common** to do（〜するのは一般的ではない）

commonly /kɔ́mənli/ 副 一般に
　more **commonly**（より一般的には）
　commonly accepted concepts（一般に受け入れられている概念）
　be **commonly** known as the Renaissance（文芸復興として一般に知られている）
　a term **commonly** used in organic chemistry（有機化学で一般に使われる用語）

it is **commonly** recognized that S+V（−ということが一般に認められている）
it is **commonly** believed that S+V（−であると一般に考えられている）

《関連語彙 B》

uncommon /ʌnkɔ́mən/ 形 珍しい，稀な
　a somewhat **uncommon** pattern（少し珍しいパターン）
　be quite/highly/extremely **uncommon**（かなり稀である，かなり珍しい）
　be not entirely **uncommon**（全く珍しくない）
　it is not **uncommon** to do（−するのは珍しくない）
　this is not an **uncommon** phenomenon（これは珍しい現象ではない）

uncommonly /ʌnkɔ́mənli/ 副 稀に，かなり
　not **uncommonly**（頻繁に，多くの場合）
　an **uncommonly** accurate description（かなり正確な記述）
　be **uncommonly** large（かなり大きい）
　be **uncommonly** different from other units（他の単位とはかなり異なっている）

092 □ **comparable** /kɔ́mpərəbl/ 形 似たような，類似の

《使用例》

a **comparable** distinction（似たような違い）
yield **comparable** results（似たような結果をもたらす）
expect a **comparable** effect（似たような効果を期待する）
this is **comparable** to Principle A（これは原理 A に類似している）
ABC and XYZ are quite **comparable**（ABC と XYZ はかなり似ている）

《関連語彙 A》

comparably /kɔ́mpərəbli/ 副 比較的，同等に
　be **comparably** salient（比較的顕著である）
　be **comparably** rare（比較的稀である）
　a **comparably** new approach（比較的新しいアプローチ）
　comparably to the former model（前者のモデルと同等に）

093 □ **comparative** /kəmpǽrətiv/ 形 比較の

《使用例》

a **comparative** analysis（比較分析）
large-scale **comparative** studies（大規模な比較研究）
a **comparative** study of English and German（英語とドイツ語の比較研究）
key notions in **comparative** psychology（比較心理学における主要概念）
in a series of **comparative** experiments（一連の比較実験で）

《関連語彙 A》

comparatively /kəmpǽrətivli/ 副 比較的に
　comparatively weak constraints（比較的弱い制約）
　at a **comparatively** high level（比較的高次のレベルで）
　be **comparatively** small（比較的小さい）
　be **comparatively** neglected in this field（この分野では意外に無視されている）
　study these two notions **comparatively**（これら2つの概念を比較研究する）
　it is **comparatively** easy to do（〜するのは比較的容易である）

comparison /kəmpǽrəsn/ 名 比較，対照
　the **comparison** of English with Japanese（英語と日本語の比較）
　a **comparison** of Tables 2 and 3（表2と表3の比較）
　by **comparison**（対照的に）
　for purposes of **comparison** / for **comparison**（比較のために）
　in **comparison** with traditional approaches
　　（伝統的なアプローチと比べて，伝統的なアプローチと比較して）
　in order to facilitate **comparison** with Poland (2002)
　　（Poland (2002) との比較を容易にするためには）
　make/draw a **comparison** between ABC and XYZ（ABCとXYZを比較する）

compare /kəmpéər/ 動 比較する，喩える
　compare this framework with other approaches
　　（この枠組みを他のアプローチと比較する）
　compare the figures in Table 3（表3の数値を比較する）
　by **comparing** the following examples（以下の事例を比較することで）
　as/when **compared** to/with other processes
　　（他のプロセスと比較すると，他のプロセスと比べて）
　compared with the former model
　　（前者のモデルと比べて，前者のモデルと比較すると）
　be often **compared** to a journey（しばしば旅に喩えられる）

094 ☐ **compatible** /kəmpǽtəbl/ 形 一致している，矛盾しない

《使用例》

be **compatible** with the findings of Whitman (1996)
　（Whitman (1996) の研究成果と矛盾していない，一致している）
be fully/perfectly/entirely/completely **compatible** with these data
　（これらのデータと完全に一致している）
be highly/quite **compatible** with the hypothesis above
　（上記の仮説とかなり一致している）
be partly **compatible** with the idea that S+V

(－という見解と部分的に一致している)
the representation **compatible** with these data
（これらのデータと矛盾しない表示）
two **compatible** notions（2つの矛盾のない概念）
in **compatible** ways（矛盾のない形で）

《関連語彙 A》
compatibility /kəmpætəbíləti/ 名 互換性, 適合性, 一致
　a **compatibility** test（適合性テスト, 互換性テスト）
　a matter of **compatibility**（互換性の問題）
　these **compatibility** relations（これらの一致関係）
　the **compatibility** of cognitive psychology with cognitive linguistics
　　（認知心理学と認知言語学の適合性）
　there is no fundamental **compatibility** between ABC and XYZ
　　（ABC と XYZ は基本的に一致していない）

095 ☐ compelling /kəmpélɪŋ/ 形 説得力がある

《使用例》
compelling arguments（説得力のある議論）
a quite **compelling** analysis（かなり説得力がある分析）
be utterly **compelling**（かなり説得力がある）
be all the more **compelling**（なお一層説得力がある）
present **compelling** evidence（説得力のある証拠を提示する）

096 ☐ competing /kəmpíːtɪŋ/ 形 競合的な, 競合の

《使用例》
this **competing** model（この競合モデル）
two **competing** theories（2つの競合理論）
these **competing** frameworks（これらの競合する枠組み）
a number of **competing** principles（多くの競合原理）
these notions are **competing**（これらの概念は競合している）

097 ☐ complementary /kɔmpləméntəri/ 形 相補的な

《使用例》
a **complementary** distribution（相補分布）
a **complementary** set（補集合）
a **complementary** color（補色）

these **complementary** theories（これらの相補的な理論）
be **complementary** (with each other)（相補的である）
be **complementary** in the sense that S+V（-という意味で相補的である）
be seen as **complementary** to each other（相補的であると考えられる）

098 ☐ completely /kəmplíːtli/ 副 完全に，全く

《使用例》
be **completely** nonphysical（完全に非物理的である）
be **completely** unknown（全く知られていない）
be not **completely** synonymous（完全に同義ではない）
a **completely** different topic（完全に異なったトピック）
as **completely** as possible（できるだけ完全に）
reject the latter view **completely**（後者の見方を完全に退ける）
Johnson (1999) **completely** ignores this observation
　（Johnson (1999)はこの見解を完全に無視している）

《関連語彙 A》
complete /kəmplíːt/ 形 完全な 動 完成させる
　a **complete** list of references（完全な参考文献リスト）
　provide a **complete** account of these relevant phenomena
　　（これらの関連現象を完全に説明する）
　be in **complete** accordance with the fact that S+V
　　（-という事実に完全に一致している）
　complete this research（この研究を完成させる，この研究を仕上げる）
　complete a questionnaire（アンケートを記入する）
　this doctoral dissertation was **completed** at Orange University
　　（この博士論文はオレンジ大学で仕上げられた）

completion /kəmplíːʃən/ 名 完成，完了
　the **completion** of this task（このタスクの完了）
　the notion of **completion**（完了という概念）
　until its **completion**（それが完了するまで，それが完成するまで）
　prior to the **completion** of the process（そのプロセスが完了する前に）
　be needed for its **completion**（その完成のために必要とされる）

099 ☐ complexity /kəmpléksəti/ 名 複雑性，複雑さ

《使用例》
in terms of **complexity**（複雑さの観点から）

the **complexity** of this theory（この理論の複雑さ）
the **complexities** of language（言語の複雑性）
the degree of **complexity**（複雑さの程度）
complexity factors（複雑性要因）
reflect their structural **complexity**（それらの構造的複雑性を反映している）

《関連語彙 A》

complex /kəmpléks, kɔ́mpleks/ 形 複雑な
　a **complex** issue（複雑な問題）
　a **complex** phenomenon（複雑な現象）
　more **complex** structures（さらに複雑な構造）
　the **complex** nature of this phenomenon（この現象の複雑性）
　be too **complex**（複雑すぎる）
　be considerably **complex**（かなり複雑である）
　take up a more **complex** question（より複雑な問題を取り上げる）

complexly /kəmpléksli, kɔ́mpleksli/ 副 複雑に
　quite **complexly**（かなり複雑に）
　be **complexly** structured（複雑に構造化されている）
　be employed more **complexly**（さらに複雑に用いられる）
　be **complexly** embedded in the structure（その構造の中に複雑に埋め込まれている）

100 □ complicated /kɔ́mpləkeitid/ 形 複雑な

《使用例》

a more **complicated** motion（より複雑な動き）
be fairly **complicated**（かなり複雑である）
be more **complicated** than (10)（(10)より複雑である）
become more **complicated**（より複雑になる）
read a **complicated** text（複雑なテクストを読む）
exhibit **complicated** relations（複雑な関係を示している）

《関連語彙 A》

complicatedly /kɔ́mpləkeitidli/ 副 複雑に
　quite/very **complicatedly**（かなり複雑に）
　this **complicatedly**-shaped structure（この複雑に形作られた構造）
　complicatedly interwoven processes（複雑に絡み合ったプロセス）
　be changing **complicatedly**（複雑に変化している）
　these elements are **complicatedly** connected（これらの要素は複雑に結合している）

complicate /kɔ́mpləkeit/ 動 複雑にする，複雑化させる
　complicate this task（このタスクを複雑化させる）

complicate the processing of metaphorical expressions
（比喩表現の処理を複雑にしている）
what **complicates** this problem（この問題を複雑にしているもの）
a problem that further **complicates** the mechanism
（そのメカニズムをさらに複雑にする問題）
this principle considerably **complicates** the structure of a program
（この原理がプログラムの構造をかなり複雑なものにしている）

complication /kɔ̀mpləkéiʃən/ 名 複雑化, 問題
in order to avoid unnecessary **complications**（不必要な複雑化を避けるために）
result in **complication**（複雑化につながってしまう, 複雑なことになってしまう）
give rise to three **complications**（3つの問題を生じさせる）
there is a **complication**（1つ問題がある）
a further **complication** is that S+V（さらなる問題としては−ということが挙げられる）

101 ☐ **component** /kəmpóunənt, kɔmpóunənt/ 名 構成要素, 成分

《使用例》
two other **components**（他の2つの構成要素, 他の2つの成分）
such a **component**（このような構成要素, このような成分）
a new **component**（新しい成分, 新しい構成要素）
autonomous **components**（自律的な構成要素）
a key **component** of protein（蛋白質の主要成分）
as a **component** part of this system（このシステムの構成部分の1つとして）

102 ☐ **comprehensive** /kɔ̀mprihénsiv/ 形 包括的な, 広範囲にわたる

《使用例》
provide a **comprehensive** account of these phenomena
（これらの現象について包括的な説明を提供する）
need a **comprehensive** linguistic description
（包括的な言語記述を必要としている）
a fairly **comprehensive** theory of conceptual structure
（概念構造についてのかなり包括的な理論）
a **comprehensive** framework（包括的な枠組み）
comprehensive diachronic data（広範囲にわたる通時的データ）
be fairly **comprehensive**
（かなり包括的である, かなりの広範囲にわたっている）
in **comprehensive** detail（かなり詳細に, かなり詳しく）

《関連語彙 A》

comprehensively /kɔmprihénsivli/ 副 包括的に
　more **comprehensively**（より包括的に）
　quite **comprehensively**（かなり包括的に）
　predict these results **comprehensively**（これらの結果を包括的に予測する）
　analyze these facts more **comprehensively**（これらの事実をより包括的に分析する）
　be processed **comprehensively**（包括的に処理される）

103 ☐ comprise /kəmpráiz/ 動 構成する，成り立つ

《使用例》

comprise five chapters（5つの章から成る）
comprise three categories（3つのカテゴリーを構成する）
comprise about 72% of all subjects
　（全被験者の約72%を構成する（占める））
an element that **comprises** the background
　（その背景を構成する1つの要素）
be **comprised** of the following properties:（以下の特性で成り立っている）

《関連語彙 A》

consist /kənsíst/ 動 成り立つ
　consist of three parts（3つの部分で成り立っている）
　consist exclusively/only of odd numbers（奇数のみで成り立っている）
　consist of a small number of elements（少数の要素で成り立っている）
　a principle **consisting** of two parts（2つの部分から成り立つ原理）

compose /kəmpóuz/ 動 構成する，成り立つ
　compose a sentence（1つの文を構成する）
　be **composed** of three elements（3つの要素から成り立っている）
　a corpus **composed** of approximately three million words（約300万語のコーパス）
　another category is **composed**（別のカテゴリーが構成される）

contain /kəntéin/ 動 含む
　contain 10 papers（10本の論文から成る）
　contain a wide range of elements（様々な要素を含んでいる）
　be **contained** in its experiential basis（その経験基盤に含まれている）
　all adjectives **contained** in the database（そのデータベースに含まれた全ての形容詞）

104 ☐ conceive /kənsí:v/ 動 考える，想定する

《使用例》

conceive it as a system（それを1つのシステムとして考える）

conceive of such representations（このような表示を想定する）
be conceived as a mental process（1つの心的プロセスとして考えられる）
may be conceived of as a relationship
　（1つの関係として考えられるかも知れない）
without conceiving of this level（このレベルを想定することなく）

《関連語彙 A》

conceivable /kənsíːvəbl/ 形 考えられる，想定できる
　all **conceivable** values（想定できる全ての値，考えられる全ての値）
　one easily **conceivable** possibility（容易に想定できる1つの可能性）
　the only **conceivable** explanation（考えられる唯一の説明）
　be always **conceivable**（常に想定できる）
　it is also **conceivable** that S+V（−ということも考えられる，想定できる）

conceivably /kənsíːvəbli/ 副 おそらく，想定上
　its **conceivably** independent function（その想定上独立した機能）
　be **conceivably** everywhere（おそらく至る所にある）
　would **conceivably** be emphasized（おそらく強調されるであろう）
　Conceivably, this research has the advantage of doing
　　（おそらく，この研究は−という利点を持っている）

105 □ conceptual /kənséptʃuəl/ 形 概念の，概念的な

《使用例》
this **conceptual** process（この概念プロセス）
a series of **conceptual** operations（一連の概念操作）
a wide variety of **conceptual** problems（様々な概念的問題）
a theory of **conceptual** integration（概念統合の理論）
one facet of **conceptual** structure（概念構造の一面）
in the human **conceptual** system（人間の概念システムでは）

《関連語彙 A》

concept /kɔ́nsept/ 名 概念
　a pivotal **concept**（重要な概念）
　these technical **concepts**（これらの専門的概念）
　a pattern of **concept** formation（概念形成のパターン）
　the **concept** borrowed from philosophy（哲学から借用された概念）
　create/develop new **concepts**（新しい概念を生み出す）
　be fundamentally a complex **concept**（基本的には複雑な概念である）

conceptually /kənséptʃuəli/ 副 概念的に
　a **conceptually** quite different operation（概念的にかなり異なった操作）

be **conceptually** very complex（概念的にかなり複雑である）
be **conceptually** dependent on the former model
　（概念的には前者のモデルに依存している）
these elements are **conceptually** inseparable
　（これらの要素は概念的に不可分である，これらの要素は概念的には分離できない）
this process is achieved **conceptually**（このプロセスは概念的に成される）

conception /kənsépʃən/ 名 概念
　an extended **conception**（拡張概念）
　a spatial **conception**（空間概念）
　its reductive **conception**（その還元主義的な概念）
　highly abstract **conceptions**（かなり抽象的な概念）
　the **conception** of polarity（極性概念）
　Johnson's (2001) **conception** of prototype
　　（Johnson(2001)のプロトタイプという概念）

106 □ **concern** /kənsə́:rn/ 名 関心(事)　動 関心がある，関係する

《使用例》
Johnson's (2000) **concern**（Johnson (2000)の関心事）
a prime **concern** of ABC Theory（ABC 理論の主要な関心事）
be **concerned** with this contrast（この対比に関心がある）
psychologists **concerned** with spatial cognition
　（空間認知に関心のある心理学者）
concern the structure of the system
　（そのシステムの構造と関係がある，そのシステムの構造と関係している）

《関連語彙 A》
concerned /kənsə́:rnd/ 形 関心がある，関する
　the issue **concerned**（当該の問題，その問題）
　previous studies **concerned** with fundamental human rights
　　（基本的人権に関する先行研究）
　be not **concerned** with this phenomenon（この現象に関心があるのではない）
　this paper is particularly **concerned** with the mechanism of respiration
　　（本稿では特に呼吸のメカニズムに関心がある）
　as/so far as the former is **concerned**（前者に関する限り）
　insofar as this problem is **concerned**（この問題に関する限り）

concerning /kənsə́:rniŋ/ 前 －に関して（は）
　concerning these differences（これらの相違に関しては）
　concerning the hypothesis B（仮説 B に関しては）
　issues **concerning** human categorization（人間のカテゴリー化に関する問題）

other research **concerning** metaphorical expressions（比喩表現に関する他の研究）

107 ☐ concise /kənsáis/ 形 簡潔な

《使用例》
a **concise** account（簡潔な説明）
a relatively **concise** overview（比較的簡潔な概観）
a **concise** outline of ABC theory（ABC 理論の簡潔な概要）
a **concise** introduction to cognitive psychology（簡潔な認知心理学入門）
this **concise** summary（この簡潔な要約）
in a **concise** manner（簡潔に）

《関連語彙 A》
concisely /kənsáisli/ 副 簡潔に
　more **concisely**（より簡潔に）
　capture the main point **concisely**（その要点を簡潔に捉える）
　be defined **concisely**（簡潔に定義される）
　can be **concisely** stated（簡潔に述べることができる）
　to put it **concisely**（簡単に言えば，簡潔に言えば）

conciseness /kənsáisnəs/ 名 簡潔さ，簡潔性
　this kind of **conciseness**（この種の簡潔性）
　the **conciseness** of these rules（これらの規則の簡潔さ）
　in terms of **conciseness**（簡潔性の観点から）
　regardless of its **conciseness**（その簡潔さにも関わらず）

108 ☐ conclusive /kənklú:siv/ 形 決定的な，確実な，最終的な

《使用例》
a **conclusive** answer（確実な答え，確固たる答え）
conclusive evidence for this hypothesis
　（この仮説の決定的な証拠，この仮説の確証）
in order to obtain more **conclusive** evidence
　（より決定的な証拠を得るためには）
be not **conclusive**（決定的なものではない，最終的なものではない）
there is no **conclusive** proof that S+V（－という決定的な証拠は何もない）

《関連語彙 A》
conclusion /kənklú:ʒən/ 名 結論
　reach the same **conclusion**（同じ結論に達する）
　present the **conclusion** that S+V（－という結論を提示する）

in **conclusion**（最後に，結論として）
this **conclusion**, however, is premature（しかしながら，この結論は時期尚早である）
this **conclusion** can be drawn from Johnson's (2001) account
　　（この結論は Johnson(2001) の説明から導き出せる）

conclude /kənklú:d/ 動 結論づける，締め括る
　conclude this chapter by pointing out remaining issues
　　（残された課題を指摘することで本章を締め括る）
　Johnson (2002) **concludes** that S+V（Johnson(2002)は−であると結論づけている）
　it is safe to **conclude** that S+V（−であると結論づけるのが無難である）
　it can be **concluded** that S+V（−であると結論づけることができる）
　Section 5 **concludes** with a summary of this paper
　　（第5節は本論文の要約で締め括る）

conclusively /kənklú:sivli/ 副 最終的に，明確に
　determine a candidate **conclusively**（候補を最終決定する）
　answer these questions **conclusively**（これらの疑問に明確に答える）
　cannot be proven **conclusively**（明確に証明できない）
　Finland (2002) shows **conclusively** that S+V
　　（Finland(2002)は最終的に−ということを示している）

inconclusive /inkənklú:siv/ 形 決定的でない
　inconclusive evidence（非決定的な証拠）
　an **inconclusive** discussion（結論の出ない議論）
　this debate is **inconclusive**
　　（この論争は決着がついていない，この議論は結論に至っていない）
　these research results are **inconclusive**（これらの研究成果は決定的なものではない）

109 □ **concrete** /kɔ́nkri:t/ 形 具体的な

《使用例》
abundant **concrete** examples（豊富な具体事例）
a **concrete** means of expression（具体的な表現方法）
a **concrete** way of doing（−する具体的な方法）
be highly **concrete**（かなり具体的である）
in a more **concrete** way（より具体的に）
establish a **concrete** hypothesis（具体的な仮説を立てる）

《関連語彙 A》
concretely /kɔ́nkri:tli/ 副 具体的に
　more **concretely**（より具体的には，より具体的に）
　concretely speaking（具体的に言えば）

concretely nouns and verbs（具体的には名詞と動詞）
a concretely described mechanism（具体的に記述されたメカニズム）
to understand such a pattern concretely
　　（このようなパターンを具体的に理解するために）

concreteness /kɔ́nkri:tnəs/ 图 具体性, 具体化
　the concreteness of experience（経験の具体性, 経験の具体化）
　along a scale from abstractness to concreteness
　　（抽象性から具体性へ至るスケールに沿って）
　for the sake of concreteness（具体化のために）
　for concreteness of exposition（説明を具体化するために）
　the concreteness is stressed（その具体性が強調される）

110 ☐ condition /kəndíʃən/ 图 条件　動 条件づける

《使用例》
a necessary and sufficient condition（必要十分条件）
in this condition（この条件で（は））
under these conditions（これらの条件下で）
under the condition that S+V（-という条件下では）
on condition that S+V（-という条件で）
satisfy/meet the first condition（最初の条件を満たす）
be dependent on the same condition（同じ条件に依存している）
condition its use（その使用を条件づける）
be also conditioned biologically（生物学的にも条件づけられる）

《関連語彙 A》

conditional /kəndíʃənl/ 形 条件つきの, -次第である, -を条件とする
　a conditional constraint（条件つきの制約）
　a conditional sentence（条件文）
　be conditional on/upon the experimental data
　　（その実験データ次第である, その実験データを条件としている）

conditionally /kəndíʃənəli/ 副 条件つきで
　be understood conditionally（条件つきで理解される）
　can be conditionally guaranteed（条件つきで保証されうる）
　use this concept conditionally（この概念を条件つきで用いる）

conditioned /kəndíʃənd/ 形 条件づけられた, 条件つきの
　a conditioned reflex/response（条件反射）
　a conditioned proposal（条件つきの提案）
　socially conditioned behavior（社会的に条件づけられた行動）

unconditional /ʌnkəndíʃənl/ 形 無条件の
　an **unconditional** rule（無条件の規則, 無条件のルール）
　this **unconditional** surrender（この無条件降伏）
　be **unconditional** in the sense that S+V（－という意味では無条件である）

unconditionally /ʌnkəndíʃənəli/ 副 無条件で
　be **unconditionally** ignored（無条件で無視される）
　must be **unconditionally** discussed（無条件で議論されなければならない）
　accept this proposal **unconditionally**（この提案を無条件で容認する）

111 □ conduct /kəndʌ́kt/ 動 行う

《使用例》
conduct a survey of existing data（既存データの調査を行う）
conduct an analysis of metaphorical expressions（比喩表現の分析を行う）
conduct an experiment（実験を行う）
conduct a series of investigations（一連の研究をする）
an investigation **conducted** to reveal the structure of short-term memory（短期記憶の構造を明らかにするために行われた1つの調査/研究）
the study **conducted** in this paper（本稿で行われた研究）
this research was **conducted** at Orange University
　（この研究はオレンジ大学で行われた）
a number of studies have been **conducted** so far on ABC and XYZ
　（ABCとXYZに関する多くの研究がこれまで行われてきた）

112 □ conference /kɔ́nfərəns/ 名 学会, 大会

《使用例》
an international **conference**（国際学会, 国際会議）
a **conference** held at ABC University（ABC大学で開かれた大会）
conference papers（大会発表論文）
be presented at the annual **conference**（その年次大会で発表される）
the Second Annual **Conference** on Clinical Psychology
　（臨床心理学会第2回年次大会）

《関連語彙A》
association /əsousiéiʃən/ 名 学会
　the International Computational Linguistics **Association**（国際計算言語学会）
　the **Association** for Social Psychology（社会心理学会）
　the French **Association** of Music Education（フランス音楽教育学会）

the North-American Medical **Association**（北米医学会）

society /səsáiəti/ 名 学会
    the Japanese **Society** of Arts（日本芸術学会）
    the Anatomical **Society** of America（米国解剖学会）
    the Brain Science **Society**（脳科学会）
    the British Mathematical **Society**（イギリス数学会）

workshop /wə́:rkʃɔp/ 名 ワークショップ
    a **workshop** held at ABC University（ABC 大学で開かれたワークショップ）
    the Second International **Workshop** on Language Processing
        （第 2 回言語処理国際ワークショップ）
    the theme of the **workshop**（そのワークショップのテーマ）
    at the **workshop**（そのワークショップで）

symposium /simpóuziəm/ 名 シンポジウム
    this international **symposium**（この国際シンポジウム）
    a **symposium** on environmental problems（環境問題に関するシンポジウム）
    a **symposium** held at XYZ University（XYZ 大学で行われたシンポジウム）
    in this **symposium**（このシンポジウムでは）
    at the 19th ABC **Symposium**（第 19 回 ABC シンポジウムで）

forum /fɔ́:rəm/ 名 フォーラム
    an international **forum**（国際フォーラム）
    the 3rd Linguistic **Forum**（第 3 回言語フォーラム）
    at the ABC **Forum**（ABC フォーラムで）

colloquium /kəlóukwiəm/ 名 討論会, コロキアム
    the international **colloquium**（その国際討論会）
    an organizer of this **colloquium**（この討論会の主催者）
    the Second Linguistic **Colloquium**（第 2 回言語コロキアム）

lecture /léktʃər/ 名 講演
    a **lecture** on the history of art（美術史に関する講演）
    other **lectures** by John London（John London 氏によるその他の講演）
    before the **lecture**（その講演の前に）
    in this **lecture**（この講演では）
    the notes of this **lecture**（この講演の記録, この講演の草稿）

---

113 ☐ **confine** /kənfáin/ 動 限定する 名 範囲

《使用例》
be **confined** to a few examples（いくつかの事例に限られる）
be usually **confined** to women（通常は女性に限定される）
be not **confined** to humans（人間に限定されない）

the present study **confines** itself to the issue of categorization
（本研究ではカテゴリー化の問題だけに留める）
within the **confines** of this doctrine（この学説の範囲内で）
redefine its **confines**（その範囲を再定義する）

114 ☐ confirm /kənfə́ːrm/ 動 裏づける

《使用例》
be strongly **confirmed** by the data
（そのデータによって強く裏づけられている）
to **confirm** this hypothesis（この仮説を裏づけるために）
an empirically **confirmed** account（経験的に裏づけられた説明）
these results clearly **confirm** the existence of Group B
（これらの結果は明確にグループBの存在を裏づけている）
this analysis **confirms** that S+V（この分析は−ということを裏づけている）
seem to **confirm** the assumption that S+V
（−という仮定を裏づけるように思える）

《関連語彙A》
confirmation /kɔnfərméiʃən/ 名 裏づけ
　this scientific **confirmation**（この科学的裏づけ）
　a further **confirmation**（さらなる裏づけ）
　the **confirmation** of this hypothesis（この仮説の裏づけ）
　as a robust **confirmation** of this conclusion（この結論の強固な裏づけの1つとして）
　await experimental **confirmation**（実験レベルでの裏づけを必要としている）

disconfirm /diskənfə́ːrm/ 動 反証する
　disconfirm the claim（その主張を反証する）
　disconfirming examples（反例）
　in order to **disconfirm** this hypothesis（この仮説を反証するためには）
　may be **disconfirmed** by experimental data
　　（実験データによって反証されるかも知れない）
　this prediction would be **disconfirmed**（この予測は反証されるであろう）

115 ☐ conflicting /kənflíktiŋ/ 形 競合的な，対立的な

《使用例》
a **conflicting** alternative（競合する代案, 対立的な代案）
such **conflicting** accounts（このような競合的な説明）
many **conflicting** criteria（多くの対立的な基準）

be defined in **conflicting** ways
（競合する形で定義される，対立的に定義される）
these models are potentially **conflicting**
（これらのモデルは潜在的に対立している）

《関連語彙 A》

conflictingly /kənflíktiŋli/ 副 対立的に
  quite **conflictingly**（かなり対立的に）
  act **conflictingly**（対立的に機能する，対立的に振る舞う）
  be **conflictingly** defined in many aspects（多くの点で対立的に定義される）
conflict /kənflíkt/ 動 対立する
         /kɔ́nflikt/ 名 対立
  conflict with the former（前者と対立している）
  be in **conflict**（対立している）
  be in **conflict** with the ABC model（ABC モデルと対立している）
  be in **conflict** with each other（お互いに対立している）
  the **conflict** between these two principles（これら 2 つの原理の対立）
  there is a **conflict** between ABC and XYZ（ABC と XYZ の間には対立がある）

116 □ **conform** /kənfɔ́:rm/ 動 従う，一致する

《使用例》

conform to this hypothesis（この仮説に従っている，この仮説に一致している）
conform to the tendency（その傾向に従っている）
this **conforms** fully to Johnson's (1998) framework
    （この点は完全に Johnson (1998) の枠組みに一致している）
ideas **conforming** to Cartesian logics（デカルトの論法に従った考え方）

《関連語彙 A》

conformity /kənfɔ́:rməti/ 名 一致
  in **conformity** with this principle（この原理に従って）
  in **conformity** with these laws（これらの法則に従って）
  be in **conformity** with these theoretical assumptions
    （これらの理論的仮定と一致している）
  be in perfect **conformity** with reality（現実と完全に一致している）
  be entirely in **conformity** with this point of view（この視点と完全に一致している）

117 □ **confuse** /kənfjú:z/ 動 混同する，混乱する

《使用例》

confuse these two levels（これら 2 つのレベルを混同する）

confuse Pattern A with Pattern B（パターン A をパターン B と混同する）
ABC should not be confused with XYZ
　（ABC は XYZ と混同されるべきではない）
be mistakenly confused with the principle of economy
　（間違って経済性原理と混同されている）
this is not to be confused with the notion of freedom
　（これは自由という概念と混同されるべきではない）
be slightly/somewhat confusing（少し混乱を招いている）

《関連語彙 A》

confusion　/kənfjúːʒən/　名 混同，混乱
　a confusion between ABC and XYZ（ABC と XYZ の混同）
　to avoid/prevent confusion（混同 / 混乱を避けるために）
　be a source of confusion（混乱のもとである）
　be a result of confusion（混同の結果である）
　cause a confusion（混乱を引き起こす，混乱を招く）
　lead to a great deal of confusion（かなりの混乱につながる）

118 □ conjecture　/kəndʒéktʃər/　名 憶測，推測　動 推測する

《使用例》

a mere conjecture（単なる憶測，単なる推測）
this interesting conjecture（この興味深い推測）
support this conjecture（この憶測を裏づける）
this conjecture seems plausible（この推測は妥当なように思える）
it is possible to conjecture that S+V
　（− ということを推測することは可能である）

119 □ consensus　/kənsénsəs/　名 意見の一致，統一見解

《使用例》

a broad consensus（広い意見の一致）
strengthen this consensus（この統一見解を強固なものにする）
there is as yet no consensus about the specific details
　（その詳細についてはまだ意見の一致は見られていない）
there is little consensus on how it works（それがどのように機能するのかに関してはほとんど意見の一致が見られていない）
there is a consensus that S+V（− という意見の一致が見られる）
there seems to be a consensus on the latter mechanism

(後者のメカニズムに関しては意見の一致が見られるように思える)

120 ☐ consequence /kɔ́nsikwəns/ 名 結果, 帰結

《使用例》
a necessary **consequence**（必然的な結果）
as a **consequence**（その結果）
as a **consequence** of this analysis（この分析の結果として）
be a natural **consequence**（当然の結果である）
lead to serious **consequences**（深刻な結果につながる）
have three theoretical **consequences**（3つの理論的帰結がある）
have important **consequences** for the following phenomena:
　（以下の現象に重要な影響を与える）

《関連語彙 A》
consequently /kɔ́nsikwəntli/ 副 その結果として, 従って
　be **consequently** observable（従って観察できる）
　be **consequently** difficult to infer（その結果として推論しにくい）
　Consequently, this aspect is not reflected.（従って, この側面は反映されない）
　Consequently, the latter model may require modification.
　　（その結果として, 後者のモデルは修正を要するかも知れない）
　Consequently, other frameworks are necessary to do.
　　（従って, −するためには他の枠組みが必要である）

consequent /kɔ́nsikwənt/ 形 結果としての
　the **consequent** structure（その結果としての構造）
　the **consequent** automatization（その結果としての自動化）
　the **consequent** effects on memory（その結果としての記憶への影響）
　focus on the **consequent** state（その結果状態に着目する）
　a theoretical framework **consequent** on/upon London's (2000) ABC theory
　　（London(2000)の ABC 理論の結果生じた理論的枠組み）

121 ☐ considerably /kənsídərəbli/ 副 かなり

《使用例》
be **considerably** diverse（かなり多様である）
be **considerably** lower than the average（平均よりかなり低い）
overlap **considerably**（かなり重複している）
differ **considerably** across languages（言語間でかなり異なる）
simplify these matters **considerably**（これらの問題をかなり単純化する）

have been **considerably** modified（かなり修正されてきた）

《関連語彙 A》

considerable /kənsídərəbl/ 形 かなりの
　a **considerable** amount of time（かなりの量の時間）
　be of **considerable** interest（かなり興味深い）
　to a **considerable** degree/extent（かなりの程度，大いに）
　be discussed at **considerable** length（かなり詳細に議論される）
　there is **considerable** flexibility（かなりの柔軟性がある）
　considerable attention has been devoted to this phenomenon
　　（この現象にはかなりの注目が向けられてきた）

122 ☐ consistent /kənsístənt/ 形 一致している，一貫性のある

《使用例》

be **consistent** with the results of Johnson's (2003) analysis
　（Johnson (2003) の分析結果と一致している）
be remarkably/highly **consistent** with previous studies
　（先行研究とかなり一致している）
be completely/entirely **consistent** with the assumption above
　（上記の仮定と完全に一致している）
seem **consistent** with this view（この考え方と一致しているように思われる）
follow a **consistent** pattern（一貫したパターンに従っている）
a theory **consistent** with this hypothesis（この仮説と両立する理論）
a **consistent** description of Japanese culture
　（日本文化についての一貫性ある記述）

《関連語彙 A》

consistently /kənsístəntli/ 副 一貫して
　be **consistently** static（一貫して静的である）
　be **consistently** differentiated from this category
　　（一貫してこのカテゴリーからは区分される）
　can be **consistently** observed（一貫して観察できる）
　have **consistently** focused on this phenomenon（一貫してこの現象に着目してきた）
　the author **consistently** uses these sentences
　　（著者は一貫してこれらの文を用いている）
　Johnson (2004) has **consistently** maintained that S+V
　　（Johnson (2004) は一貫して−ということを主張してきた）

consistency /kənsístənsi/ 名 一貫性
　its logical **consistency**（その論理的一貫性）

the overall **consistency** of mental representations（心的表示の全体的一貫性）
other types of **consistency** constraints（その他のタイプの一貫性制約）
for **consistency**（一貫性を持たせるために，一貫性を考慮して）
there is little **consistency** in this case（この場合には一貫性がほとんどない）

123 □ constant /kɔ́nstənt/ 形 一定の，絶え間ない 名 定数

《使用例》
be relatively **constant**（比較的一定している）
despite the author's **constant** efforts（筆者の絶え間ない努力にも関わらず）
maintain a **constant** distance（一定の距離を維持する）
the volume remains **constant**（その体積は一定のままである）
an absolute **constant**（絶対定数）
the Avogadro's **constant**（アボガドロ定数）

《関連語彙 A》
constantly /kɔ́nstəntli/ 副 絶えず
　this structure **constantly** changes（この構造は絶えず変化している）
　be **constantly** updated（絶えず更新される）
　be **constantly** faced with this problem（絶えずこの問題に直面している）
　be **constantly** changing（絶えず変化している）

124 □ constitute /kɔ́nstətjuːt/ 動 構成する，ーになる

《使用例》
constitute a topic of research（研究トピックになる）
constitute direct evidence that S+V（ーということの直接的な証拠になる）
constitute the basis for doing（ーする基盤となる）
constitute the bulk of this book（この本の大半を占めている）
constitute support for the experimental results
　（その実験結果を裏づけている）
be **constituted** by these elements（これらの要素によって構成される）
a democratically **constituted** society（民主的に構築された社会）

《関連語彙 A》
constitution /kɔnstətjúːʃən/ 名 構成，構造，組成
　bodily **constitutions**（身体構造）
　its chemical **constitution**（その化学組成）
　the **constitution** of society（社会の構成，社会の構造）
　modify its internal **constitution**（その内部構成を修正する）

its **constitution** is obtained（その構造が得られる）

constitutive /kɔ́nstətjuːtiv/ 形 構成的な，構成（上）の
　a **constitutive** principle（構成原理）
　individual **constitutive** elements（個々の構成要素）
　such **constitutive** processes（このような構成上のプロセス）
　be **constitutive** of each stage（各々の段階を構成している）

constitutively /kɔ́nstətjuːtivli/ 副 構成的に，構成上
　a **constitutively** indispensable mechanism（構成上不可欠なメカニズム）
　be **constitutively** important（構成的に重要である）
　be **constitutively** required（構成上必要とされる）
　be not **constitutively** necessary（構成上は必要ではない）

constituent /kənstítʃuənt/ 名 構成要素　形 構成の
　major **constituents**（主要構成要素）
　many other **constituents**（他の多くの構成要素）
　structurally complex **constituents**（構造的に複雑な構成要素）
　the **constituent** structure of Figure 3（図3の構成構造）
　on the basis of **constituent** structure（構成構造に基づいて）
　be inferable from its **constituent** parts（その構成部分から推測できる）

constituency /kənstítʃuənsi/ 名 構成性，構成構造
　the same **constituency**（同じ構成性）
　a kind of **constituency**（一種の構成性，一種の構成構造）
　this view of **constituency**（この構成性という考え方）
　the **constituency** shown in Figure 5（図5に示される構成性）
　at the level of **constituency**（構成構造のレベルで）

125 □ constraint /kənstréint/ 名 制約

《使用例》

two key **constraints**（主要な2つの制約）
this sort of **constraint**（この種の制約）
such cultural **constraints**（このような文化的制約）
cognitive **constraints** on metaphor comprehension
　（比喩理解に関する認知的制約）
universal **constraints** inherent in this structure
　（この構造に固有の普遍的な制約）
there are no **constraints**（制約は何もない）
there is a **constraint** on the movement of elements
　（要素の移動に関して制約がある）

due to these **constraints**（これらの制約のために）

《関連語彙 A》

constrain /kənstréin/ 動 制限する
 constrain this construal（この解釈を制限する）
 constrain the range of variation（変容の範囲を制限する）
 be **constrained** by linguistic factors（言語的要因によって制限される）
 be highly **constrained**（かなり制限される）
 unless otherwise **constrained**（特に制限されない限り，別の方法で制限されない限り）

126 ☐ **construct** /kənstrʌ́kt/ 動 構築する，構成する
     /kɔ́nstrʌkt/ 名 構築物，構成体

《使用例》

construct a model of the brain（脳のモデルを構築する）
construct a questionnaire（アンケートを構築する）
be **constructed** in a similar way（似たような形で構成される）
can be **constructed** by analogy（類推によって構築できる）
these **constructed** examples（これらの作例）
the most basic theoretical **construct**（最も基本的な理論的構築物）
be regarded as a mere **construct**（単なる構成体として見なされる）

《関連語彙 A》

construction /kənstrʌ́kʃən/ 名 構築，構成
 the **construction** of discourse（談話の構築，談話構築）
 the **construction** of a new theory（新しい理論の構築）
 the process of **construction**（構成プロセス，構築プロセス）
 a variety of grammatical **constructions**（様々な文法構文）
 a theoretical framework under **construction**（構築中の理論的枠組み）
 be highly complex in **construction**（構成がかなり複雑である）

constructive /kənstrʌ́ktiv/ 形 建設的な，構築の，構成の
 a **constructive** critique（建設的な批判）
 their **constructive** comments（彼らの建設的なコメント）
 a number of **constructive** suggestions（多くの建設的な示唆）
 a **constructive** process（構築プロセス，構成プロセス）
 its **constructive** power（その構成力）

《関連語彙 B》

reconstruct /riːkənstrʌ́kt/ 動 再構築する，再構成する
 reconstruct this conceptualization（この概念化を再構成する）
 a **reconstructed** form（再構築された形式）

have been **reconstructed** by David Johnson
（David Johnsonによって再構築されてきた）
by **reconstructing** arguments（議論を再構築することで）
this structure can be **reconstructed**（この構造は再構築できる）

reconstruction /ri:kənstrʌ́kʃən/ 图 再構築, 再構成
the **reconstruction** of XYZ theory（XYZ理論の再構築）
such an in-depth **reconstruction**（このような詳細な再構成）
the process of **reconstruction**（再構築プロセス, 再構成プロセス）
in the **reconstruction** of this element（この要素の再構築において）
attempt a **reconstruction** of its history（その歴史の再構築を試みる）

127 ☐ content /kɔ́ntent/ 图 内容, 目次

《使用例》
its descriptive **content**（その記述内容）
the same semantic **content**（同じ意味内容）
the **content** of thought（思考内容）
the **contents** of this book（この本の内容）
a table of **contents**（目次）
as far as the **content** is concerned（その内容に関する限り）

128 ☐ contentious /kənténʃəs/ 形 議論を呼んでいる

《使用例》
a **contentious** topic（論争になりやすいトピック）
a highly **contentious** issue（かなり議論を呼んでいる問題）
be particularly/especially **contentious**（特に議論を呼んでいる）
tend to be **contentious**（論争を起こしやすい傾向がある）
deal with **contentious** issues（論争になりやすい問題を扱う）

《関連語彙A》
contention /kənténʃən/ 图 主張
the **contention** of this paper（本論文の主張）
support this **contention**（この主張を裏づける）
defend the **contention** that S+V（-という主張を擁護する）
be in favor of this **contention**（この主張を支持する）
Poland's (2000) **contention** is that S+V
（Poland(2000)の主張は-ということである）

129 ☐ continuum /kəntínjuəm/ 图 連続体, 連続スケール

《使用例》

form/constitute a **continuum**（連続体を成す）
be conceived as a **continuum**（連続体として考えられる）
on a **continuum** from abstractness to concreteness
　（抽象から具体への連続体上で）
along such a **continuum**（このような連続スケールに沿って）
at the bottom of this **continuum**（この連続スケールの最下部に）
at the ends of the **continuum**, at the end points of the **continuum**
　（その連続体の両端に）
there is a **continuum** between ABC and XYZ
　（ABCとXYZは連続している）

《関連語彙A》

continuous /kəntínjuəs/ 形 連続的な，継続的な
　a **continuous** phenomenon（連続的な現象）
　a **continuous** line（実線）
　continuous research（継続的な研究）
　the **continuous** nature of cognitive processes（認知プロセスの連続性）
　be nearly **continuous**（ほぼ連続的である）
　be **continuous** rather than discrete（離散的というよりも連続的である）
　along a **continuous** scale（連続スケールに沿って）

continuously /kəntínjuəsli/ 副 連続的に，継続的に
　almost **continuously**（ほぼ連続的に）
　be applied **continuously**（連続的に適用される）
　have been **continuously** collected（継続的に収集されてきた）
　this may vary **continuously**（これは連続的に変容するかも知れない）

continuity /kɔntənjúːəti/ 名 連続性
　cultural **continuities**（文化の連続性）
　this principle of **continuity**（この連続性原理）
　this kind of **continuity**（この種の連続性）
　the limits of **continuity**（連続性の限界）
　the **continuity** of topics（トピックの連続性）
　the **continuity** between ABC and XYZ（ABCとXYZの連続性）
　exhibit **continuity**（連続性を示す）

continue /kəntínjuː/ 動 続ける，継続する
　continue this analysis（この分析を続ける）
　continue to support this position（この立場を支持し続ける）
　be **continued** by Paul Johnson（Paul Johnsonによって継続される）
　its **continued** circulation（その継続的な循環）

a **continuing** process（継続的なプロセス）
by **continuing** the same process（同じプロセスを継続することで）

《関連語彙 B》

discontinuous /dìskəntínjuəs/ 形 非連続的な，一貫性のない
　a **discontinuous** change（非連続的な変化，一貫性のない変化）
　a **discontinuous** process（非連続的なプロセス）
　this **discontinuous** formation（この非連続的な形成）
　be entirely **discontinuous**（完全に非連続的である）
　this pattern of thought is **discontinuous**（この思考パターンには一貫性がない）

discontinuously /dìskəntínjuəsli/ 副 非連続的に
　increase **discontinuously**（非連続的に増える）
　occur **discontinuously**（非連続的に生じる）
　be activated **discontinuously**（非連続的に活性化される）
　be processed **discontinuously**（非連続的に処理される）

discontinuity /dìskɔntənjúːəti/ 名 非連続性
　the absence of **discontinuities**（非連続性の欠如）
　other types of **discontinuities**（他のタイプの非連続性）
　the **discontinuity** of relations（関係の非連続性）
　the importance of **discontinuity**（非連続性の重要性）
　the **discontinuity** between ABC and XYZ（ABC と XYZ の非連続性）
　recognize **discontinuity**（非連続性を認識する）
　in order to avoid **discontinuity**（非連続性を避けるために）

130 □ **contradict** /kɔ̀ntrədíkt/ 動 反駁する，反論する，矛盾する，否定する

《使用例》

contradict this theoretical assumptions（この理論的仮定を反駁する）
contradict the author's criticism（著者の批判に反論する）
contradict the actual situation（実際の状況と矛盾している）
be explicitly **contradicted** by the following examples:
　（以下の事例によって明確に否定される）
this may be **contradicted**（これは反駁されるかも知れない）

《関連語彙 A》

contradiction /kɔ̀ntrədíkʃən/ 名 矛盾
　resolve this **contradiction**（この矛盾を解消する）
　lead to a **contradiction**（矛盾につながる，矛盾を招いている）
　the **contradiction** between the two papers（その2つの論文の間にある矛盾）
　there is no fundamental **contradiction** in this theory

（この理論には基本的に矛盾はない）

contradictory /kɔ̀ntrədíktəri/ 形 矛盾した
　contradictory intuitions（矛盾した直観）
　be apparently **contradictory**（明らかに矛盾している）
　be not **contradictory**（矛盾してはいない）
　be seen as a **contradictory** aspect（矛盾した一面として考えられる）
　this would be **contradictory**（これは矛盾しているであろう）

131 ☐ **contrary** /kɔ́ntrəri/ 形 反対の，正反対の　名 反対，正反対

《使用例》
contrary to expectations（期待に反して）
contrary to the prediction above（上記の予測に反して）
on the **contrary**（それどころか，それに反して）
quite the **contrary**（それとは全く逆で）
a suggestion to the **contrary**（それとは正反対の提案）
evidence to the **contrary**（反証）
be clearly **contrary** to the following maxim:
　（以下の一般原理に明らかに反している）
this is **contrary** to Poland's (2005) framework
　（この点は Poland (2005) の枠組みとは正反対である）
present **contrary** perspectives（全く正反対の視座を提示する）

132 ☐ **contrast** /kɑ́ntræst/ 名 対比，対照
　　　　　　/kəntrǽst/ 動 対比する，対照する

《使用例》
this structural **contrast**（この構造的対比）
in/by [sharp] **contrast** with this theory（この理論とは［かなり］対照的に）
be/stand in sharp **contrast** with Figure 2
　（図2と著しい対照を成している，図2とは極めて対照的である）
there is a stark **contrast** between ABC and XYZ
　（ABC と XYZ の間には著しい相違が見られる）
there is no sharp **contrast** between ABC and XYZ
　（ABC と XYZ の間には明確な違いはない）
contrast Principle A with Principle B
　（原理 A を原理 B と対比する，原理 A と原理 B を対比する）
contrast starkly with Johnson's (2003) approach

(Johnson (2003) のアプローチと著しい対照を成している, Johnson (2003) のアプローチとは極めて対照的である)

《関連語彙 A》

contrastive /kəntrǽstiv/ 形 対照的な, 対比的な
　contrastive relations（対比関係, 対照関係）
　this **contrastive** analysis（この対照分析）
　a **contrastive** study of Japanese and Chinese（日本語と中国語の対照研究）
　contrastive studies between English and German（英語とドイツ語の対照研究）
　in **contrastive** linguistics（対照言語学では）

contrastively /kəntrǽstivli/ 副 対照的に, 対比的に
　more **contrastively**（より対照的に, より対比的に）
　be interpreted **contrastively**（対照的に解釈される）
　should be **contrastively** defined（対照的に定義されるべきである）
　can be **contrastively** described（対照的に記述されうる）

133 □ contribute /kəntríbjuːt/ 動 貢献する, 投稿する, 寄稿する

《使用例》

contribute to this debate（この議論に貢献する）

contribute to an adequate understanding of this framework
　（この枠組みの適切な理解に貢献する）

have **contributed** directly to testing this hypothesis
　（この仮説の検証に直接的に貢献してきた）

another factor **contributing** to the conceptualization
　（その概念化に貢献する別の要因）

contribute this paper to *Journal of Humanities*
　（この論文を Journal of Humanities に投稿／寄稿する）

《関連語彙 A》

contribution /kɔntrəbjúːʃən/ 名 貢献, 投稿, 寄稿
　an important **contribution** to metaphor research（比喩研究への重要な貢献）
　the **contribution** of this paper（本論文の貢献性）
　make a **contribution** to the development of cognitive sociology
　　（認知社会学の発展に貢献する）
　a **contribution** to *Studies in Mathematics*
　　（Studies in Mathematics への投稿, Studies in Mathematics への寄稿）
　in Johnson's **contributions**（Johnson の寄稿論文では）

contributor /kəntríbjutər/ 名 投稿者, 寄稿者
　a **contributor** to this journal（この雑誌への投稿者）

a list of **contributors**（寄稿者の一覧リスト）
other invited **contributors**（他の招待執筆者）
the selection of **contributors**（寄稿者の選定）
as represented by other **contributors**（他の寄稿者によって示されるように）

134 ☐ controversial /kɔ̀ntrəvə́:rʃəl/ 形 議論を呼んでいる，論争の絶えない

《使用例》

a rather **controversial** issue（かなりの議論を呼んでいる問題）
the **controversial** claim that S+V（-という論争の絶えない主張）
remain **controversial**（論争が絶えないままである）
this view is **controversial** for many psychologists
　（この見解は多くの心理学者にとって論争の種である）
these approaches are highly **controversial**
　（これらのアプローチはかなり議論を呼んでいる）

《関連語彙 A》

controversy /kɔ́ntrəvə:rsi/ 名 論争，議論
　this **controversy**（この議論，この論争）
　a barren **controversy**（水掛け論）
　the **controversy** between ABC and XYZ（ABCとXYZの間の論争）
　be subject to **controversy**（多くの議論を呼んでいる，論争を免れない）
　lead to many **controversies**（多くの論争につながる）
　controversies arise（論争が生じる）

uncontroversial /ʌ̀nkɔntrəvə́:rʃəl/ 形 議論にはつながらない
　uncontroversial evidence（議論の余地がない証拠，誰もが認める証拠）
　be not **uncontroversial**（議論にならないはずがない）
　be by now **uncontroversial**（今や意見の一致を見ている）
　be **uncontroversial** in most cases（ほとんどの場合，議論の必要性がない）
　the existence of this pattern is **uncontroversial**
　　（このパターンが存在することは議論の必要性がない，意見の一致を見ている）
　it is quite/fairly **uncontroversial** to assume that S+V
　　（-と仮定しても何ら問題はない）

135 ☐ convenience /kənví:njəns/ 名 便宜

《使用例》

for **convenience**（便宜的に，便宜上）
be a matter of **convenience**（便宜上の問題である）
for **convenience** of classification（分類の便宜上）

for **convenience** of explanation（説明の便宜上）
for reasons of **convenience**（便宜上の理由で）
ABC is used here for **convenience**（便宜上ここでは ABC が用いられる）

《関連語彙 A》
convenient /kənvíːnjənt/ 形 有益な，便宜的な
 a **convenient** theoretical tool（有益な理論的道具立て）
 a **convenient** term（便宜的な用語, 便宜上の用語）
 a **convenient** way of doing（-する有益な方法）
 it seems **convenient** to do（-するのが有益なように思える）
 it may be more **convenient** to do（-する方が有益かも知れない）

conveniently /kənvíːnjəntli/ 副 便宜的に，便宜上
 be **conveniently** represented in Figure 3（図3には便宜的に表示されている）
 be **conveniently** thought of as a hyperbole（便宜上, 誇張法として考えられる）
 what is **conveniently** called Principle A（便宜的に原理 A と呼ばれるもの）
 this can be **conveniently** termed *optimality*
  （これは便宜上 optimality と呼ぶことができる）

136 □ **converse** /kənvə́ːrs/ 形 逆の，反対の
 /kɑ́nvərs/ 名 逆のもの，反対のもの

《使用例》
a **converse** relationship（逆の関係, 反対の関係）
the **converse** operation（それとは逆の操作, それとは反対の操作）
the exact **converse** of conceptualization（概念化の正反対）
be the **converse** of the claim above（上記の主張とは逆である）
in the **converse** direction（それとは反対の方向に）
the **converse** also holds（その逆も当てはまる）
the **converse** is not the case（その逆は正しくない, その逆は当てはまらない）

《関連語彙 A》
conversely /kənvə́ːrsli/ 副 逆に，反対に
 rather than **conversely**（その逆よりもむしろ）
 conversely in (10)（逆に(10)では）
 S+V, but not **conversely**（-であってその逆ではない）
 Conversely, it is very difficult to do
  （逆に言えば-するのはかなり難しい, 反対に-するのはかなり難しい）

137 □ **convincing** /kənvínsiŋ/ 形 説得力のある

《使用例》
a **convincing** analysis of this system
　（このシステムについての説得力のある分析）
be particularly **convincing**（特に説得力がある）
be highly **convincing**（かなり説得力がある）
be not **convincing**（説得力がない）
make the discussion **convincing**（その議論を説得力のあるものにする）
it is less **convincing** to do（−するのはあまり説得力がない）

《関連語彙 A》
convincingly /kənvínsiŋli/ 副 納得できるように，説得力をもって
　illustrate this point **convincingly**（納得できるようにこの点を説明する）
　as Poland (2002) **convincingly** demonstrates（Poland(2002)が適切に示すように）
　should be explained more **convincingly**（より納得できる形で説明されるべきである）
　it has been **convincingly** argued that S+V
　　（−ということが説得力をもって議論されてきた）
　Johnson (2005) has **convincingly** shown that S+V
　　（Johnson(2005)は説得力をもって−ということを示してきた）

unconvincing /ʌnkənvínsiŋ/ 形 説得力のない，疑わしい
　an **unconvincing** example（説得力のない事例）
　unconvincing proof（説得力のない証拠）
　be very **unconvincing**（かなり疑わしい）
　be **unconvincing** in theory（理論的に疑わしい）
　this counterexample is **unconvincing**（この反例は説得力がない）

138 □ cope /kóup/ 動 扱う

《使用例》
cope with new expressions（新しい表現を扱う）
cope with the following examples（以下の事例を扱う）
fail to **cope** with other units（他の単位を扱うことができない）
in order to **cope** with these questions（これらの問題を扱うためには）
complex phenomena that this theory cannot **cope** with
　（この理論では扱うことができない複雑な現象）

139 □ correctly /kəréktli/ 副 正しく，正確に

《使用例》
understand this framework **correctly**（この枠組みを正しく理解する）

point out this fact quite **correctly**（この事実をかなり正確に指摘する）
be **correctly** cited（正確に引用されている）
be **correctly** described as a verb（動詞として正確に記述される）
need to be judged **correctly**（正しく判断される必要がある）
or more **correctly**（あるいはより正確には）

《関連語彙 A》

correct /kərékt/ 形 正しい，正確な
　a **correct** analysis（正しい分析）
　be logically **correct**（論理的に見て正しい）
　be not always **correct**（必ずしも正しくはない）
　this analysis is **correct**（この分析は正しい）
　whether or not this is **correct**（これが正しいかどうか）
　if this assumption is **correct**（この仮定が正しいならば）
　let us assume that this is **correct**（これが正しいと仮定してみよう）
　it would be **correct** to do（-するのが正しいであろう）

140 □ **correlate** /kɔ́:rəleit/ 動 相互に関連する，相互に関係する

《使用例》

correlate with autonomy（自律性と関係がある）
correlate strongly with cognitive abilities（認知能力と強い相関関係がある）
correlate music with literature（音楽と文学を相互に関係づける）
be **correlated** with productivity（生産性と関連づけられる）
these images are closely **correlated**
　（これらのイメージは密接に関係づけられている）

《関連語彙 A》

correlation /kɔ:rəléiʃən/ 名 相関関係，相互関係
　the former **correlation**（前者の相関関係, 前者の相互関係）
　the **correlation** of biology with linguistics（生物学と言語学の相互関係）
　a close **correlation** between form and meaning（形式と意味の密接な相関関係）
　explain this **correlation**（この相関関係を説明する）
　in **correlation** to this approach（このアプローチとの関係の中で）
　there is a strong **correlation** between ABC and XYZ
　　（ABC と XYZ の間には強い相関関係がある）

141 □ **correspond** /kɔrəspɔ́nd/ 動 対応する，一致する

《使用例》

correspond to Johnson's (2002) notion of *zooming-out*
   (Johnson (2002)の zooming-out という概念に対応している)
correspond to the traditional claim that S+V
   (−という伝統的な主張と一致している)
correspond roughly to English *may*
   (大まかには英語の may に対応している)
do not **correspond** to reality
   (現実に対応していない, 現実からかけ離れている)
the **corresponding** concept (それに対応する概念)
the **corresponding** Japanese translation (それに対応する日本語訳)

《関連語彙 A》
correspondence /kɔrəspɑ́ndəns/ 图 対応関係
  establish **correspondences** between ABC and XYZ
     (ABC と XYZ の間に対応関係を築く)
  be reflected in **correspondences** between ABC and XYZ
     (ABC と XYZ の間の対応関係に反映される)
  be linked by **correspondences** (対応関係によってリンクされる)
  be put in **correspondence** with the element b (要素 b と対応している)
  such a **correspondence** (このような対応関係)
  dotted **correspondence** lines (点線による対応線)
  there is a **correspondence** between ABC and XYZ
     (ABC と XYZ の間には対応関係がある)
  correspondence address / address for **correspondence** (連絡先)
correspondingly /kɔrəspɑ́ndiŋli/ 副 同様に, それに応じて
  increase **correspondingly** (それに応じて増加する)
  be **correspondingly** abundant (同様に豊富である)
  it becomes **correspondingly** hard to do (それに応じて−しにくくなる)
  Correspondingly, there is a need to do. (同様に−する必要がある)

142 ☐ **corroborate** /kərɑ́bəreit/ 動 裏づける

《使用例》
corroborate this claim (この主張を裏づける)
corroborate London's (2006) analysis (London(2006)の分析を裏づける)
be further **corroborated** (さらに裏づけられる)
need to be **corroborated** by experiments
   (実験によって裏づける必要がある)
should be **corroborated** by further research

（さらなる研究によって裏づけられるべきである）

《関連語彙A》

corroboration /kərɔbəréiʃən/ 名 裏づけ，確証
　corroboration for this claim（この主張の確証）
　further **corroboration** of this claim（この主張のさらなる裏づけ）
　evidence in **corroboration** of ABC theory（ABC理論を裏づける証拠）
　need **corroboration**（裏づけが必要である）
　in order to obtain further **corroboration**（さらなる裏づけを得るためには）

corroborative /kərɔ́bəreitiv, kərɔ́bərətiv/ 形 裏づけとなる
　corroborative evidence（裏づけとなる証拠，確証）
　this **corroborative** fact（この裏づけとなる事実）
　evidence **corroborative** of this view（この見解を裏づける証拠）
　be **corroborative** of Johnson's (2009) conclusions
　　（Johnson (2009) の結論を裏づけている）
　be strongly **corroborative** of the former claim（前者の主張を強く裏づけている）

143 ☐ **counter** /káuntər/ 形 反対の，逆の　動 論駁する　副 反対に

《使用例》

counter to these elements（これらの要素とは異なり）
be **counter** to Orwell's (2000) claim（Orwell (2000) の主張に反している）
counter a number of earlier assumptions（初期の仮定の多くを論駁する）
an idea that **counters** Johnson's (2007) discussion
　（Johnson (2007) の議論に反する考え方）
run **counter** to this generalization（この一般化に反している）

144 ☐ **counterargument** /káuntərà:rgjumənt/ 名 反論

《使用例》

Johnson's (2007) **counterargument**（Johnson (2007) の反論）
a further **counterargument**（さらなる反論）
three **counterarguments** put forward by Poland (2009)
　（Poland (2009) によって提示された3つの反論）
provide/offer a **counterargument** to this claim
　（この主張への反論を提供する）
modify the **counterargument**（その反論を修正する）

145 ☐ **counterevidence** /káuntərévədəns/ 名 反証

《使用例》

because of the absence of **counterevidence**（反証がないために）
regardless of **counterevidence**（反証にも関わらず）
by providing **counterevidence**（反証を提示することで）
be **counterevidence** to this account（この説明の反証である）
be seen as **counterevidence** for this theory
　（この理論の反証として考えられる）

《関連語彙 A》

evidence /évədəns/ 名 証拠
　a new type of **evidence**（新しいタイプの証拠）
　further indirect **evidence**（さらなる間接証拠）
　evidence against the theory（その理論に反する証拠, その理論の反証）
　evidence gleaned from this corpus（このコーパスから集められた証拠）
　find ample **evidence** for this claim（この主張を裏づける十分な証拠を見つける）
　provide **evidence** for this account（この説明を裏づけている）
　there is no concrete **evidence** that S+V（〜という具体的な証拠はない）

evidence /évədəns/ 動 証明する，例証する
　evidence its complexity（その複雑性を証明する）
　as **evidenced** by the following examples（以下の事例によって例証されるように）
　the principle **evidenced** in this experiment（この実験で証明された原理）
　this causal relationship can also be **evidenced**（この因果関係も証明できる）
　such a tendency has been **evidenced**（このような傾向は例証されてきた）

146 ☐ **counterexample** /káuntərigzæmpl/ 名 反例

《使用例》

an interesting **counterexample**（興味深い反例）
a **counterexample** to this observation（この見解の反例）
present a **counterexample**（1つの反例を提示する）
this is not a **counterexample**（これは反例ではない）
some apparent **counterexamples** can be found
　（明らかな反例がいくつか観察される）

《関連語彙 A》

example /igzæmpl/ 名 事例，例
　a celebrated **example**（有名な例）
　an **example** of metaphor（比喩の一例）
　these representative **examples**（これらの代表例）
　an abundance of concrete **examples**（豊富な具体例）

an **example** par excellence（典型例，典型的な事例）
the supposedly typical **examples**（その推定上の典型例）
the scarcity of **examples**（事例不足）
in the following **examples**（以下の事例では）

147 ☐ criterion /kraitíəriən/ 名 基準（単数）
criteria /kraitíəriə/ 名 基準（複数）

《使用例》
a clear **criterion** for doing（－するための明確な基準）
the adequacy of these **criteria**（これらの基準の妥当性）
these illogical **criteria**（これらの非論理的な基準）
on the basis of the following **criteria**（以下の基準に基づいて）
by what **criteria**（どのような基準で）
satisfy/fulfill/meet this classificatory **criterion**（この分類基準を満たす）
criteria are needed to do（－するための基準が必要である）

148 ☐ critically /krítikəli/ 副 批判的に，決定的に

《使用例》
describe this framework **critically**（この枠組みを批判的に記述する）
be **critically** examined（批判的に検討される）
have been **critically** explored（批判的に探求されてきた）
be **critically** distinct from other types
　（他のタイプとは決定的に異なっている）
be **critically** dependent on its context（その文脈に決定的に依存している）

《関連語彙 A》
critical /krítikəl/ 形 重要な，決定的な，批判的な
　some **critical** problems（いくつかの重要な問題）
　be **critical** to grammatical description（文法記述にとって重要である）
　play a **critical** role in this theory
　　（この理論において決定的な役割を果たす，この理論において重要な役割を担う）
　Johnson's (2000) **critical** discussion（Johnson(2000)の批判的な議論）
　be **critical** of this cognitive model
　　（この認知モデルを批判する，この認知モデルに批判的である）

149 ☐ criticize /krítəsaiz/ 動 批判する

《使用例》

criticize the notion of infinity（無限性という概念を批判する）
criticize this approach for its abstractness
　（その抽象性を理由にこのアプローチを批判する）
be occasionally **criticized**（時々批判される）
to **criticize** Wagner's (2000) theory
　（Wagner (2000)の理論を批判するために）
have been repeatedly **criticized**（繰り返し批判されてきた）
have been **criticized** for two reasons（2つの理由で批判されてきた）

《関連語彙 A》
criticism /krítəsizm/ 名 批判
　these two **criticisms**（これら2つの批判）
　constructive **criticisms**（建設的な批判）
　according to Johnson's (2008) **criticism**（Johnson(2008)の批判によれば）
　be subject to the same **criticism**（同じ批判にさらされる，同じ批判を受ける）
　have received a great deal of **criticism**（かなり批判されてきた）

150 □ **critique** /kritíːk/ 名 批判　動 批判する

《使用例》
a constructive **critique**（建設的な批判）
Holder's (2000) **critique** of experientialism
　（Holder (2000)による経験主義への批判）
throughout Johnson's **critique**（Johnson の批判を通して）
in spite of this **critique**（この批判にも関わらず）
offer a **critique** of the model from this point of view
　（この観点からそのモデルを批判している）
critique this position（この立場を批判する）
critique this theory for its abstractness
　（その抽象性を理由にこの理論を批判する）

151 □ **crucial** /krúːʃəl/ 形 重要な，決定的な

《使用例》
a **crucial** concept（重要な概念）
play a **crucial** role（重要な役割を果たす）
the **crucial** differences between these two accounts
　（これら2つの説明の間の決定的な相違）
the **crucial** point here is that S+V（ここで重要なのは－ということである）

be particularly **crucial**（特に重要である）
be of **crucial** importance（かなり重要である）
be **crucial** to/for this experiment（この実験にとって重要である）
be **crucial** in understanding this structure
　　（この構造を理解するのに重要である）
it is **crucial** to note that S+V（－なのに注意することが重要である）
what is **crucial** is that S+V（重要なのは－ということである）

《関連語彙 A》

crucially /krúːʃəli/ 副 決定的に
　a **crucially** important principle（極めて重要な原理）
　differ **crucially** from London's (2002) model
　　（London (2002) のモデルとは決定的に異なる）
　depend **crucially** on this structure
　　（この構造に大きく依存している，この構造に決定的に依存している）
　be **crucially** distinct from Principle A（原理 A とは大きく異なる）
　Crucially, this type of mechanism is basically automatic.
　　（重要なのは，このタイプのメカニズムが基本的には自動であるという点である）

152 ☐ **currently** /kə́ːrəntli, kʌ́rəntli/ 副 現在，目下のところ

《使用例》

be **currently** available（現在入手可能である）
be **currently** postulated（目下のところ仮定されている）
a **currently** known mechanism（目下のところ知られているメカニズム）
the methods **currently** in use（現在用いられている方法）
Currently, Poland's (2002) analysis is restricted to these phenomena.
　（目下のところ，Poland (2002) の分析はこれらの現象に限定される）

《関連語彙 A》

current /kə́ːrənt, kʌ́rənt/ 形 現在の，ここでの
　the **current** state of color research（色彩研究の現状）
　current interests（現在の関心事）
　the aim of the **current** study（本研究の目的）
　in the **current** study（本研究では）
　be relevant to the **current** discussion（ここでの議論と関係している）
　be put forward in the **current** paper（本論文で提案される）

153 ☐ **customary** /kʌ́stəməri/ 形 通例の，通常の，慣例の

《使用例》
a **customary** procedure（通例の手順，通常の手順）
a **customary** method of doing（－する通常の方法）
it is **customary** to assume that S+V
　　（－ということを仮定するのが通例である）
it has become **customary** to do（－するのが通例になってきた）
as has become **customary** in corpus analysis
　　（コーパス分析では慣例になってきたように）

《関連語彙 A》
customarily /kʌ́stəmərəli/ 副 通常は
　　be **customarily** needed（通常は必要とされる）
　　be not **customarily** discussed（通常は議論されない）
　　be **customarily** seen as a noun（通常は名詞として考えられる）
　　the method **customarily** used（通常用いられる方法）
　　it is also **customarily** assumed that S+V（－ということも通常は仮定される）

154 ☐ deal /díːl/ 動 扱う，論じる 名 程度

《使用例》
deal with this kind of problem
　　（この種の問題を取り上げる，この種の問題を扱う）
deal only with English examples（英語の事例だけを扱っている）
be **dealt** with separately（別々に取り上げられる，別々に扱われる）
this issue is **dealt** with in Section 4（この問題は第4節で論じられる）
vary a great **deal**（かなり変容する）
have a great **deal** in common（共通点がかなりある）
there is a great **deal** of flexibility（かなりの柔軟性がある）
a great **deal** of attention has been paid/devoted to the contrast between
　　ABC and XYZ（ABCとXYZの対比関係がかなり注目されてきた）

155 ☐ debatable /dibéitəbl/ 形 議論の余地がある，疑わしい

《使用例》
a **debatable** issue（議論の余地がある問題）
be highly **debatable**（かなり疑わしい）
it is **debatable** whether S+V（－かどうかは議論の余地がある）
it is also **debatable** that S+V（－ということも議論の余地がある）
this view seems **debatable**（この見解は疑わしいように思える）

《関連語彙 A》

debate /dibéit/ 名 議論　動 議論する
　a pointless **debate**（的外れな議論）
　an ongoing **debate**（進行中の議論）
　a healthy **debate** on/about this issue（この問題に関する健全な議論）
　be open to **debate**（議論の余地がある）
　complicate this **debate**（この議論を複雑にしている）
　debate its abstractness（その抽象性について議論する）
　a recently much **debated** issue（最近よく議論されている問題）

D

156 □ **decidedly** /disáididli/ 副 明らかに，明確に

《使用例》

be represented more **decidedly**（より明確に示される）
be **decidedly** positive（明らかに肯定的である）
be **decidedly** odd（明らかに奇妙である）
be **decidedly** important（明らかに重要である）
despite being **decidedly** non-prototypical
　（明らかに非典型的であるにも関わらず）

《関連語彙 A》

decided /disáidid/ 形 明確な，決定的な
　a **decided** answer（明確な答え）
　a **decided** fault（決定的な過ち）
　show a **decided** advance（明確な進歩を示している，明らかに進歩している）
　have a **decided** influence on its form（その形式に決定的な影響を与える）

decide /disáid/ 動 決定する，解決する
　decide this difficult question（この難題を解決する）
　decide whether or not the hypothesis is correct
　　（その仮説が正しいかどうかを決定する）
　be **decided** on the basis of this criterion（この基準に基づいて決定される）
　be at least partly **decided**（少なくとも部分的には解決されている）
　must be **decided** by comparison with other elements
　　（他の要素との比較によって決定されなければならない）
　cannot be **decided** experimentally（実験では解決できない）

decision /disíʒən/ 名 判断，決定
　this final **decision**（この最終判断, この最終決定）
　the **decision** to use this tool（この道具立てを使うという判断）
　be an arbitrary **decision** on the part of the analyst
　　（分析者側の任意な決定 / 判断である）

make a **decision** about this behavior（この振る舞いについて判断を下す）
make intuitive **decisions**（直観的に判断する，直観的な判断を下す）

157 ☐ decisive /disáisiv/ 形 決定的な

《使用例》

a **decisive** factor（決定的な要因）
decisive proof（決定的な証拠）
the **decisive** difference between them（それらの間の決定的な違い）
play a **decisive** role in this analysis
　（この分析において決定的な役割を果たす）
be **decisive** in doing（ーするのには決定的である）
have a **decisive** influence on its structure
　（その構造に決定的な影響を与える）

《関連語彙A》

decisively /disáisivli/ 副 明確に，決定的に
　be **decisively** shaped（決定的に形成される）
　make the point **decisively**（その点を明確に主張する）
　the following case **decisively** proves that S+V
　　（以下のケースはーということを明確に証明している）
　it is **decisively** shown that S+V（ーということが明確に示されている）

158 ☐ deem /díːm/ 動 考える，見なす

《使用例》

be **deemed** necessary in this study（本研究に必要であると考えられる）
be **deemed** to be more accurate（より正確であると考えられる）
be **deemed** an act of self-defense（自衛行為であると見なされる）
Johnson (2000) **deems** this level necessary
　（Johnson (2000)はこのレベルが必要であると考えている）
this sentence is **deemed** to express reason
　（この文は理由を述べていると考えられる）

159 ☐ definable /difáinəbl/ 形 定義できる

《使用例》

clearly **definable** boundaries（明確に定義できる境界）
be **definable** in functional terms（機能的観点から定義できる）
be easily **definable**（容易に定義できる）

be exactly **definable**（正確に定義できる）
be **definable** as an objective relation（客観的関係として定義できる）

《関連語彙A》

define /difáin/ 動 定義する
　define it as a unit of information（それを情報単位として定義する）
　as **defined** by Roland (2000)（Roland(2000)によって定義されるように）
　be commonly **defined** as a kind of cognitive operation
　　（一種の認知操作として一般に定義される）
　can be **defined** in terms of truth conditions（真理条件の観点から定義できる）
　should be **defined** more precisely（より正確に定義されるべきである）
　have not been fully **defined**（十分に定義されてこなかった）

definition /defəníʃən/ 名 定義
　the latter **definition**（後者の定義）
　London's (2003) **definition**（London(2003)の定義）
　a more exact **definition**（より正確な定義）
　the **definitions** of technical terms（専門用語の定義）
　by **definition**（定義上は）
　motivate these **definitions**（これらの定義を動機づける）
　modify a **definition** of polysemy（多義性の定義を修正する）
　be in need of clear **definition**（明確に定義する必要がある）
　a new **definition** is required（新しい定義が必要とされる）

《関連語彙B》

redefine /ri:difáin/ 動 再定義する
　redefine these distinctions（これらの相違を再定義する）
　redefine it as a verb（それを動詞として再定義する）
　by **redefining** spatial relations in terms of function
　　（機能の観点から空間関係を再定義することで）
　this boundary can be **redefined**（この境界は再定義されうる）

redefinition /ri:defəníʃən/ 名 再定義
　the **redefinition** of attributes（属性の再定義）
　through various **redefinitions**（様々な再定義を通して）
　call for a **redefinition** of this notion（この概念の再定義を必要としている）
　be open to **redefinition**（再定義を免れない，再定義の必要がある）

---

160 □ **definite** /défənit/ 形 明確な

《使用例》

a **definite** boundary（明確な境界，明確な境界線）
a **definite** article（定冠詞）

definite conclusions about this problem（この問題についての明確な結論）
in a **definite** way（明確な形で，明確に）
require **definite** judgments（明確な判断を要求する）

《関連語彙 A》
definitely /défənitli/ 副 明確に，明らかに
　more **definitely**（より明確に）
　quite/very **definitely**（かなり明確に）
　state this idea **definitely**（この考えを明確に述べる）
　it is **definitely** worthwhile to do（-することは明らかに価値がある）
　it is stated **definitely** that S+V（-ということが明確に述べられている）
　further studies are **definitely** needed（さらなる研究が明らかに必要とされる）

161 □ **definitive** /difínətiv/ 形 明確な，決定的な

《使用例》
a **definitive** analysis（明確な分析）
definitive changes（決定的な変化）
a **definitive** link between ABC and XYZ
　（ABC と XYZ の明確な結び付き）
definitive evidence for this hypothesis（この仮説の決定的な証拠）
in the absence of **definitive** evidence（決定的な証拠がないので）
be not yet **definitive**（まだ決定的ではない）

《関連語彙 A》
definitively /difínətivli/ 副 明確に
　answer this question **definitively**（この疑問に明確に答える）
　rule out the alternative **definitively**（その代案を完全に除外する）
　be answered **definitively**（明確に答えられる）
　can be answered **definitively**（明確に答えることができる）
　have **definitively** refused to do（-することを明確に拒否してきた）
　Poland (2002) states **definitively** that S+V
　　（Poland(2002)は-ということを明確に述べている）

162 □ **degree** /digríː/ 名 程度，度

《使用例》
a higher **degree** of culture（より高度な文化）
the same **degree** of structural similarity（同程度の構造的類似性）
different/various **degrees** of strength（様々な程度の強さ）

to a considerable **degree**（かなりの程度）
to what **degree**（どの程度まで）
at 20 **degrees** Celsius（摂氏20度で）
at an angle of 30 **degrees**（30度の角度で）
be similar to some **degree**（ある程度は似ている）
be understood as a matter of **degree**（程度問題として理解される）
require some **degree** of abstraction（ある程度の抽象化を必要とする）

《関連語彙 A》

degree /digríː/ 图 学位
　an academic **degree**（学位）
　a bachelor's **degree**（学士号）
　a master's **degree**（修士号）
　a doctor's **degree**（博士号）
　a **degree** in educational linguistics（教育言語学の学位）
　obtain a Ph.D. **degree** in anthropology（人類学の博士号を取得する）

doctorate /dɔ́ktərət/ 图 博士号
　a **doctorate** in/of English literature（英文学の博士号）
　an honorary **doctorate**（名誉博士号）
　have two **doctorates**（博士号を2つ持っている）
　have/hold a **doctorate** in biology（生物学の博士号を持っている）
　take/obtain a **doctorate** in philosophy（哲学の博士号を取得する）

163 □ **delimit** /dilímit/ 動 境界/範囲を定める，境界づける

《使用例》

delimit this region（この領域の境界/範囲を定める）
a means of **delimiting** category membership
　（カテゴリー成員を境界づける方法）
the area **delimited** by dotted lines（点線によって境界づけられた領域）
be not clearly **delimited**（明確に境界づけられていない）

《関連語彙 A》

delimitation /dilimətéiʃən/ 图 境界設定，境界
　a sharp **delimitation**（明確な境界）
　a more precise **delimitation**（より正確な境界設定）
　such a **delimitation** line（このような境界線）
　its function-based **delimitation**（その機能ベースの境界設定）
　the **delimitation** of syntax（統語論の境界）

164 ☐ **delineate** /dilínieit/ 動 境界づける，境界/範囲を定める

《使用例》
delineate between them clearly（それらの間を明確に線引きする）
be clearly **delineated**（明確に境界づけられている）
a clearly **delineated** domain（明確に境界づけられた領域）
two well-**delineated** subcategories
　（うまく境界づけられた2つの下位カテゴリー）
the field **delineated** by this criterion（この基準によって境界づけられた領域）
be hard to **delineate**（境界づけるのが難しい）

《関連語彙 A》
delineation /dilinéiʃən/ 名 境界づけ
　a different **delineation**（別の境界づけ）
　such a rough **delineation**（このような大まかな境界づけ）
　the **delineation** of theoretical concepts（理論的概念の境界づけ）
　the strict **delineation** of roles（役割の厳密な境界づけ）
　a reasonably clear **delineation** between ABC and XYZ
　　（ABCとXYZのかなり明確な境界づけ）

165 ☐ **demarcation** /di:ma:rkéiʃən/ 名 境界設定，区分

《使用例》
the so-called **demarcation** problem（いわゆる境界設定の問題）
this cultural **demarcation**（この文化的区分）
a **demarcation** line（境界線）
a precise line of **demarcation**（正確な境界線）
make a clear **demarcation** between ABC and XYZ
　（ABCとXYZを明確に区分する）

《関連語彙 A》
demarcate /dimá:rkeit, dí:ma:rkeit/ 動 境界を定める，区分する
　demarcate the former from the latter
　　（前者を後者から区分する，前者と後者を区分する）
　demarcate between ABC and XYZ
　　（ABCとXYZの境界を定める，ABCとXYZを区分する）
　clearly **demarcated** boundaries（明確に区分された境界）
　have so far been **demarcated**（これまで区分されてきた）

166 ☐ **demonstrate** /démənstreit/ 動 証明する，示す

《使用例》

demonstrate this difference experimentally
　（この違いを実験によって証明する）
demonstrate the validity of this hypothesis（この仮説の妥当性を示す）
demonstrate a close affinity to Johnson's (2002) notion
　（Johnson (2002) の概念にかなり近い）
as London (2005) **demonstrates**（London (2005) が示すように）
this result **demonstrates** that S+V（この結果は－ということを示している）
it has been **demonstrated** that S+V
　（－ということが証明されてきた，－ということが示されてきた）

《関連語彙 A》

demonstration /dèmənstréiʃən/ 名 証明
　an experimental **demonstration**（実験による証明）
　an empirical **demonstration**（実証）
　a **demonstration** of this hypothesis（この仮説の証明）
　a convincing **demonstration** that S+V（－という説得力のある証明）
　in the latter **demonstration**（後者の証明では）
　following these **demonstrations**（これらの論証に従えば）

demonstrable /dimɔ́nstrəbl, démənstrəbl/ 形 証明できる，証明可能な
　by **demonstrable** factors（証明可能な要因によって）
　be not necessarily **demonstrable**（必ずしも証明できない）
　the former process is **demonstrable**（前者のプロセスは証明可能である）
　such influences are not **demonstrable**（このような影響は証明できない）

167 □ dependent /dipéndənt/ 形 依存的な，依存している

《使用例》

be **dependent** on/upon intuitions（直観に依存している）
be very much **dependent** on context（文脈に大きく依存している）
be crucially **dependent** on context（文脈に決定的に依存している）
be mutually **dependent**（相互に依存している）
context-**dependent** categories（文脈依存のカテゴリー）

《関連語彙 A》

depend /dipénd/ 動 依存する
　depend on/upon this framework（この枠組みに依存している）
　depend to a large extent on these previous studies
　　（大部分をこれらの先行研究に依存している）
　depend heavily on these factors（これらの要因に大きく依存している）

depending on this principle（この原理に基づいて，この原理に従って）
may change depending upon the size（そのサイズに基づいて変化するかも知れない）

dependence /dipéndəns/ 图 依存，依存関係
the **dependence** of Principle B on Principle A（原理 B の原理 A への依存）
the **dependence** on solar energy（太陽エネルギーへの依存）
a kind of **dependence**（一種の依存関係）
one example of context **dependence**（文脈依存の一例）
show/indicate a strong **dependence** on environmental factors
　（環境要因への強い依存を示している）

168 □ depth /dépθ/ 图 深さ，詳細

《使用例》
in **depth**（詳細に，詳しく，深く）
in great **depth**（かなり詳しく，かなり詳細に，かなり深く）
examine this matter in greater **depth**（この問題をさらに詳しく探求する）
should be explored in more **depth**（より深く探求されるべきである）
have a **depth** of 30 cm（30cm の深さがある）
the **depth** of water（水の深さ）

《関連語彙 A》

deeply /díːpli/ 副 深く，詳細に，詳しく
have been **deeply** influential（かなりの影響力を持ってきた）
be treated more **deeply**（より詳しく扱われる）
be by now **deeply** entrenched（今や深く定着している）
be **deeply** indebted to the work of Whitman (1999)
　（Whitman(1999)の研究に負うところが大きい）

deepen /díːpən/ 動 深める
deepen the relationship（その関係を深める）
deepen the rift between ABC and XYZ（ABC と XYZ の対立を深める）
deepen our understanding of XYZ theory（XYZ 理論の理解を深める）
deepen our appreciation of this framework（この枠組みの理解を深める）
be further **deepened** through interaction（相互作用を通してさらに深められる）

deep /díːp/ 形 深い
deep explanatory principles（深い説明原理）
a **deep** difference between ABC and XYZ（ABC と XYZ の大きな相違点）
be in **deep** conflict with ABC theory（ABC 理論と深く対立している）
a **deeper** understanding of these properties（これらの特性をより深く理解すること）
a **deeper** study of present-day English
　（現代英語のより深い研究，現代英語のより詳細な研究）

fairly **deep** knowledge is required（かなり深い知識が要求される）

169 □ **derive** /diráiv/ 動 引き出す，導き出す，由来する，派生する

《使用例》

derive a similar prediction（似たような予測を引き出す）
derive from this asymmetry（この非対称性に由来している）
derive three rules from these data
　（これらのデータから3つの規則を導き出す）
be secondarily **derived** from this fact（この事実から二次的に派生される）
can be **derived** through a two-step process
　（2段階のプロセスを通して引き出すことができる）
cannot be **derived** from the latter（後者からは導出できない）
corpus-**derived** frequency data
　（コーパスに基づく頻度データ，コーパスから引き出された頻度データ）

《関連語彙 A》

derivation /derəvéiʃən/ 名 派生，導出
　this two-step **derivation**（この2段階の派生）
　in the above **derivation**（上記の派生では，上記の導出では）
　rule out this **derivation** for two reasons（2つの理由でこの派生を除外する）
　the **derivation** advocated in Johnson (2007)（Johnson(2007)で提唱された派生）
　the **derivation** of this formula is fairly simple（この公式の導出はかなり単純である）

derivational /derəvéiʃənəl/ 形 派生の
　a **derivational** approach（派生的アプローチ）
　this **derivational** account（この派生による説明）
　the traditional **derivational** analysis（その伝統的な派生分析）
　derivational constructs（派生による構築物）
　be motivated by a **derivational** process（派生プロセスによって動機づけられる）

170 □ **descriptive** /diskríptiv/ 形 記述的な

《使用例》

a **descriptive** study（記述研究）
descriptive problems（記述的問題）
purely **descriptive** research（純粋な記述研究）
a **descriptive** framework for doing（～するための記述的枠組み）
from a **descriptive** point of view（記述的観点から）
using these **descriptive** devices（これらの記述的道具立てを用いて）

《関連語彙 A》

descriptively /diskríptivli/ 副 記述的に
　a **descriptively** adequate account（記述的に妥当な説明）
　be **descriptively** accurate（記述的には正確である）
　be not problematic **descriptively**（記述的に問題はない）
　employ these properties **descriptively**（これらの特性を記述的に用いる）
　be used **descriptively**（記述的に用いられる）

describe /diskráib/ 動 記述する
　describe these general principles explicitly（これらの一般原理を明確に記述する）
　a framework for **describing** this hierarchy（この階層を記述するための枠組み）
　the situation **described**（記述された状況）
　be **described** in the next section（次節で記述される）
　can be **described** in structural terms（構造的観点から記述できる）

description /diskrípʃən/ 名 記述
　a more straightforward **description**（より率直な記述）
　a detailed/thorough **description** of linguistic structure（言語構造の詳細な記述）
　the only mode/means of **description**（唯一の記述方法）
　in the **description** of spatial relations（空間関係の記述においては）
　at various levels of **description**（様々な記述レベルで）
　give an explicit **description** of these phenomena（これらの現象を明確に記述する）

describable /diskráibəbl/ 形 記述できる，記述可能な
　describable differences（記述できる相違点，記述可能な相違点）
　be not **describable**（記述できない）
　be hardly **describable**（ほとんど記述できない）
　be quite accurately **describable**（かなり正確に記述できる）
　be fully **describable** in functional terms（機能の観点から完全に記述できる）
　be **describable** as a proper noun（固有名詞として記述できる）

indescribable /indiskráibəbl/ 形 記述できない
　this **indescribable** world（この記述できない世界）
　be absolutely **indescribable**（全く記述できない）
　be sometimes **indescribable**（時には記述できないこともある）
　be **indescribable** in terms of causal relations（因果関係の観点からは記述できない）
　be **indescribable** as a preposition（前置詞としては記述できない）

□ **deserve** /dizə́ːrv/ 動 ーに値する

《使用例》

　deserve exploration（探求価値がある）
　deserve further exploration/investigation（さらに探求する価値がある）

deserve further studies（さらなる研究に値する）
deserve more discussion（さらに議論が必要である）
deserve special mention（特筆に値する）
deserve to be thoroughly explored（詳しく探求する価値がある）
it deserves to be pointed out that S+V
　（−ということを指摘しておく価値がある）

172 ☐ designate /dézigneit/ 動 示す

《使用例》

designate this relation（この関係を示している）
be used for designating a process（プロセスを示すために用いられる）
be designated by the same form（同じ形式によって示される）
the entity designated by this description（この記述によって示される実体）
without designating a particular pattern（特定のパターンを示すことなく）

《関連語彙 A》

designation /dezignéiʃən/ 名 指摘，名称
　a similar designation（似たような指摘）
　the only designation that S+V（−という唯一の指摘）
　corroborate this designation（この指摘を裏づける）
　a more common designation（より一般的な名称）
　be known under the designation of germanium
　　（ゲルマニウムという名称で知られている）

173 ☐ desirable /dizáiərəbl/ 形 望ましい，妥当な

《使用例》

a desirable criterion（妥当な基準，望ましい基準）
be highly desirable（かなり望ましい）
be especially desirable（特に望ましい）
be quite desirable from the standpoint of language processing
　（言語処理の観点からはかなり望ましい）
it is desirable that S+V（−なのが望ましい）
it would be desirable to do（−するのが望ましいであろう）

《関連語彙 A》

undesirable /ʌndizáiərəbl/ 形 望ましくない
　an undesirable tendency（望ましくない傾向）
　lead to undesirable consequences（望ましくない帰結につながる）

may be **undesirable**（望ましくないかも知れない）
it is **undesirable** that S+V（－なのは望ましくない）
this attitude is **undesirable**（この態度は望ましくない）

preferable /préfərəbl/ 形 望ましい
　the former model is **preferable**（前者のモデルが望ましい）
　may be methodologically **preferable**（方論的に望ましいかも知れない）
　it is **preferable** to do（－するのが望ましい）
　it seems **preferable** to do（－するのが望ましいように思える）
　it would be **preferable** to do（－するのが望ましいであろう）

174 ☐ detail /díːteil, ditéil/ 名 詳細

《使用例》
in more **detail**（より詳しく，より詳細に）
in great **detail**（かなり詳細に）
be discussed in further **detail**（さらに詳しく議論される）
the **details** of this debate（この論争の詳細）
the specific **details** of this mechanism（このメカニズムの詳細）
See Johnson (2000) for **details** on this structure.
　（この構造に関する詳細は Johnson (2000) を参照されたい）
For more/further **details**, see Poland (2005).
　（より詳しくは Poland (2005) を参照のこと）

《関連語彙 A》
detailed /díːteild, ditéild/ 形 詳細な，詳しい
　highly **detailed** information（かなり詳細な情報）
　a **detailed** study of metaphorical expressions（比喩表現の詳細な研究）
　a **detailed** analysis of similarities（類似性の詳細な分析）
　a more **detailed** account of XYZ theory（XYZ 理論のより詳しい説明）
　be poorly **detailed**（十分に詳細ではない，あまり詳しくない）
　see Poland (2008) for **detailed** discussion
　　（詳しい議論は Poland(2008) を参照のこと）

175 ☐ detect /ditékt/ 動 見つける，検出する

《使用例》
detect an error（間違いを見つける）
a way to **detect** differences（違いを見つけるための１つの方法）
be difficult to **detect** experimentally（実験によって検出するのは難しい）
be **detected** by a scientific analysis（科学的分析によって検出される）

can be **detected** in German（ドイツ語において見られる）

《関連語彙 A》
detection /ditékʃən/ 名 検出，検知，発見
 the **detection** of a boundary（境界の発見）
 the **detection** of motion（動きの検知）
 the **detection** of inconsistencies（矛盾を見出だすこと）
 the **detection** of novel patterns（新しいパターンの検出）
 examine its **detection** rate（その検出率を調べる）

detectable /ditéktəbl/ 形 検出できる，発見できる
 be immediately **detectable**（直ぐに発見できる）
 be not usually **detectable**（通常は検出できない）
 be **detectable** in the outside world（外界で発見できる）
 be **detectable** in/by a urine test（尿検査で検出できる）
 this problem is easily **detectable**（この問題は容易に見出だされうる）

176 □ **determinate** /ditə́:rmənət/ 形 明確な，決定的な

《使用例》
determinate properties（決定的な特性）
a more **determinate** structure of knowledge（より明確な知識構造）
in a **determinate** way（明確な形で）
be rather **determinate**（かなり明確である，かなり決定的である）
have a **determinate** boundary（明確な境界を備える）

《関連語彙 A》
indeterminate /indité:rmənət/ 形 曖昧な，不確定の
 indeterminate examples（曖昧な事例）
 the **indeterminate** nature of meaning（意味の不確定性）
 be sometimes **indeterminate**（時々曖昧である，曖昧な時もある）
 be quite/extremely **indeterminate**（かなり曖昧である）
 be wholly **indeterminate**（完全に曖昧である）

177 □ **determine** /ditə́:rmin/ 動 決定する

《使用例》
determine the order of these elements（これらの要素の順序を決定する）
an arbitrarily **determined** structure（任意に決定された構造）
be **determined** by two factors（2つの要因によって決定される）
be supposedly **determined** by context

（文脈によって決定されると推定される）
must be **determined** in context（文脈の中で決定されなければならない）
in order to **determine** whether S+V（-かどうかを決定するためには）

《関連語彙A》
determination /ditə:rmənéiʃən/ 图 決定
  this kind of **determination**（この種の決定）
  this ultimate **determination**（この最終決定）
  constrain the **determination** of word order（語順の決定を制約づける）
  influence this **determination**（この決定に影響を与える）
  if these **determinations** are made（これらの決定が成される場合）

178 ☐ devise /diváiz/ 動 考案する

《使用例》
devise this model（このモデルを考案する）
devise a complex explanation（複雑な説明を考案する）
devise a computer experiment（コンピュータによる実験を考案する）
a newly **devised** model（新たに考案されたモデル）
need to be **devised**（考案される必要がある）
a survey was **devised** in which S+V（-する調査が考案された）

《関連語彙A》
device /diváis/ 图 道具立て，装置，機器
  by means of this **device**（この道具立てによって）
  theoretical **devices**（理論的道具立て）
  descriptive **devices**（記述的道具立て）
  an ad hoc **device**（その場限りの道具立て）
  a **device** for doing（-するための道具立て）
  have various **devices** for doing（-するための様々な道具立てを持っている）
  exploit a similar **device**（似たような装置を用いる）
  using a digital recording **device**（デジタル録音機器を用いて）

179 ☐ devoid /divóid/ 形 欠いている

《使用例》
be **devoid** of explanatory force（説明力を欠いている）
be **devoid** of control（制御できない）
be completely/entirely **devoid** of semantic content
  （意味内容を完全に欠いている）

a question **devoid** of sense to do（－する意味のない問題）
seem **devoid** of credibility（信頼できないように思える）
it is not **devoid** of interest to note that S+V
　（－ということに注目するのは興味深い）

《関連語彙 A》
void /vɔ́id/ 形 欠いている　名 空所, 隙間, 欠如
　be **void** of specific content（具体的な内容を欠いている）
　be **void** of meaning（意味がない, 意味を欠いている）
　be completely **void** of objectivity（客観性を完全に欠いている）
　a mere **void**（単なる空所, 単なる欠如）
　fill this **void**（この隙間を埋める）

180 □ devote /divóut/ 動 充てる, 注ぐ

《使用例》
devote this section to a discussion of this issue
　（本節をこの問題の議論に充てる）
be **devoted** to summarizing the approach
　（そのアプローチの要約に充てられる）
Chapter 1 is **devoted** to the nature of creativity
　（第1章は創造性の性質に充てられている）
devote considerable attention to the process of discovery
　（その発見プロセスに大きな注目をする）
special attention is **devoted** to the development of grammar
　（特に文法の発達に注目が注がれている）
considerable attention has been **devoted** to the advancement of medicine
　（かなりの注目が医学の進展に注がれてきた）

《関連語彙 A》
dedicate /dédikeit/ 動 捧げる, 充てる, 献呈する
　dedicate this review to the memory of John C. Finland
　　（この書評を John C. Finland 氏に捧げる）
　dedicate the first chapter to the explanation of basic concepts
　　（第1章を基本概念の説明に充てる）
　be **dedicated** to an analysis of this phenomenon（この現象の分析に充てられる）
　be **dedicated** to Professor John Poland on the occasion of his sixtieth birthday
　　（John Poland 教授の還暦を祝って献呈される）
　two chapters **dedicated** to the discussion of the results
　　（その結果の議論に充てられた2つの章）

concentrate /kɑ́nsəntreit/ 動 専念する
　concentrate on fundamental research（基礎研究に専念する）
　concentrate upon the three key concepts（その3つの主要概念に専念する）
　by **concentrating** on statistical analyses（統計分析に専念することで）
　this paper **concentrates** on the issue of categorization（本稿ではカテゴリー化の問題に専念する）

181 □ diagram /dáiəgræm/ 名 図式

《使用例》
a well-known **diagram**（よく知られた図式）
the **diagram** in Figure 1（図1の図式）
the **diagrams** used here（ここで使われた図式）
diagrams like Figures 2 and 3（図2や図3のような図式）
as in **diagram** (a)（(a)の図式にあるように）
as in the following **diagram**（以下の図式にあるように）
as shown in **diagram** (b)（(b)の図式に示されるように）
in **diagram** (b)（(b)の図式では）
by using a series of **diagrams**（一連の図式を使って）
this **diagram** shows the structure of networks
　（この図式はネットワークの構造を示している）
this **diagram** is shown in Figure 2（この図式は図2に示される）

《関連語彙 A》
diagram /dáiəgræm/ 動 図示する，図式化する
　be **diagrammed** in Figure 3（図3に図示される）
　be **diagrammed** schematically in Figure 1（図1に概略的に示される）
　the structure **diagrammed** in Figure 4（図4に示された構造）
　as **diagrammed** in Figure 2（図2に図示されるように）

diagrammatic /daiəgrəmǽtik/ 形 図式の
　such a **diagrammatic** representation（このような図式表示）
　a **diagrammatic** representation of this process（このプロセスの図式表示）
　a variety of **diagrammatic** techniques（図式表示の様々な技法）
　for the sake of **diagrammatic** convenience（図式表示の便宜上）
　in conformity with **diagrammatic** conventions（図式表示の慣習に従って）

diagrammatically /daiəgrəmǽtikəli/ 副 概略的に，図式で
　be represented **diagrammatically** by a double line
　　（図式では二重線によって示されている）
　be summarized **diagrammatically** in Figure 2（図2に概略的にまとめられる）

represent these relationships **diagrammatically**（これらの関係を図式で示す）

182 ☐ dichotomy /daikɔ́təmi/ 图 二分法

《使用例》

an interesting **dichotomy**（興味深い二分法）
the same **dichotomy**（同じ二分法）
reject this **dichotomy**（この二分法を退ける，この二分法を認めない）
the **dichotomy** between ABC and XYZ / the ABC-XYZ **dichotomy**
　　（ABC と XYZ という二分法）
a strict/rigid **dichotomy** between ABC and XYZ
　　（ABC と XYZ の間の厳密な二分法）
a clear/sharp **dichotomy** between ABC and XYZ
　　（ABC と XYZ の間の明確な二分法）

《関連語彙 A》

dichotomous /daikɔ́təməs/ 圏 二分法の，二項対立的な
　such a **dichotomous** view（このような二分法的な考え方）
　a **dichotomous** relation（二項対立の関係）
　use a **dichotomous** approach（二分法のアプローチを用いる）
　a **dichotomous** account is suggested（二項対立的な説明が提案される）

trichotomy /traikɔ́təmi/ 图 三分法
　such a **trichotomy**（このような三分法）
　this traditional **trichotomy**（この伝統的な三分法）
　the concept of **trichotomy**（三分法という概念）
　propose a **trichotomy** of ABC, XYZ, and LMN
　　（ABC, XYZ, LMN という三分法を提案する）
　the **trichotomy** is used here（その三分法がここでは利用される）

trichotomous /traikɔ́təməs/ 圏 三分法の
　a **trichotomous** view（三分法的な考え方）
　a **trichotomous** classification（三分法）
　this **trichotomous** position（この三分法の立場）
　propose a **trichotomous** system（三分法によるシステムを提案する）

183 ☐ differ /dífər/ 動 異なる

《使用例》

differ from each other（相互に異なる）
differ significantly from this approach（このアプローチとは大きく異なる）

differ greatly from language to language（言語によってかなり異なる）
differ in gender（性別において異なる）
differ considerably across languages（言語間でかなり異なる）

《関連語彙 A》

different /dífərənt/ 形 異なった，別の，様々な
  a subtly **different** interpretation（微妙に異なった解釈）
  a completely **different** paradigm（完全に別のパラダイム）
  from a **different** perspective（別の観点から）
  be a **different** matter（また別の問題である）
  be utilized at **different** levels of analysis（様々な分析レベルで用いられる）
  be quite **different** from London's (2001) model
    （London(2001)のモデルとはかなり異なっている）
  be somewhat **different** in structure from (10)（構造において(10)とは少し異なる）

differently /dífərəntli/ 副 異なった形で
  put **differently**（別の言い方をすれば，換言すれば）
  to put it **differently**（別の言い方をすれば，換言すれば）
  be used somewhat **differently**（少し異なった形で使われる）
  be conceptualized quite **differently**（かなり異なった形で概念化される）
  be displayed **differently** from the figure above
    （上記の図とは異なった形で表示される）

difference /dífərəns/ 名 相違，違い，差異
  a **difference** in meaning（意味の違い）
  a variety of **differences**（様々な相違点）
  capture these individual **differences**（これらの個人差を捉える）
  make a **difference** between ABC and XYZ（ABC と XYZ を区分する）
  there is a crucial **difference** between ABC and XYZ
    （ABC と XYZ の間には1つの大きな違いがある）
  no **differences** were found between these two groups
    （これら2つのグループには差異が見られなかった）

184 ☐ **differentiate** /dìfərénʃieit/ 動 区分する，区別する

《使用例》
differentiate the former from the latter（前者を後者から区分する）
differentiate between ABC and XYZ（ABC と XYZ を区別する）
differentiate these concepts into two types
  （これらの概念を2つのタイプに分割する）
be **differentiated** from each other（お互いに区分される，相互に区分される）

be explicitly/sharply **differentiated**（明確に区分される）

《関連語彙A》

differentiation /dìfərenʃiéiʃən/ 名 区別，区分
 a strict **differentiation**（厳密な区分）
 a **differentiation** between ABC and XYZ（ABCとXYZの区別）
 the **differentiation** of ABC and XYZ（ABCとXYZの区分）
 the **differentiation** of this element into ABC and XYZ
  （この要素をABCとXYZに区分すること）

185 ☐ **dimension** /diménʃən, daiménʃən/ 名 次元，側面，局面

《使用例》
an important **dimension**（重要な側面，重要な局面）
this social **dimension**（この社会的側面）
another **dimension** of variation（変容の別の側面，別次元の変容）
in all **dimensions**（全ての側面において）
be modeled in two **dimensions**（二次元でモデル化される）
have three **dimensions**（3つの側面がある，三次元である）
add a completely new **dimension** to the study of politics
 （政治研究に全く新しい次元をもたらす）
this **dimension** is ruled out（この側面は除外される）

《関連語彙A》

dimensional /diménʃənl, daiménʃənl/ 形 次元の
 a one-**dimensional** model（一次元のモデル）
 a **unidimensional** scale（一次元のスケール）
 a two-**dimensional** line graph（二次元の線グラフ）
 a three-**dimensional** representation（三次元の表示）
 form a **multidimensional** structure（多次元構造を構成する）

186 ☐ **directionality** /dərèkʃənǽləti/ 名 方向性

《使用例》
this **directionality**（この方向性）
its inherent **directionality**（その固有の方向性）
the **directionality** of the arrow（その矢印の方向性）
in terms of **directionality**（方向性の観点から）
constrain the **directionality** of language change
 （言語変化の方向性を制約づける）

《関連語彙 A》

direction /dərékʃən/ 名 方向，方向性
  in this **direction**（この方向に）
  in three **directions**（3方向に）
  in various **directions** / in a variety of **directions**（様々な方向へ，様々な方向に）
  in an upward **direction**（上方向に，上向きに）
  in precisely the opposite **direction**（正確にはそれとは正反対の方向に）
  move in the same **direction**（同じ方向に動く）
  a new **direction** in cognitive psychology（認知心理学における1つの新しい方向性）
  future research **directions**（今後の研究の方向性）
  evidence from a different **direction**（別の方面からの証拠）

directional /dərékʃənl/ 形 方向の
  a **directional** preposition（方向を表す前置詞）
  these **directional** differences（これらの方向性の違い）
  a **bidirectional** process（双方向的なプロセス）
  a **unidirectional** mapping（一方向のみへの写像）
  be not **bidirectional**（双方向的ではない）

《関連語彙 B》

line /láin/ 名 方向，方針
  this **line** of analysis（この方向の分析）
  this new **line** of research（この新しい方向の研究）
  along the same **lines**（同様に，同じ方針で）
  along the **lines** of Johnson (2003)（Johnson(2003)の方針に沿って）
  in **line** with these basic assumptions（これらの基本的仮定に従って）
  be in **line** with previous findings（これまでの成果と一致している）

187 ☐ **directly** /dəréktli, dairéktli/ 副 直接的に，率直に

《使用例》

  explain these examples **directly**（これらの事例を率直に説明する）
  be **directly** answerable（率直に答えられる，率直に答えることができる）
  be not **directly** observable（直接的には観察できない）
  be **directly** relevant to the current discussion
    （ここでの議論と直接的に関係がある）
  be **directly** linked to this notion（この概念と直接的に結び付いている）
  be **directly** mirrored in the structure（その構造に直接反映される）
  be gleaned **directly** from the literature（その文献から直接集められる）
  fairly **directly**（かなり率直に，かなり直接的に）

《関連語彙 A》

direct /dərékt, dairékt/ 形 直接的な
　an example of **direct** quotation（直接引用の一例）
　a **direct** way of examining the structure of the system
　　（そのシステムの構造を調べる直接的な方法）
　a **direct** translation from English to Japanese（英語から日本語への直訳）
　the **direct** cause of this earthquake（この地震の直接原因）
　be quite/remarkably **direct**（かなり直接的である）
　in a **direct** manner（直接的に，直接的な形で）
　have **direct** access to this element（この要素に直接アクセスする）
　there is no **direct** link between ABC and XYZ
　　（ABCとXYZの間に直接的なつながりはない）

direct /dərékt, dairékt/ 動 向ける
　direct attention to individuals（個々人に着目する）
　be **directed** from A to B（AからBに向けられる）
　be **directed** at a prominent element（際立った要素に向けられる）
　little attention has been **directed** to the inner workings of the brain
　　（脳内部の働きについてはほとんど注目されてこなかった）
　this book is **directed** to graduate students（本書は大学院生向けである）

188 □ **discipline** /dísəplin/ 名 学問分野

《使用例》

a new **discipline**（新しい学問分野）
various neighboring **disciplines**（様々な近隣分野）
various findings from other **disciplines**（他分野からの様々な研究成果）
in other related **disciplines**（他の関連分野において）
be true of other **disciplines**（他の学問分野にも当てはまる）

《関連語彙 A》

disciplinary /dísəplinəri/ 形 学問の，学問的な
　its **disciplinary** value（その学問的価値）
　traditional **disciplinary** boundaries（伝統的な学問境界）
　a range of **disciplinary** areas（様々な学問領域）
　display **disciplinary** differences（学問上の相違点を示している）
　in the relevant **disciplinary** field（その関連学問領域において）

interdisciplinary /intərdísəplinəri/ 形 学際的な
　an **interdisciplinary** study（学際的研究）
　an **interdisciplinary** project（学際的プロジェクト）
　a variety of **interdisciplinary** approaches（様々な学際的アプローチ）

be fundamentally **interdisciplinary**（基本的に学際的である）
in future **interdisciplinary** work（今後の学際的研究において）

multidisciplinary /mʌltidísəplinəri/ 形 学際的な
a **multidisciplinary** approach（学際的アプローチ）
a **multidisciplinary** study of emotional expressions（感情表現の学際的研究）
from a **multidisciplinary** perspective（学際的観点から）
in **multidisciplinary** terms（学際的観点から）
be fundamentally **multidisciplinary**（基本的に学際的である）

189 ☐ discussion /diskʌ́ʃən/ 名 議論

《使用例》
a problematic **discussion**（問題のある議論）
the **discussion** on the relationship between ABC and XYZ
　（ABCとXYZの関係に関する議論）
in the **discussion** above（上記の議論では）
in the course of this **discussion**（この議論の流れの中で）
the phenomena under **discussion**（ここで議論している現象, 議論中の現象）
be not relevant to the **discussion** here（ここでの議論とは関係がない）
see Roland (2008) for more **discussions**
　（さらなる議論については Roland (2008) を参照されたい）

《関連語彙 A》
discuss /diskʌ́s/ 動 議論する
　discuss this problem briefly（この問題について簡単に議論する）
　be **discussed** in the next chapter（次章で議論される）
　have been sufficiently **discussed**（十分に議論されてきた）
　the framework **discussed** in Section 3（第3節で議論された枠組み）
　as **discussed** by Johnson (2005)（Johnson(2005)によって議論されるように）
　this issue is not **discussed**（この問題は議論されていない）

discussant /diskʌ́sənt/ 名 討論者
　three invited **discussants**（3人の招聘討論者）
　discussants at the workshop（そのワークショップの討論者）
　most of the **discussants**（その討論者のほとんど）
　the role of the **discussants**（その討論者の役割）
　participate as a **discussant**（討論者として参加する）

190 ☐ display /displéi/ 動 示す

《使用例》

display a radical structure（放射状の構造を示す）
display the following features（次のような特徴を示す）
be **displayed** in Table 2（表2に示される）
be **displayed** in the middle of the screen（スクリーンの真ん中に示される）
be **displayed** in the same way（同様に示される）
the results **displayed** in Table 1（表1に示された結果）

191 □ dispute /dispjúːt/ 名 議論，論争　動 議論する，異議を唱える

《使用例》

this **dispute** in cognitive semantics（認知意味論におけるこの論争）
dispute the existence of Principle A（原理Aの存在を議論する）
dispute about the situation（その状況について議論する）
dispute Poland's (2002) claim
　（Poland (2002)の主張に異議を唱える，反対する）
be open to **dispute**（議論の余地がある）
this problem is in **dispute**（この問題は論争中である，未解決である）

《関連語彙 A》

undisputed /ˌʌndɪspjúːtɪd/ 形 明らかな，明確な
　an **undisputed** fact（明らかな事実，明確な事実）
　this **undisputed** position（この明確な立場）
　this effect is **undisputed**（この効果は明らかである）
　the connection is not **undisputed**（そのつながりは明確ではない）

192 □ dissertation /ˌdɪsərtéɪʃən/ 名 博士論文，論文

《使用例》

a doctoral **dissertation**（博士論文）
the author's Ph.D. **dissertation**（著者の博士論文）
Unpublished doctoral **dissertation**（未刊の博士論文）
Unpublished Ph.D. **dissertation**（未刊の博士論文）
a recently published **dissertation**（最近出版された博士論文）
the subject of this **dissertation**（この博士論文のテーマ，題目）
in his **dissertation**（彼の博士論文では）

《関連語彙 A》

paper /péɪpər/ 名 論文
　a very instructive **paper**（かなり有益な論文）
　three academic **papers**（3本の学術論文）

this collection of **papers**（この論文集）
in the next **paper**（次の論文では）
the analysis presented in this **paper**（本稿で提示された分析）
be not considered in the present **paper**（本論文では考慮されていない）
be beyond the scope of this **paper**（本稿の範囲を超えている）
this **paper** argues that S+V（本論文では−ということを議論する）
Paper presented at the 30th International Conference of Sociolinguistics
（第 30 回社会言語学国際会議で発表した論文）

article /áːrtikl/ 名 論文
this opening **article**（この巻頭論文）
an **article** on network effects（ネットワーク効果に関する論文）
an earlier draft of this **article**（本稿の初期原稿）
the main goals of this **article**（本稿の主目的）
in the present **article**（本稿では，本論文では）
at the end of this **article**（本稿の末尾に）
at the beginning of the present **article**（本論文の冒頭で）
download this **article**（この論文をダウンロードする）
the purpose of this **article** is to do（本稿の目的は−することである）
In this **article**, it is shown that S+V.（本稿では−ということが示される）

dissimilar /disímələr/ 形 異なった

《使用例》
a **dissimilar** assessment（異なった評価）
dissimilar social functions（異なった社会機能，様々な社会機能）
be somewhat **dissimilar**（少し異なっている）
be entirely **dissimilar**（完全に異なっている）
be **dissimilar** to/from Johnson's (2007) definition
　　（Johnson (2007) の定義とは異なる）
be not **dissimilar** from the claim that S+V
　　（−という主張と差異はない，−という主張と一致している）

《関連語彙 A》
dissimilarity /disiməlǽrəti/ 名 相違，相違点
this structural **dissimilarity**（この構造上の相違）
the main **dissimilarities** between ABC and XYZ（ABC と XYZ の主な相違点）
show/exhibit clear **dissimilarities**（明確な違いを示している）
reveal these **dissimilarities**（これらの相違点を明らかにする）
due to this **dissimilarity**（この相違のために）

194 □ **distinct** /distíŋkt/ 形 異なった，別の

《使用例》
two quite **distinct** systems（かなり異なった2つのシステム）
a **distinct** expression（別の表現）
as **distinct** from Prince's (2001) view（Prince (2001)の見解とは異なり）
be essentially **distinct** from Johnson's (2003) approach
　　（Johnson (2003)のアプローチとは本質的に異なっている）
ABC and XYZ are **distinct** from each other
　　（ABCとXYZは相互に異なっている）

《関連語彙A》
distinctly /distíŋktli/ 副 明確に，明らかに
　a **distinctly** different principle（全く別の原理）
　be **distinctly** lacking（明らかに欠けている，明らかに足りない）
　be **distinctly** different from the process above
　　（上記のプロセスとは明確に異なっている）
　from a **distinctly** religious perspective（明らかに宗教的な観点から）

195 □ **distinction** /distíŋkʃən/ 名 区分，区別，相違，違い

《使用例》
this binary **distinction**（この二分法）
a similar **distinction**（似たような区分, 似たような違い）
the **distinction** between ABC and XYZ（ABCとXYZの相違／違い）
as far as the former **distinction** is concerned（前者の区分に関する限り）
make/draw a **distinction** between ABC and XYZ
　　（ABCとXYZを区分する）
make a clear **distinction** between the two（その2つを明確に区別する）
make clear these **distinctions**（これらの違いを明らかにする）
in order to mark such a **distinction**（このような違いを示すためには）
this is an important **distinction**（これは重要な相違である）
there is no sharp **distinction** between ABC and XYZ
　　（ABCとXYZの間に大きな違いはない）

《関連語彙A》
distinctive /distíŋktiv/ 形 特徴的な，弁別的な
　distinctive features（弁別的な特徴）
　a **distinctive** worldview（特徴的な世界観）

a **distinctive** pattern of occurrence（特徴的な生起パターン）
three **distinctive** theses（3つの特徴的な論点，3つの特徴的な主張）
be highly **distinctive**（かなり特徴的である）
be **distinctive** in focusing on this process
　（このプロセスに着目する点で特徴的である）

distinctively /distíŋktivli/ 副 明確に，特徴的に
　be **distinctively** portrayed（特徴的に描かれている）
　differ **distinctively** from other processes（他のプロセスとは明確に異なる）
　show the effects more **distinctively**（その影響をより明確に示す）
　should be discussed **distinctively**（明確に議論されるべきである）

196 □ distinguish /distíŋgwiʃ/ 動 区別する，区分する

《使用例》

distinguish this discussion from other studies
　（この議論を他の研究から区別する）
must be clearly/sharply **distinguished** from the former notion
　（前者の概念とは明確に区別されなければならない）
can be **distinguished** into two types（2つのタイプに区分することができる）
in order to **distinguish** between ABC and XYZ
　（ABCとXYZを区別するためには）
these concepts need to be **distinguished** strictly
　（これらの概念は厳密に区分する必要がある）
Poland (2000) **distinguishes** three types of relations
　（Poland (2000)は3タイプの関係を区分している）

《関連語彙 A》

distinguishable /distíŋgwiʃəbl/ 形 区別できる，区分できる
　be **distinguishable** from temporal relations（時間関係とは区別することができる）
　be clearly **distinguishable** on the basis of these criteria
　　（これらの基準に基づいて明確に区分できる）
　be not **distinguishable** from other theories（他の理論と区別できない）
　these two types are clearly **distinguishable**
　　（これら2つのタイプが明確に区分できる）

indistinguishable /indistíŋgwiʃəbl/ 形 区別できない，区分できない
　be clearly **indistinguishable**（明確に区別できない）
　be functionally **indistinguishable**（機能的に区分できない）
　be **indistinguishable** from each other（相互に区分できない）
　these categories are essentially **indistinguishable**

（これらのカテゴリーは本質的に区分できない）

distinguishing /distíŋgwiʃiŋ/ 形 特徴的な，顕著な
  this **distinguishing** category（この特徴的なカテゴリー）
  these **distinguishing** factors（これらの特徴的な要因）
  another **distinguishing** tenet（もう1つの特徴的な考え方）
  one of the **distinguishing** features（顕著な特徴の1つ）

197 □ distribution /distrəbjúːʃən/ 名 分布，分配

《使用例》
a similar **distribution**（似たような分布）
a complementary **distribution**（相補分布）
an aspect of information **distribution**（情報分布という側面）
this pattern of **distribution**（この分布パターン）
the **distribution** in Figure 5（図5の分布）
the **distribution** of attention（注意分配，注意の配分）
explain this **distribution**（この分布関係を説明する）
investigate the **distribution** of these elements（これらの要素の分布状態を調べる）

《関連語彙 A》
distribute /distríbjuːt/ 動 分配する，分散する，配布する
  distribute the questionnaires（そのアンケートを配布する）
  be **distributed** to members of the International Psychological Association
    （国際心理学会の会員に配布される）
  be evenly **distributed**（均等に分配される）
  this **distributed** system（この分散システム）
  the **distributed** nature of information（情報の分散性）

distributional /distrəbjúːʃənl/ 形 分布の，分布上の
  the **distributional** data（その分布データ）
  this **distributional** asymmetry（この分布の非対称性）
  these **distributional** differences（これらの分布上の相違）
  such a **distributional** tendency（このような分布傾向）
  on the basis of **distributional** properties（分布特性に基づいて）

distributionally /distrəbjúːʃənəli/ 副 分布的に，分布上は
  be **distributionally** similar（分布的に似ている）
  be defined **distributionally**（分布的に定義される）
  be **distributionally** indistinguishable from each other
    （分布上は相互に区分できない）

distributionally idiosyncratic elements（分布上特異な要素）

198 ☐ diverse /divə́:rs, daivə́:rs/ 形 多様な，様々な

《使用例》
diverse types of knowledge（様々なタイプの知識）
diverse linguistic phenomena（多様な言語現象）
be theoretically **diverse**（理論的に見て多様である）
be **diverse** in age（年齢において多様である）
in **diverse** languages（様々な言語において）
from **diverse** perspectives（様々な観点から）
rely on **diverse** data（多様なデータに依存する）

《関連語彙 A》
diversely /divə́:rsli, daivə́:rsli/ 副 多様に，様々に
 diversely structured data（多様に構造化されたデータ）
 interpret the sentence **diversely**（その文を様々に解釈する）
 be used more **diversely**（より多様に用いられる）
 can be **diversely** evaluated（多様に評価されうる）
 have been **diversely** defined（様々な形で定義されてきた）

diversity /divə́:rsəti, daivə́:rsəti/ 名 多様性
 the **diversity** of interpretation（解釈の多様性）
 this kind of **diversity**（この種の多様性）
 a **diversity** of theories（様々な理論）

diversify /divə́:rsəfai, daivə́:rsəfai/ 動 多様化する
 diversify the system（そのシステムを多様化する）
 have been greatly/highly **diversified**（かなり多様化してきた）
 diversified functions（多様化した機能，様々な機能）
 a more **diversified** society（さらに多様化した社会）
 under **diversified** circumstances（様々な状況下で）

diversification /divə:rsəfikéiʃən, daivə:rsəfikéiʃən/ 名 多様化
 this kind of **diversification**（この種の多様化）
 the process of **diversification**（多様化のプロセス）
 the notion of **diversification**（多様化という概念）
 the **diversification** of structure（構造の多様化）
 be optimized through **diversification**（多様化を通して最適化される）

199 ☐ divide /diváid/ 動 分割する　名 分割，分離

《使用例》

be **divided** into three stages（3 つの段階に分割される）
be **divided** into two subtypes（2 つの下位タイプに分割される）
can be further **divided** into ABC and XYZ
　（さらに ABC と XYZ に分割できる）
divide these data into six categories
　（これらのデータを 6 つのカテゴリーに分割する）
draw a clear **dividing** line between ABC and XYZ
　（ABC と XYZ の間に明確な境界線を引く）
this educational **divide**（この教育上の分離）
a **divide** between ABC and XYZ（ABC と XYZ の分割）

《関連語彙 A》

division /divíʒən/ 名 分割，区分
　a process of category **division**（カテゴリー分割のプロセス）
　a similar **division**（似たような区分）
　a strict **division** between ABC and XYZ（ABC と XYZ の間の厳密な区分）
　this **subdivision**（この下位区分）
　the traditional **division** of these concepts into two types
　　（これらの概念を 2 つのタイプに分割する伝統的な区分）
　draw/make/place a clear **division** between ABC and XYZ
　　（ABC と XYZ を明確に区分する）

divisible /divízəbl/ 形 分割できる，割り切れる
　be infinitely **divisible**（無限に分割可能である）
　be easily **divisible**（容易に分割できる）
　be **divisible** into three parts（3 つの部分に分けられる）
　be not **divisible** by 3（3 では割り切れない）

indivisible /ìndivízəbl/ 形 分割できない，割り切れない
　an **indivisible** number（割り切れない数）
　such an **indivisible** system（このような分割不可能なシステム）
　be **indivisible** in principle（原理上は分割できない）
　these elements are **indivisible**（これらの要素は分割できない）

200 ☐ **doctrine** /dɔ́ktrin/ 名 学説

《使用例》

a philosophical **doctrine**（哲学理論，哲学における学説）
a unified theoretical **doctrine**（統一的な理論的学説）
the standard **doctrine** that S+V（ - という標準的な学説）
come close to this **doctrine**（この学説に近い）

this is the **doctrine** that S+V（これは‐という学説である）

《関連語彙 A》

doctrinal /dɔ́ktrinl/ 形 学説上の，学説の
 a **doctrinal** assumption（学説上の仮定）
 a basic **doctrinal** principle（基本的な学説原理）
 despite **doctrinal** problems（学説上の問題にも関わらず）
 lead to **doctrinal** incoherence（学説の矛盾につながる）

201 □ **doubtful** /dáutfl/ 形 疑わしい

《使用例》
doubtful accounts（疑わしい説明）
be highly **doubtful**（かなり疑わしい）
it is **doubtful** whether this is correct（これが正しいかどうかは疑わしい）
it is **doubtful** that S+V（‐ということは疑わしい）
this notion is **doubtful**（この概念は疑わしい）

《関連語彙 A》

doubtless /dáutles/ 副 確かに
 be **doubtless** irregular（確かに不規則である）
 be **doubtless** correct（確かに正しい）
 this function is **doubtless** needed（この機能が確かに必要である）
 there is **doubtless** nothing here（ここには確かに何もない）
 it has **doubtless** been observed that S+V（確かに‐ということが観察されてきた）
 Doubtless, it is not necessary to do.（確かに‐する必要はない）

doubt /dáut/ 名 疑い　動 疑う，疑問視する
 cast **doubt** on the view that S+V（‐という見解を疑問視する）
 throw **doubt** on the assumptions above（上記の仮定を疑問視する）
 without **doubt** / no **doubt**（確かに，間違いなく）
 there is little **doubt** that S+V（‐ということはほぼ間違いない）
 there is no **doubt** that S+V（‐ということには疑いの余地がない）
 doubt is cast upon the validity of the experiment
  （疑問視されているのはその実験の妥当性である）
 Johnson (2002) **doubts** that S+V（Johnson(2002)は‐ということを疑っている）
 this analysis is **doubted**（この分析は疑問視されている）

undoubtedly /ʌndáutidli/ 副 明らかに，確かに，間違いなく
 be **undoubtedly** an instance of categorization（明らかに範疇化の一例である）
 be **undoubtedly** relevant to the current discussion
  （明らかにここでの議論と関連がある）

would **undoubtedly** influence future studies
（間違いなく今後の研究に影響を及ぼすであろう）
it is **undoubtedly** true that S+V（−ということは確かに正しい）
Undoubtedly, the book is highly technical.（確かに，本書はかなり専門的である）

202 ☐ draft /drǽft/ 图 原稿，草稿

《使用例》

an earlier **draft** of this paper（本稿の初期原稿）
the first **draft** of this paper（本稿の初稿）
the final **draft** of this novel（この小説の最終稿）
the original **draft** of Johnson (2001)（Johnson (2001) のオリジナル原稿）
a **draft** on smoking and lung cancer（喫煙と肺がんに関する原稿）

203 ☐ drawback /drɔ́ːbæk/ 图 欠点

《使用例》

this apparent **drawback**（この明らかな欠点）
be seen as a **drawback**（1つの欠点として考えられる）
have a number of **drawbacks**（多くの欠点がある）
in spite of these **drawbacks**（これらの欠点にも関わらず）
one **drawback** is that S+V（1つの欠点は−ということである）
the most important **drawback** is that S+V
（最も重要な欠点は−ということである）
there are **drawbacks** in this representation（この表示には欠点がある）

《関連語彙 A》

defect /díːfekt, difékt/ 图 欠点，欠陥
　a functional **defect**（機能上の欠陥）
　the nature of this **defect**（この欠点の性質）
　be counted as a **defect**（1つの欠点として見なされる）
　have many **defects**（多くの欠点 / 欠陥がある）
　suffer from the following **defects**:（以下の欠点に苦しんでいる）

defective /diféktiv/ 形 欠陥のある，不完全な
　a **defective** sentence（不完全な文）
　a **defective** notion（欠陥のある概念）
　a seriously **defective** model（かなり不完全なモデル）
　be functionally **defective**（機能的に欠陥がある）
　be **defective** in some respects（いくつかの点で不完全である）

204 ☐ dual /djúːəl/ 形 二重の

《使用例》

this **dual** function（この二重の機能）
this **dual** role（この二重の役割）
the **dual** nature of XYZ theory（XYZ 理論の二重性，二面性）
in a **dual** sense（二重の意味で）
have a **dual** origin（二重の起源を持っている）

《関連語彙 A》

duality /djuːǽləti/ 名 二重性，二元性
  a rather strict **duality**（かなり厳密な二元性）
  three kinds of **duality**（3 種類の二重性）
  the principle of **duality**（二元性の原理）
  deny this **duality**（この二重性を否定する）
  such a **duality** is problematic（このような二元性は問題である）

dualism /djúːəlizm/ 名 二元論
  such a simple **dualism**（このような単純な二元論）
  the basic **dualism**（その基本的な二元論）
  the Cartesian **dualism**（デカルトの二元論）
  a pitfall of mind/body **dualism**（心身二元論の落とし穴）
  the **dualism** between mind and body（精神と肉体という二元論）

205 ☐ dub /dʌb/ 動 名づける，呼ぶ

《使用例》

dub this interpretation Principle B（この解釈を原理 B と名づける）
have **dubbed** this phenomenon *shifting*（この現象を shifting と呼んできた）
might be **dubbed** 'extreme realism'
  （「極端な現実主義」と呼べるかも知れない）
what has been **dubbed** the principle of economy
  （経済性原理と呼ばれてきたもの）

206 ☐ dubious /djúːbiəs/ 形 疑わしい

《使用例》

a **dubious** category（疑わしいカテゴリー）
some **dubious** cases（いくつかの疑わしい事例）
be more or less **dubious**（多かれ少なかれ疑わしい）
it is highly **dubious** whether S+V（～かどうかはかなり疑わしい）

this claim is **dubious**（この主張は疑わしい）
there is nothing **dubious** about this notion
　　（この概念に疑わしいところは何もない）

《関連語彙A》

dubiously /djúːbiəsli/ 副 曖昧に
　quite **dubiously**（かなり曖昧に）
　albeit very **dubiously**（かなり曖昧ではあるが）
　a **dubiously** defined term（曖昧に定義された用語）
　be **dubiously** interpreted（曖昧に解釈される）

207 □ **dwell** /dwél/ 動 （詳しく）論じる，（詳しく）述べる

《使用例》

dwell on this issue（この問題について論じる）
dwell upon the phenomena in (10)（(10)の現象について述べる）
dwell further on Johnson's (1998) analysis
　　（Johnson (1998) の分析についてさらに論じる）
dwell mainly upon this theory（おもにこの理論について述べる）
dwell on this point at great length（この点についてかなり詳しく論じる）

208 □ **effective** /iféktiv/ 形 効果的な

《使用例》

an **effective** constraint（効果的な制約）
its **effective** application（その効果的な適用）
an **effective** way of doing（－する効果的な方法）
in an **effective** way/manner（効果的に）
be highly **effective**（かなり効果的である）
be particularly **effective**（特に効果的である）
render this explanation more **effective**（この説明をより効果的なものにする）

《関連語彙A》

effectively /iféktivli/ 副 効果的に，効率よく
　more **effectively**（より効果的に）
　most **effectively**（最も効果的に）
　use it **effectively**（それを効果的に用いる）
　be processed **effectively**（効率よく処理される）
　can be **effectively** used to do（－するために効果的に用いられうる）

effect /ifékt/ 名 効果，影響，趣旨　動 もたらす

a similar cognitive **effect**（同様の認知効果）
quite special **effects**（かなり特殊な効果）
an argument to the **effect** that S+V（−という趣旨の議論）
in **effect**（実際には）
analyze this **effect**（この効果を分析する，この影響を分析する）
have an **effect** on acceptability（容認可能性に影響を与える）
be **effected** by spatial relations（空間関係によってもたらされる）

effectiveness /iféktivnəs/ 名 有効性
the **effectiveness** of this model（このモデルの有効性）
because of its **effectiveness**（その有効性のために）
question its **effectiveness**（その有効性を疑問視する）
demonstrate the **effectiveness** of this system（このシステムの有効性を示す）
be utilized/used with great **effectiveness**（かなり有効に利用される）

ineffective /iniféktiv/ 形 効果のない，役に立たない
ineffective strategies（役に立たない方法，効果のない方法）
be deemed **ineffective**（効果がないと考えられる）
be relatively/comparatively **ineffective**（あまり効果がない，あまり役に立たない）
this device may be **ineffective**（この道具立ては役に立たないかも知れない）

209 □ elaborate /ilǽbəreit/ 動 詳述する，精緻化する
/ilǽbərət/ 形 高度な，複雑な，詳細な

《使用例》
elaborate on this issue later（この問題については後で詳述する）
propose a more **elaborated** model of categorization
　（カテゴリー化のより高度なモデルを提案する）
elaborating on this view（この考え方に基づいて）
this notion needs to be **elaborated**（この概念は精緻化される必要がある）
a more **elaborate** account（より高度な説明）
a highly/fairly **elaborate** model（かなり複雑なモデル，かなり高度なモデル）
elaborate conceptual structures（複雑な概念構造）
Johnson's (2003) **elaborate** work（Johnson (2003)による詳細な研究）

《関連語彙 A》
elaboration /ilæbəréiʃən/ 名 精緻化，詳細
the **elaboration** of this notion（この概念の精緻化）
a high degree of **elaboration**（高度な精緻化）
be in need of **elaboration**（精緻化する必要がある）
need/require further **elaboration**（さらなる精緻化が必要である）

result in unnecessary **elaboration**
（不必要な精緻化を結果づける，不必要な精緻化につながる）
for **elaboration** of this argument, see Johnson (2001)
（この議論の詳細は Johnson(2001)を参照されたい）

elaborately /iláebərətli/ 副 詳細に，かなり
elaborately detailed concepts（かなり詳細な概念）
be **elaborately** complicated（かなり複雑である）
describe the motion **elaborately**（その動きを詳細に記述する）
may be more **elaborately** examined（より詳しく調査されるかも知れない）

210 □ element /éləmənt/ 名 要素

《使用例》
the same structural **element**（同じ構造的要素）
these three **elements**（これら3つの要素）
these salient **elements**（これらの際立った要素）
basic **elements** of this notion（この概念の基本要素）
from the rightmost **element**（最も右側の要素から）
in lieu of this **element**（この要素の代わりに）
be established between **elements**（要素間で確立される）
add new **elements** to the model（そのモデルに新しい要素を加える）

《関連語彙 A》
elemental /eləméntl/ 形 基本的な
　an **elemental** condition（基本的な条件）
　many **elemental** phenomena（多くの基本的な現象）
　more **elemental** units（より基本的な単位）
　a series of **elemental** principles（一連の基本原理）

elementary /eləméntəri/ 形 基本的な
　an **elementary** process（基本的なプロセス）
　an **elementary** grammatical notion（基本的な文法概念）
　the most **elementary** condition（最も基本的な条件）
　an **elementary** unit of thought（思考の基本単位）
　elementary properties of space（空間の基本的特性）
　the number of **elementary** components（基本的構成要素の数）

211 □ elsewhere /élshweər/ 副 他の箇所で

《使用例》
have been discussed **elsewhere**（他の箇所で議論されてきた）

be not used **elsewhere**（他の箇所では用いられていない）
be listed **elsewhere** in this book（本書の別の箇所で列挙される）
in this volume or **elsewhere**（本巻かあるいは他の箇所で）
as argued **elsewhere**（他の箇所で議論されるように）

212 □ **elucidate** /ilúːsədeit/ 動 解明する，明らかにする

《使用例》
elucidate these philosophical concepts（これらの哲学的概念を解明する）
elucidate the connection between ABC and XYZ
　（ABCとXYZのつながりを明らかにする）
by **elucidating** this mechanism（このメカニズムを解明することで）
be **elucidated** by Johnson (2001)（Johnson (2001)によって解明される）
have been satisfactorily **elucidated**（十分に解明されてきた）

《関連語彙A》
elucidation /iluːsədéiʃən/ 名 解明，説明
　the **elucidation** of this mechanism（このメカニズムの解明）
　support these **elucidations**（これらの説明を裏づける）
　merit further **elucidation**（さらに解明する価値がある）
　call for further **elucidation**（さらなる説明を必要とする）
　be in need of **elucidation**（解明する必要がある，説明が必要である）

213 □ **emanate** /éməneit/ 動 由来する，生じる

《使用例》
emanate from Johnson's (2003) framework
　（Johnson (2003)の枠組みに由来する）
emanate from the lack of communication
　（そのコミュニケーション不足から生じる）
emanate from the inference that S+V（－という推論から生じる）
two patterns **emanating** from this experience
　（この経験から生じる2つのパターン）
the power **emanated** from the center（その中心から生じた力）

214 □ **emergent** /imə́ːrdʒənt/ 形 創発的な

《使用例》
these **emergent** properties（これらの創発特性）

recognize its **emergent** nature（その創発性を認識する）
be known as '**emergent** structure'（「創発構造」として知られている）
from an **emergent** perspective（創発的な観点から）
be **emergent** rather than basic（基本的というよりも創発的である）

《関連語彙 A》

emerge /imə́ːrdʒ/ 動 出現する，生じる，創発する
　emerge from this research（この研究から生じる）
　emerge in the 1930s（1930 年代に出現する）
　emerge as natural consequences of this principle
　　（この原理の自然な帰結として生じる）
　in order for this structure to **emerge**（この構造が創発するためには）
　this property **emerges** gradually（この特性は徐々に現れる，徐々に創発する）

emergence /imə́ːrdʒəns/ 名 出現，創発
　the **emergence** of ABC theory（ABC 理論の出現）
　the **emergence** of linguistic structure（言語構造の創発）
　before the **emergence** of language（言語創発の前に，言語創発以前に）
　since the **emergence** of this approach（このアプローチの出現以来）
　result in the **emergence** of polysemy（多義性の創発を結果づける）

emerging /imə́ːrdʒiŋ/ 形 新しい
　an **emerging** genre（新しいジャンル）
　this **emerging** feature/property（この新しい特性）
　the **emerging** field of cognitive pragmatics（認知語用論という新しい学問領域）
　in the **emerging** interdisciplinary field（その新しい学際領域で）
　based on **emerging** evidence from brain science
　　（脳科学からの新しい証拠に基づいて）

215 □ **emphasize** /émfəsaiz/ 動 強調する

《使用例》

emphasize this distinction（この相違を強調する）
emphasize the necessity of this model（このモデルの必要性を強調している）
as **emphasized** in Chapter 1（第 1 章で強調されるように）
it should be **emphasized** that S+V（－ということが強調されるべきである）
it must be **emphasized** that S+V（－ということが強調されなければならない）
Johnson (2004) **emphasizes** that S+V
　（Johnson (2004) は－ということを強調している）

《関連語彙 A》

emphasis /émfəsis/ 名 強調（単数），重点（単数）

emphases /émfəsi:z/ 名 強調（複数），重点（複数）
(**emphasis** in the original)（(強調は原文通り)）
(**emphasis** added)（(筆者による強調あり，強調は筆者による)）
(**emphases** added)（(筆者による強調あり，強調は筆者による)）
place/put/lay special/particular **emphasis** on this principle
　　（この原理を特に強調する）
with (its/an) **emphasis** on economic measures（経済対策に重点を置いて）
with special **emphases** placed on these topics（これらのトピックに重点を置いて）
the **emphasis** has been placed on the process itself
　　（そのプロセスそれ自体に重点が置かれてきた）
there is an **emphasis** on the function of the nervous system
　　（神経系の機能に重点が置かれている）

overemphasize /òuvərémfəsaiz/ 動 強調しすぎる
overemphasize the validity of this theory（この理論の妥当性を強調しすぎている）
have **overemphasized** the latter case（後者のケースを強調しすぎてきた）
should not be **overemphasized**（強調されすぎるべきではない）

216 □ empirical /impírikəl, empírikəl/ 形 経験の，観察経験に基づく，実証的な

《使用例》
an **empirical** study（観察経験に基づく研究）
empirical data（観察経験に基づくデータ，観察データ）
empirical science（経験科学）
a guideline for **empirical** research（実証研究のための指針）
in an **empirical** way（経験的に，実証的に）
on an **empirical** basis（経験的に，経験基盤で）
on the basis of strong **empirical** evidence（強力な経験証拠に基づいて）

《関連語彙 A》
empirically /impírikəli, empírikəli/ 副 経験的に，実証的に
empirically testable hypotheses（経験的に検証可能な仮説）
investigate the role of consciousness **empirically**（意識の役割を実証的に探求する）
be **empirically** testable（経験的に検証可能である）
be **empirically** supported by this study（この研究によって実証的に裏づけられる）
should be tested **empirically**（経験的に検証されるべきである）
in an **empirically** verifiable way（経験的に実証可能な形で）

empiricism /impírəsizm, empírəsizm/ 名 経験主義，経験論
rationalism versus **empiricism**（合理主義 vs. 経験主義）
a form of **empiricism**（経験主義の一形式）
the **empiricism** of John Locke（John Locke の経験論）

the fundamental principle of **empiricism**（経験主義の基本原理）
in classical **empiricism**（古典的な経験主義では）
from the perspective of **empiricism**（経験主義の観点から）

217 ☐ employ /implɔ́i, emplɔ́i/ 動 用いる，利用する

《使用例》
employ a similar test（似たような検定を用いる）
employ this notation（この表記法を用いる）
be **employed** as a noun（名詞として用いられる）
have often been **employed** for analysis
　（分析のためにしばしば利用されてきた）
the notions **employed** here（ここで用いられた概念）
by **employing** this framework（この枠組みを用いることで）

《関連語彙 A》
employment /implɔ́imənt, emplɔ́imənt/ 名 使用，利用
　the **employment** of this principle（この原理の利用）
　their proper **employment**（それらの適切な使用）
　through the **employment** of music（音楽の使用を通して）
　on account of its **employment**（その使用のために）
　object to the **employment** of this term（この用語の使用に反対する）

218 ☐ encapsulate /inkǽpsjuleit/ 動 まとめる，要約する，集約する

《使用例》
encapsulate various ideas（様々な考え方をまとめる）
this **encapsulating** function（この要約機能）
be not an **encapsulated** system（集約されたシステムではない）
be **encapsulated** in his discussion（彼の議論にまとめられている）
can be **encapsulated** in the following two respects:
　（以下の2点にまとめることができる）

《関連語彙 A》
encapsulation /inkæpsjuléiʃən/ 名 要約，集約
　the notion of **encapsulation**（要約という概念, 集約という概念）
　an **encapsulation** process（集約プロセス, 要約プロセス）
　the **encapsulation** of such cognitive systems（このような認知システムの集約）
　various methods of **encapsulation**（集約の様々な方法）

219 □ **enormous** /inɔ́:rməs/ 形 膨大な，莫大な，多大な

《使用例》
an **enormous** number of papers（莫大な数の論文）
an **enormous** amount of evidence（膨大な量の証拠）
this **enormous** complexity（この異常な複雑性）
its **enormous** capacity（その膨大な容量）
be still **enormous**（依然として膨大である）
have an **enormous** influence/impact on the style
　（そのスタイルに多大な影響を与える）

《関連語彙 A》
enormously /inɔ́:rməsli/ 副 かなり
　be **enormously** complex（かなり複雑である）
　be **enormously** difficult（かなり難しい）
　vary **enormously**（かなり変容する）
　differ **enormously** in size（大きさの点でかなり異なる）
　complicate this matter **enormously**（この問題をかなり複雑にする）
　have changed **enormously** in recent years（近年かなり変化してきた）

《関連語彙 B》
huge /hjú:dʒ/ 形 かなり大きな，かなり多くの
　a **huge** issue（かなり大きな問題）
　a **huge** number of researchers（かなり多くの研究者）
　a **huge** amount of information（かなりの量の情報）
　in a **huge** laboratory（かなり大きな実験室で）
　require **huge** time（かなりの時間を要する）
　there is a **huge** difference between ABC and XYZ
　　（ABC と XYZ の間にはかなり大きな違いがある）

hugely /hjú:dʒli/ 副 かなり
　a **hugely** powerful tool（かなり強力な道具立て）
　a **hugely** influential study（かなり影響力のある研究）
　be **hugely** dissimilar（かなり異なっている）
　be **hugely** popular in Japan（日本ではかなり人気がある）

《関連語彙 C》
vast /væst/ 形 膨大な，莫大な
　a **vast** range of previous studies（多種多様な先行研究）
　a **vast** number of examples（非常に多くの事例）
　a **vast** amount of literature（大量の文献）
　a **vast** quantity of data（大量のデータ）

英語論文重要語彙 717

a **vast** body of research（一連の膨大な研究）
in the **vast** majority of cases（大多数の場合）
the literature on virtual reality is **vast**（仮想現実に関する文献は膨大である）
there are **vast** differences in usage（用法にかなり大きな違いがある）

vastly /vǽstli/ 副 かなり
a **vastly** simplified form（かなり単純化された形式）
be **vastly** important（かなり重要である）
have been **vastly** studied（かなり研究されてきた）
it is **vastly** difficult to do（〜するのはかなり難しい）
the ratios are **vastly** different（その割合はかなり異なっている）

E

220 ☐ ensuing /insúːiŋ/ 形 後続の，以下の

《使用例》
the **ensuing** analysis（後続の分析，以下の分析）
the **ensuing** summary（以下の要約）
in the **ensuing** sections（後続の節において）
in the **ensuing** discussion（後続の議論で）
evaluate the **ensuing** consequences（以下の帰結を評価する）

《関連語彙 A》
ensue /insúː/ 動 後続する，続いて生じる
  ensue from this process（このプロセスの結果として生じる）
  be likely to **ensue**（後続する可能性がある）
  this kind of problem **ensues**（この種の問題が続いて生じる）
  a different process may **ensue**（別のプロセスが後続するかも知れない）

221 ☐ ensure /inʃúər, enʃúər/ 動 保証する

《使用例》
ensure its use（その使用を保証する）
be needed to **ensure** that S+V（〜ということを保証するために必要とされる）
in order to **ensure** its functionality（その機能性を保証するためには）
it is necessary to **ensure** that S+V（〜ということを保証する必要がある）
this principle **ensures** that S+V（この原理は〜ということを保証している）

222 ☐ entirely /intáiərli/ 副 完全に，全く，十分に

《使用例》
an **entirely** different structure（全く異なった構造）

be **entirely** untouched（全く触れられていない）
be **entirely** my/our own responsibility（完全に筆者自身の責任である）
it is **entirely** possible to do（～することは十分に可能である）
this is not **entirely** correct（これは全く正しくない）

《関連語彙 A》

entire /intáiər/ 形 全体の
　the **entire** path（その全体の経路）
　the **entire** surface of the earth（地球の表面全体, 地球の全表面）
　about 30 % of the **entire** corpus（そのコーパス全体の約 30%）
　the **entire** range of theoretical physics（理論物理学の全領域）
　throughout the **entire** period（全期間を通して）
　cover the **entire** spectrum（その全領域をカバーする）

entirety /intáiərti/ 名 全体, 全て
　the **entirety** of data（データの全て）
　the phenomenon in its **entirety**（その現象全体）
　the issues in their **entirety**（その問題全体）
　can be grasped in its **entirety**（そのまま把握できる）

223 □ **entitle** /intáitl, entáitl/ 動 題する, タイトルを付ける

《使用例》

a paper **entitled** "Cognition and Emotion"
　（「認知と感情」というタイトルの論文）
a book **entitled** *Social Interaction*（『社会的相互作用』という題名の本）
a recent workshop **entitled** 'Language Processing 2011'
　（「言語処理 2011」と題される最近のワークショップ）
in Section 5, **entitled** "English Grammar"
　（「英文法」と題された第 5 節では）
Chapter 3 is **entitled** "Figurative Language"
　（第 3 章は「比喩の言語」というタイトルが付けられている）

《関連語彙 A》

title /táitl/ 名 タイトル, 題名
　the **title** of this paper（この論文のタイトル）
　this section **title**（この節タイトル）
　the **subtitle** of this book（本書の副題, 本書のサブタイトル）
　as the **title** suggests（その題名が示唆しているように）
　under the **title** "ABC and XYZ"（「ABC と XYZ」という題名で）
　be reflected in the **title**（その題名に反映されている）

be published under the same **title**（同じ題名で出版される）

224 □ enumerate /injúːməreit/ 動 列挙する，挙げる

《使用例》

enumerate four kinds of phenomena（4種類の現象を挙げる）
enumerate all the units（その全ての単位を列挙する）
enumerate a number of examples（多くの事例を挙げる）
be **enumerated** by Johnson (2003)（Johnson (2003) によって列挙される）
have been **enumerated** in this chapter（本章で列挙されてきた）

《関連語彙A》

enumeration /injuːməréiʃən/ 名 列挙
　such an **enumeration**（このような列挙）
　an **enumeration** of all possibilities（全ての可能性を列挙すること）
　a simple **enumeration** of these patterns（これらのパターンの単なる列挙）
　a more complete **enumeration** of basic principles
　　（基本原理をより完全な形で列挙すること）
　be not a mere **enumeration** of new properties（新しい特性の単なる列挙ではない）

225 □ equally /íːkwəli/ 副 同様に

《使用例》

equally strong evidence（同じように強力な証拠）
be **equally** possible（同様に可能である）
be **equally** acceptable（同様に容認可能である）
be **equally** understood as a kind of mental representation
　（一種の心的表示として同様に理解される）
it is **equally** clear that S+V（－ということも同様に明らかである）
it is **equally** important to do（－することも同様に重要である）

《関連語彙A》

equal /íːkwəl/ 形 同じである，等しい
　other things being **equal**（他の条件が同じならば）
　all things being **equal**（全ての条件が同じならば）
　be of **equal** importance（同様に重要である）
　be approximately **equal** to the sum of its parts（その部分の総和にほぼ等しい）
　be of **equal** length as the sentence in (3a)（(3a) の文と同じ長さである）
　accord **equal** importance to the principle（その原理を同様に重要視する）
　affect these processes in **equal** measure（これらのプロセスに等しく影響を与える）

these line segments are **equal** in length（これらの線分は長さが等しい）

unequal /ʌníːkwəl/ 形 同等でない，等しくない
 this **unequal** relationship（この同等でない関係）
 unequal-sized corpora（サイズの異なるコーパス）
 be of **unequal** size（大きさが同じではない）
 be of **unequal** length（長さが等しくない）
 these two units are **unequal**（これら2つの単位は同等ではない）

《関連語彙 B》

equate /ikwéit/ 動 同等である，等しい
 equate semantic structure with conceptual structure
  （意味構造と概念構造を同等とみなす）
 be **equated** with zero（ゼロに等しい）
 be **equated** with Johnson's (2002) concept of *perspective*
  （Johnson(2002)の視点という概念と同等である）
 do not **equate** with taxonomic hierarchies（分類階層と同じではない）

equality /ikwɔ́ləti/ 名 均等性，同等性
 a kind of **equality**（一種の均等性，一種の同等性）
 on the basis of **equality**（均等性／同等性に基づいて）
 require a certain **equality**（ある程度の均等性を必要とする）
 recognize the **equality** of ABC and XYZ（ABCとXYZの同等性を認識する）

inequality /inikwɔ́ləti/ 名 不均衡性，不均等性，非同等性
 the effects of economic **inequalities**（経済的不均衡の影響）
 in spite of such **inequalities**（このような不均衡性にも関わらず）
 explain this **inequality**（この不均等性／非同等性を説明する）
 justify the **inequality**（その不均衡性を正当化する）

《関連語彙 C》

equation /ikwéiʒən, ikwéiʃən/ 名 方程式，同一視
 a linear **equation**（一次方程式）
 a quadratic **equation**（二次方程式）
 the **equation** in (5)（(5)の方程式）
 solve this cubic **equation**（この三次方程式を解く）
 the **equation** of semantic structure with conceptual structure
  （意味構造と概念構造の同一視）

inequality /inikwɔ́ləti/ 名 不等式
 a linear **inequality**（一次不等式）
 a simultaneous **inequality**（連立不等式）
 a solution of this **inequality**（この不等式の解）
 how to solve **inequalities**（不等式の解き方）

in the following **inequalities**（以下の不等式では）

226 □ equivalent /ikwívələnt/ 形 同等の，等しい　名 同等物，相当物

《使用例》
be structurally **equivalent**（構造的に等しい，構造的に同等である）
be **equivalent** to temporal relations
　　（時間関係に等しい，時間関係と同等である）
an expression **equivalent** to *here*（*here* に相当する表現）
two relations become **equivalent**（2つの関係は等しくなる）
ABC and XYZ are not **equivalent**（ABC と XYZ は等しくない）
the French **equivalent** of English *here*
　　（英語の *here* に相当するフランス語の語彙）
straightforward **equivalents** are not available
　　（率直に相当するものはない）

《関連語彙 A》
equivalence /ikwívələns/ 名 等価，同等性
　the fundamental **equivalence** between ABC and XYZ
　　　（ABC と XYZ の基本的等価）
　notwithstanding their functional **equivalence**（それらの機能的等価にも関わらず）
　explain the **equivalence** of Principle A and Principle B
　　　（原理 A と原理 B の同等性を説明する）
　this **equivalence** is not surprising（この同等性は驚くべきことではない）

equivalently /ikwívələntli/ 副 同等に
　almost **equivalently**（ほぼ同等に）
　be **equivalently** evaluated（同等に評価される）
　equivalently defined variables（同等に定義された変数）
　even when **equivalently** treated（同等に取り扱われる時でさえ）

227 □ equivocal /ikwívəkəl/ 形 曖昧な，不明確な

《使用例》
equivocal results（どっちつかずの結果，不明確な結果）
the **equivocal** nature of this argument（この議論の曖昧性）
in **equivocal** contexts（曖昧な文脈では）
be somewhat **equivocal**（少し曖昧である）
the evidence is **equivocal**（その証拠は曖昧である，不明確である）

《関連語彙 A》

equivocality /ikwìvəkǽləti/ 名 曖昧さ，曖昧性
 one kind of **equivocality**（一種の曖昧さ）
 a recent idea called **equivocality**（曖昧性と呼ばれる最近の考え方）
 the **equivocalities** of natural language（自然言語の曖昧性）
 in terms of **equivocality**（曖昧性の観点から）
 equivocality arises（曖昧性が生じる）

equivocally /ikwívəkəli/ 副 曖昧に
 quite **equivocally**（かなり曖昧に）
 should not be used **equivocally**（曖昧に用いられるべきではない）
 Poland (2007) **equivocally** states that S+V
  （Poland(2007)は−ということを曖昧に述べている）

unequivocal /ʌnikwívəkəl/ 形 明確な
 an **unequivocal** expression（明確な表現）
 an **unequivocal** answer（明確な答え）
 in an **unequivocal** way（明確に）
 in the absence of **unequivocal** evidence that S+V（−という明確な証拠がないので）
 be still not **unequivocal**（依然として明確ではない）

unequivocally /ʌnikwívəkəli/ 副 明らかに，明確に
 be **unequivocally** impossible（明らかに不可能である）
 be **unequivocally** defined（明確に定義される）
 express this situation **unequivocally**（この状況を明確に述べる）

228 □ erroneous /iróuniəs/ 形 誤った，間違った

《使用例》
an **erroneous** notion（誤った概念）
such an **erroneous** content（このような誤った内容）
the **erroneous** conclusion that S+V（−という誤った結論）
it may be **erroneous** to do（−するのは間違っているかも知れない）
it is **erroneous** to assume that S+V（−と仮定するのは間違っている）
London's (2003) view is **erroneous**（London (2003)の見解は誤っている）

《関連語彙 A》
erroneously /iróuniəsli/ 副 誤って，間違った形で
 quite **erroneously**（かなり間違った形で）
 define this notion **erroneously**（この概念を間違った形で定義する）
 be **erroneously** called *prepositions*（誤って「前置詞」と呼ばれている）
 it is **erroneously** supposed that S+V（−ということが誤って仮定されている）
 London (2003) **erroneously** assumes that S+V
  （London(2003)は−ということを誤って仮定している）

error /érər/ 图 間違い,誤り,不備
 errors of this kind(この種の間違い)
 an **error** of pronunciation(発音の間違い)
 be a fatal **error**(致命的な誤りである)
 an **error** is found/detected/discovered(間違いが発見される)
 all remaining **errors** are mine(取り残された不備は全て筆者によるものである)

229 □ especially /ispéʃəli, espéʃəli/ 副 特に

《使用例》
be **especially** important here(ここでは特に重要である)
be **especially** useful for this purpose(この目的のためには特に有益である)
especially when S+V(－する時は特に)
especially in light of this discussion(特にこの議論の観点から)
this is **especially** apparent(これは特に明らかである)
see **especially** Johnson (2002)(特に Johnson (2002) を参照されたい)
it is **especially** interesting that S+V(－なのは特に興味深い)

《関連語彙 A》
especial /ispéʃəl, espéʃəl/ 形 特別の,特別な
 its **especial** power(その特別な力)
 with **especial** emphasis on the history of philosophy(特に哲学史に力点を置いて)
 with **especial** reference to XYZ theory(特に XYZ 理論に関して)
 be of **especial** significance(特に重要である)
 be of **especial** interest(特に興味深い)
 attach **especial** importance to the past(過去を特に重要視する)
 owe **especial** thanks to Paul F. Taylor(特に Paul F. Taylor 氏に感謝する)
 deserve **especial** note/notice(特に注目に値する)

230 □ essential /isénʃəl, esénʃəl/ 形 本質的な,不可欠な,極めて重要な

《使用例》
an **essential** problem(本質的な問題,極めて重要な問題)
be **essential** to/for language structure(言語構造にとって不可欠である)
be not **essential**(本質的ではない,あまり重要ではない)
be of **essential** importance(極めて重要である)
it is also **essential** to do(－することも極めて重要である)
it is **essential** not to do(－しないことが極めて重要である)
there is no **essential** difference between ABC and XYZ
 (ABC と XYZ の間には本質的な違いはない)

《関連語彙 A》

essentially /isénʃəli, esénʃəli/ 副 本質的に，本来
 essentially inaccurate criticisms（本質的に誤った批判）
 be **essentially** static（本質的には静的である）
 be **essentially** similar to the examples in (3)（(3)の事例と本質的に似ている）
 in **essentially** the same way（本質的には同じ方法で）
 it is **essentially** impossible to do（～することは本来不可能である）
 Essentially, this claim is correct.（本質的にはこの主張は正しい）

essence /ésns/ 名 本質
 the **essence** of education（教育の本質）
 obscure its **essence**（その本質を曖昧にする）
 capture the **essence** of language（言語の本質を捉える）
 be not the **essence** of religion（宗教の本質ではない）
 In **essence**, this issue is complex.（根本的に（本質的に），この問題は複雑である）

231 □ **establish** /istǽbliʃ, estǽbliʃ/ 動 確立する，立証する

《使用例》
establish this framework（この枠組みを確立する）
establish a dividing line between ABC and XYZ
 （ABC と XYZ の間に境界線を築く）
must be **established** on empirical grounds
 （経験的根拠により確立されなければならない）
the context already **established**（既に構築された文脈）
this **establishes** that S+V（このことは－ということを立証している）
it is necessary to **establish** this fact（この事実を立証する必要がある）

《関連語彙 A》

establishment /istǽbliʃmənt, estǽbliʃmənt/ 名 確立
 the **establishment** of XYZ theory（XYZ 理論の確立）
 the **establishment** of common ground（共通土台の確立）
 the **establishment** of these principles（これらの原理の確立）
 through the **establishment** of relations（関係の確立を通して）
 in the **establishment** of this main theory（この主要理論の確立において）
 by the **establishment** of general laws（一般法則の確立によって）

established /istǽbliʃt, estǽbliʃt/ 形 既成の，定着した
 an **established** pattern（既成のパターン）
 an **established** word（既成語）
 this **established** notion（この既成概念，この定着した概念）
 such **established** facts（このような既成事実）

retest **established** theories（既成理論を再検証する）

well-established /wél istǽbliʃt, estǽbliʃt/ 形 よく定着した，よく知られた
　well-established concepts（よく定着した概念）
　this by now **well-established** term（この今やよく知られた用語）
　it is **well-established** that S+V（－ということはよく知られている）

232 ☐ estimate /éstəmeit/ 動 推定する
　　　　　　　　　　/éstəmət/ 名 評価

《使用例》

estimate the amount of CO_2（二酸化炭素の量を推定する）
an **estimated** 78 % of these cases（推定でこれらの事例の 78%）
be **estimated** to be relatively small（比較的小さいと推定される）
as **estimated** by the latter model（後者のモデルによって推定されるように）
it is **estimated** that S+V（－であると推定されている）
an **estimate** of this theory（この理論の評価）

《関連語彙 A》

estimation /estəméiʃən/ 名 推定，評価
　an **estimation** of this framework（この枠組みの評価）
　the **estimation** of processing time（処理時間の推定）
　other **estimation** procedures（その他の評価手順，その他の推定手順）
　in their **estimation**（彼らの評価では）
　estimation is of course possible（推定は当然可能である）

overestimate /ouvəréstəmeit/ 動 過大評価する
　overestimate the necessity of this theory（この理論の必要性を過大評価する）
　overestimate the importance of analogical processes
　　（類推プロセスの重要性を過大評価する）
　overestimate children's creativity（子供の創造性を過大評価する）
　should not be **overestimated**（過大評価すべきではない）

overestimation /ouvərestəméiʃən/ 名 過大評価
　these **overestimations**（これらの過大評価）
　a pattern of **overestimation**（過大評価のパターン）
　the danger of **overestimation**（過大評価の危険性）
　the **overestimation** must be avoided（その過大評価は避けなければならない）

underestimate /ʌndəréstəmeit/ 動 過小評価する
　underestimate the role of consciousness（意識の役割を過小評価する）
　underestimate Johnson's (2006) research
　　（Johnson (2006) の研究を過小評価する）

may **underestimate** the effects of gravity
（重力の影響を過小評価しているかも知れない）
should not be **underestimated**（過小評価すべきではない）

underestimation /ʌndərestəméiʃən/ 图 過小評価
such an **underestimation**（このような過小評価）
the **underestimation** of uncertainty（不確定性の過小評価）
the likelihood of **underestimation**（過小評価の可能性）
lead to an **underestimation** of these findings
（これらの研究成果の過小評価につながる）

233 □ **evidently** /évədəntli/ 副 明らかに

《使用例》
be **evidently** necessary（明らかに必要である）
be **evidently** insufficient（明らかに不十分である）
be **evidently** not a matter of construal（明らかに解釈の問題ではない）
the **evidently** tacit principle（そのまさに暗黙の原理）
further research is **evidently** necessary to do
（ーするためにはさらなる研究が明らかに必要である）
Evidently, this relationship is new.（明らかにこの関係は新しい）

《関連語彙 A》
evident /évədənt/ 形 明らかな，明確な
more **evident** examples（より明確な事例）
seem fairly **evident**（かなり明確なように思える）
be **evident** from the following fact:（以下の事実から明らかである）
to make this mechanism **evident**（この仕組みを明らかにするために）
as **evident** from this context（この文脈から明らかなように）
this relation is not **evident**（この関係は明らかではない）
this is especially **evident** in German（ドイツ語ではこれは特に明らかである）
it is not always **evident** that S+V（ーなのは必ずしも明らかではない）

self-evident /self évədənt/ 形 自明の
a **self-evident** principle（自明の原理）
be not so **self-evident**（それほど自明ではない）
be by no means **self-evident**（全く自明ではない）
this is a **self-evident** issue（これは自明の問題である）
it is **self-evident** that S+V（ーということは自明である）
it would also be **self-evident** that S+V（ーということも自明であろう）

234 □ **evoke** /ivóuk/ 動 喚起する

《使用例》
evoke two scenarios（2つのシナリオを喚起する）
evoke a default reading（デフォルトの読みを喚起する）
be **evoked** at the same time（同時に喚起される）
an entity **evoked** in this context（この文脈で喚起される実体）
a previously **evoked** concept（これまでに喚起された概念）
in the scene **evoked**（喚起されたシーンでは）

《関連語彙 A》
evocation /evəkéiʃən/ 名 喚起
  the **evocation** of this concept（この概念の喚起）
  this process of **evocation**（この喚起プロセス）
  due to their **evocation**（それらの喚起のために）
  through the **evocation** of knowledge（知識の喚起を通して）

《関連語彙 B》
invoke /invóuk/ 動 喚起する
  invoke a context automatically（自動的に文脈を喚起する）
  the property **invoked**（喚起された特性）
  be tacitly **invoked** as a reference point（参照点として暗黙の内に喚起される）
  need to be **invoked** from background knowledge
    （背景知識から喚起される必要がある）
  without **invoking** other networks（他のネットワークを喚起せずに）

invocation /invəkéiʃən/ 名 喚起
  the power of **invocation**（その喚起力）
  new **invocation** mechanisms（新しい喚起メカニズム）
  the simultaneous **invocation** of two processes（2つのプロセスの同時喚起）
  through the **invocation** of the concept（その概念の喚起を通して）

235 □ **exact** /igzǽkt/ 形 正確な，精密な

《使用例》
an **exact** calculation（正確な計算）
a more **exact** definition（より正確な定義）
its **exact** function（その正確な機能）
the **exact** meaning of this sentence（この文の正確な意味）
the **exact** interpretation of this phenomenon（この現象の正確な解釈）
an **exact** science（精密科学）

《関連語彙 A》
exactly /igzǽktli/ 副 正確に（は），全く
　define the concept **exactly**（その概念を正確に定義する）
　be repeated **exactly** twice（正確には2回繰り返される）
　more **exactly**（より正確には）
　be **exactly** the same as the structure in Figure 3（図3の構造と全く同じである）
　coincide **exactly** with London's (2001) classification
　　（London (2001) の分類と正確に一致している）
　exactly the same is true of other languages（全く同じことが他言語にも当てはまる）
　in **exactly** the same way（全く同様に，全く同じ形で）

236 □ examination /igzæmənéiʃən/ 名 探求，検討，調査

《使用例》
such an **examination**（このような探求）
this critical **examination**（この批判的検討）
a detailed/close **examination** of causality（因果関係の詳細な探求）
on first **examination**（一見したところ）
on close **examination**（よく調べると，よく見れば）
through/via an **examination** of temporal relations
　（時間関係の探求を通して）
be under **examination**（調査中である）

《関連語彙 A》
examine /igzǽmin/ 動 探求する，調査する，調べる
　examine this problem further（この問題をさらに探求する）
　examine individual cases（個々のケースを調査する）
　in order to **examine** these phenomena（これらの現象を調べるために）
　have not been **examined** in detail（詳しくは探求されてこなかった）
　this paper **examines** the function of Principle B
　　（本稿では原理 B の機能について調べる）

《関連語彙 B》
reexamine /riːigzǽmin/ 動 再検討する，再調査する
　reexamine this description（この記述を再検討する）
　need to be **reexamined**（再検討の必要性がある）
　have been **reexamined** by archaeologists（考古学者によって再調査されてきた）
　this should be **reexamined**（この点は再調査されるべきである）

reexamination /riːigzæmənéiʃən/ 名 再検討，再調査
　the **reexamination** of this model（このモデルの再検討）

be ripe for **reexamination**（再検討の時期に来ている）
call for a **reexamination** of this model（このモデルの再検討を必要としている）
a **reexamination** is necessary（再調査が必要である）

237 ☐ exceedingly /iksíːdiŋli/ 副 かなり

《使用例》

an **exceedingly** complicated mechanism（かなり複雑なメカニズム）
be **exceedingly** rare（かなり稀である）
be **exceedingly** important（かなり重要である）
rotate **exceedingly** slowly（かなりゆっくりと回転する）
in an **exceedingly** simple manner（かなり簡単に，かなり単純な形で）
it is **exceedingly** difficult to do（~することはかなり難しい）
the scope is **exceedingly** narrow（その範囲はかなり狭い）

《関連語彙 A》

exceeding /iksíːdiŋ/ 形 かなりの
　exceeding benefits（かなりの利益）
　with exceeding care（かなり慎重に，十分注意して）
　it is of exceeding importance to do（~することがかなり重要である）
　there is exceeding danger in this view（この見解にはかなりの危険性がある）

exceed /iksíːd/ 動 超える
　exceed this norm（この基準を超えている）
　exceed 70 %（70%を超えている）
　exceed 20 lines in length（長さにおいて20行を超えている）
　a report exceeding 500 pages（500ページを超える報告書）
　at a speed not exceeding 50 kilometers per hour
　　（時速50kmを超えない速度で，時速50 km以内の速度で）
　without exceeding its scope（その範囲を超えることなく）

《関連語彙 B》

excessive /iksésiv/ 形 過度の，極端な
　excessive examples（多すぎる事例，過度の事例）
　this excessive skepticism（この極端な懐疑主義）
　Johnson's (2001) excessive reliance on ABC theory
　　（Johnson(2001)がABC理論に頼り過ぎること）
　because of excessive repetition（過度の繰り返しのために）
　this characterization is excessive（この特徴づけは極端すぎる）

excessively /iksésivli/ 副 過度に，極端に
　be excessively long（長すぎる，過度に長い）

be **excessively** simple（単純すぎる, 過度に単純である）
become **excessively** reductive（極端に還元主義的になる）
an **excessively** complex approach（極端に複雑なアプローチ）

238 □ exception /iksépʃən/ 名 例外

《使用例》

this notable **exception**（この注目すべき例外）
an **exception** to this generalization（この一般化の例外の1つ）
represent **exceptions** to this principle（この原理の例外を示す）
the only **exception** is ABC（唯一の例外はABCである）
there are some **exceptions**（いくつか例外がある）
this is not an **exception**（これは例外ではない）

《関連語彙A》

exceptional /iksépʃənl/ 形 例外的な
  an **exceptional** power of observation（例外的な観察力）
  quite **exceptional** circumstances（かなり例外的な状況）
  be not **exceptional**（例外的ではない）
  in a few **exceptional** cases（いくつかの例外的なケースでは）
  except in **exceptional** cases（例外的なケースは除いて）
  in a very **exceptional** fashion（かなり例外的な形で, かなり例外的に）
  this treatment is **exceptional**（この取り上げ方は例外的である）

exceptionally /iksépʃnəli/ 副 例外的に, かなり
  only **exceptionally**（例外的にのみ）
  exceptionally well（かなり上手く）
  an **exceptionally** weak definition（かなり弱い定義）
  for an **exceptionally** long period（かなり長い期間）
  be **exceptionally** complex（かなり複雑である）
  be **exceptionally** permitted（例外的に許容される）

239 □ excerpt /éksə:rpt/ 名 抜粋
           /iksə́:rpt/ 動 抜粋する

《使用例》

an **excerpt** from Poland (2002)（Poland (2002)からの抜粋）
the **excerpt** in (5)（(5)の抜粋）
rely on **excerpts** from various articles（様々な論文からの抜粋に頼っている）
excerpt two paragraphs from Johnson (2007)
  （Johnson (2007)から2つのパラグラフを抜粋する）

be **excerpted** from this dictionary（この辞書から抜粋される）

240 □ exclude /iksklúːd/ 動 除外する，外す

《使用例》

be **excluded** from the data（そのデータから外される）
cannot **exclude** the possibility that S+V（−という可能性を除外できない）
should be completely **excluded** from the study
　　（本研究から完全に外されるべきである）
in order to **exclude** extremely rare cases（かなり稀な事例を外すために）
it can be **excluded** that S+V（−ということは除外することができる）
this interpretation cannot be **excluded**（この解釈は除外できない）

《関連語彙 A》

exclusion /iksklúːʒən/ 名 除外，排除
　the **exclusion** of contextual information（文脈情報の排除）
　the complete **exclusion** of this theoretical notion（この理論的概念の完全な排除）
　a reason for **exclusion**（除外の理由）
　a principle of **exclusion**（除外原理，排除原理）
　to the **exclusion** of Principle B（原理 B を除いて）
　not to the **exclusion** of this idea（この考え方を除外せずに）

241 □ exclusively /iksklúːsivli/ 副 −にのみ，排他的に

《使用例》

function **exclusively** at this level（このレベルでのみ機能する）
focus **exclusively** on this difference（この違いのみに着目する）
using **exclusively** English data（英語のデータだけを用いて）
be **exclusively** visual（視覚的なものばかりである）
an **exclusively** Japanese phenomenon（日本特有の現象）
though not **exclusively**（排他的である訳ではないが）

《関連語彙 A》

exclusive /iksklúːsiv/ 形 排他的な，独占的な
　be highly **exclusive**（かなり排他的である）
　make **exclusive** use of this mechanism（この仕組みを独占して利用する）
　be **exclusive** to the discipline（その学問分野に特有のものである，限定される）
　these two theories are mutually **exclusive**
　　（これら2つの理論は相容れない，矛盾している）
　be defined **exclusive** of the rate（その割合を除いて定義される）

242 ☐ exemplify /igzémpləfai/ 動 例証する，例示する

《使用例》

exemplify various mental manipulations（様々な心的操作を例証している）
can be **exemplified** by the following sentences:
　（以下の文によって例証されうる）
the process **exemplified** in (3)（(3)で例証されるプロセス）
to **exemplify** this argument further（この議論をさらに例証するためには）
as **exemplified** in (5)（(5)で例証されるように，(5)に例として示されるように）
as **exemplified** by recent studies（最近の研究によって例証されるように）

《関連語彙 A》

exemplification /igzempləfikéiʃən/ 名 実例
　the closest **exemplification** of conceptual structure（概念構造の最も身近な例）
　an **exemplification** of this approach（このアプローチの一例）
　an **exemplification** of the latter（後者の実例）
　the **exemplification** shown below（以下に示された実例）
　provide a wide range of **exemplifications**（広範な実例を提供する）

exemplary /igzémpləri/ 形 典型的な，代表的な
　an **exemplary** analysis（典型的な分析）
　an **exemplary** issue（典型的な問題）
　an **exemplary** specimen（典型的な見本）
　three **exemplary** cases（3つの典型例，3つの代表例）
　be **exemplary** in this respect（この点では典型的である）
　be **exemplary** of the cognitive process（その認知プロセスの典型である）

243 ☐ exert /igzə́:rt/ 動 及ぼす，行使する

《使用例》

exert influence on the formation of new categories
　（新しいカテゴリーの形成に影響を与える）
exert a considerable influence on this structure
　（この構造にかなりの影響を及ぼす）
exert pressure on these structural elements
　（これらの構造要素に圧力をかける）
exert constraints on the behavior of the system
　（そのシステムの働きに制約を課す）
by **exerting** force（力を行使することで）

《関連語彙 A》

exertion /ɪgzə́ːrʃən/ 名 行使，労力，尽力
the **exertion** of force（力の行使）
through the **exertions** of Dr. David Johnson（David Johnson 博士の尽力によって）
need no mental **exertion**（心的労力を一切必要としない）
require little **exertion**（ほとんど労力を必要としない）

244 □ exhaustive /ɪgzɔ́ːstɪv/ 形 包括的な，網羅的な

《使用例》
an **exhaustive** list of phrasal verbs（句動詞の包括的なリスト）
be far from **exhaustive**（全く網羅的ではない，全く包括的ではない）
be not **exhaustive** of all factors（全ての要因を網羅していない）
provide an **exhaustive** account of these processes
　　（これらのプロセスを包括的に説明する）
this list is not **exhaustive**（このリストは網羅されたものではない）

《関連語彙 A》
exhaustively /ɪgzɔ́ːstɪvli/ 副 包括的に，網羅的に
more **exhaustively**（より包括的に，より網羅的に）
rather **exhaustively**（かなり包括的に，かなり網羅的に）
as **exhaustively** as possible（できる限り網羅的に，できるだけ包括的に）
describe its nature **exhaustively**（その性質を包括的に記述する）
should be discussed **exhaustively**（包括的に議論されるべきである）
when these characteristics are **exhaustively** examined
　　（これらの特徴が網羅的に調べられる時）

245 □ exhibit /ɪgzíbɪt/ 動 示す

《使用例》
exhibit a similar pattern（似たようなパターンを示す）
exhibit such a tendency（このような傾向を示す）
the third pattern **exhibited** by this concept
　　（この概念によって示される第 3 のパターン）
be **exhibited** by a different category（別のカテゴリーによって示される）
by **exhibiting** this kind of evidence（この種の証拠を示すことで）

246 □ existing /ɪgzístɪŋ/ 形 既存の

《使用例》
these **existing** assumptions（これらの既存の仮定）

existing theoretical research（既存の理論研究）
according to **existing** studies（既存の研究に従って）
in various **existing** theories（様々な既存の理論では）
use the **existing** paradigms（その既存のパラダイムを利用する）

《関連語彙 A》

existence /igzístəns/ 名 存在
　claim the **existence** of this category（このカテゴリーの存在を主張する）
　deny the **existence** of Principle B（原理 B の存在を否定する）
　acknowledge the **existence** of a memory structure（記憶構造の存在を認める）
　document its **existence**（その存在を立証する）
　bring this relation into **existence**（この関係を成立させる，作り出す）
　when this constraint comes into **existence**（この制約が生じる時，成立する時）

exist /igzíst/ 動 存在する
　exist in all languages（全ての言語に存在している）
　do not **exist** at this level（このレベルには存在しない）
　the similarities that **exist** between ABC and XYZ
　　（ABC と XYZ の間に見られる類似性）
　such a parameter must **exist**（このようなパラメーターが存在しなければならない）
　this substance no longer **exists**（この物質はもはや存在しない）

nonexistent /nɔnigzístənt/ 形 存在しない
　a **nonexistent** object（存在しない物体）
　be practically **nonexistent**（実際には存在しない）
　become **nonexistent**（存在しなくなる）
　this distinction is **nonexistent**（この区分は存在しない）

《関連語彙 B》

coexist /kouigzíst/ 動 共存する
　cannot **coexist** in that case（その場合には共存できない）
　Principle A **coexists** with Principle B（原理 A は原理 B と共存している）
　ABC and XYZ can **coexist**（ABC と XYZ は共存できる）
　these elements may **coexist**（これらの要素は共存できるかも知れない）

coexistence /kouigzístəns/ 名 共存
　this relationship of **coexistence**（この共存関係）
　a mere **coexistence** of two faculties（2つの能力の単なる共存）
　the **coexistence** of conflicting concepts（対立概念の共存）
　the **coexistence** of objectivism with subjectivism（客観主義と主観主義の共存）

coexistent /kouigzístənt/ 形 共存している
　conflicting **coexistent** systems（対立的な共存システム）
　be **coexistent** with other systems（他のシステムと共存している）

be in reality **coexistent**（実際に共存している）
as far as they are **coexistent**（それらが共存している限り）
these elements must be **coexistent**（これらの要素は共存しなければならない）

247 □ expatiate /ikspéiʃieit/ 動 詳しく論じる，詳述する

《使用例》

expatiate on the validity of this approach
　（このアプローチの妥当性について詳述する）
expatiate further on this issue（この問題についてさらに詳しく論じる）
expatiate upon the principles above（上記の原理について詳述する）
do not **expatiate** on this notion（この概念については詳しく論じていない）
the necessity of this model is **expatiated**
　（このモデルの必要性が詳述される）

《関連語彙A》

expatiation /ikspeiʃiéiʃən/ 名 詳述，詳説
　the **expatiation** of ABC theory（ABC理論の詳説）
　an **expatiation** of chemical reactions（化学反応の詳述）
　the **expatiation** on the principle of economy（経済性原理についての詳述）
　from the above **expatiation**（上記の詳述から）
　based on this **expatiation**（この詳説に基づいて）

248 □ experimental /ikspərəméntl/ 形 実験による，実験の

《使用例》

an **experimental** approach（実験によるアプローチ）
experimental data（実験データ）
new **experimental** results（新しい実験結果）
experimental methods for doing（－するための実験方法）
in this **experimental** design（この実験計画では）
require **experimental** materials（実験材料を必要とする）

《関連語彙A》

experimentally /ikspərəméntəli/ 副 実験によって，実験で
　an **experimentally** verifiable hypothesis（実験によって検証可能な仮説）
　study this process **experimentally**（実験的手法でこのプロセスを研究する）
　should be tested **experimentally**（実験によって検証されるべきである）
　have not been verified **experimentally** yet（実験ではまだ実証されていない）
　in order to demonstrate **experimentally** that S+V

(−ということを実験で示すためには)

experiment /ikspérəmənt/ 图 実験
  a landmark **experiment**（画期的な実験）
  psychological **experiments**（心理実験）
  thought **experiments**（思考実験）
  the main aim of this **experiment**（この実験の主目的）
  conduct/perform an **experiment**（実験を行う）
  during the **experiment**（その実験の間）
  until the end of the **experiment**（その実験の終わりまで）
  in **Experiment** 1（実験1では）
  in the second **experiment**（2つ目の実験では）

249 ☐ **expertise** /ekspərtíːz/ 图 専門知識

《使用例》
scientific **expertise**（科学の専門知識）
the author's **expertise**（筆者の専門知識）
various kinds of **expertise**（様々な種類の専門知識）
the development of **expertise**（専門知識の発達）
require medical **expertise**（医学の専門知識を要求する）
expertise is needed to do（−するためには専門知識が必要とされる）

《関連語彙 A》
expert /ékspəːrt/ 图 専門家　形 専門的な，専門家の
  a medical **expert**（医学の専門家）
  experts' intuitions（専門家の直観）
  the judgment of **experts**（専門家の判断）
  the bulk of **expert** opinion（専門家の意見の大半）
  in the light of **expert** advice（専門家によるアドバイスの観点から）
  under the **expert** guidance of John C. Poland
    （John C. Poland 氏による専門的指導のもとで）
  require **expert** knowledge（専門知識を必要とする）
  be employed/used by **experts**（専門家によって利用される）

250 ☐ **explanatory** /iksplǽnətɔːri/ 形 説明の，説明的な

《使用例》
an **explanatory** principle（説明原理）
an **explanatory** tool（説明の道具立て）
explanatory notes（注釈, 注）

an **explanatory** model of language processing（言語処理の説明モデル）
the **explanatory** power of Principle A（原理 A の説明力）
be lacking in **explanatory** power（説明力に欠ける）
be more descriptive than **explanatory**（説明的というよりも記述的である）

《関連語彙 A》

explain /ikspléin/ 動 説明する
　explain the complexity of this phenomenon（この現象の複雑性を説明する）
　as Johnson (2005) **explains**（Johnson(2005)が説明するように）
　in order to fully **explain** this principle（この原理を完全に説明するためには）
　may be **explained** along the same lines（同様に説明できるかも知れない）
　must be **explained** in cognitive terms（認知的観点から説明されなければならない）
　this model cannot **explain** the following fact:
　　（このモデルは以下の事実を説明できない）
　it is **unexplained** why this occurs（なぜこれが生じるのかは説明されない）

explanation /èksplənéiʃən/ 名 説明
　such an **explanation**（このような説明）
　an especially important **explanation**（特に重要な説明）
　a more straightforward **explanation**（より率直な説明）
　the **explanation** proposed here（ここで提案された説明）
　be similar to Johnson's (2003) **explanation**（Johnson(2003)の説明に似ている）
　provide/offer a somewhat different **explanation**（少し異なった説明を提供する）
　if this **explanation** is correct（もしこの説明が正しいのなら）

explainable /ikspléinəbl/ 形 説明できる，説明可能な
　a small number of **explainable** exceptions（少数の説明可能な例外）
　be not **explainable**（説明できない）
　be directly **explainable**（直接的に説明できる）
　be **explainable** without recourse to this principle（この原理に頼らずに説明できる）
　the presence of oxygen is readily **explainable**（酸素の存在は容易に説明できる）

unexplainable /ʌnikspléinəbl/ 形 説明できない
　unexplainable psychological phenomena（説明できない心理現象）
　be **unexplainable** in functional terms（機能の観点からは説明できない）
　be **unexplainable** by the existing principles（既存の原理では説明できない）
　this would be **unexplainable**（これは説明できないであろう）
　this pattern is **unexplainable** here（このパターンはここでは説明できない）

251 ☐ **explicate** /ékspləkeit/ 動 解明する，明らかにする，説明する

《使用例》
　explicate the cause of this action（この行動の原因を解明する）

explicate this problem as follows:（この問題を以下のように説明する）
can be **explicated** in two ways（2つの方法で解明できる）
as **explicated** later（後で明らかにされるように）
for purposes of **explicating** the nature of thought processes
　（思考プロセスの性質を解明するために）
the process of **explicating** them（それらを解明するプロセス）

《関連語彙 A》

explication /èkspləkéiʃən/ 名 説明
　the same **explication**（同じ説明）
　this line of **explication**（この方向の説明，この種の説明）
　the **explication** proposed in this section（本節で提案された説明）
　need further **explication**（さらなる説明が必要である）
　develop this **explication**（この説明を発展させる）

252 □ **explicitly** /iksplísitli/ 副 明示的に，明確に

《使用例》

define this term **explicitly**（この用語を明確に定義する）
be not **explicitly** mentioned（明確に述べられていない）
should be explained more **explicitly**（より明示的に説明されるべきである）
an **explicitly** described structure（明示的に記述された構造）
London (2001) **explicitly** states that S+V
　（London (2001) は－であると明確に述べている）

《関連語彙 A》

explicit /iksplísit/ 形 明示的な，明確な，明らかな
　an **explicit** definition of this notion（この概念のより明確な定義）
　an **explicit** link with this approach（このアプローチとの明らかなつながり）
　be highly/quite **explicit**（かなり明示的である，かなり明確である）
　in an **explicit** way（明示的に，明確に）
　in order to make **explicit** the workings of the brain（脳の働きを明らかにするために）
　this feature is not **explicit**（この特徴は明示的ではない）

explicitness /iksplísitnəs/ 名 明確さ，明示性
　the **explicitness** of evaluation（評価の明確性）
　the **explicitness** of criteria（基準の明確さ）
　regardless of their **explicitness**（その明確さにも関わらず）
　for the sake of **explicitness**（明確化のために，分かりやすくするために）
　this **explicitness** is very useful（この明示性はかなり有益である）

253 ☐ exploration /èkspləréiʃən/ 图 探求

《使用例》

interdisciplinary **explorations**（学際的な探求）
the **exploration** of cognitive processes（認知プロセスの探求）
an **exploration** into the cause of pollution（汚染原因の探求）
as a consequence of **exploration**（探求の結果として）
deserve **exploration**（探求する価値がある，探求に値する）
need further **exploration**
　　（さらなる探求が必要である，さらに探求する必要がある）

《関連語彙 A》

explore /ikspló:r/ 動 探求する
　explore these problems（これらの問題を探求する）
　a relatively **unexplored** issue（あまり探求されていない問題）
　be worth **exploring**（探求する価値がある）
　be surprisingly **unexplored**（驚くべきことに探求されていない）
　have not been sufficiently **explored**（十分に探求されてこなかった）
　should be **explored** further（さらに探求されるべきである）
　the present paper **explores** Orwell's (2009) theoretical framework
　　（本稿では Orwell(2009) の理論的枠組みについて探求する）

254 ☐ extensive /iksténsiv/ 形 詳細な，広範な

《使用例》

an **extensive** survey（詳細な調査）
extensive information（詳しい情報）
extensive comments on this criticism（この批判に関する詳細なコメント）
extensive frequency effects（広範な頻度効果）
be quite **extensive**（かなり詳細である）
make **extensive** use of this notion（この概念を広範に利用する）
despite **extensive** research（詳細な研究にも関わらず）
see Johnson (2000) for **extensive** discussion
　　（詳しい議論は Johnson (2000) を参照されたい）

《関連語彙 A》

extensively /iksténsivli/ 副 詳細に，広範に
　deal more **extensively** with this theory（この理論についてより詳細に論じる）
　be **extensively** discussed below（以下で詳しく議論される）
　be used **extensively**（広範に使用される）

have been **extensively** studied in physics（物理学において詳しく研究されてきた）

extend /iksténd/ 動 拡大する，拡張する
 extend the range of activity（活動範囲を拡大する）
 such an **extended** principle（このような拡張原理，拡大原理）
 an **extended** version of Johnson (2005)（Johnson(2005)の拡張版，拡大版）
 be **extended** from the physical domain to other domains
  （物理的領域から他領域に拡大される）
 be **extended** to account for the following phenomena:
  （以下の現象が説明できるように拡張される）

extension /iksténʃən/ 名 拡張，拡大
 three types of **extensions**（3タイプの拡張）
 two fundamental processes of **extension**（2つの基本的な拡張プロセス）
 the **extension** from this basic structure（この基本構造からの拡大）
 through the **extension** of this principle（この原理の拡張を通して）
 explain the mechanisms of **extension**（拡張のメカニズムを説明する）

extensional /iksténʃənl/ 形 拡張的な，拡大的な
 an **extensional** approach（拡大的アプローチ，拡張的アプローチ）
 the **extensional** range of mental experience（心的経験の拡大範囲）
 this **extensional** data（この拡大データ）
 at the **extensional** level（その拡張レベルでは）
 from an **extensional** perspective（拡張的な観点から）

《関連語彙 B》

expand /ikspǽnd/ 動 拡大する，拡張する，発展させる
 expand its range（その範囲を拡大する）
 expand the work of Johnson (2003)（Johnson(2003)の研究を発展させる）
 expand on/upon this relationship（この関係について詳しく述べる）
 an **expanded** version of Orwell (2001)（Orwell(2001)の拡大版，拡張版）
 be quickly **expanded**（急速に拡大される，急速に拡張される）
 have been **expanded** by other researchers（他の研究者によって発展させられてきた）

expansion /ikspǽnʃən/ 名 拡大，拡張
 the **expansion** of these relationships（これらの関係の拡大）
 the **expansion** of such a model（このようなモデルの拡大）
 this kind of **expansion**（この種の拡大，この種の拡張）
 this **expansion** of functions（この機能の拡張）
 another type of **expansion**（もう1つの拡張タイプ）
 a principle of conceptual **expansion**（概念拡張の原理）

---

extent /ikstént/ 名 程度，範囲

《使用例》

to a large **extent**（大部分は，かなりの部分で）
to a certain **extent**（ある程度は）
to a significant **extent**（かなりの程度）
to a greater or lesser **extent**（多かれ少なかれ）
to the **extent** that S+V（－という点においては）
the **extent** to which language influences thought
　　（言語が思考にどの程度影響を与えるのか）
be weakened to the same **extent**（同程度に弱められる）
can be to some **extent** explained（ある程度は説明できる）
determine the **extent** of this domain（この領域の範囲を決定する）
occupy the full **extent** of the path（その経路の全範囲を占める）

256 □ **external** /ikstə́ːrnl/ 形 外部の，外在的な

《使用例》

external features（外在的特徴）
external inputs（外からの入力）
this **external** structure（この外部構造）
stimuli from the **external** world（外界からの刺激）
be **external** to this region（この領域の外にある）
whether internal or **external**（内在的であれ外在的であれ）

《関連語彙 A》

externally /ikstə́ːrnəli/ 副 外部で，外部から，外在的に
　externally caused change（外部から引き起こされた変化）
　both **externally** and internally（外的にも内的にも）
　at least **externally**（少なくとも外在的には）
　be linked **externally**（外部で結合される）
　unless **externally** affected（外部からの影響がない限り）

《関連語彙 B》

outer /áutər/ 形 外側の，外部の
　the **outer** surface（その外側の表面）
　the **outer** layers（その外側の層）
　this **outer** environment（この外部環境）
　from **outer** space（宇宙から）
　the **outer** part is destroyed（その外側が破壊される）

exterior /ikstíəriər/ 形 外部の　名 外部，外側

exterior elements（外部要素）
an **exterior** angle of this triangle（この三角形の外角）
the **exterior** side of the container（その容器の外側）
from the **exterior**（その外部から）
the **exterior** of the cell（その細胞の外面）

257 □ extract　/ikstrǽkt/ 動 抽出する
　　　　　　　/ékstrækt/ 名 抜粋

《使用例》
extract examples from corpora（コーパスから事例を抽出する）
be **extracted** from the corpus（そのコーパスから抽出される）
the examples **extracted** from the Internet
　（インターネットから抽出された事例）
an **extract** of this novel（この小説の抜粋）
as the following **extracts** illustrate（以下の抜粋が示すように）

《関連語彙 A》
extraction　/ikstrǽkʃən/ 名 抽出
　this **extraction** process（この抽出プロセス）
　the **extraction** of data（データの抽出）
　the **extraction** of structural patterns from the data
　　（そのデータから構造パターンを抽出すること）
　according to the type of **extraction**（抽出タイプに応じて）
　based on this data **extraction**（このデータ抽出に基づいて）
　do not permit **extraction**（抽出を許容しない）

258 □ extrapolate　/ikstrǽpəleit/ 動 推定する

《使用例》
extrapolate from this fact that S+V（この事実から～であると推定する）
to **extrapolate** from these patterns（これらのパターンから推定すると）
if we **extrapolate** from this evidence（この証拠から推定するならば）
it can be **extrapolated** that S+V（～であると推定できる）
be **extrapolated** to other hypotheses（別の仮説にあてはめて推定される）

《関連語彙 A》
extrapolation　/ikstræpəléiʃən/ 名 推定
　a very general **extrapolation** procedure（かなり一般的な推定手順）
　an **extrapolation** of data（データの推定）

Poland's (2002) **extrapolation** is that S+V
(Poland(2002)の推定は−ということである)
this **extrapolation** is unreliable（この推定は信頼できない）

《関連語彙 B》

presume /priz(j)ú:m/ 動 推定する，仮定する
presume the interaction between ABC and XYZ
（ABCとXYZの相互作用を仮定する）
this **presumed** relation（この推定された関係）
Johnson (2007) **presumes** that S+V（Johnson(2007)は−と推定している）
this view **presumes** that S+V（この見解は−ということを仮定している）
it is **presumed** that S+V（−であると推定される）
this is **presumed** to be because S+V（これは−のためであると推定される）

presumption /prizÁmpʃən/ 名 推定，仮定
this basic **presumption**（この基本的仮定）
from the **presumption** that S+V（−という推定から）
on the **presumption** that S+V（−ということを仮定して）
support this **presumption**（この推定を裏づける）
the **presumption** is justified（その推定/仮定は正当化される）

presumably /priz(j)ú:məbli/ 副 おそらく
presumably due to the system（おそらくそのシステムのために）
presumably in many cases（おそらく多くの場合）
be **presumably** most common（おそらく最も一般的である）
this is **presumably** to do（これはおそらく−するためである）
Presumably, this discussion is based on the following assumptions:
（おそらく，この議論は以下の仮定に基づいている）

《関連語彙 C》

surmise /sərmáiz/ 動 推測する
/sərmáiz, sə́:rmaiz/ 名 推測
can be **surmised** from these studies（これらの研究から推測できる）
Johnson (2002) **surmises** that S+V（Johnson(2002)は−と推測している）
it has been **surmised** that S+V（−と推測されてきた）
such **surmises**（このような推測）
be based on a correct **surmise**（正しい推測に基づいている）
give rise to the **surmise** that S+V（−という推測を生み出す）

---

259 □ **extremely** /ikstrí:mli/ 副 かなり，極めて

《使用例》

an **extremely** well-known phenomenon（かなりよく知られた現象）

extremely important evidence（かなり重要な証拠）
extremely useful comments（かなり有益なコメント）
be **extremely** rare（かなり稀である）
be **extremely** common（かなり一般的である）
it is **extremely** difficult to do（〜するのはかなり難しい）
it is **extremely** important to do（〜することが極めて重要である）

《関連語彙 A》

extreme /ikstríːm/ 形 極端な 名 両極端の片側
 such an **extreme** position（このような極端な立場）
 a rather **extreme** case of communication（コミュニケーションのかなり極端な例）
 the opposite **extreme**（それとは正反対の側面）
 at the **extreme** ends of this scale（このスケールの両極に）
 in **extreme** cases（極端なケースでは）
 at one **extreme** / at the other **extreme**（一方の面では／もう一方の面では）

260 □ extrinsic /ikstrínsik, ikstrínzik/ 形 外在的な，無関係である

《使用例》
an **extrinsic** device（外在的な道具立て）
a number of **extrinsic** factors（多くの外在的要因）
such **extrinsic** conditions（このような外在的な条件）
due to **extrinsic** causes（外在的原因のために）
be **extrinsic** to this constraint（この制約とは関係がない）

《関連語彙 A》

extrinsically /ikstrínsikəli, ikstrínzikəli/ 副 外在的に，外部から，外面的に
 at least **extrinsically**（少なくとも外在的には）
 be **extrinsically** similar（外面的に似ている）
 be **extrinsically** motivated（外部から動機づけられている）
 extrinsically different entities（外面的に異なった実体）
 evaluate this system **extrinsically**（このシステムを外部から評価する）

261 □ facet /fǽsit/ 名 側面，面

《使用例》
these two **facets**（これら２つの側面）
another interesting **facet**（もう１つの興味深い側面）
various **facets** of economic growth（経済成長の様々な側面）
one/a **facet** of conceptual structure（概念構造の一面）

highlight other **facets**（他の側面を際立たせる）

262 ☐ **facilitate** /fəsíləteit/ 動 容易にする，促進する

《使用例》
facilitate the recall of this concept（この概念の喚起を容易にする）
facilitate the learning of this pattern（このパターンの学習を容易にする）
facilitate communication（コミュニケーションを円滑にする）
play a **facilitating** role in comprehension
　（理解を容易にする役割を果たす）
may **facilitate** processing（処理を容易にするかも知れない）
can be **facilitated** by using it（それを使うことで容易にできる，促進できる）
in order to **facilitate** this analysis（この分析を容易にするために）
in order to **facilitate** its comprehension（その理解を容易にするためには）

《関連語彙 A》
facilitation /fəsilətéiʃən/ 名 簡易化，容易化
　a similar **facilitation**（似たような簡易化）
　a mechanism of **facilitation**（簡易化のメカニズム）
　the concept of **facilitation**（容易化という概念）
　the **facilitation** of these processes（これらのプロセスの簡易化）
　the **facilitation** of data compression（データ圧縮の容易化）

263 ☐ **factor** /fǽktər/ 名 要因

《使用例》
a relevant **factor**（関連要因）
other important **factors**（他の重要な要因）
this contextual **factor**（この文脈要因）
another **factor** suggested in Poland (2000)
　（Poland (2000)で示唆された別の要因）
because of the three **factors** mentioned above（上述の3つの要因のために）
via the interplay of social **factors**（社会的要因の相互作用を通して）
be affected by various **factors**（様々な要因によって影響を受ける）

264 ☐ **fairly** /féərli/ 副 かなり

《使用例》
fairly recent approaches（かなり最近のアプローチ）

a **fairly** detailed taxonomy（かなり詳細な分類）
a **fairly** comprehensive theory（かなり包括的な理論）
fairly straightforwardly（かなり率直に）
in a **fairly** general way（かなり一般的な方法で）
be **fairly** complex（かなり複雑である）
be **fairly** detailed（かなり詳しい，かなり詳細である）

《関連語彙 A》

fair /féər/ 形 かなりの，相当な，妥当な
  a **fair** amount of data（かなりの量のデータ，相当量のデータ）
  a **fair** number of diagrams（かなりの数の図式，相当数の図式）
  it is **fair** to claim that S+V（−と主張するのが妥当である）
  it is not **fair** to say that S+V（−と言うのは妥当ではない）
  it would be **fair** to do（−するのが妥当であろう）

unfair /ʌnféər/ 形 不適切な，不公平な
  an **unfair** argument（不公平な議論）
  be **unfair** in using Poland's (2001) framework
    （Poland(2001)の枠組みを利用する点で不適切である）
  be somewhat **unfair**（少し不適切である）
  it is also **unfair** to do（−するのも不適切である）
  it is somewhat **unfair** to do（−するのは少し不公平である）
  it might be **unfair** to do（−することは不適切であるかも知れない）

265 □ **fallacious** /fəléiʃəs/ 形 誤った

《使用例》

a **fallacious** argument（誤った議論）
three **fallacious** ideas（3つの誤った考え方）
be clearly **fallacious**（明らかに誤っている）
be considered to be **fallacious**（誤っていると考えられる）
it is **fallacious** to assume that S+V（−と仮定するのは誤っている）
it would also be **fallacious** to do（−するのも誤りであろう）

《関連語彙 A》

fallacy /fǽləsi/ 名 誤謬，誤った考え方，誤り
  the generality **fallacy**（一般性の誤謬）
  the fundamental **fallacy** of this theory（この理論の基本的な誤謬）
  the **fallacy** that S+V（−という誤った考え方）
  point out this **fallacy**（この誤った考え方を指摘する）
  it is a **fallacy** to argue that S+V（−であると議論するのは誤りである）

266 □ falsify /fɔ́:lsəfai/ 動 反証する，論駁する

《使用例》

falsify Johnson's (2000) model（Johnson (2000)のモデルを論駁する）
falsify the possibility that S+V（－という可能性を反証する）
may **falsify** this conclusion（この結論を反証できるかも知れない）
this axiom has been **falsified**（この公理は論駁されてきた）
Hypothesis B can also be **falsified**（仮説 B も反証可能である）

《関連語彙 A》

falsifiable /fɔ́:lsəfaiəbl/ 形 反証可能な
　a **falsifiable** account（反証可能な説明）
　falsifiable claims（反証可能な主張）
　the development of a **falsifiable** methodology（反証可能な方法論の発達）
　formulate a **falsifiable** hypothesis（反証可能な仮説を考案する）
　this position seems **falsifiable**（この立場は反証可能に思える）

falsification /fɔ:lsəfəkéiʃən/ 名 反証
　a **falsification** strategy（反証のストラテジー，反証の方略）
　the **falsification** of this law（この法則の反証）
　through a process of **falsification**（反証プロセスを通して）
　be liable to **falsification**（反証を免れない，反証の余地がある）
　show the importance of **falsification**（反証の重要性を示す）

falsifiability /fɔ:lsəfaiəbíləti/ 名 反証可能性
　the issue of **falsifiability**（反証可能性の問題）
　the principle of **falsifiability**（反証可能性の原理）
　the **falsifiability** of the model（そのモデルの反証可能性）
　on (the) grounds of **falsifiability**（反証可能性を根拠に）
　develop the criterion of **falsifiability**（反証可能性の基準を開発する）
　be replaced by **falsifiability**（反証可能性によって置き換えられる）

267 □ far-fetched /fá:r fétʃid/ 形 こじつけの，無理な

《使用例》

a **far-fetched** explanation（こじつけの説明，無理な説明）
by means of **far-fetched** conceptualizations（こじつけの概念化によって）
it would be a little **far-fetched** to do（－するのは少し無理があるであろう）
it seems very **far-fetched** to do（－するのはかなり無理があるように思える）
this claim may be very **far-fetched**
　　（この主張はかなり無理があるかも知れない）

268 ☐ **far-reaching** /fá:r rí:tʃiŋ/ 形 多大な，広範な

《使用例》

far-reaching findings of this framework（この枠組みの多大な研究成果）
have a **far-reaching** educational effect（広範な教育効果がある）
have a **far-reaching** influence on algebraic geometry
　（代数幾何学に多大な影響を及ぼす）
be more **far-reaching** than ever before（これまでよりも広範である）
the importance of this notion is **far-reaching**
　（この概念の重要性は計り知れない）

《関連語彙 A》

far-reachingly /fá:r rí:tʃiŋli/ 副 広範に，かなり
　more **far-reachingly**（より広範に）
　be **far-reachingly** influential（かなりの影響力がある）
　be **far-reachingly** instructive（かなり有益である）
　be recognized **far-reachingly**（広範に認識されている）
　a **far-reachingly** important movement（かなり重要な動向）

269 ☐ **fashion** /fǽʃən/ 名 方法

《使用例》

proceed in a piecemeal **fashion**（徐々に進展する）
be conducted in (a) similar **fashion**（同様にして行われる）
move in a circular **fashion**（円を描くように動く）
in an independent **fashion**（独立して，単独で）
in an explicit **fashion**（明確に，明示的に）
in a practical **fashion**（実践的に，実用的に）
in a more traditional **fashion**（より伝統的な形で）
in this **fashion**（このように）
in the following **fashion**（以下のように）

《関連語彙 A》

way /wéi/ 名 方法
　in a variety of **ways**（様々な方法で，様々なやり方で）
　in a more general **way**（より一般的な形で，より一般的に）
　in the following **way**（以下のように）
　by **way** of comparison（比較のために，比較目的で）
　be understood in this **way**（このように理解される）
　can be interpreted in three **ways**（3通りに解釈できる）

must be accounted for in other **ways**（別の形で説明されなければならない）
different/various **ways** of dealing with this question（この問題を論じる様々な方法）

《関連語彙 B》
manner /mǽnər/ 名 方法
 in like **manner**（同様に）
 in this **manner**（このようにして，このように）
 in a different **manner**（別のやり方で，別の方法で）
 in a highly effective **manner**（かなり効果的に）
 in precisely the same **manner** as the previous experiments
  （これまでの実験とまさに同様のやり方で）
 be treated in the same **manner**（同様に扱われる）
 can be described in the following **manner**:（以下のように記述できる）
 explain the proper **manner** of doing（〜する正確な方法を説明する）

F

270 ☐ favor /féivər/ 名 支持　動 好む

《使用例》
evidence in **favor** of this hypothesis（この仮説を裏づける証拠）
be in **favor** of this proposal（この提案を裏づけている）
favor this interpretation（この解釈を好む）
favor Principle A over Principle B（原理 B より原理 A を好む）
tend to **favor** the latter model（後者のモデルを好む傾向がある）

271 ☐ feasible /fíːzəbl/ 形 実現可能な，実行可能な

《使用例》
a **feasible** project（実行可能なプロジェクト）
what is **feasible**（実行可能なこと）
be **feasible** in theory（理論的には実行可能である）
become **feasible**（実現可能になる）
this examination is not **feasible**（この探求は実現可能ではない）

《関連語彙 A》
feasibility /fìːzəbíləti/ 名 実行可能性，実現可能性
 the **feasibility** of this model（このモデルの実現可能性）
 a case of **feasibility**（実行可能性の一例）
 various **feasibility** problems（様々な実行可能性の問題）
 its computational **feasibility**（コンピュータ上でのその実行可能性）
 corroborate the **feasibility** of this approach
  （このアプローチの実行可能性を裏づける）

infeasible /infíːzəbl/ 形 実行不可能な
  an **infeasible** model（実行不可能なモデル）
  be computationally **infeasible**（コンピュータ上では実行不可能である）
  become **infeasible** quickly（直ぐに実行不可能になる）
  this calculation seems **infeasible**（この計算は実行不可能なように思える）
  this is also **infeasible**（これも実行不可能である）

272 ☐ **feature** /fíːtʃər/ 名 特徴

《使用例》
a significant **feature**（重要な特徴）
a fundamental/basic **feature** of verbs（動詞の基本的特徴）
typical **features** of antonyms（反意語の典型的な特徴）
the following formal **features**（以下の形式的特徴）
a defining **feature** of metonymy（換喩の典型的な特徴の1つ）
be defined by universal **features**（普遍的な特徴によって定義される）

《関連語彙 A》
featureless /fíːtʃərləs/ 形 特徴のない，特色のない，平凡な，単調な
  a **featureless** substance（特色のない物質）
  featureless entities（特徴のない実体）
  be somewhat **featureless**（少し平凡である，少し単調である）

273 ☐ **figure** /fígjər/ 名 図，図式

《使用例》
be shown in **Figure** 6（図6に示される）
see **Figures** 3 and 4（図3と図4を参照のこと）
in **Figure** 4a（図4aでは）
in the manner of **Figure** 3（図3のように）
in the lower left of **Figure** 2（図2の左下に）
on the right-hand [left-hand] side of **Figure** 3（図3の右側[左側]に）
as summarized in **Figure** 1（図1にまとめられるように）
the structure depicted in **Figure** 3（図3に描かれた構造）
can be represented as in **Figure** 5（図5にあるように表示できる）

《関連語彙 A》
arrow /ǽrou/ 名 矢印
  a solid **arrow**（実線矢印）
  a dashed **arrow**, a broken-line **arrow**（破線矢印）

a double-headed **arrow**（両方向矢印）
a squiggly **arrow**（波形矢印）
the **arrow** in Figure 3（図3の矢印）
this downward/upward **arrow**（この下向き [上向き] の矢印）
an **arrowhead**（矢印の先，矢印の頭）

line /láin/ 名 線
　a thin **line**（細線）
　a thick **line**（太線）
　a dotted **line**（点線）
　a broken **line**（破線）
　a wavy **line**（波線）
　a curved **line**（曲線）
　draw a dividing **line**（境界線を引く）
　be indicated by dashed **lines**（破線で示される）

F

274 □ finding /fáindiŋ/ 名 研究成果，成果，結果

《使用例》
these **findings**（これらの研究成果）
recent **findings**（最近の研究成果）
experimental **findings**（実験結果）
other related **findings**（他の関連する研究成果）
the **findings** so far（ここまでの研究成果）
the **findings** of this study（本研究の成果）
a number of research **findings**（多くの研究成果）
the **findings** reported here（ここで報告された研究成果）

《関連語彙 A》
find /fáind/ 動 見つける
　find repeated patterns（繰り返しのパターンを見つける）
　find evidence for this claim（この主張の証拠を見つける）
　be sometimes **found** in French（フランス語において時々見られる）
　be **found** in the leftmost column（最も左側の縦列に見られる）
　be not **found** in practice（実際には見られない）
　the asymmetry **found** in English（英語に見られる非対称性）
　no differences are **found** between ABC and XYZ
　　（ABC と XYZ の間に違いは見られない）

275 □ finite /fáinait/ 形 有限の

《使用例》
a **finite** number of expressions（限られた数の表現）
a **finite** clause（定形節）
this **finite** corpus（この限定的なコーパス）
be almost always **finite**（ほとんどの場合制限される）

《関連語彙 A》
finitely /fáinaitli/ 副 有限に
 be **finitely** generated（有限に生成される, 無限には生成されない）
 be **finitely** divisible（有限に分割できる, 無限には分割できない）
 finitely many features（多くの有限個の特性）

finiteness /fáinaitnəs/ 名 有限性
 the **finiteness** of natural resources
  （天然資源の有限性, 天然資源が限られていること）
 the implicature of **finiteness**（有限性の含意）
 properties like **finiteness** and infiniteness（有限性や無限性のような特性）
 because of its **finiteness**（その有限性のために）
 explain the lack of **finiteness**（有限性の不足を説明する）

276 □ flaw /flɔ́:/ 名 欠点, 欠陥

《使用例》
a major **flaw**（大きな欠点）
an ethical **flaw**（倫理上の欠陥）
a definite **flaw** of this approach（このアプローチの明らかな欠点）
be by no means a **flaw**（決して欠点ではない）
contain three **flaws**（3つの欠点がある）
find a logical **flaw**（論理的欠陥を見つける）
the second **flaw** is that S+V（2つ目の欠点は～ということである）

《関連語彙 A》
flawless /flɔ́:les/ 形 欠点のない, 完璧な
 a **flawless** theory（欠点のない理論, 完璧な理論）
 a **flawless** framework for doing（～するための完璧な枠組み）
 in a **flawless** manner（完璧に）
 be almost **flawless**（ほぼ完璧である）
 be not always **flawless**（必ずしも完璧ではない）
 be by no means **flawless**（決して完璧ではない）

flawed /flɔ́:d/ 形 欠陥のある
 a **flawed** procedure（欠陥のある手順）

a fundamentally **flawed** theory（基本的に欠陥のある理論）
be partially **flawed**（部分的に欠陥がある）
this approach is deeply **flawed**（このアプローチにはかなりの欠陥がある）
London's (2009) model is also **flawed**（London(2009)のモデルにも欠陥がある）

277 ☐ focus /fóukəs/ 動 着目する 名 焦点（単数），主眼（単数）

《使用例》

focus on experimental methods（実験方法に着目する）
focus attention on individual elements（個々の要素に注目する）
by **focusing** mainly on these issues
　（主としてこれらの問題に着目することで）
the **focus** of this article（本稿の主眼，本稿の主目的）
three primary **focuses**（3つの主要焦点）
the **focus** is on individual processes（個々のプロセスに焦点が充てられる）
this is the **focus** in Johnson's (2007) paper
　（これが Johnson(2007)の論文の主眼である）

《関連語彙 A》

foci /fóusai, fóukai/ 名 焦点（複数），主眼（複数）
　its research **foci**（その研究の焦点）
　three major **foci**（3つの主要焦点，3つの主眼）
　have two theoretical **foci**（2つの理論的主眼がある）
　share the same **foci**（同じ焦点を共有する）

focal /fóukəl/ 形 焦点の
　a **focal** point（焦点）
　a **focal** point of research（研究の焦点）
　the **focal** point of this argument（この議論の焦点）
　function as **focal** points（焦点として機能する）
　eschew **focal** colors（焦点色を避ける）

278 ☐ following /fɔ́louiŋ/ 形 以下の 名 以下 前 —に従えば，—に従って

《使用例》

the **following** two categories（以下の2つのカテゴリー）
in the **following** discussion（以下の議論では）
in the **following** sections（以下の節では）
cover the **following** topics:（以下のトピックをカバーする）
consider the **following** examples:（以下の事例を考えてみよう）

put forward the **following** hypotheses：(以下の仮説を提案する)
following this account (この説明に従えば，この説明に従って)
in the **following** (以下では)
the data discussed in the **following** (以下で議論されるデータ)
the **following** is a typical example of personification
　　(以下は擬人化の典型例である)

《関連語彙 A》

follow /fɔ́lou/ 動 従う，後続する，−ということになる
　follow the tradition (その伝統に従う)
　the element that **follows** it (それに後続する要素)
　in what **follows** (以下では)
　be organized as **follows**: (次のように構成される)
　it **follows** that S+V (−ということになる)

follower /fɔ́louər/ 名 支持者，追随者
　some **followers** (支持者の何人か)
　a **follower** of the Copenhagen school (コペンハーゲン学派の支持者)
　Philip Johnson and his **followers** (Philip Johnson とその支持者)
　among many **followers** (多くの支持者の間で)
　be proposed by his/her/their **followers** (その追随者によって提案される)

279 ☐ **footnote** /fútnout/ 名 脚注

《使用例》
be indicated in **footnotes** (脚注に示される)
in **footnotes** 4 and 7 (脚注4と脚注7で)
in the previous **footnote** (1つ前の脚注で)
as pointed out in a **footnote** (脚注で指摘されるように)
as mentioned in **footnote** 3 (脚注3で言及されるように)
see **footnote** 5 (脚注5を参照されたい)
footnotes appear at the bottom of the page (脚注はページ末に配置される)

《関連語彙 A》

endnote /éndnout/ 名 後注 (文末脚注)
　in **endnote** 5 (後注5で)
　in the **endnotes** (その後注で)
　except in **endnotes** (後注を除いて)
　see **endnotes** 2 and 3 (後注2と後注3を参照のこと)
　endnotes are commonly used (後注が通常用いられる)

280 ☐ foregoing /fɔ:rgóuiŋ/ 形 先述の，上述の，前述の

《使用例》
in the **foregoing** quotation / quote（先程の引用では）
in the **foregoing** arguments（先述の議論において）
in the **foregoing** sense（上述の意味で，上述の意味において）
see the **foregoing** discussion（前述の議論を参照のこと）
all of the **foregoing** phenomena（先程言及した現象の全て）

281 ☐ former /fɔ́:rmər/ 名 前者　形 前者の

《使用例》
the **former** claim（前者の主張）
in the **former** case（前者の場合）
regarding the **former**（前者に関しては）
if the **former** is selected（前者が選択される場合）
revise the **former** approach（前者のアプローチを修正する）
prefer the latter over the **former**（前者よりも後者を好む）
the **former** model is recommended here
　　（ここでは前者のモデルが推奨される）

《関連語彙 A》
latter /lǽtər/ 名 後者　形 後者の
　the **latter** level of representation（後者の表示レベル）
　this **latter** theory（この後者の理論）
　in the **latter** case（後者の場合）
　adopt the **latter** principle（後者の原理を採用する）
　the **latter** is especially important（後者が特に重要である）

formerly /fɔ́:rmərli/ 副 かつては，以前は
　important issues **formerly** raised（かつて提起された重要な問題）
　in **formerly** conducted studies（以前行われた研究では）
　have **formerly** been called adjacency relations（以前は「隣接関係」と呼ばれてきた）

282 ☐ formulate /fɔ́:rmjuleit/ 動 定式化する

《使用例》
formulate a hypothesis（仮説を組み立てる）
the criteria **formulated** in this study（本研究で定式化された基準）
be appropriate for **formulating** this relationship

（この関係を定式化するのに適している）
can be **formulated** in terms of semantic structure
（意味構造の観点から定式化できる）
need to be **formulated**（定式化される必要がある）

《関連語彙 A》

formulation /fɔːrmjuléiʃən/ 图 定式化
　this **formulation**（この定式化）
　a more general **formulation**（より一般的な定式化）
　the precise **formulation** of the problem（その問題の正確な定式化）
　allow for the **formulation** of Principle B（原理 B の定式化を可能にしてくれる）
　in accordance with this **formulation**（この定式化に従って）

formula /fɔːrmjulə/ 图 式（単数），公式（単数）
formulae /fɔːrmjuliː/ 图 式（複数），公式（複数）
　a mathematical/numerical **formula**（数式）
　a structural **formula**（構造式）
　this chemical **formula**（この化学式）
　a small number of **formulas/formulae**（少数の公式）
　in the following **formula**（以下の公式では）
　based on these **formulas/formulae**（これらの公式に基づいて）
　establish a new **formula**（新しい公式を立てる）

《関連語彙 B》

formalize /fɔːrməlaiz/ 動 形式化する
　formalize such knowledge structures（このような知識構造を形式化する）
　formalize the idea that S+V（－という見解を形式化する）
　a **formalized** model（形式化されたモデル）
　need to be **formalized**（形式化される必要がある）
　an inadequately **formalized** theory（適切に形式化できていない理論）

formalization /fɔːrməlaizéiʃən/ 图 形式化
　economical **formalizations**（経済的な形式化）
　a kind of **formalization**（一種の形式化）
　Poland's (2005) powerful **formalization**（Poland(2005)による強力な形式化）
　the **formalization** of this process（このプロセスの形式化）
　facilitate **formalization** of the relationships（その関係の形式化を容易にする）

《関連語彙 C》

formal /fɔːrməl/ 形 形式の，形式的な
　formal similarities（形式の類似性）
　a **formal** approach（形式的アプローチ）
　such **formal** structures（このような形式構造）

in more **formal** terms（より形式的な観点から）
in **formal** logic（形式論理学では）
may be too **formal**（形式的すぎるかも知れない）
share the same **formal** properties（同じ形式的特性を共有している）

formally /fɔ́:rməli/ 副 形式的に，形式上は
more **formally**（より形式的に，より形式的には）
a **formally** precise system（形式的に正確なシステム）
be **formally** known（形式的に知られている）
be **formally** identical（形式上は同一である）
have been **formally** described（形式的に記述されてきた）
in order to **formally** define this concept（この概念を形式的に定義するためには）

informal /infɔ́:rməl/ 形 非形式的な
informal processes（形式的でないプロセス）
an **informal** approach（非形式的アプローチ）
these **informal** rules（これらの非形式的な規則）
in an **informal** way（非形式的に）

informally /infɔ́:rməli/ 副 非形式的に
informally speaking（非形式的に言えば）
state the rule **informally**（その規則を非形式的に述べる）
be **informally** described as a system（1つのシステムとして非形式的に記述される）
can be defined **informally**（非形式的に定義できる）

283 □ **forthcoming** /fɔ̀:rθkʌ́miŋ/ 形 近刊の 名 近刊

《使用例》
a **forthcoming** article（近刊の論文，近々発表される論文）
a **forthcoming** book（近刊の書物，近々刊行される本）
Orwell's (**forthcoming**) third model（Orwell（近刊）の第3のモデル）
in Johnson (**forthcoming**)（Johnson（近刊）では）
be discussed in Green (**forthcoming**)（Green（近刊）で議論されている）
see also London & Poland (**forthcoming**)
　　（London & Poland（近刊）も参照されたい）

284 □ **foundation** /faundéiʃən/ 名 土台，基盤，根拠

《使用例》
this conceptual **foundation**（この概念基盤）
the theoretical **foundations** of this study（本研究の理論的土台）
serve as a **foundation** for such an account

（このような説明の基盤として機能する）
study the **foundations** of human creativity
（人間の創造性の源泉を研究する）
be entirely without **foundation**（全く根拠がない）

《関連語彙 A》
foundational /faundéiʃənl/ 形 基本的な，基礎的な
　its **foundational** assumption（その基本的仮定）
　foundational concepts in cultural anthropology（文化人類学における基礎概念）
　the **foundational** principles of semantic change（意味変化の基本原理）
　based on the **foundational** work of Paul Johnson
　　（Paul Johnson の基礎研究に基づいて）
　which aspects are more **foundational**（どちらの側面がより基礎的であるか）

285 ☐ framework /fréimwə:rk/ 名 枠組み

《使用例》
a different theoretical **framework**（別の理論的枠組み）
research **frameworks**（研究の枠組み）
the validity of this **framework**（この枠組みの妥当性）
the **framework** discussed in Section 4（第4節で議論された枠組み）
in this **framework**（この枠組みでは）
in contemporary theoretical **frameworks**（現代の理論的枠組みでは）
within/in the **framework** of Poland (2000)
　（Poland (2000)の枠組みにおいては）
adopt this **framework**（この枠組みを採用する）
present a **framework** for describing these phenomena exhaustively
　（これらの現象を包括的に記述するための枠組みを提示する）

286 ☐ fruitful /frú:tfəl/ 形 有益な

《使用例》
a **fruitful** discussion（有益な議論）
a **fruitful** opportunity to do（-する有益な機会）
be particularly **fruitful**（特に有益である）
be also **fruitful** for other analyses（他の分析にも有益である）
be more or less **fruitful**（多かれ少なかれ有益である）
it seems **fruitful** to do（-するのは有益なように思える）

「英語論文重要語彙 717」

287 ☐ **fully** /fúli/ 副 完全に，十分に

《使用例》
a **fully** acceptable structure（完全に容認できる構造）
a **fully**-fledged theoretical framework（十分に発達した理論的枠組み）
understand this mechanism **fully**（このメカニズムを完全に理解する）
be not **fully** clear（全く明らかではない）
be **fully** compatible with the process above
　　（上記のプロセスと完全に一致している）
have not been **fully** explored（十分に探求されてこなかった）
in order to **fully** comprehend this structure
　　（この構造を完全に理解するためには）

《関連語彙 A》
full /fúl/ 形 完全な，十分な
　the **full** range of examples（事例の全範囲, 全ての事例）
　a **full**-fledged theory（十分に発達した理論, 本格的な理論）
　in **full** detail（かなり詳細に, 十分詳細に）
　offer/provide a **full** explanation of these phenomena
　　　（これらの現象を完全に説明する）
　be in **full** accord with Johnson's (2001) view
　　　（Johnson (2001) の見解と完全に一致している）
　see Appendix for the **full** list（完全なリストは付録を参照のこと）

288 ☐ **functional** /fʌ́ŋkʃənl/ 形 機能的な

《使用例》
a **functional** approach（機能的アプローチ）
functional properties（機能特性）
this **functional** analysis（この機能分析）
Poland's (2001) **functional** definition of *travel*
　　（Poland (2001) による travel の機能的定義）
from a **functional** perspective（機能的観点から）
in **functional** linguistics（機能言語学では）
based on **functional** similarities（機能的類似性に基づいて）

《関連語彙 A》
function /fʌ́ŋkʃən/ 名 機能　動 機能する
　the primary **function** of language（言語の主要機能）
　a variety of social **functions**（様々な社会機能）

in addition to these three **functions**（これら3つの機能に加えて）
have the same **function**（同じ機能がある）
serve similar **functions**（似たような機能を果たす）
function as a verb（動詞として機能する）
function independently from Principle A（原理 A とは独立して機能する）
how this system **functions**（このシステムがどう機能するか）

functionally /fÁŋkʃənəli/ 副 機能的に
　　functionally important properties（機能的に重要な特性）
　　be **functionally** identical（機能的には同一である, 機能的には等しい）
　　be **functionally** dependent on each other（機能的に相互依存している）
　　functionally speaking（機能的に言えば）

functionality /fʌŋkʃənǽləti/ 名 機能性
　　the **functionality** of this system（このシステムの機能性）
　　this sort of **functionality**（この種の機能性）
　　be different in **functionality**（機能性の点で異なっている）
　　reflect this **functionality**（この機能性を反映している）
　　expand its **functionality**（その機能性を拡大する）

289 ☐ **fund** /fʌ́nd/ 名 研究費　動 研究費を助成する

《使用例》
the Orange University Research **Fund**（オレンジ大学研究費）
the **Fund** for Scientific Research（科学研究費）
funding for this research（本研究の研究費）
acknowledge **funding** from Apple University
　　（アップル大学からの研究費助成に感謝する）
this research was **funded** by the ABC Grant
　　（本研究は ABC 補助金による研究費助成を受けて行われた）

290 ☐ **fundamental** /fʌndəméntl/ 形 基本的な, 基礎的な

《使用例》
a **fundamental** notion（基礎的な概念）
this **fundamental** principle（この基本原理）
two **fundamental** processes（2つの基本的なプロセス）
at a more **fundamental** level（より基本的なレベルでは）
be **fundamental** to this social system
　　（この社会システムにとっての基本である）
play a **fundamental** role in various areas

(様々な領域で基本的な役割を果たす)

《関連語彙 A》

fundamentally /fʌndəméntəli/ 副 基本的に,根本的に
 two **fundamentally** different concepts（2つの根本的に異なった概念）
 differ **fundamentally** from English（英語とは根本的に異なる）
 be **fundamentally** important（基本的に重要である）
 more **fundamentally**（より根本的には）
 these two theories are **fundamentally** different
  （これら2つの理論は根本的に異なるものである）

291 □ further /fə́:rðər/ 形 さらなる 副 さらに

《使用例》

a **further** classification（さらなる分類）
further examples（さらなる事例）
further research on this constraint（この制約に関するさらなる研究）
need **further** exploration（さらなる探求が必要である）
investigate this claim **further**（この主張をさらに探求する）
be **further** divided into two types（さらに2つのタイプに分割される）
need to be **further** tested（さらに検証される必要がある）

《関連語彙 A》

furthermore /fə́:rðərmɔ:r/ 副 さらに,加えて
 Furthermore, Poland (2002) claims that S+V.
  （さらに, Poland(2002)は−ということを主張している）
 Furthermore, it is argued that S+V.（さらに, −ということが議論される）
 Johnson & Johnson (2003) **furthermore** suggest that S+V.
  （Johnson & Johnson(2003)は−ということもさらに示唆している）
 Furthermore, this process is basically impossible.
  （加えて, このプロセスも基本的に不可能である）
 Furthermore, there is overlap between ABC and XYZ.
  （加えて, ABCとXYZの間にも重複がある）

《関連語彙 B》

moreover /mɔ:róuvər/ 副 さらに,さらには,加えて
 this notion, **moreover**, is vaguely defined（加えてこの概念は曖昧に定義されている）
 this example **moreover** indicates that S+V
  （加えてこの例は−ということも示している）
 this paper is **moreover** quite readable（さらにはこの論文はかなり読みやすい）
 Moreover, London (2002) assumes that S+V.

(さらに, London(2002)も－ということを仮定している)
Moreover, it would be necessary to do.（さらには，－することも必要であろう）

292 □ gamut /gǽmət/ 名 全範囲，全領域，範囲

《使用例》
a very limited **gamut**（かなり制限された範囲）
the full **gamut** of language use（言語使用の全領域）
the entire **gamut** of psychological phenomena（心理現象の全範囲）
the whole **gamut** of themes discussed in this book
　（本書で議論されるテーマの全て）
run the **gamut** from words to sentences（語から文までの範囲に及ぶ）

293 □ generalization /dʒenərəl(ə)izéiʃən/ 名 一般化

《使用例》
this theoretical **generalization**（この理論的一般化）
a valid **generalization**（妥当な一般化）
an incomplete **generalization**（不完全な一般化）
the **generalization** process（その一般化プロセス）
the **generalization** made in Section 3（第3節で成された一般化）
achieve further **generalizations**（さらなる一般化に到達する）
generalizations over individual verbs（個々の動詞の一般化）

《関連語彙 A》
generalize /dʒénərəlaiz/ 動 一般化する，概括する
　generalize these cases（これらの事例を一般化する）
　generalize about the present condition（その現状について概括する）
　a more **generalized** category（より一般化されたカテゴリー）
　in a **generalized** sense（一般的な意味では，一般的には）
　can be **generalized** as follows:（以下のように一般化できる）
　have been **generalized** to these schemas（これらのスキーマに一般化されてきた）

294 □ generally /dʒénərəli/ 副 一般的に

《使用例》
generally speaking（一般的に言えば，一般的に言って）
more **generally**（より一般的には）
as **generally** as possible（できる限り一般的に）
explain this mechanism **generally**（このメカニズムを一般的に説明する）

be **generally** correct（一般的には正しい）
a **generally** accepted theory（一般に受け入れられた理論）
it is **generally** assumed that S+V（－であると一般に仮定されている）
it is **generally** acknowledged that S+V（－ということが一般に知られている）

《関連語彙 A》

general /dʒénərəl/ 形 一般的な
  general cognitive faculties（一般認知能力）
  a **general** theory of semantic change（意味変化の一般理論）
  general principles of language understanding（言語理解の一般原理）
  social phenomena in **general**（社会現象全般）
  the **general** view that S+V（－であるという一般的見解）
  in **general**（一般に）
  in more **general** terms（より一般的には）

generality /dʒenəræləti/ 名 一般性，一般論
  the **generality** of these expressions（これらの表現の一般性）
  at various levels of **generality**（様々な一般性のレベルで）
  in terms of **generality**（一般性の観点から）
  lack **generality**（一般性を欠いている）
  question the **generality** of these experimental findings
    （これらの実験結果の一般性を疑っている）
  be (a) mere **generality** / be mere **generalities**（単なる一般論に過ぎない）

295 □ glossary /glɔ́:səri/ 名 用語集，用語解説

《使用例》

a **glossary** of technical terms（専門用語集）
an updated **glossary**（最新の用語集）
a 90-page **glossary**（90 ページにわたる用語解説）
the **glossaries** in Johnson (2000, 2003)
  （Johnson (2000, 2003) 内の用語解説）
the purpose of this **glossary**（本用語集の目的）
be also included in a **glossary**（用語集にも収録されている）

296 □ grant /grǽnt/ 名 研究助成金，研究補助金

《使用例》

a research **grant** program（研究助成金プログラム）
a **grant** from Orange University（オレンジ大学からの研究助成金）

(**Grant** No. 177-3000-225)
　　((助成金番号 177-3000-225),(補助金番号 177-3000-225))
through a research **grant** from the XYZ Council
　　(XYZ 審議会からの研究助成金を通して)
this research was supported by a **grant** from the ABC Foundation
　　(本研究は ABC 基金からの研究助成金によって支援された)

297 □ grasp /grǽsp/ 動 把握する

《使用例》
grasp the difference between ABC and XYZ
　　(ABC と XYZ の違いを把握する)
grasp the nature of the problem (その問題の性質を把握する)
grasp abstract notions (抽象概念を把握する)
can be immediately **grasped** (直ぐに把握できる)
have been **grasped** as a possible alternative
　　(1つの可能な代案として把握されてきた)
in order to **grasp** the precise meaning of this verb
　　(この動詞の正確な意味を把握するために)

298 □ grateful /gréitəfl/ 形 感謝の

《使用例》
be **grateful** to Allan Lock (Allan Lock 氏に感謝する)
be particularly/especially **grateful** to John Orwell
　　(John Orwell 氏に特に感謝する)
be also **grateful** to Nick London (Nick London 氏にも感謝する)
be **grateful** for these comments (これらのコメントに感謝する)

《関連語彙 A》
gratefully /gréitəfli/ 副 感謝して
　gratefully acknowledge constructive comments from John Finland
　　　(John Finland 氏の建設的なコメントに感謝する)
　gratefully acknowledge George F. Johnson (George F. Johnson 氏に感謝する)
　financial support from the XYZ Foundation is **gratefully** acknowledged
　　　(XYZ 基金からの研究費助成に感謝する)
　the technical assistance of John C. Poland is also **gratefully** acknowledged
　　　(John C. Poland 氏の専門的援助にも感謝する)

299 ☐ gratitude /grǽtətjuːd/ 名 感謝

《使用例》
an expression of **gratitude**（感謝表現）
express my/our **gratitude** to all subjects（被験者全員に感謝する）
express my/our sincere **gratitude** to John C. Poland
　（John C. Poland 氏に心から感謝する）
owe much **gratitude** to Professor Mary A. Norman
　（Mary A. Norman 教授に深く感謝する）
my/our **gratitude** also goes to John F. Smith
　（John F. Smith 氏にも感謝する）

300 ☐ guarantee /gærəntíː/ 動 保証する　名 保証

《使用例》
guarantee an optimal description of these phenomena
　（これらの現象の最適な記述を保証する）
be no longer **guaranteed**（もはや保証されない）
a universal principle **guaranteeing** that S+V
　（－ということを保証する普遍原理）
there is no **guarantee** that S+V（－であるという保証はどこにもない）
it is **guaranteed** that S+V（－ということは保証される）

301 ☐ handle /hǽndl/ 動 取り扱う，論じる，解決する

《使用例》
handle the following examples（以下の事例について論じる）
be **handled** within this framework（この枠組みの中で取り扱われる）
be properly **handled** by Kleiber (2000)
　（Kleiber (2000) によって適切に論じられている）
a mechanism for **handling** such variation
　（このような変容を取り扱うためのメカニズム）
cannot **handle** this issue（この問題を解決することができない）

302 ☐ helpful /hélpfl/ 形 有益な

《使用例》
helpful discussions（有益な議論）
helpful comments on the manuscript（原稿への有益なコメント）

be highly **helpful**（かなり有益である）
be particularly **helpful**（特に有益である）
be **helpful** in understanding this concept
　　（この概念を理解するのに有益である）
it is **helpful** to discuss ethical issues
　　（倫理的問題について議論するのは有益である）

《関連語彙 A》
helpless /hélpləs/ 形 役に立たない，無益な
　a **helpless** device（役に立たない道具立て）
　be more **helpless**（さらに役に立たない）
　be not as **helpless** as Principle A（原理 A ほど役に立たなくはない）
　this would be **helpless**（これは無益であろう）

303 □ **hence** /héns/ 接 従って

《使用例》
Hence, it seems that S+V.（従って，−するように思われる）
Hence, it is not surprising that S+V.
　　（従って，−というのは驚くべきことではない）
Hence, it is not possible to do.（従って，−することは不可能である）
Hence, this process is obligatory.（従って，このプロセスは義務的である）
Hence, there are two levels here.（従って，ここでは 2 つのレベルがある）

《関連語彙 A》
therefore /ðéərfɔːr/ 接 従って
　it is **therefore** important to do（従って−することが重要である）
　it can **therefore** be concluded that S+V（従って−と結論づけることができる）
　Therefore, it is evident that S+V（従って，−ということは明らかである）
　this logic is **therefore** unwarranted（従ってこの論理は正当化されない）
　it is no wonder, **therefore**, that S+V（従って−というのは全く不思議ではない）
　Johnson (2005) **therefore** ignores the history of music.
　　（従って Johnson (2005) は音楽の歴史を無視している）

304 □ **henceforth** /hensfɔ́ːrθ/ 副 以下

《使用例》
Conceptual Structuring Systems (**henceforth** CSSs)
　　（概念構造化システム（以下 CSSs））
Johnson and Hoffmann 2006 (**henceforth** J & H)

(Johnson and Hoffmann 2006（以下 J & H））
(**henceforth** abbreviated ABC)（（以下では ABC と省略表記する））
(**henceforth** called 'Focus')（（以下では「焦点」と呼ばれる））
Henceforth, this rule is referred to as Rule 2.
（以下ではこの規則は Rule 2 と呼ばれる）

《関連語彙 A》
hereafter /híəræftər/ 副 以下
(Group A **hereafter**)（（以下，グループ A））
(**hereafter** referred to as 'A-Structure')（（以下では「A-構造」と呼ばれる））
be boldfaced **hereafter**（以下では太字で表記される）
this term is used **hereafter**（以下ではこの用語が用いられる）
Hereafter, it is assumed that S+V（以下では，−ということが仮定される）

305 □ hierarchic(al) /haiərá:rkik(əl)/ 形 階層の，階層的な

《使用例》
a **hierarchical** structure（階層構造）
determine **hierarchical** relations（階層関係を決定する）
posit a strict **hierarchical** network（厳密な階層ネットワークを仮定する）
in **hierarchical** fashion（階層的に）
at numerous **hierarchical** levels（様々な階層レベルで）

《関連語彙 A》
hierarchically /haiərá:rkikəli/ 副 階層的に
be organized **hierarchically**（階層的に構成される）
be structured **hierarchically**（階層的に構造化される）
a **hierarchically** structured domain（階層的に構造化された領域）
a **hierarchically** superior category（階層的に上位のカテゴリー）
a **hierarchically** inferior item（階層的に下位の項目）

hierarchy /háiərɑ:rki/ 名 階層
a similar **hierarchy**（似たような階層）
a **hierarchy** of categories（カテゴリー階層，カテゴリーの階層）
a system of **hierarchy**（階層システム，階級制度）
at/on the lowest level of the **hierarchy**（その階層の最も低いレベルで）
posit a strict **hierarchy**（厳密な階層を仮定する）

306 □ highlight /háilait/ 動 強調する

《使用例》

highlight the importance of this notion（この概念の重要性を強調する）
highlight the fact that S+V（-であるという事実を強調する）
have been **highlighted** in this paper（本稿では強調されてきた）
what is **highlighted** is ABC（強調されているのは ABC である）
it must be **highlighted** that S+V（-ということが強調されなければならない）

307 □ **highly** /háili/ 副 かなり

《使用例》
be **highly** complex（かなり複雑である）
be **highly** influential（かなりの影響力を持っている）
be **highly** technical（かなり専門的である）
a **highly** plausible approach（かなり妥当なアプローチ）
highly abstract notions（かなり抽象的な概念）
highly productively（かなり生産的に）
have been **highly** ignored（かなり無視されてきた）

308 □ **hindsight** /háindsait/ 名 あと知恵

《使用例》
with **hindsight**（後から考えると）
in **hindsight**（後から考えれば）
with the benefit/wisdom of **hindsight**（後から考えてみると）
given the benefit of **hindsight**（後から考えれば）
when seen in **hindsight**（後になって考えると）
when viewed with the benefit of **hindsight**（後になって考えてみると）

309 □ **hitherto** /híðərtuː/ 副 これまでは，従来までは

《使用例》
a **hitherto** unnoticed phenomenon（これまで気づかれなかった現象）
hitherto hidden aspects of knowledge representation
　（これまでは隠されていた知識表示の側面）
the method **hitherto** employed by psychologists
　（心理学者によって従来まで用いられてきた方法）
as far as **hitherto** observed phenomena are concerned
　（これまでに観察された現象に関する限り）
have **hitherto** lacked this mechanism

(このメカニズムをこれまで欠いてきた)
it has **hitherto** been argued that S+V
(－ということがこれまでは議論されてきた)

310 □ horizontal /hɔ:rəzɔ́ntl/ 形 水平の，横の

《使用例》
black **horizontal** lines（黒色の横線）
the **horizontal** arrow（その横方向の矢印）
two **horizontal** axes（2つの横軸）
along the **horizontal** axis（その横軸に沿って）
be either **horizontal** or perpendicular（水平か垂直かのいずれかである）

《関連語彙 A》
horizontally /hɔ:rəzɔ́ntəli/ 副 水平に
　a **horizontally** projected object（水平に投射された物体）
　be **horizontally** extended（水平方向に拡大される）
　be placed **horizontally**（水平に置かれる）
　be divided **horizontally** into three parts（水平方向に3つの部分に分割される）
　can move **horizontally**（水平に動くことができる）

311 □ host /hóust/ 名 多数

《使用例》
a **host** of questions（多くの疑問，多数の疑問）
a **host** of concrete examples（多くの具体事例）
a **host** of scholars（多くの学者）
a **host** of other languages（多くの他言語）
a different **host** of issues（多種多様な問題）

312 □ hypothesis /haipɔ́θəsis/ 名 仮説（単数）

《使用例》
a further **hypothesis**（さらなる仮説）
a testable **hypothesis**（検証可能な仮説）
a plausible working **hypothesis**（妥当な作業仮説）
the **hypothesis** that S+V（－という仮説）
the plausibility of this **hypothesis**（この仮説の妥当性）
according to Johnson's (2005) **hypothesis**

(Johnson (2005) の仮説によれば)
contradict the **hypothesis**（その仮説を否定する）
formulate a different **hypothesis**（別の仮説を立てる）
lend partial support to this **hypothesis**（この仮説を部分的に裏づけている）
be consistent with the **hypothesis**（その仮説と一致している）

《関連語彙A》
hypotheses /haipɔ́θəsiːz/ 图 仮説（複数）
　these two **hypotheses**（これら2つの仮説）
　in order to support these **hypotheses**（これらの仮説を裏づけるためには）
　the **hypotheses** tested in this study（本研究で検証された仮説）
　test the following **hypotheses**（以下の仮説を検証する）
　put forward a series of **hypotheses**（一連の仮説を提案する）

hypothesize /haipɔ́θəsaiz/ 動 仮定する
　hypothesize a different system（別のシステムを仮定する）
　hypothesize five stages（5つの段階を仮定する）
　Poland (2004) **hypothesizes** that S+V（Poland(2004)は–であると仮定している）
　it is **hypothesized** that S+V（–ということが仮定されている）
　it has been **hypothesized** that S+V（–ということが仮定されてきた）
　it seems reasonable to **hypothesize** that S+V
　　（–であると仮定するのは妥当なように思える）

hypothetical /haipəθétikəl/ 形 仮定上の，仮想的な
　a **hypothetical** space（仮想的な空間）
　this **hypothetical** system（この仮定上のシステム）
　hypothetical entities（仮想的な実体，仮定上の実体）
　be merely **hypothetical**（単なる仮定に過ぎない）
　this situation is **hypothetical**（この状況は仮想的である）

hypothetically /haipəθétikəli/ 副 仮定上は，仮定的に
　more or less **hypothetically**（多かれ少なかれ仮定上は）
　be assured **hypothetically**（仮定上は保証される）
　develop this theory **hypothetically**（この理論を仮定的に発展させる）
　construct a cognitive system **hypothetically**（認知システムを仮定的に構築する）

313 ☐ **identical** /aidéntikəl/ 形 同一の，全く同じの

《使用例》
be **identical** to the latter approach（後者のアプローチと全く同じである）
structurally **identical** patterns（構造的に同一のパターン）
be essentially **identical**（本質的には全く同じである）

be **identical** in all respects（全ての点で全く同じである）
be construed as **identical** to (5a)（（5a）と全く同じものとして解釈される）

《関連語彙A》
identically /aidéntikəli/ 副 全く同様に
　adopt this position **identically**（全く同様にこの立場を採用する）
　function **identically**（全く同様に機能する）
　be **identically** defined（全く同様に定義される）
　be **identically** equal to zero（全く同様にゼロに等しい）
　though not **identically**（完全に同じではないけれども）

identify /aidéntəfai/ 動 同定する，同一視する
　identify four characteristics of quantification（定量化の4つの特徴を同定する）
　identify Johnson's (2009) analysis as a cognitive approach
　　（Johnson(2009)の分析を認知的アプローチとして見なす）
　identify the notion with subjectification（その概念を主体化と同一視する）
　be **identified** with/as London's (2002) notion of *cognitive distance*
　　（London(2002)の cognitive distance という概念と同じである）
　in order to **identify** these distinctions（これらの違いを同定するためには）
　five domains must be **identified** here
　　（ここでは5つの領域が同定されなければならない）

identification /aidentəfikéiʃən/ 名 同一視，同定
　the **identification** of English and German as separate languages
　　（英語とドイツ語を別々の言語として見なすこと）
　the **identification** of Principle A with Principle B（原理Aと原理Bの同一視）
　the **identification** of various levels of representation（様々な表示レベルの同定）
　lead to the **identification** of these processes（これらのプロセスの同定につながる）
　in order to perform this **identification**（この同定を行うためには）

identifiable /aidentəfáiəbl/ 形 同定可能な，同定できる
　an **identifiable** element（同定可能な要素）
　be uniquely **identifiable**（唯一的に同定可能である）
　be easily **identifiable** as a special case（特殊なケースとして容易に同定できる）
　be **identifiable** on the basis of this criteria（この基準に基づいて同定可能である）
　be not **identifiable** at this level（このレベルでは同定可能ではない）

314 ignorant /ígnərənt/ 形 無視している

《使用例》
be **ignorant** of this structure（この構造を無視している）
be entirely/completely/wholly/totally **ignorant** of these studies
　（これらの研究を完全に無視している）

be quite **ignorant** of the history of science（科学史をかなり無視している）
have been **ignorant** of the following fact:（以下の事実を無視してきた）
can no longer be **ignorant** of this question
　（この問題をもはや無視することはできない）

《関連語彙 A》

ignore /ignɔ́:r/ 動 無視する
　ignore the fact that S+V（－という事実を無視している）
　be **ignored** here（ここでは無視される）
　be completely **ignored**（完全に無視されている）
　have been **ignored** within this framework（この枠組みでは無視されてきた）
　this difference should also be **ignored**（この違いも無視されるべきである）

ignorance /ígnərəns/ 名 無視，無知
　the **ignorance** of this assumption（この仮定の無視）
　come/stem from absolute **ignorance**（全くの無知から生じている）
　permit **ignorance** of Principle B（原理 B の無視を許容する）
　be in complete **ignorance** of historical facts（歴史的事実を全く知らない）

315 □ **illuminate** /ilú:məneit/ 動 解明する，明らかにする

《使用例》

illuminate the nature of semantic change（意味変化の性質を解明する）
illuminate this difference（この違いを明らかにする）
be likewise **illuminated**（同様に解明される）
may be further **illuminated**（さらに解明されるかも知れない）
as **illuminated** by Poland (2002)
　（Poland (2002) によって明らかにされたように）

《関連語彙 A》

illumination /ilu:mənéiʃən/ 名 解明
　such an **illumination**（このような解明）
　the **illumination** of the process（そのプロセスの解明）
　shed **illumination** on the problem（その問題を解明する）
　shed further **illumination** upon the mechanism（そのメカニズムをさらに解明する）
　provide a thorough **illumination** of the system（そのシステムを徹底的に解明する）

illuminating /ilú:məneitiŋ/ 形 説得力がある，明示的な
　an **illuminating** explanation（説得力のある説明，明示的な説明）
　illuminating comments（説得力のあるコメント）
　be **illuminating** in several respects（いくつかの点で説得力がある）

英語論文重要語彙 717

316 ☐ illustrate /íləstreit, ilʌ́streit/ 動 説明する，例示する

《使用例》
illustrate this proposal in detail（この提案を詳しく説明する）
to **illustrate** these points（これらの点を説明するために）
be **illustrated** in Figure 3（図3に示される）
as **illustrated** in the following examples（以下の事例に示されるように）
the phenomenon **illustrated** in (3)（(3)に示された現象）

《関連語彙 A》
illustration /iləstréiʃən/ 名 例，説明，解説
　some concrete **illustrations**（いくつかの具体例）
　a simple **illustration** of focus-shifting（焦点切り替えの単純な例）
　a graphic **illustration** of this process（このプロセスの図解）
　as an **illustration**（一例としては，一例として）
　by way of **illustration**（実例としては）
　be quoted for purposes of **illustration**（説明のために引用される）
　Johnson's (2009) **illustration** of objectivism
　　（Johnson (2009) による客観主義の解説）

317 ☐ immediately /imí:diətli/ 副 直接的に，直ぐに

《使用例》
immediately afterward(s)（その後直ぐに）
be **immediately** accessible（直ぐにアクセスできる，直接アクセスできる）
return **immediately** to the discussion（直ぐにその議論に戻る）
perceive it **immediately**（それを直接知覚する，それを直接的に理解する）
be **immediately** superimposed on/upon each other
　（相互に直接重ね合わされる）
be **immediately** dominated by the same entity
　（同じ実体によって直接的に支配されている）

《関連語彙 A》
immediate /imí:diət/ 形 直接的な
　its **immediate** effect（その直接的な効果）
　purely **immediate** experience(s)（純粋に直接的な経験）
　such **immediate** spatial relations（このような直接的な空間関係）
　the **immediate** cause of this phenomenon
　　（この現象の直接的な原因，この現象の直接原因）
　be strictly **immediate**（厳密には直接的である）

this relation is regarded as **immediate**（この関係は直接的であると考えられる）

318 □ immense /iméns/ 形 多大な，計り知れない，莫大な，膨大な

《使用例》

immense resources（莫大な資源）
an **immense** amount of data（膨大な量のデータ）
immense literary talents（類稀な文学的才能）
have an **immense** impact on color research
　（色彩研究に多大な影響を与える）
be of **immense** value（計り知れない価値がある）

《関連語彙 A》

immensely /iménsli/ 副 非常に，かなり
　an **immensely** attractive framework（非常に魅力的な枠組み）
　be **immensely** interesting（非常に興味深い）
　be **immensely** complicated（かなり複雑である）
　be **immensely** influential（かなりの影響力がある）
　contribute **immensely** to the development of applied linguistics
　　（応用言語学の発展に大きく貢献する）

immensity /iménsəti/ 名 莫大さ，無限
　the **immensity** of the corpus（そのコーパスの莫大さ）
　the **immensity** of time（時間の無限性）
　an **immensity** of data（大量のデータ）
　because of its **immensity**（その莫大さのために）

319 □ impact /ímpækt/ 名 影響

《使用例》

the overall **impact** of this argument（この議論が持つ全体的な影響力）
the **impact** of video games on children（テレビゲームの子供への影響）
have an **impact** on numerous scholars（多くの学者に影響を与える）
have a significant **impact** on XYZ theory
　（XYZ 理論に大きな影響を与える）
have no direct **impact** on Johnson's (2003) claim
　（Johnson (2003) の主張に直接的には何の影響も与えない）
examine the **impact** of increased carbon dioxide on plants
　（増加する二酸化炭素の植物への影響を調べる）
there are some social **impacts**（社会的な影響がいくつかある）

320 ☐ imperfect /ímpə́:rfikt/ 形 不完全な,不十分な

《使用例》
an **imperfect** explanation(不完全な説明,不十分な説明)
be in a way **imperfect**(ある意味で不完全である)
become even more **imperfect**(ますます不完全となる)
because of **imperfect** information
　（不十分な情報のために,不完全な情報のために）
although this model is **imperfect**(このモデルは不完全であるけれども)
the link is **imperfect**(そのつながりは不十分である)

《関連語彙 A》
imperfectly /ímpə́:rfiktli/ 副 不完全に
　an **imperfectly** defined boundary(不完全に定義された境界)
　describe the mechanism **imperfectly**(その仕組みを不完全に記述する)
　be **imperfectly** recorded(不完全に記録されている)
　be therefore **imperfectly** known(従って十分に知られていない)

imperfection /ìmpərfékʃən/ 名 欠点,不備
　most of these **imperfections**(これらの欠点のほとんど)
　the **imperfection** of this model(このモデルの欠点)
　be due to remaining **imperfections**(取り残された不備によるものである)
　contain a number of **imperfections**(多くの不備を含んでいる)
　there are no **imperfections** in this system(このシステムには不備はない)

321 ☐ implausible /implɔ́:zəbl/ 形 妥当でない,疑わしい

《使用例》
an **implausible** theory(妥当でない理論)
a highly **implausible** assumption(かなり疑わしい仮定)
be psychologically **implausible**(心理学的に妥当でない)
this hypothesis is **implausible**(この仮説は疑わしい)
it seems **implausible** to assume/suppose that S+V
　（-と仮定するのは妥当でないように思われる）

《関連語彙 A》
implausibility /ìmplɔ:zəbíləti/ 名 妥当でないこと,非妥当性
　the **implausibility** of this model(このモデルが妥当でないこと)
　because of this **implausibility**(この非妥当性のために)
　reflect its **implausibility**(その非妥当性を反映している)
　demonstrate the **implausibility** of this dichotomy

（この二分法の非妥当性を実証する）

322 ☐ implication /ìmplikéiʃən/ 名 含意

《使用例》

theoretical **implications**（理論的含意）
further **implications** of this study（本研究のさらなる含意）
by **implication**（暗に，それとなく）
have important **implications** for the study of language
　（言語研究に重要な含意を持っている）
have the **implication** that S+V
　（−という含意がある，−という含意を持っている）
the **implication** is that S+V（その含意は−ということである）

《関連語彙 A》

implicate /ímplikeit/ 動 含意する
　implicate a different role（別の役割を含意する）
　a common mechanism **implicated** in these systems
　　（これらのシステムに含意される共通のメカニズム）
　be clearly **implicated**（明らかに含意されている）
　have been **implicated** in the same way（同様に含意されてきた）
　this autonomy is not **implicated** here（この自律性はここでは含意されていない）

imply /implái/ 動 意味する，含意する，示唆する
　imply a different content（別の内容を意味する）
　as the title **implies**（そのタイトルが示唆するように）
　this does not **imply** that S+V（これは−ということを意味してはいない）
　this definition **implies** that S+V（この定義は−ということを含意している）
　what this **implies** is that S +V（これが意味するのは−ということである）
　the opposite order is strongly **implied**（それとは正反対の順序が強く含意される）

323 ☐ implicit /implísit/ 形 非明示的な，暗黙の

《使用例》

an **implicit** relation（非明示的な関係，暗黙の関係）
London's (2005) **implicit** argument（London (2005)による暗黙の議論）
be predominantly **implicit**（大部分は非明示的である）
be **implicit** in Johnson (2003)（Johnson (2003)においては非明示的である）
this process remains **implicit**（このプロセスは非明示的なままである）

《関連語彙 A》

implicitly /implísitli/ 副 非明示的に, 暗黙の内に
　perhaps **implicitly**（おそらく暗黙の内に, おそらく非明示的に）
　at least **implicitly**（少なくとも暗黙の内に, 少なくとも非明示的に）
　be **implicitly** present（非明示的に存在している）
　recognize its structure **implicitly**（その構造を暗黙の内に認識する）
　as Johnson (2001) **implicitly** admits
　　（Johnson(2001)が暗黙の内に認めているように）

324 □ importance /impɔ́:rtəns/ 名 重要性

《使用例》
this conceptual **importance**（この概念的重要性）
the **importance** of social interaction（社会的相互作用の重要性）
be of particular/special **importance**（特に重要である）
a concept of great **importance**（極めて重要な概念）
stress the **importance** of emotions（感情の重要性を強調する）
accord equal **importance** to this notion（この概念を同様に重要視する）

《関連語彙 A》
important /impɔ́:rtənt/ 形 重要な
　a very **important** consequence（かなり重要な帰結）
　important research on social interaction（社会的相互作用に関する重要な研究）
　be extremely **important**（かなり重要である, 極めて重要である）
　play an **important** role in meaning construction
　　（意味構築において重要な役割を果たす）
　it is **important** to notice that S+V（-に気づくことが重要である）
　what is **important** is that S+V（重要なのは-ということである）
　the **important** point here is that S+V（ここで重要なのは-ということである）

importantly /impɔ́:rtəntli/ 副 重要なことに
　Importantly, S+V.（重要なのは-ということである）
　More **importantly**, S+V.（より重要なのは-ということである）
　Most **importantly**, S+V.（最も重要なのは-ということである）
　Perhaps more **importantly**, S+V.（おそらくより重要なのは-ということである）
　Even more **importantly**, S+V.（さらに重要なのは-ということである）
　Equally **importantly**, S+V.（同様に重要なのは-ということである）

325 □ inaccurate /inǽkjurət/ 形 不正確な, 誤った

《使用例》
an **inaccurate** expression（不正確な表現）

a number of **inaccurate** characterizations（多くの誤った特徴づけ）
be too **inaccurate**（不正確すぎる）
be very/rather **inaccurate**（かなり不正確である）
be based on **inaccurate** data（不正確なデータに基づいている）
Johnson's (2004) criticism is **inaccurate**
　（Johnson (2004)の批判は正確ではない）

《関連語彙 A》

inaccurately /inǽkjərətli/ 副 不正確に
　quite **inaccurately**（かなり不正確に）
　inaccurately defined notions（不正確に定義された概念）
　though **inaccurately**（不正確ではあるが）
　be **inaccurately** measured（不正確に計測される）
　be especially **inaccurately** quoted（とりわけ不正確に引用されている）

inaccuracy /inǽkjərəsi/ 名 間違い，誤り，不正確さ
　this sort of **inaccuracy**（この種の誤り）
　at least five **inaccuracies**（少なくとも5つの間違い）
　the **inaccuracy** of this view（この見解の不正確さ）
　in spite of **inaccuracies**（間違いにも関わらず）
　recognize its **inaccuracy**（その誤りを認識する）

326 ☐ inadequate /inǽdikwət/ 形 不適切な

《使用例》

such an **inadequate** view（このような不適切な見解）
be descriptively **inadequate**（記述的に適切ではない）
be **inadequate** in two ways（2つの点で不十分である）
be **inadequate** as it stands
　（現状では不適切である，そのままでは不適切である）
be **inadequate** as a theory of categorization
　（カテゴリー論としては不適切である）
this representation would be **inadequate**（この表示は不適切であろう）

《関連語彙 A》

inadequately /inǽdikwətli/ 副 不適切に
　an **inadequately** formalized theory（不適切に形式化された理論）
　be captured **inadequately**（不適切に捉えられている，適切に捉えられていない）
　be still **inadequately** explained（依然として適切に説明されていない）
　have been **inadequately** described（適切に記述されてこなかった）

inadequacy /inædikwəsi/ 图 欠点, 不備
　a number of **inadequacies**（多くの欠点, 多くの不備）
　all remaining **inadequacies**（取り残された全ての不備）
　the **inadequacies** of this model（このモデルの欠点）
　point out **inadequacies** in Johnson's (2009) discussion
　　（Johnson (2009) の議論に見られる欠点を指摘する）
　discuss the **inadequacy** of ABC theory（ABC理論の不備について議論する）

327 □ inappropriate /inəpróupriət/ 形 不適切な

《使用例》
an **inappropriate** model（不適切なモデル）
in **inappropriate** contexts（不適切な文脈では）
may be even more **inappropriate**（なお一層不適切であるかも知れない）
it would be **inappropriate** to do（−するのは不適切であろう）
this model is entirely **inappropriate**（このモデルは全く不適切である）
this context seems **inappropriate**（この文脈は不適切に思える）

《関連語彙A》
inappropriately /inəpróupriətli/ 副 不適切に
　quite/very **inappropriately**（かなり不適切に）
　use the term **inappropriately**（その用語を不適切に使う）
　be used sometimes **inappropriately**（時には不適切に用いられる）
　have been processed **inappropriately**（不適切に処理されてきた）

inappropriateness /inəpróupriətnəs/ 图 不適切性
　the **inappropriateness** of this analysis（この分析の不適切性）
　in terms of **inappropriateness**（不適切性の観点から）
　understand its **inappropriateness**（その不適切性を理解する）
　reveal the **inappropriateness** of Principle B（原理Bの不適切性を明らかにする）

328 □ incidentally /insədéntəli/ 副 ついでながら, ちなみに, 付随的に

《使用例》
note **incidentally** that S+V（ついでながら−ということにも注意されたい）
Incidentally, it should be pointed out that S+V.
　（ついでながら−という点も指摘されるべきである）
Incidentally, it is also interesting that S+V.
　（ちなみに−という点も興味深い）
these examples are **incidentally** cited
　（これらの事例は付随的に引用されている）

《関連語彙A》

incidental /ìnsədéntl/ 形 付随的な，偶然の，偶発的な
 an **incidental** feature（付随的な特性）
 an **incidental** change of meaning（付随的な意味変化, 偶発的な意味変化）
 be far from **incidental**（偶然では全くない）
 under **incidental** conditions（偶発的な条件のもとで, 偶発的な条件下で）
 this may seem **incidental**（これは偶然のように思えるかも知れない）

329 □ incoherent /ìnkouhíərənt/ 形 矛盾した，支離滅裂な，首尾一貫しない

《使用例》
an **incoherent** account（支離滅裂な説明）
be semantically **incoherent**（意味的に矛盾している）
be **incoherent** with the incoming information
 （入ってくる情報と矛盾している）
be also **incoherent** with Principle B（原理Bとも首尾一貫していない）
this view is fundamentally **incoherent**（この考え方は基本的に矛盾している）

《関連語彙A》

incoherently /ìnkouhíərəntli/ 副 一貫性なく，矛盾して
 quite/very **incoherently**（かなり矛盾して）
 often **incoherently**（しばしば矛盾して）
 incoherently reflected waves（一貫性なく反射する波）
 be summed up **incoherently**（一貫性なくまとめられている）

incoherence /ìnkouhíərəns/ 名 矛盾，支離滅裂さ
 this kind of **incoherence**（この種の矛盾, この種の支離滅裂さ）
 the **incoherence** of realism（現実主義の矛盾）
 a source of **incoherence**（矛盾の一因）
 in spite of this **incoherence**（この矛盾にも関わらず）
 this **incoherence** is resolvable（この矛盾は解決できる）

330 □ incomparable /ìnkɔ́mpərəbl/ 形 類稀な，比較できない，比較にならない

《使用例》
two **incomparable** entities（2つの類稀な実体）
the **incomparable** merit of this research（この研究の類稀な利点）
be in a sense **incomparable**
 （ある意味で比較にならない, ある意味で類稀である）
be considered **incomparable**（比較できないと考えられる）
be **incomparable** with the principle mentioned above

（先述の原理とは比較にならない）
this claim would be **incomparable**（この主張は類稀なものであろう）

《関連語彙A》
incomparably /inkɔ́mpərəbli/ 副 はるかに
　an **incomparably** complicated mechanism（はるかに複雑なメカニズム）
　be **incomparably** more important（-の方がはるかに重要である）
　be **incomparably** more complex than the structure mentioned above
　　（先述の構造よりはるかに複雑である）
　it is **incomparably** easier to do（-する方がはるかに容易である）

331 □ incompatible /inkəmpǽtəbl/ 形 矛盾した，両立しない

《使用例》
these **incompatible** data（これらの矛盾したデータ）
mutually **incompatible** properties（相互対立的な特性）
be **incompatible** with this claim
　（この主張と矛盾している，この主張と両立しない）
be totally **incompatible** with this assumption
　（この仮定と完全に矛盾している）
be not necessarily **incompatible** with the former notion
　（前者の概念と必ずしも矛盾している訳ではない）

《関連語彙A》
incompatibility /inkəmpætəbíləti/ 名 矛盾，対立，不一致
　such an apparent **incompatibility**（このような明らかな矛盾/対立）
　the **incompatibility** of ABC with XYZ（ABCとXYZの対立/不一致）
　be evident from the **incompatibility** of (4)（(4)に見られる矛盾から明らかである）
　there is no fundamental **incompatibility** between ABC and XYZ
　　（ABCとXYZの間には基本的に矛盾はない）
　there is a profound **incompatibility** between ABC and XYZ
　　（ABCとXYZの間には深刻な対立/不一致がある）

332 □ incomplete /inkəmplíːt/ 形 不完全な，不十分な

《使用例》
an **incomplete** sentence（不完全な文）
an **incomplete** generalization（不完全な一般化，不十分な一般化）
be radically **incomplete**（根本的に不十分である）
be clearly **incomplete**（明らかに不完全である）

this database is still **incomplete**
（このデータベースは依然として不完全である）
this account would also be **incomplete**（この説明も不十分であろう）

《関連語彙 A》

incompletely /ìnkəmplíːtli/ 副 不完全に，不十分に
　incompletely recorded stories（不完全に記録されたストーリー）
　occur **incompletely**（不完全な形で生じる）
　be copied **incompletely**（不完全に複製されている）
　be **incompletely** understood（十分に理解されていない）
　be still **incompletely** recognized（依然として十分に認識されていない）

incompleteness /ìnkəmplíːtnəs/ 名 不完全さ，不十分さ
　the **incompleteness** of this framework（この枠組みの不十分さ）
　the **incompleteness** of scientific knowledge（科学知識の不十分さ）
　this apparent **incompleteness**（この明らかな不完全性）
　an example of **incompleteness**（不完全さの一例）
　despite its **incompleteness**（その不完全さにも関わらず）

incompletion /ìnkəmplíːʃən/ 名 不完全さ，不備
　a number of **incompletions**（多くの不備）
　the **incompletion** of this principle（この原理の不完全さ）
　all remaining **incompletions**（取り残された不備の全て）
　an **incompletion** arises（不完全さが生じる）

333 ☐ inconsistent /ìnkənsístənt/ 形 矛盾した，一致しない

《使用例》

two **inconsistent** concepts（2つの矛盾した概念）
be internally **inconsistent**（内的に矛盾している）
be **inconsistent** with this framework（この枠組みと矛盾している）
be **inconsistent** with the view that S+V（－という考え方と一致していない）
be fundamentally **inconsistent** with this claim
　（この主張と基本的に矛盾している）
be not **inconsistent** with Poland's (2001) position
　（Poland（2001）の立場と矛盾してはいない）

《関連語彙 A》

inconsistently /ìnkənsístəntli/ 副 矛盾して，一貫性なく
　quite/very **inconsistently**（かなり矛盾して）
　inconsistently stored data（一貫性なく蓄えられたデータ）
　be arranged **inconsistently**（一貫性なく配列される）

understand this notion **inconsistently**（矛盾してこの概念を理解する）
these terms are used **inconsistently**（これらの用語が矛盾して使われている）

inconsistency /inkənsístənsi/ 图 矛盾，不整合性
such an **inconsistency**（このような矛盾，このような不整合性）
this apparent **inconsistency**（この明らかな矛盾）
the **inconsistency** of this system（このシステムの不整合性）
give rise to a logical **inconsistency**（論理的矛盾を引き起こす）
no **inconsistency** arises in this case（この場合，矛盾は何も生じない）
there is no **inconsistency** in this discussion（この議論には矛盾点は何もない）

334 □ **incorrect** /inkərékt/ 形 間違った，誤った

《使用例》
an **incorrect** account（誤った説明，間違った説明）
incorrect inference patterns（誤った推論パターン）
be grammatically **incorrect**（文法的に間違っている）
contain **incorrect** information（誤った情報を含んでいる）
draw an **incorrect** conclusion（誤った結論を引き出す）
it is **incorrect** to adopt this model（このモデルを採用するのは間違っている）
it is **incorrect** to say that S+V（-と言うのは間違っている）
it would be **incorrect** to do（-するのは間違いであろう）

《関連語彙 A》
incorrectly /inkəréktli/ 副 間違って，誤って
an **incorrectly** used term（誤って用いられた用語）
quite **incorrectly**（かなり間違った形で）
though somewhat **incorrectly**（少し間違ってはいるが）
have been **incorrectly** construed（間違った形で解釈されてきた）
Poland (2005) **incorrectly** assumes that S+V
　（Poland(2005)は-ということを誤って仮定している）
this rule is applied **incorrectly**（この規則が誤って適用される）

335 □ **independently** /indipéndəntli/ 副 独立して，別個に

《使用例》
function **independently**（独立して機能する）
be discussed **independently**（別個に議論される）
independently of the observation that S+V（-という見解とは関係なく）
completely **independently** of social interaction
　（社会的相互作用とは全く別個にして）

exist **independently** of this ability（この能力とは独立して存在する）
this principle is **independently** needed（この原理が別個に必要とされる）

《関連語彙 A》
independent /índipéndənt/ 形 独立の，無関係の，別個の
 an **independent** unit（独立した単位, 別個の単位）
 an **independent** module（独立したモジュール, 別個のモジュール）
 these **independent** variables（これらの独立変数）
 be **independent** from/of other factors（他の要因から独立している）
 be largely **independent** of one another
  （主として相互に独立している, 主として無関係である）
 may be functionally **independent**（機能的に独立しているかも知れない）

independence /índipéndəns/ 名 独立
 this structural **independence**（この構造的独立）
 the **independence** of this system（このシステムの独立）
 the concept of **independence**（独立という概念）
 some degree of **independence**（ある程度の独立）
 a declaration of **independence**（独立宣言）
 after the **independence** of India（インドの独立後）
 maintain its **independence**（その独立を維持する）

336 □ **in-depth** /índepθ/ 形 詳細な，詳しい

《使用例》
an **in-depth** discussion（詳細な議論）
an **in-depth** analysis of metaphorical expressions
 （比喩表現の詳細な分析）
a more **in-depth** introduction to plant anatomy
 （植物解剖学のより詳しい入門書）
through an **in-depth** examination of temporal cognition
 （時間認知の詳細な探求を通して）
offer an **in-depth** account of spatial relations
 （空間関係の詳細な説明を提供する, 空間関係を詳しく説明する）

337 □ **indicate** /índikeit/ 動 示す

《使用例》
indicate the boundary of this concept（この概念の境界を示している）
indicate influence from Dutch（オランダ語からの影響を示している）

be explicitly **indicated** with double parentheses
（二重括弧を用いて明確に示されている）
the relation **indicated** by this element（この要素によって示される関係）
as **indicated** in Table 4（表4に示されるように）
this **indicates** that S+V（これは−ということを示している）
the same contrast is **indicated** here（同じ対比がここでも示されている）

《関連語彙 A》

indication /indikéiʃən/ 图 示すもの
  a clear **indication** of a new tendency（新しい傾向を明確に示すもの）
  be seen as an **indication** of the fact that S+V
    （−という事実を示すものとして考えられる）
  be interpreted as an **indication** that S+V（−ということを示すものとして解釈される）
  this is an **indication** that S+V（これは−ということを示している）
  there is no **indication** that S+V
    （−ということを示すものは何もない，−という証拠は何もない）

indicative /indíkətiv/ 形 示している
  be **indicative** of the superiority of this analysis（この分析の優位性を示している）
  be actually **indicative** of the fact that S+V（−という事実を実際に示している）
  be seen/taken as **indicative** of its functions（その機能を示すものとして考えられる）
  the data **indicative** of the flexibility of intelligence（知性の柔軟性を示すデータ）
  this is **indicative** that S+V（これは−ということを示している）

《関連語彙 B》

show /ʃóu/ 動 示す
  as this example **shows**（この例が示すように）
  as the following figures **show**（以下の図式が示すように）
  as **shown** by Poland (2003)（Poland(2003)によって示されるように）
  be already **shown** in Figure 5（図5に既に示されている）
  the results here **show** that S+V（ここでの結果は−ということを示している）
  Johnson (2011) also **shows** that S+V（Johnson(2011)も−ということを示している）
  it has also been **shown** that S+V（−ということも示されてきた）
  it is not difficult to **show** that S+V（−ということを示すのは難しくない）

---

338 ☐ **indirectly** /indəréktli, indairéktli/ 副 間接的に

《使用例》
more **indirectly**（より間接的に）
highly **indirectly**（かなり間接的に）
be accessed **indirectly**（間接的にアクセスされる）

be **indirectly** reflected in the concept
（その概念の中に間接的に反映されている）

be only **indirectly** associated with a specific form
（ある特定の形式と間接的にのみ結びついている）

though **indirectly**（間接的ではあるが，間接的ではあるけれども）

《関連語彙 A》
indirect /indərékt, indairékt/ 形 間接的な
an **indirect** relation（間接的な関係）
an **indirect** object（間接目的語）
an **indirect** influence from the former（前者からの間接的な影響）
an **indirect** way of denying this assumption（この仮定を否定する間接的な方法）
be taken as **indirect** evidence（間接的な証拠として考えられる）
this connection may be **indirect**（この結合は間接的であるかも知れない）

339 □ indispensable /indispénsəbl/ 形 不可欠な

《使用例》
an **indispensable** principle（不可欠な原理）
an **indispensable** tool（不可欠な道具立て）
an **indispensable** part of this model（このモデルの不可欠な部分）
be **indispensable** to this study（本研究にとって不可欠である）
be **indispensable** for understanding the concept
（その概念を理解するのに不可欠である）
such a characterization seems to be **indispensable**
（このような特徴づけが不可欠のように思われる）

340 □ individual /indəvídʒuəl/ 形 個々の，個別の，個人の 名 個人

《使用例》
individual instances（個々の事例）
the conventions of **individual** languages（個別言語の慣習）
be based on **individual** differences（個人差に基づいている）
be immanent in **individual** cases（個々の事例に内在している）
there may be differences between **individuals**
（個人差があるのかも知れない）
vary from **individual** to **individual**（個人によって変容する）
vary across **individuals**（個人間で変容する）

英語論文重要語彙 717

《関連語彙 A》

individually /ìndəvídʒuəli/ 副 個別に，別々に，個人で
  discuss these issues **individually**（これらの問題を別々に議論する）
  be tested **individually**（個別に検証される，別々に検証される）
  be presented **individually**（別々に提示される）
  must be analyzed **individually**（個別に分析されなければならない）
  both **individually** and collaboratively（個人と共同の両方で）

341 □ inevitably /inévətəbli/ 副 必然的に

《使用例》

perhaps **inevitably**（おそらく必然的に）
be **inevitably** associated with the element B（必然的に要素Bと結び付く）
such a question **inevitably** arises（このような疑問は必然的に生じる）
this **inevitably** distorts the actual situation
  （このことが必然的にその実際の状況を歪めることになる）
this is not **inevitably** the case（これが必ずしも正しい訳ではない）

《関連語彙 A》

inevitable /inévətəbl/ 形 避けられない，必然的な
  an **inevitable** process（避けられないプロセス，必然的なプロセス）
  the **inevitable** fact that S+V（－という避けられない事実）
  as an **inevitable** outcome of this process（このプロセスの必然的な結果として）
  it is **inevitable** that S+V（－ということは避けられない）
  this problem is almost **inevitable**（この問題はほとんど避けられない）

342 □ inference /ínfərəns/ 名 推論，推測

《使用例》

an invalid **inference**（不適切な推論）
a rule of **inference**（推論規則）
inference patterns（推論パターン）
by **inference**（推論によって）
during these **inference** processes（これらの推論プロセスの間）
make various **inferences** about the mechanism
  （そのメカニズムについて様々な推測をする）
support the **inference** that S+V（－という推測／推論を支持する）
be based on the following **inference**:（以下の推論に基づいている）

《関連語彙 A》

infer /infə́:r/ 動 推論する，推測する
 infer this mental process（この心的プロセスを推論 / 推測する）
 can be **inferred** from context（文脈から推測できる）
 as **inferred** from this fact（この事実から推測 / 推論されるように）
 by **inferring** these relations（これらの関係を推測 / 推論することで）

inferable /infə́:rəbl/ 形 推論できる，推測できる
 an **inferable** reason（推測可能な理由）
 this **inferable** relation（この推論可能な関係）
 be contextually **inferable**（文脈から推論可能である，文脈から推測可能である）
 be easily **inferable** from context（文脈から容易に推論 / 推測できる）

inferential /infərénʃl/ 形 推論の
 extra **inferential** effort（余分な推論の労力）
 inferential abilities（推論能力）
 inferential relations（推論関係）
 this **inferential** structure（この推論構造）

inferentially /infərénʃəli/ 副 推論的に，推論によって
 be **inferentially** poor（推論的に乏しい）
 be grasped **inferentially**（推論によって把握される）

343 □ **infinite** /ínfənət/ 形 無限の，無数の

《使用例》
an **infinite** entity（無限の実体）
its **infinite** creativity（その無限の創造性）
its **infinite** productivity（その無限の生産性）
an **infinite** number of units（無数の単位）
an **infinite** variety of inferences（多種多様な無限の推論，無数の推論）
be in principle **infinite**（原理上は無限である）

《関連語彙 A》
infinitely /ínfənətli/ 副 無限に，かなり
 an **infinitely** complex system（極めて複雑なシステム）
 an **infinitely** large number of errors（かなり多数の不備）
 almost **infinitely**（ほとんど際限なく）
 be **infinitely** divisible（無限に分割可能である）
 be **infinitely** small（かなり小さい）

infinity /infínəti/ 名 無限，無限性
 the notion of **infinity**（無限という概念）
 the precise definition of **infinity**（無限性の正確な定義）

an **infinity** of examples（数え切れないほどの事例）
come from its **infinity**（その無限性に由来する）
be repeated to **infinity**（無限に繰り返される）

344 ☐ influential /ínfluénʃl/ 形 影響力のある

《使用例》
an **influential** theory（影響力のある理論）
the most **influential** framework（最も影響力のある枠組み）
two highly **influential** philosophers（かなり影響力のある2人の哲学者）
be highly/deeply/extremely **influential**（かなり影響力を持っている）
have been particularly **influential** in this field
　（この領域では特に影響力を持ってきた）

《関連語彙 A》
influence /ínfluəns/ 名 影響　動 影響を与える
　the **influence** of context（文脈の影響）
　have/exert/exercise an enormous **influence** on the process
　　（そのプロセスにかなり大きな影響を与える/及ぼす）
　to avoid social **influences**（社会的影響を避けるために）
　influence the former process（前者のプロセスに影響を与える）
　be strongly **influenced** by these factors（これらの要因によって強く影響される）
　may **influence** reliability（信頼性に影響を与えるかも知れない）

345 ☐ inherent /inhíərənt/ 形 固有の

《使用例》
the **inherent** function of language（言語が備える固有の機能）
the **inherent** nature of this phenomenon（この現象固有の性質）
its **inherent** directionality（その固有の方向性）
an **inherent** process（本来備わっているプロセス）
a number of problems **inherent** in American English
　（アメリカ英語に固有の多くの問題）
be **inherent** in other types
　（他のタイプに固有である，他のタイプに内在している）

《関連語彙 A》
inherently /inhíərəntli/ 副 本来，本質的には
　inherently dynamic notions（本質的にはダイナミックな概念）
　be **inherently** asymmetrical（本来非対称的である）

be **inherently** important/significant（本質的に重要である）
be not **inherently** necessary（本来は必要ない）
be **inherently** a matter of degree（本質的には程度問題である）

inherence /inhíərəns/ 名 固有性
this **inherence**（この固有性）
the problem of **inherence**（固有性の問題）
the concept of **inherence**（固有性という概念）
the **inherence** of shape（形状の固有性）
regardless of its **inherence**（その固有性にも関わらず）

346 ☐ **inherit** /inhérət/ 動 継承する

《使用例》

inherit the weakness of this analysis（この分析の欠点を継承している）
inherit these features from ABC theory
　（ABC 理論からこれらの特徴を継承する）
a notion **inherited** from this framework（この枠組みから継承された概念）
be **inherited** from Johnson's (2001) approach
　（Johnson (2001) のアプローチから継承される）
may be **inherited** by another part
　（別の部分によって継承されるかも知れない）
whether this assumption is **inherited** or not
　（この仮定が継承されるかどうか）

《関連語彙 A》

inheritance /inhérətəns/ 名 継承
Johnson's (2006) principle of **inheritance**（Johnson(2006)の継承原理）
a network of **inheritance** relationships（継承関係のネットワーク）
an **inheritance** from ABC theory（ABC 理論からの継承物）
in terms of genetic **inheritance**（遺伝的継承の観点から）
establish **inheritance** patterns（継承パターンを確立する）

inheritable /inhérətəbl/ 形 継承可能な，継承できる
an **inheritable** attribute（継承可能な属性）
be **inheritable** from the underlying structures（その基底構造から継承可能である）
be not **inheritable** from another part（別の部分からは継承できない）
a feature **inheritable** from this framework（この枠組みから継承可能な特性）
by using **inheritable** data（継承可能なデータを用いて）

347 ☐ **initial** /iníʃəl/ 形 最初の，初期の

《使用例》

the **initial** hypothesis（最初の仮説）
initial reactions（初期反応）
the sentence-**initial** use of *hence*（*hence* の文頭用法）
the **initial** phases of the process（そのプロセスの初期段階）
occur in **initial** position（最初の位置に生じる）
tend to prefer **initial** position（最初の位置を好む傾向がある）

《関連語彙 A》

initially /iníʃəli/ 副 最初は，最初に
　　the methodology **initially** used in this paper（本稿で最初に用いられた方法論）
　　be **initially** hard to explain（最初は説明しにくい）
　　must be **initially** presented（最初に提示されなければならない）
　　have **initially** been based on this model（最初はこのモデルに基づいていた）
　　occur sentence-**initially**（文頭に生じる）

348 ☐ innovative /ínəveitiv/ 形 革新的な

《使用例》

this **innovative** process（この革新的なプロセス）
innovative scientific explanations（全く新しい科学の説明）
be highly **innovative**（かなり革新的である）
an **innovative** research project（革新的な研究プロジェクト）
propose an **innovative** approach（革新的なアプローチを提案する）

《関連語彙 A》

innovation /inəvéiʃən/ 名 新機軸，刷新
　　an **innovation** in theoretical physics（理論物理学における1つの新機軸）
　　a range of mechanisms for **innovation**（刷新の様々なメカニズム）
　　Johnson's (2007) radical **innovation**（Johnson (2007) の抜本的刷新）
　　introduce two **innovations**（2つの新機軸を導入する）
　　become an important **innovation**（1つの重要な新機軸になる）

349 ☐ inquire / enquire /inkwáiər/ 動 調べる，調査する，探求する，研究する

《使用例》

inquire into the cause of this motion（この動きの原因を調べる）
inquire further into this issue（この問題をさらに調査する）
inquire about this problem（この問題について探求/研究する）
inquire the meaning of life（人生の意味を探求する）

without **inquiring** into the causes of this process
（このプロセスの原因を探求することなく）
it must be **inquired** whether S+V（ーかどうかが調査されなければならない）

《関連語彙 A》

inquiry / enquiry /ínkwáiəri/ 图 探求，研究
　a philosophical **inquiry**（哲学的探求，哲学研究）
　the object of **inquiry**（その研究対象）
　in future scientific **inquiries**（今後の科学的探究では）
　apart from this fundamental **inquiry**（この基礎研究は別として）
　an **inquiry** into knowledge structures（知識構造の探求，知識構造の研究）

350 ☐ **insightful** /ínsaitfəl/ 形 洞察力に満ちた，洞察力のある

《使用例》

an **insightful** generalization（洞察力に満ちた一般化）
insightful comments（洞察力のあるコメント）
their **insightful** suggestions（彼らの洞察力のある示唆）
be highly **insightful**（かなり洞察力に富んでいる）
Johnson's (2006) **insightful** account
　（Johnson (2006)の洞察力に満ちた説明）

《関連語彙 A》

insight /ínsait/ 图 洞察，知見
　pivotal **insights** from cognitive psychology（認知心理学からの重要な知見）
　the **insights** offered by this book（本書で示された知見）
　a number of new **insights**（多くの新しい見解）
　provide **insight(s)** into the working of the brain（脳の働きを洞察する）
　provide a deep **insight** into the nature of conceptual structure
　　（概念構造の性質を深く見抜いている）
　offer important theoretical **insights**（重要な理論的洞察を示している）
　require cultural **insights**（文化的洞察を要求する）

351 ☐ **inspection** /inspékʃən/ 图 調査

《使用例》

on closer **inspection**（より詳しく調べると）
on first **inspection**（一見したところ）
an **inspection** of Table 3（表3を詳しく見ること）
the cases under **inspection**（調査中の事例）

close **inspection** reveals that S+V
　（詳しく調べると‐ということが明らかになる）

《関連語彙A》

inspect /inspékt/ 動 詳しく調べる，調査する
　inspect 500 examples（500 例を調査する，500 例を詳しく調べる）
　be **inspected** individually（個々に調査される）
　be **inspected** with care（慎重に調査される）
　cannot be directly **inspected**（直接調査できない）
　all the items **inspected**（調査された全ての項目）

352 □ instance /ínstəns/ 名 事例

《使用例》

one/an **instance** of this pattern（このパターンの一例）
a typical **instance** of variation（変容の典型例）
actual **instances** of metonymy（メトニミーの実例）
specific **instances** of repetition（繰り返しの具体例）
for **instance**（例えば）
in these **instances**（これらの事例では）
in some **instances**（いくつかの例では）
this is a representative **instance** of personification
　（これは擬人化の代表例である）

《関連語彙A》

instantiate /instǽnʃieit/ 動 具体化する
　instantiate the same structure（同じ構造を具体化する）
　instantiate these concepts（これらの概念を具体化する）
　a means of **instantiating** it（それを具体化する1つの方法）
　be **instantiated** at the same time（同時に具体化される）
　must be **instantiated** in memory（記憶の中で具体化されなければならない）

instantiation /instænʃiéiʃən/ 名 具体例
　multiple **instantiations**（多くの具体例）
　an **instantiation** of this pattern（このパターンの具体例）
　in this **instantiation**（この具体例では）
　as a further **instantiation**（さらなる具体例としては）
　be immanent in its **instantiations**（その具体例の中に内在している）

353 □ instructive /instrʌ́ktiv/ 形 有益な

《使用例》
an **instructive** example（有益な事例）
be highly **instructive**（かなり有益である）
an **instructive** categorization（有益なカテゴリー化）
it is also **instructive** to do（-するのも有益である）
it would be **instructive** to do（-するのは有益であろう）
this comparison is especially **instructive**（この比較は特に有益である）

354 □ instrument /ínstrəmənt/ 名 道具立て，器具，方法，手段

《使用例》
a powerful **instrument**（強力な道具立て）
an experimental **instrument**（実験用器具）
the **instruments** of ABC theory（ABC 理論の道具立て）
an **instrument** for doing（-するための方法 / 器具）
the ultimate **instrument** for doing（-するための最終手段）
the most practical **instrument** for doing
　　（-するための最も実用的な道具立て）
a new **instrument** is used（新しい器具が用いられる）

《関連語彙 A》
instrumental /ìnstrəméntl/ 形 有益な
　an **instrumental** view（有益な見解）
　an **instrumental** objection（有益な反論）
　be **instrumental** for doing（-するのに有益である）
　be highly **instrumental**（かなり有益である）
　it would be **instrumental** to do（-するのが有益であろう）

355 □ insufficient /ìnsəfíʃənt/ 形 不十分な

《使用例》
an **insufficient** definition（不十分な定義）
insufficient grounds（不十分な根拠）
be still **insufficient**（依然として不十分である）
be manifestly **insufficient**（明らかに不十分である）
be somewhat **insufficient**（少し不十分である）
be **insufficient** to examine this phenomenon
　　（この現象を探求するのには不十分である）
it is **insufficient** simply to do（-するだけでは不十分である）

《関連語彙A》

insufficiently /ìnsəfíʃəntli/ 副 不十分に
　an **insufficiently** active element（十分に活性化していない要素）
　be **insufficiently** known（十分に知られていない）
　be **insufficiently** considered（十分に考慮されていない）
　have been **insufficiently** recognized（十分に認識されてこなかった）
　overlap **insufficiently**（重複が不十分である）

insufficiency /ìnsəfíʃənsi/ 名 不十分さ，不備
　these **insufficiencies**（これらの不十分な点）
　an **insufficiency** of evidence（不十分な証拠）
　the **insufficiency** of this classification（この分類の不備）
　the consequences of **insufficiency**（不十分さの帰結）
　highlight the **insufficiency** of ABC theory（ABC理論の不備を強調する）

356 □ intact /intǽkt/ 形 元のままの，そのままの

《使用例》
be **intact** at this time（この時点では元のままである）
be almost **intact**（ほとんど損なわれていない）
keeping its boundary **intact**（その境界はそのままにして）
leave its basic trait **intact**（その基本的特性をそのまま残している）
this distinction remains **intact**（この違いは元のままである）

357 □ integral /íntigrəl, intégrəl/ 形 不可欠な

《使用例》
an **integral** element（不可欠な要素）
an **integral** unit（不可欠な単位）
be **integral** to human cognition（人間認知において不可欠である）
an **integral** part of Principle B（原理Bの不可欠な部分）
integral portions/parts of conceptual structure（概念構造の不可欠な部分）

358 □ integrate /íntəgreit/ 動 統合する

《使用例》
integrate these principles（これらの原理を統合する）
integrate the following three theories（以下の3つの理論を統合する）
be **integrated** into a unit（1つの単位に統合される）
cannot be **integrated** with this approach

（このアプローチとは統合できない）
an **integrated** theory of language change（言語変化の統合理論）

《関連語彙 A》
integration /ìntəgréiʃən/ 名 統合
　this **integration** process（この統合プロセス）
　a process of conceptual **integration**（概念統合のプロセス）
　a similar kind of **integration**（似たような種の統合）
　the **integration** of cognitive faculties（認知能力の統合）
　the **integration** of the two perspectives（その2つの視点の統合）
　the **integration** of the former with the latter（前者の後者との統合）

359 □ **interaction** /ìntərǽkʃən/ 名 相互作用

《使用例》
a series of **interactions**（一連の相互作用）
the importance of social **interaction**（社会的相互作用の重要性）
an **interaction** with the external world（外界との相互作用）
the **interaction** of these systems（これらのシステムの相互作用）
an **interaction** between language and culture（言語と文化の相互作用）
in everyday **interactions**（日常の相互作用において）

《関連語彙 A》
interact /ìntərǽkt/ 動 相互作用する
　interact with the system（そのシステムと相互作用している）
　interact dynamically（ダイナミックに相互作用している）
　interact in various ways（様々な形で相互作用している）
　three **interacting** factors（相互作用している3つの要因）
　ABC and XYZ **interact**（ABC と XYZ は相互作用している）

interactive /ìntərǽktiv/ 形 相互作用の，双方向の
　an **interactive** process（相互作用のプロセス）
　an **interactive** system（双方向システム）
　this **interactive** model（この相互作用モデル）
　the **interactive** nature of language processing（言語処理の双方向性）
　be basically **interactive**（基本的には双方向的である）

interactively /ìntərǽktivli/ 副 相互作用によって
　function **interactively**（相互作用によって機能する）
　work **interactively** with the system（そのシステムとの相互作用によって機能する）
　be produced **interactively**（相互作用によって産出される）

interactional /ìntərǽkʃənl/ 形 相互作用の

an **interactional** approach（相互作用からのアプローチ）
interactional properties（相互作用から生じる特性）
in **interactional** terms（相互作用の観点から）
be fundamentally **interactional**（基本的に相互作用している）

interactionally /ìntərǽkʃnəli/ 副 相互作用によって
an **interactionally** modified input（相互作用によって修正された入力）
be formed **interactionally**（相互作用によって形成される）
be **interactionally** connected（相互作用によって結合している）

360 □ interface /íntərfeis/ 名 接点，インターフェイス
/ìntərféis/ 動 相互作用する

《使用例》
two **interface** levels（2つの接点レベル，2つのインターフェイス・レベル）
the **interface** between form and meaning（形式と意味の接点）
the **interface** that mediates between two systems
　　（2つのシステムを仲介するインターフェイス）
this research is at the **interface** between ABC and XYZ
　　（本研究は ABC と XYZ の接点に位置している）
interface with the former system（前者のシステムと相互作用する）

361 □ intermediate /ìntərmíːdiət/ 形 中間の

《使用例》
these **intermediate**-level structures（これらの中間レベルの構造）
at various **intermediate** stages（様々な中間段階で）
represent an **intermediate** position（中間の立場を示している）
occupy various **intermediate** points（様々な中間点を占める）
this level is **intermediate** between ABC and XYZ
　　（このレベルは ABC と XYZ の中間にある）

362 □ internally /intə́ːrnəli/ 副 内部は，内的に

《使用例》
an **internally** complex system（内部が複雑なシステム）
internally inconsistent categories（内的に矛盾したカテゴリー）
be **internally** complicated（内部は複雑である）
be **internally** composed of various parts
　　（内部は様々な部分で構成されている）

be **internally** structured by the same mechanisms
（内部は同じメカニズムによって構造化される）

《関連語彙 A》
internal /intə́:rnl/ 形 内部の，内の
  an **internal** change of state（内部の状態変化）
  an **internal** clock（体内時計）
  this **internal** analysis（この内部分析）
  the **internal** structure of a category（カテゴリーの内部構造）
  the size of **internal** organs（内臓の大きさ）

《関連語彙 B》
inner /ínər/ 形 内部の，内側の
  an **inner** balance（内部のバランス）
  the **inner** parts（その内部）
  its **inner** workings（その内部の働き）
  the **inner** structure of the category（そのカテゴリーの内部構造）
  the **inner** side of the container（その容器の内側）
  the **inner** state of the system（そのシステムの内部状態）

interior /intíəriər/ 形 内部の　名 内部
  the **interior** surface（その内部表面）
  this **interior** mechanism（この内部メカニズム）
  the **interior** portion of the box（その箱の内部）
  the **interior** of a container（容器の内部）
  contain XYZ in its **interior**（その内部に XYZ を含んでいる）

363 □ **interplay** /íntərplei/ 名 相互作用，相互関係

《使用例》
the **interplay** of social contexts（社会文脈の相互作用）
the **interplay** of language and thought（言語と思考の相互作用）
the complex **interplay** of cognition and emotion
  （認知と感情の複雑な相互作用）
the **interplay** between them（それらの間の相互関係）
the **interplay** with other fields（他分野との相互作用）

364 □ **interpretable** /intə́:rpritəbl/ 形 解釈できる，解釈可能な

《使用例》
be perfectly/fully **interpretable**（完全に解釈できる）

be **interpretable** as follows:（以下のように解釈できる）
be **interpretable** as a kind of cognitive operation
　　（認知操作の一種として解釈できる）
be readily **interpretable** in terms of temporal relations
　　（時間関係の観点から容易に解釈できる）
in an **interpretable** way（解釈できる形で）
this sentence would not be **interpretable**（この文は解釈不可能であろう）

《関連語彙 A》

interpret /intə́:rprit/ 動 解釈する
　interpret this result as evidence against the network model
　　（この結果をネットワーク・モデルの反証として解釈する）
　be **interpreted** as a contextual effect（文脈効果として解釈される）
　be necessary for **interpreting** the following sentences:
　　（以下の文を解釈するのに必要である）
　can be **interpreted** in three ways（3通りに解釈できる）
　cannot be **interpreted** as including a conclusion
　　（結論を含むものとしては解釈できない）
　need to be properly **interpreted**（適切に解釈される必要がある）
　this notion is **interpreted** quite broadly（この概念はかなり広く解釈される）

interpretation /intə:rprətéiʃən/ 名 解釈
　a misleading **interpretation**（誤った解釈, 誤解を招きやすい解釈）
　a slightly different **interpretation**（少し異なった解釈）
　the most likely **interpretation**（最もありうる解釈）
　a variety of **interpretation** patterns（様々な解釈パターン）
　under this **interpretation**（この解釈のもとでは, この解釈では）
　as a result of **interpretation**（解釈の結果）
　in order to avoid this **interpretation**（この解釈を避けるために）
　these **interpretations** are another matter（これらの解釈はまた別の問題である）

uninterpretable /ʌnintə́:rpritəbl/ 形 解釈できない
　uninterpretable features（解釈できない素性）
　uninterpretable results（解釈不能の結果）
　be mostly **uninterpretable**（ほとんど解釈できない）
　the latter is **uninterpretable**（後者は解釈できない）
　this would be **uninterpretable**（これは解釈できないであろう）

interpretive /intə́:rprətiv/ 形 解釈の, 解釈的な
　an **interpretive** rule（解釈規則）
　an **interpretive** process（解釈プロセス）
　special **interpretive** mechanisms（特殊な解釈メカニズム）

Poland's (2004) **interpretive** description（Poland(2004)の解釈的な記述）

interpretative /intə́:rprəteitiv/ 形 解釈の，解釈的な
    interpretative processes（解釈プロセス）
    interpretative efforts（解釈上の労力）
    the **interpretative** nature of meaning（意味の解釈性）
    be more **interpretative**（より解釈的である）

《関連語彙 B》

construe /kənstrú:/ 動 解釈する
    construe this account as a proposal（この説明を1つの提案として解釈する）
    construe it fairly strictly（それをかなり厳密に解釈する）
    be **construed** metaphorically（比喩的に解釈される）
    be **construed** as homogeneous（同質なものとして解釈される）
    can be **construed** as belonging to a different category
        （別のカテゴリーに属するものとして解釈できる）

construal /kənstrú:əl/ 名 解釈
    a different **construal**（別の解釈）
    such various **construals**（このような様々な解釈）
    the most likely **construal**（最もありそうな解釈）
    in the **construal** of emotion（感情の解釈において）
    this is a matter of **construal**（これは解釈の問題である）

construable /kənstrú:əbl/ 形 解釈できる，解釈可能な
    construable information（解釈可能な情報）
    a **construable** entity（解釈可能な実体）
    be **construable** in three ways（3通りに解釈できる）
    be **construable** as an instance of personification（擬人化の一例として解釈できる）

365 ☐ interval /íntərvəl/ 名 間隔

《使用例》
temporal **intervals** such as months and weeks（月や週などの時間間隔）
the **interval** between the two objects（その2つの物体の間隔）
at regular **intervals**（等間隔で，一定の間隔で）
at varying **intervals**（様々な間隔で）
at **intervals** of 5 minutes / at 5-minute **intervals**（5分間隔で，5分おきに）
the **interval** is very short（その間隔はかなり短い）

366 ☐ intimate /íntəmət/ 形 密接な

《使用例》
a more **intimate** association（より密接な結合, より密接な結び付き）
an **intimate** relation between ABC and XYZ（ABCとXYZの密接な関係）
in an **intimate** manner（密接な形で, 密接に）
there is no **intimate** connection between ABC and XYZ
　　（ABC と XYZ の間には密接な関係はない）
the relationship is fairly **intimate**（その関係はかなり密接である）

《関連語彙 A》
intimately /íntəmətli/ 副 密接に
　intimately related phenomena（密接に関連した現象）
　very **intimately**（かなり密接に）
　be **intimately** related to this interpretation（この解釈と密接に関係している）
　be **intimately** bound up with the force（その力と密接に関係している）
　ABC and XYZ are **intimately** connected/linked
　　（ABC と XYZ は密接に結び付いている, 密接に関連づけられる）

367 ☐ intricate /íntrikət/ 形 複雑な

《使用例》
a very **intricate** process（かなり複雑なプロセス）
a particularly **intricate** example of this type（このタイプの特に複雑な事例）
more **intricate** mechanisms（より複雑なメカニズム）
highly **intricate** conceptual systems（かなり複雑な概念システム）
the **intricate** working of magnetic force（磁力の複雑な働き）
be fairly **intricate**（かなり複雑である）

《関連語彙 A》
intricately /íntrikətli/ 副 複雑に
　quite **intricately**（かなり複雑に）
　more **intricately**（より複雑に）
　be **intricately** defined（複雑に定義される）
　be very **intricately** structured（かなり複雑に構造化される）
　be **intricately** connected to these elements（これらの要素と複雑に結合している）

368 ☐ intriguing /intríːɡiŋ/ 形 興味深い

《使用例》
highly **intriguing** explanations（かなり興味深い説明）
two **intriguing** examples（2つの興味深い事例）

the **intriguing** fact that S+V（-という興味深い事実）
be uncommon but **intriguing**（一般的ではないが興味深いものである）
be highly **intriguing**（かなり興味深い）

《関連語彙 A》

intriguingly /intríːgiŋli/ 副 興味深いことに，興味深く
　quite **intriguingly**（かなり興味深いことに）
　more **intriguingly**（さらに興味深いことに）
　Perhaps more **intriguingly**, S+V.（おそらくさらに興味深いのは-ということである）
　intriguingly enough（まさに興味深いことに）
　be **intriguingly** discussed（興味深く議論される）

intrigue /intríːg/ 動 興味をそそる
　a question that has **intrigued** many sociologists
　　（社会学者の多くが関心を寄せてきた問題）
　chemists are **intrigued** by the structure of DNA
　　（化学者は DNA の構造に関心を寄せている）
　this issue has **intrigued** philosophers（この問題は哲学者の関心を引いてきた）

《関連語彙 B》

interesting /íntərəstiŋ/ 形 興味深い
　an **interesting** fact（興味深い事実）
　a variety of **interesting** results（様々な興味深い結果）
　be theoretically **interesting**（理論的に興味深い）
　be especially/particularly **interesting**（特に興味深い）
　it is extremely/highly/very **interesting** that S+V（-ということはかなり興味深い）
　what is more **interesting** is that S+V（より興味深いのは-ということである）

interestingly /íntərəstiŋli/ 副 興味深いことに
　interestingly enough（かなり興味深いことに）
　Interestingly, these patterns are quite different.
　　（興味深いことに，これらのパターンはかなり異なっている）
　More **interestingly**, Poland (2000) also adopts the latter.
　　（より興味深いのは，Poland (2000) も後者を採用していることである）

interest /íntərəst/ 名 興味，関心
　Johnson's (2004) theoretical **interest**（Johnson(2004)の理論的関心事）
　attract the **interest** of researchers（研究者の関心を引く）
　be of **interest** to many researchers（多くの研究者にとって興味深い）
　be of particular/special **interest**（特に興味深い）
　be of considerable/great **interest**（かなり興味深い）
　it is of **interest** that S+V（-ということは興味深い）
　it would be of **interest** to do（-することは興味深いであろう）

369 □ intrinsic /intrínsic, intrínzik/ 形 内在的な，固有の，本質的な

《使用例》

all **intrinsic** properties（全ての内在的特性）
a structure **intrinsic** to the substance（その物質に固有の構造）
as an **intrinsic** part of communication
　（コミュニケーションの本質的な部分として）
be **intrinsic** to this concept（この概念に固有である）
its **intrinsic** tendency is maintained（その内在的傾向が維持される）

《関連語彙 A》

intrinsically /intrínsikəli, intrínzikəli/ 副 本来は，本質的に
　intrinsically interpersonal notions（本質的には対人的な概念）
　be **intrinsically** dynamic（本質的にダイナミックである）
　be **intrinsically** difficult to comprehend（本質的には理解しにくい）
　be not **intrinsically** related to age（本来は年齢とは関係がない）
　be **intrinsically** associated with the conceptual level
　　（本質的には概念レベルと結び付いている）

370 □ introductory /ìntrədʌ́ktəri/ 形 入門の，入門的な，導入的な

《使用例》

an **introductory** book（入門書）
an **introductory** linguistics class（言語学の入門クラス）
an **introductory** discussion of this approach
　（このアプローチの導入的な議論）
an **introductory** overview of theoretical physics
　（理論物理学の入門的概観）
Introductory Remarks（序言，緒言，はじめに）
in this **introductory** chapter（この序章では）
as mentioned in the **introductory** section（序節で述べたように）

《関連語彙 A》

introduction /ìntrədʌ́kʃən/ 名 入門，導入，序章
　an **introduction** to mathematical statistics（数理統計学入門）
　the **introduction** of this analytical tool（この分析ツールの導入）
　through the **introduction** of this element（この要素の導入を通して）
　after a short **introduction**（短い序章の後に）
　as discussed in the **introduction**（序章で議論されたように）
　can be recommended as an **introduction** to music history

（音楽史入門として推薦できる）

introduce /íntrədjúːs/ 動 導入する
 introduce the following notions（以下の概念を導入する）
 be covertly **introduced**（非顕在的に導入される）
 be **introduced** into this slot（このスロットに導入される）
 be first **introduced** in Johnson (2005)（Johnson(2005)で初めて導入される）
 newly **introduced** elements（新たに導入された要素）
 the approach **introduced** here（ここで導入されたアプローチ）

371 ☐ intuitively /intjúːətivli/ 副 直観的に

《使用例》
an **intuitively** plausible claim（直観的に妥当な主張）
be **intuitively** clear/obvious（直観的に明らかである）
be **intuitively** different from Group A
 （直観的にグループ A とは異なっている）
at least **intuitively**（少なくとも直観的には）
grasp the main points of this theory **intuitively**
 （この理論の要点を直観的に把握する）

《関連語彙 A》
intuitive /intjúːətiv/ 形 直観的な
 an **intuitive** insight（直観的洞察）
 an **intuitive** interpretation（直観的解釈）
 our **intuitive** understanding（我々の直観的理解）
 intuitive faculties（直観力, 直観的才能）
 in **intuitive** terms（直観的には, 直観的に）
 in more **intuitive** terms（より直観的には, より直観的に）

intuition /intjuːíʃən/ 名 直観
 experts' **intuitions**（専門家の直観）
 evidence from **intuitions**（直観からの証拠）
 be dependent on **intuitions**（直観に依存する）
 confirm the analyst's **intuitions**（その分析者の直観を確かめる）
 support this **intuition**（この直観を裏づける）
 reflect an **intuition** that S+V（－という直観を反映している）

counterintuitive /kàuntərintjúːətiv/ 形 直観に反する, 反直観的な
 be quite **counterintuitive**（かなり直観に反している）
 a **counterintuitive** conclusion（直観に反した結論, 反直観的な結論）
 it seems **counterintuitive** to do（－するのは直観に反しているように思える）

372 ☐ invalid /invǽlid/ 形 根拠のない，根拠の乏しい，妥当性を欠いた

《使用例》

an **invalid** inference（根拠の乏しい推論）
an **invalid** conclusion（妥当性を欠いた結論）
be clearly **invalid**（明らかに妥当性を欠いている）
have been considered **invalid**
　　（不適切であると考えられてきた，根拠に乏しいと考えられてきた）
this claim is equally **invalid**（この主張も同様に根拠がない）

《関連語彙A》

invalidate /invǽlideit/ 動 無効にする
　invalidate the conclusions（その結論を無効にする）
　invalidate this relationship（この関係を無効にする）
　invalidate the claim that S+V（－という主張を無効にする）
　　should be completely **invalidated**（完全に無効にされるべきである）
　　the first two hypotheses are **invalidated**（最初の2つの仮説が無効にされる）

373 ☐ invaluable /invǽljuəbl/ 形 貴重な，有益な

《使用例》

an **invaluable** resource（貴重な資源）
two **invaluable** discoveries（2つの貴重な発見）
many **invaluable** comments（多くの有益なコメント）
invaluable advice（有益なアドバイス）
be **invaluable** in the early stages（その初期段階では有益である）
these data are **invaluable**（これらのデータは貴重である）

374 ☐ inventory /ínvəntɔːri/ 名 一覧表，リスト

《使用例》

this **inventory**（この一覧表，このリスト）
a mere **inventory**（単なる一覧表／リスト）
an **inventory** of linguistic units（言語単位の一覧表／リスト）
a vast **inventory** of conventional expressions
　　（慣習表現の広範な一覧表／リスト）
in these **inventories**（これらの一覧表／リストには）

《関連語彙A》

list /líst/ 名 リスト，一覧表　動 列挙する

a **list** of contributors（寄稿者一覧）
a partial **list** of references（部分的な参考文献リスト）
at the top of the **list**（そのリストの一番上に）
see the **list** above（上記リストを参照のこと）
be added to this **list**（このリストに加えられる）
this is not an exhaustive **list**（これは網羅的なリストではない）
list the six corpora alphabetically（その6つのコーパスをアルファベット順で列挙する）
the expressions **listed** in Table 3（表3に列挙された表現）
be **listed** in order of appearance（登場順で列挙される）

375 □ inverse /invə́ːrs/ 形 逆の，反対の，反比例の 名 逆，反対

《使用例》
a kind of semantic **inverse**（意味反転の一種）
this **inverse** effect（この逆の効果, この反対の効果）
be not the **inverse**（その逆ではない）
in **inverse** order（逆の順序で）
be in **inverse** proportion to its length（その長さに反比例している）
vary in **inverse** ratio to the volume（その体積に反比例して変容する）

《関連語彙 A》
inversely /invə́ːrsli/ 副 反比例して，逆に，反対に
  be **inversely** proportional to its distance（その距離に反比例している）
  must be **inversely** proportional to the temperature
    （その温度に反比例しなければならない）
  vary **inversely** with its density（その濃度に反比例して変容する）
  decrease **inversely** proportional to the number of nerve cells
    （神経細胞の数に反比例して減少する）
  Inversely, it is possible to do.（逆に / 反対に‒することは可能である）

376 □ investigate /invéstəgeit/ 動 探求する，調べる

《使用例》
investigate the validity of this model（このモデルの妥当性を調べる）
the phenomena **investigated** in this experiment
  （この実験で探求された現象）
a useful framework for **investigating** this issue
  （この問題を探求するための有益な枠組み）
be worth **investigating** in future studies
  （今後の研究において探求する価値がある）

should be **investigated** further（さらに探求されるべきである）
have been **investigated** from a historical viewpoint
　　（歴史的観点から探求されてきた）

《関連語彙 A》

investigation /invèstəgéiʃən/ 名 探求，研究
　the object of **investigation**（その研究対象）
　the phenomena under **investigation**（探求中の現象）
　in the **investigation** of peripheral phenomena
　　（周辺現象の探求において，周辺的な現象を探求する中で）
　according to the latest **investigations**（最近の研究によれば）
　call for further **investigation**（さらなる研究を必要とする）
　develop the spirit of **investigation**（探究心を育てる）

377 □ **irrelevant** /iréləvənt/ 形 無関連の，無関係の

《使用例》

obviously **irrelevant** information（明らかに関係のない情報）
be virtually **irrelevant**（実のところ関係がない）
be **irrelevant** in this context（この文脈では関連がない）
be completely **irrelevant** to the present discussion
　　（ここでの議論には全く無関係である）
become **irrelevant** here（ここでは関係なくなる）
it is **irrelevant** whether S+V（－かどうかは関係がない）

《関連語彙 A》

irrelevance /iréləvəns/ 名 無関係（性），見当違い
　the **irrelevance** of reason（理性の無関係）
　confirm its **irrelevance**（その無関係性を裏づける）
　underline its **irrelevance**（その無関係性を強調する）
　a complete **irrelevance**（完全なる見当違い）

378 □ **isolate** /áisəleit/ 動 分離する

《使用例》

isolate this effect from Principle A（この効果を原理 A から分離する）
be **isolated** from this structure（この構造から分離される）
by **isolating** these features（これらの特徴を分離することで）
an **isolated** phenomenon（独立した現象）
isolated elements（個々の要素）

《関連語彙A》

isolation /àisəléiʃən/ 名 分離
 the **isolation** of a system（システムの分離）
 the **isolation** of these verbs from Group A
  （グループAからこれらの動詞を分離すること）
 in **isolation** from this phenomenon
  （この現象から独立させて，この現象から分離させて，この現象から切り離して）
 should be investigated in **isolation**
  （別にして探求されるべきである，切り離して探求されるべきである）
 cannot be analyzed in **isolation** from context
  （文脈から切り離して分析することはできない）

《関連語彙B》

dissociate /disóuʃieit/ 動 分離する，切り離す
 dissociate these two issues（この2つの問題を分離する）
 dissociate language from thought（言語を思考から分離する）
 a **dissociated** domain（分離された領域）
 be totally/fully/completely **dissociated**（完全に分離されている）
 be **dissociated** from this structure（この構造から切り離される）
 be **dissociated** into ABC and XYZ（ABCとXYZに分離される）
 all the elements can be **dissociated**（その全ての要素が分離可能である）

dissociation /disousiéiʃən/ 名 分離
 this concept of **dissociation**（この分離という概念）
 a wide variety of **dissociations**（多種多様な分離）
 a process of **dissociation**（分離プロセス）
 the **dissociation** of language and thought（言語と思考の分離）
 a complete **dissociation** of language from culture（言語と文化の完全分離）

dissociable /disóuʃiəbl/ 形 分離可能な，分離できる
 a **dissociable** mechanism（分離可能なメカニズム）
 these **dissociable** systems（これらの分離可能なシステム）
 be **dissociable** from one another（相互に分離できる）

indissociable /indisóuʃiəbl/ 形 分離不可能な，分離できない
 such **indissociable** aspects（このような分離不可能な側面）
 an **indissociable** structural system（分離できない構造システム）
 be **indissociable** from the context（その文脈から分離できない）

---

379 ☐ **issue** /íʃuː/ 名 問題，（雑誌の）号

《使用例》

a self-evident **issue**（自明の問題）

a variety of social **issues**（様々な社会問題）
such complex **issues**（このような複雑な問題）
a special **issue**（特集号）
irrespective of this **issue**（この問題にも関わらず）
shed light on the **issue**（その問題を解明する）
take **issue** with the conclusion above（上記の結論に異議を唱える）
this assumption is at **issue** here（この仮定がここでは問題となっている）

《関連語彙 A》
volume /vɔ́lju:m/ 名 巻，書物
　the **volume** in question（当該書物）
　the present **volume**'s subtitle（本書の副題）
　the eleventh **volume**（第 11 巻）
　a general outline of this **volume**（本巻／本書の概要）
　(two **volumes**)（(2 巻セット)）
　in **Volume** 2（第 2 巻では）
　in Chapter 3 of this **volume**（本書の第 3 章で）
　be included in this **volume**（本巻／本書に含まれている）

380 ☐ **italic** /itǽlik/ 名 斜体，イタリック体

《使用例》
in **italics**（イタリック体で，斜体で）
the expressions in **italics**（斜体の表現）
be shown/represented in **italics**（斜体で示される）
the **italics** are mine（イタリック体は筆者による）
(**italics** added)（(斜体は筆者による)）
(**italics** in the original)（(斜体は原文通り)）

《関連語彙 A》
italicize /itǽləsaiz/ 動 イタリック体で表記する，斜体で示す
　italicized page numbers（イタリック体のページ数）
　italicized entries（斜体の見出し項目）
　the **italicized** verbs（イタリック体で表記された動詞）
　be indicated by **italicizing**（斜体で示される）
　these elements are **italicized**（これらの要素は斜体で示されている）

381 ☐ **jettison** /dʒétəsn/ 動 放棄する

《使用例》

jettison this assumption（この仮定を放棄する）
jettison the idea of grammatical categories
　（文法範疇という考え方を放棄する）
must be completely **jettisoned**（完全に放棄されなければならない）
have been **jettisoned** by psychologists（心理学者によって放棄されてきた）
this model should be **jettisoned**（このモデルは放棄されるべきである）

《関連語彙 A》

abandon /əbǽndən/ 動 放棄する，捨てる
　abandon this traditional view（この伝統的な見解を放棄する）
　abandon them completely（それらを完全に放棄する）
　abandon scientific knowledge（科学知識を捨てる）
　by **abandoning** the assumption that S+V（－という仮定を放棄することで）
　should be **abandoned** completely（完全に放棄すべきである）
　this notion has been largely **abandoned**（この概念は主として放棄されてきた）

abandonment /əbǽndənmənt/ 名 放棄
　its rapid **abandonment**（その急速な放棄）
　the **abandonment** of XYZ theory（XYZ 理論の放棄）
　the **abandonment** of Principle B（原理 B の放棄）
　the cause of its **abandonment**（その放棄の原因）
　the complete **abandonment** of this concept（この概念の完全放棄）
　lead to a total **abandonment** of the hypothesis（その仮説の完全放棄につながる）

《関連語彙 B》

discard /diskάːrd/ 動 放棄する，排除する，退ける
　discard these notions（これらの概念を放棄する）
　discard this influence（この影響を退ける）
　these **discarded** examples（これらの排除された事例）
　this view should be **discarded**（この見解は放棄されるべきである）
　ABC theory is nowadays **discarded**（ABC 理論は今日では放棄されている）

382 □ **jointly** /dʒɔ́intli/ 副 共同で，同時に

《使用例》

　be discussed **jointly**（同時に議論される，一緒に議論される）
　tend to appear **jointly**（同時に現れる傾向がある）
　should be analyzed **jointly**（同時に分析されるべきである）
　the work written **jointly** by Haser and Hoffmann
　　（Haser と Hoffmann が共同で書いた作品）
　three factors function **jointly**（3つの要因が同時に機能している）

《関連語彙 A》

joint /dʒɔ́int/ 形 共同の，同時の
　a **joint** activity（共同作業）
　an international **joint** conference（合同国際会議）
　this **joint** effect（この同時効果）
　the **joint** work of three biologists（3人の生物学者の共同研究）
　in **joint** work with Paul Johnson（Paul Johnson との共同研究で）
　in a **joint** investigation with the psychologist（その心理学者との共同研究で）

383 ☐ **journal** /dʒə́:rnl/ 名 学術雑誌

《使用例》
an article in this **journal**（この学術雑誌に掲載された論文）
a refereed **journal**（査読付き学術雑誌）
a leading academic **journal**（主要学術雑誌）
this **journal**'s referees（この学術雑誌の査読者）
the **journal** *Cognitive Topology*（Cognitive Topology という学術雑誌）

384 ☐ **justify** /dʒʌ́stəfai/ 動 正当化する

《使用例》
justify the existence of Principle A（原理 A の存在を正当化する）
justify the assumption that S+V（—という仮定を正当化する）
be **justified** by this evidence（この証拠によって正当化される）
after **justifying** this position（この立場を正当化した後で）
these assumptions are not fully **justified**
　（これらの仮定は十分に正当化されていない）

《関連語彙 A》

justification /dʒʌstəfikéiʃən/ 名 正当化，正当性，正当な理由，根拠
　a theoretical **justification**（理論的根拠）
　the **justification** of this procedure（この手順の正当化，この手順の正当性）
　further **justification** for this analysis（この分析のさらなる正当性）
　a sufficient **justification** for doing（—するための十分に正当な理由）
　in **justification** of subjectivism（主観主義を擁護して）
　as a **justification** of its weakness（その弱さを理由にして）
　be/stand in need of **justification**（正当化する必要がある）
　be/stand in no special need of **justification**（正当化する必要は特にない）
　there is no **justification** for the claim that S+V（—という主張には何の根拠もない）

justice /dʒʌ́stis/ 名 正当性

do **justice** to the fact that S+V（－という事実を正当化する）
do **justice** to this issue（この問題を扱う）
do **justice** to Poland's (2000) generalization
　（Poland (2000) の一般化について詳しく論じる）
cannot do full **justice** to this argument（この議論を十分に正当化できない）
in order to do it full **justice**（それを完全に正当化するためには）

justifiable /dʒʌ́stəfaiəbl/ 形 正当化できる
　a **justifiable** inference（正当化できる推論）
　be entirely **justifiable**（完全に正当化できる）
　be not strictly **justifiable**（厳密には正当化できない）
　it is **justifiable** to do（－することは正当化できる）
　this procedure is **justifiable**（この手順は正当化できる）

unjustifiable /ʌndʒʌ́stəfaiəbl/ 形 正当化できない
　an **unjustifiable** assumption（正当化できない仮定）
　this **unjustifiable** procedure（この正当化できない手順）
　it seems **unjustifiable** to do（－することは正当化できないように思える）
　this conclusion is entirely **unjustifiable**（この結論は全く正当化できない）

justifiably /dʒʌ́stəfaiəbli/ 副 適切に，的確に
　more **justifiably**（より適切には）
　quite **justifiably**（かなり的確に）
　blend these operations **justifiably**（これらの操作を適切に融合する）
　can be **justifiably** described as follows:（以下のように適切に記述できる）
　Johnson (2002) **justifiably** points out that S+V
　　（Johnson (2002) は－ということを的確に指摘している）

385 □ label /léibl/ 動 名づける，呼ぶ 名 名称

《使用例》
label the latter as B-level（後者を B レベルと名づける）
the element **labeled** P3（P3 と名づけられた要素）
have been **labeled** in different ways（様々な名称で呼ばれてきた）
the **label** *structural analysis*（構造分析という名称）
an appropriate **label** for these relations（これらの関係を表わす適切な名称）

386 □ lacking /lækiŋ/ 形 欠けている，不足している

《使用例》
such support is **lacking**（このような裏づけが不足している）
be **lacking** in explanatory power（説明力に欠ける）

be **lacking** in this model（このモデルには欠けている）
what is **lacking** here is ABC（ここで欠けているのは ABC である）
this perspective is **lacking**（この視点が欠けている）

《関連語彙A》

lack /lǽk/ 名 不足，欠如　動 欠く，欠いている
　due to the **lack** of prior research（先行研究が不足しているために）
　due to **lack** of space（スペース不足のため）
　for **lack** of space（スペース不足のため）
　for **lack** of a better term（適切な用語がないので）
　reveal a **lack** of symmetry（対称性の欠如を明らかにする）
　lack the experience of education（教育経験を欠いている）
　in contexts **lacking** this assumption（この仮定のない文脈では）

387 ☐ largely /lá:rdʒli/ 副 一般に，主として

《使用例》

be **largely** known（一般に広く知られている）
be **largely** based on Principle B（主として原理 B に基づいている）
be **largely** a matter of degree（主として程度問題である）
focus **largely** on the issue of categorization
　（カテゴリー化の問題に一般に着目している）
have been **largely** ignored（一般に無視されてきた）
largely because of this relationship（主としてこの関係のために）

388 ☐ later /léitər/ 副 後で　形 後続の

《使用例》

be discussed **later**（後で議論される）
return to this issue **later**（後でこの問題に戻る）
five weeks **later**（5 週間後）
considerably **later**（かなり後で）
as discussed in **later** chapters（後続の章で議論されるように）
in **later** work / in **later** studies（その後の研究で）
at a **later** stage（それ以後のある段階で）

389 ☐ leading /lí:diŋ/ 形 主要な，先導的な

《使用例》

leading theories in cognitive psychology（認知心理学における主要理論）

one of the current **leading** theories（現在の主要理論の１つ）
a **leading** academic journal（主要学術雑誌）
one of the **leading** researchers（先導的な研究者の１人）

《関連語彙 A》

lead /líːd/ 動 つながる
 lead to misunderstandings（誤解につながる）
 lead to a range of possibilities（様々な可能性につながる）
 lead to an understanding of this problem（この問題の理解につながる）
 may **lead** to the same conclusion（同じ結論に達するかも知れない）
 can **lead** to the destruction of ABC theory（ABC 理論の崩壊につながりうる）

390 □ **length** /léŋkθ/ 名 長さ，詳細

《使用例》

the **length** of a paragraph（パラグラフの長さ）
in terms of **length**（長さの観点から）
be different in **length**（長さが異なっている）
be equal in **length**（長さが等しい）
be of nearly identical **length**（ほぼ同じ長さである）
be analyzed at **length**（詳細に分析される）
be discussed at great/considerable **length**（かなり詳細に議論される）

《関連語彙 A》

lengthy /léŋkθi/ 形 かなり長い，長時間にわたる
 a rather **lengthy** list of references（かなり長い参考文献リスト）
 after the **lengthy** discussion（その長時間にわたる議論の後で）
 in this **lengthy** section（このかなり長いセクションで）

391 □ **likelihood** /láiklihud/ 名 可能性

《使用例》

the **likelihood** that S+V（－という可能性）
the **likelihood** of these elements appearing together
 （これらの要素が同時に生起する可能性）
increase the **likelihood** of failure（失敗の可能性が増す）
there is a strong **likelihood** that S+V（－する可能性が強い）
there is no **likelihood** that S+V（－する可能性はない）
in all **likelihood**（おそらく）

392 ☐ likewise /láikwaiz/ 副 同様に

《使用例》

be **likewise** possible（同様に可能である）
be **likewise** limited（同様に制限される）
Johnson (1997) **likewise** argues that S+V.
　（Johnson (1997) も同様に−であると議論している）
Likewise, the scope is exceedingly narrow.
　（同様に，その範囲もかなり狭い）
Likewise, consider the following examples:
　（同様に，以下の事例についても考えてみよう）

393 ☐ limitation /lìmətéiʃən/ 名 制限，限界

《使用例》

memory **limitations**（記憶制限）
space **limitations**（ページ制限，スペース制限）
the **limitations** of this framework（この枠組みの限界）
with this **limitation** in mind（この制限を念頭において）
be aware of its **limitations**（その限界に気づいている）
one/a **limitation** of this study is that S+V
　（本研究の限界の1つは−ということである）

《関連語彙 A》

limit /límit/ 動 制限する，限定する　名 限界，制限，範囲
　limit the range of interpretations（解釈の範囲を制限する）
　be **limited** to American English（アメリカ英語に限定される）
　be extremely/fairly **limited**（かなり制限される）
　a **limiting** case of personification（擬人化の際どいケース）
　a **limited** number of slots（限られた数のスロット）
　because of **limited** space（紙幅の都合上）
　the **limits** of XYZ theory（XYZ理論の限界）
　within a time **limit**（時間制限の中で）
　within permissible **limits**（許容範囲内で）

unlimited /ʌnlímitid/ 形 無制限の，無限の
　an **unlimited** increase（無限の増加）
　the **unlimited** use of this verb（この動詞を無制限に使うこと）
　be almost **unlimited**（ほとんど無制限である）
　there are **unlimited** possibilities for children's imagination

（子供の想像力には無限の可能性がある）

394 □ linkage /líŋkidʒ/ 图 結合，つながり

《使用例》

such structural **linkages**
　（このような構造的結合，このような構造的つながり）
its strength of **linkage**（その結合の強さ，そのつながりの強さ）
the **linkage** between them（それらの結合，それらの間のつながり）
a close **linkage** between ABC and XYZ（ABCとXYZの密接なつながり）
in the study of **linkages**（結合の研究では，連鎖の研究では）

《関連語彙A》

link /líŋk/ 图 結び付き，リンク，つながり　動 関係づける，結合する
　a close **link** between ABC and XYZ（ABCとXYZの密接な結び付き）
　be captured by this conceptual **link**（この概念リンクによって捉えられる）
　there is no **link** between these models（これらのモデルの間につながりは何もない）
　link the element A to the element B（要素Aを要素Bに関連づける）
　be directly **linked** to the fact that S+V（－という事実に直接的に関係づけられる）
　these units must be **linked** together（これらの単位は結合されなければならない）

《関連語彙B》

connect /kənékt/ 動 結合する，関係づける，関連づける
　connect two elements（2つの要素を結合する）
　be inextricably **connected**（密接に結合している，複雑に結合している）
　the line **connecting** A and B（AとBを結ぶ線）
　be **connected** to/with its nature（その性質と関連づけられる）
　be closely/intimately **connected** to/with the phenomena above
　　（上記の現象と密接に関係している）

connection /kənékʃən/ 图 関係，つながり，結合
　this important **connection**（この重要なつながり，この重要な結合）
　in this **connection**（この関係では）
　be discussed in **connection** with the following examples:
　　（以下の事例との関係で議論される）
　have no **connection** with the latter context（後者の文脈とは何も関係がない）
　make clear the **connection** between ABC and XYZ
　　（ABCとXYZのつながりを明らかにする）
　strengthen **connections**（結合を強める）

395 □ literature /lítərətʃər/ 图 文献

《使用例》
the relevant **literature**（関連文献）
in the **literature** on language production（言語産出に関する文献では）
in the psychological **literature**（心理学の文献では）
in the **literature** of cognitive sociology（認知社会学の文献では）
in a broad/wide spectrum of **literature**（広範囲の文献で，様々な文献で）
another factor discussed in the **literature**
　（その文献で議論された別の要因）
be addressed in diverse **literatures**（様々な文献で論じられている）
be gleaned directly from the **literature**（その文献から直接集められる）

396 □ locate　/lóukeit/　動 位置づける

《使用例》
locate a sharp boundary（明確な境界を定める）
be **located** between these levels（これらのレベルの間に位置づけられる）
be **located** outside of this region（この領域の外に位置づけられる）
two circles **located** in the middle of the diagram
　（その図式の真ん中に位置づけられた2つの円）
the place where this element is **located**（この要素が位置づけられる場所）

《関連語彙 A》
location　/loukéiʃən/　名 位置，場所
　the **location** of an object（物体の位置）
　from the same **location**（同じ位置から）
　identify the **location** of this entity（この実体の位置を同定する）
　occupy a particular **location** in space（空間においてある特定の位置を占める）
　take place at some **location**（ある場所で生じる）

397 □ lower　/lóuər/　形 下の，下部の

《使用例》
the **lower** portion of this hierarchy（この階層の下部）
the number in the **lower** left（左下の数字）
the **lower** side of Table 5（表5の下側）
in the **lower** part of Figure 3（図3の下部に）
at the **lower** right of Figure 2（図2の右下に）
at the **lower** end of the scale（そのスケールの下端に）
have a **lower** limit（下限がある）

《関連語彙 A》

upper /ʎpər/ 形 上の，上部の
 the **upper** portion of this cone（この円錐の上部）
 the number in the **upper** right（右上の数字）
 from the **upper** part（上の部分から，上部から）
 in the **upper** part of Table 3（表3の上部では）
 at the **upper** left of Figure 5（図5の左上に）
 at the **upper** end of this hierarchy（この階層の上端に）
 correspond to the **upper** portion of Figure 2（図2の上部分に対応している）
 have an **upper** limit（上限がある）

398 □ **lowercase** /lóuərkéis/ 形 小文字の

《使用例》

a **lowercase** letter（小文字）
the **lowercase** letter c（小文字の c）
use **lowercase** italics（小文字のイタリック体を用いる）
be represented by **lowercase** letters（小文字によって示される）
lowercase letters are used（小文字が用いられる）

《関連語彙 A》

uppercase /ʎpərkéis/ 形 大文字の
 an **uppercase** letter（大文字）
 the **uppercase** letter A（大文字の A）
 be indicated by **uppercase** letters（大文字によって示される）
 be written in **uppercase** letters（大文字で書かれる）
 uppercase letters are used here（ここでは大文字が使用される）

399 □ **lucid** /lú:sid/ 形 明快な，分かりやすい

《使用例》

a **lucid** structure（分かりやすい構造）
a **lucid** answer（明快な答え）
a **lucid** description of this phenomenon（この現象の明快な記述）
in **lucid** English（明快な英語で）
be quite **lucid**（かなり明快である）
this account is precise and **lucid**（この説明は的確で明快である）

《関連語彙 A》

lucidly /lú:sidli/ 副 明快に，分かりやすく

英語論文重要語彙 717

fairly/very **lucidly**（かなり明快に）
discuss this issue **lucidly**（この問題を分かりやすく議論する）
formulate this principle **lucidly**（この原理を分かりやすく定式化する）
should be explained more **lucidly**（より分かりやすく説明されるべきである）

lucidity /luːsídəti/ 名 明快さ, 分かりやすさ, 明晰さ
the **lucidity** of Poland's (2002) discussion（Poland(2002)の議論の明晰さ）
with remarkable **lucidity**（かなり分かりやすく）
be written with great **lucidity**（かなり明快に書かれている）
be lacking in **lucidity**（明快さを欠いている）

400 □ magnitude /mǽgnətjuːd/ 名 大きさ, 規模, 重要性

《使用例》
measure the **magnitude** of this angle（この角の大きさ(=角度)を測る）
be different in **magnitude**（大きさにおいて異なっている）
the **magnitude** of this earthquake（この地震の規模）
recognize the **magnitude** of this issue（この問題の重要性を認識する）
a problem of great **magnitude**（かなり重要な問題）

401 □ mainly /méinli/ 副 主として, おもに

《使用例》
be **mainly** based on Principle A（主として原理Aに基づいている）
be **mainly** concerned with XYZ theory（主としてXYZ理論に関心がある）
focusing **mainly** on Modern English（主として現代英語に着目して）
mainly from the perspective of anthropology（おもに人類学の観点から）
mainly on the basis of Poland's (2004) framework
　（主として Poland (2004) の枠組みに基づいて）

《関連語彙 A》
main /méin/ 形 主要な
the **main** aim of this book（本書の主目的）
three **main** positions（3つの主要位置）
summarize the **main** points of this theory（この理論の要点をまとめる）
solve these **main** problems（これらの主要な問題を解決する）
fall into two **main** types（2つの主要タイプに分割される）

402 □ mainstream /méinstriːm/ 名 主流　形 主流の

《使用例》

the **mainstream** of functional linguistics（機能言語学の主流）
the **mainstream** of Japanese society（日本社会の主流）
a **mainstream** grammatical theory（主流の文法理論）
be not considered **mainstream**（主流とは考えられていない）
have become a **mainstream** method（主流の方法論になってきた）

403 ☐ maintain /meintéin/ 動 維持する，主張する

《使用例》
maintain interpersonal relationships（対人関係を維持する，保つ）
maintain this theorem（この定理を維持する）
maintaining balance（バランスを保つこと）
this structure is **maintained**（この構造は維持される）
this position **maintains** that S+V（この立場は‐と主張している）
it is natural to **maintain** that S+V（‐と主張するのは当然 / 自然である）

404 ☐ major /méidʒər/ 形 主要な，重要な

《使用例》
a **major** part of this claim（この主張の主要部）
a **major** factor（主要因，主な要因）
a **major** structural principle（主要な構造原理）
the **major** difference between ABC and XYZ（ABCとXYZの主な違い）
two **major** studies（2つの重要な研究）
major issues in this field（この領域における重要な問題）
make a **major** mistake（重大な誤りを犯す）
play a **major** role in English grammar（英文法において重要な役割を担う）

《関連語彙 A》
major /méidʒər/ 動 専攻する 名 専攻，専攻学生
　major in British literature（英文学を専攻する）
　undergraduates **majoring** in music history（音楽史を専攻とする学部学生）
　be/have a **major** in botany（植物学の専攻である，植物学を専攻している）
　a social psychology **major**（社会心理学専攻の学生）

405 ☐ majority /mədʒɔ́:rəti/ 名 大多数

《使用例》
the **majority** of answers（回答の大半）

the vast/great/large/significant **majority** of examples（大多数の事例）
the overwhelming **majority** of participants（被験者の圧倒的多数）
be still in the **majority**（それでも過半数を占めている）
in the **majority** of cases（大半のケースにおいて，たいていの場合）

《関連語彙 A》

minority /mainɔ́ːrəti, minɔ́ːrəti/ 形 少数（派）の　名 少数（派）
　a **minority** language（少数言語）
　a **minority** view（少数派の見解）
　other **minority** groups（他の少数派グループ）
　in a **minority** of cases（少数の事例において）
　be in a small **minority**（かなりの少数派である）
　form a **minority**（少数派を形成する）

406 ☐ **manifestation** /mænəfestéiʃən/ 名 表れ，具現形

《使用例》

specific **manifestations** of this type（このタイプの具現形）
another **manifestation** of this phenomenon
　（この現象のもう1つの具現形）
be considered as a **manifestation** of symmetry
　（対称性の表れとして考えられる）
have various/different **manifestations**
　（様々な表れ方をする，様々な具現形を持つ）
this is a **manifestation** of the reference-point ability
　（これは参照点能力の表れである）

《関連語彙 A》

manifest /mǽnəfest/ 動 示す，表す　形 明らかな
　manifest its generality（その一般性を示している）
　manifest wide variation（大きな変容を見せる）
　be **manifested** in various linguistic phenomena（様々な言語現象の中に表れている）
　this is clearly **manifested** in Poland's (2002) model
　　（これは Poland (2002) のモデルの中に明確に表れている）
　be no longer **manifest** in English（英語ではもはや明らかではない）
　make this process **manifest**（このプロセスを明らかにする）

manifestly /mǽnəfestli/ 副 明らかに，明確に
　be **manifestly** insufficient（明らかに不十分である）
　be **manifestly** shown by the fact that S+V
　　（-という事実によって明確に示されている）

it is **manifestly** impossible to do（~するのは明らかに不可能である）
it is **manifestly** absurd to do（~するのは明らかに馬鹿げている）
Manifestly, there is need of modification.（明らかに，修正の必要がある）

407 □ manifold /mǽnəfould/ 形 様々な，多種多様な

《使用例》
manifold consequences（様々な帰結）
manifold examples of spoken language（話し言葉の多種多様な事例）
other **manifold** publications（他の様々な出版物）
its **manifold** structures（その多種多様な構造）
the natural world is **manifold**（自然界は多種多様である）

408 □ manuscript /mǽnjuskript/ 名 原稿

《使用例》
an unpublished **manuscript**（未発表原稿）
helpful comments on the **manuscript**（その原稿への有益なコメント）
some interesting **manuscripts**（いくつかの興味深い原稿）
a **manuscript** of the fourteenth century（14世紀の原稿）
examine the **manuscript** carefully（その原稿を丹念に調査する）
there exists an old **manuscript**（古い原稿が現存している）

409 □ marginal /máːrdʒinl/ 形 周辺的な，重要ではない

《使用例》
another **marginal** example（別の周辺的な事例）
a relatively **marginal** category member（比較的周辺的なカテゴリー成員）
be regarded as a **marginal** phenomenon（周辺的な現象として見なされる）
seem somewhat **marginal**（やや周辺的であるように思える）
this issue is by no means **marginal**
　（この問題は決して周辺的ではない，この問題は重要である）

《関連語彙 A》
marginally /máːrdʒinəli/ 副 わずかに，少し
　a **marginally** significant decline（わずかに重要な減少）
　be **marginally** lower than the average（平均よりやや低い）
　although **marginally**（少しではあるが）
　increase **marginally**（少し増える）
　this difference is **marginally** significant（この違いは少し重要である）

margin /mάːrdʒin/ 名 周辺，余白，余地
 the **margins** of this book（本書の余白）
 in the **margins** of the manuscript（その原稿の余白に）
 extend to its **margins**（その周辺にまで広がる，その周辺にまで及ぶ）
 be operated at the **margins**（その周辺で操作される）
 may leave a **margin** of doubt（疑念の余地を残すかも知れない）

410 ☐ material /mətíəriəl/ 形 重要な，本質的な，関係がある

《使用例》
another **material** evidence（もう1つの重要な証拠）
have no **material** content（実質的/本質的な内容を持たない）
be not always **material**（必ずしも重要ではない）
be **material** to the discussion here（ここでの議論と関係がある）

《関連語彙A》
materially /mətíəriəli/ 副 実質的に，本質的に
 be **materially** involved in the process（そのプロセスに本質的に関与している）
 be not **materially** affected by tsunami（実質的には津波による影響はない）
 have not been **materially** changed（本質的には変わっていない）
 contribute **materially** to the development of this doctrine
  （この学説の発展に大きく貢献する）

immaterial /ìmətíəriəl/ 形 重要でない，関係がない
 be **immaterial** here（ここでは重要ではない）
 be **immaterial** to the conclusion here（ここでの結論とは関係がない）
 be **immaterial** to this proposal（この提案とは関係がない）
 this difference is **immaterial**（この違いは重要ではない）

411 ☐ meaningful /míːniŋfl/ 形 有意義な，意味のある

《使用例》
a **meaningful** classification（有意義な分類）
meaningful patterns（意味のあるパターン）
three **meaningful** devices（3つの有意義な道具立て）
in a **meaningful** way（有意義に）
be said to be **meaningful**（意味があると言われている）
be socio-culturally **meaningful**（社会文化的に有意義である）

《関連語彙A》
meaningless /míːniŋləs/ 形 無意味な，意味のない

a **meaningless** discussion（無意味な議論，意味のない議論）
meaningless elements（意味のない要素）
be completely **meaningless**（完全に無意味である）
it is **meaningless** to do（ーするのは無意味である，ーするのは意味がない）
it would be **meaningless** to do（ーするのは無意味であろう）

meaning /míːniŋ/ 名 意味
a conventional **meaning**（慣習的な意味）
a literal **meaning**（字義通りの意味）
the **meaning** of this sentence（この文の意味）
have at least three **meanings**（少なくとも3通りの意味がある）
be slightly different in **meaning**（意味の上で少し異なる）
this is not the only **meaning**（これが唯一の意味ではない）

mean /míːn/ 動 意味する
mean the repetition of the same melody（同じメロディーの繰り返しを意味している）
these notions **mean** the same thing（これらの概念は同じことを意味している）
this **means** that S+V（これはーということを意味している）
this does not **mean** that S+V（これはーということを意味しているのではない）
what this **means** is that S+V（これが意味するのはーということである）

《関連語彙 B》

means, /míːnz/ 名 方法，手段
a standard **means** for doing（ーするための標準的な方法）
a fundamental **means** of doing（ーする基本的な方法）
as a **means** of communication（コミュニケーションの手段として）
by **means** of subtraction（引き算によって）
be by no **means** a new approach（決して新しいアプローチという訳ではない）

mean /míːn/ 形 平均の　名 平均，平均値
mean reading times（平均の読解時間）
its **mean** temperature（その平均温度）
the **mean** distance from Tokyo to Osaka（東京から大阪までの平均距離）
a deviation from the **mean**（その平均値からの逸脱）
a **mean** of 70.2 words（平均で70.2語，平均して70.2語）

412 □ **mechanism** /mékənizm/ 名 メカニズム，仕組み

《使用例》
an overt **mechanism**（顕在的なメカニズム）
a generic **mechanism**（一般的なメカニズム）
a different mental **mechanism**（異なった心的メカニズム）
a simple but powerful **mechanism**（単純だが強力なメカニズム）

（英語論文重要語彙 717）

a **mechanism** for distinguishing these elements
（これらの要素を区別するためのメカニズム / 仕組み）

a key **mechanism** in language understanding
（言語理解における主要なメカニズム）

have a wide range of **mechanisms**（様々なメカニズムがある）

---

413 □ **mediate** /míːdieit/ 動 仲介する，介在する

《使用例》
mediate between these systems（これらのシステムを仲介する）
a structure **mediating** between ABC and XYZ
　（ABC と XYZ を介在する構造）
a cognitive operation that **mediates** between form and meaning
　（形式と意味を仲介する認知操作）
as **mediated** by context（文脈によって仲介されるように）
be **mediated** by conceptual structure（概念構造によって仲介されている）

《関連語彙 A》
mediation /miːdiéiʃən/ 名 仲介，介在
　the **mediation** of language（言語の仲介, 言語の介在）
　through the **mediation** of the process（そのプロセスの仲介を通して）
　without **mediation** of the preceding context（先行文脈を仲介せずに）

mediative /míːdieitiv, míːdiətiv/ 形 仲介的な，介在的な
　a **mediative** category（仲介カテゴリー, 介在カテゴリー）
　the existence of **mediative** elements（介在要素の存在）
　have a **mediative** role（仲介的な役割を持っている）

---

414 □ **mention** /ménʃən/ 動 言及する，述べる　名 言及

《使用例》
mention Winter's (2003) discussion
　（Winter (2003) の議論に言及する, 触れる）
be **mentioned** subsequently（後で言及される）
the concept **mentioned** in Section 3（第 3 節で言及された概念）
as already **mentioned**（既に言及されたように）
to **mention** just a few（数例を挙げれば）
Poland (2004) **mentions** that S+V（Poland (2004) は－と述べている）
be worthy of special **mention**（特筆に値する）
deserve special **mention**（特筆に値する）

make no **mention** of gestures（ジェスチャーについては何も言及していない）

《関連語彙 A》

above-mentioned /əbʌ́v ménʃənd/ 形 上述の
　the **above-mentioned** studies（上述の研究）
　on the basis of the **above-mentioned** diagram（上述の図式に基づいて）
　aside/apart from the **above-mentioned** principle
　　（上述の原理は別として，上述の原理を除いて；上述の原理に加えて）
　reflect the **above-mentioned** fact that S+V（－という上述の事実を反映している）
　the **above-mentioned** problem does not arise（上述の問題は生じない）

aforementioned /əfɔ́:rmenʃənd/ 形 先述の，前述の
　the **aforementioned** argument（先述の議論）
　the **aforementioned** researchers（前述の研究者）
　the **aforementioned** findings（先述の研究成果）
　following the **aforementioned** procedure（先述の手順に従って）
　in addition to the **aforementioned** issues（前述の問題に加えて）
　the notion used in the **aforementioned** study（先述の研究で用いられた概念）

《関連語彙 B》

touch /tʌ́tʃ/ 動 言及する，触れる
　touch on some important topics（重要なトピックについていくつか触れる）
　touch upon the mechanism of molecules（分子の仕組みについて言及する）
　the issues **touched** on earlier（先に言及した問題）
　as **touched** upon previously（先述の通り，前述の通り）
　be briefly **touched** on in Section 2（第2節で簡単に触れられる）

---

415 ☐ **merely** /míərli/ 副 単に，ただ単に

《使用例》

be **merely** stored（ただ単に蓄えられている）

be **merely** a subcategory of grammar
　（単なる文法の下位カテゴリーに過ぎない）

be **merely** an attempt to do（単に－する試みに過ぎない）

be not **merely** a matter of convention（単なる慣習の問題ではない）

this **merely** indicates that S+V
　（これは単に－ということだけを示している）

《関連語彙 A》

mere /míər/ 形 単なる
　a **mere** conjecture（単なる憶測，単なる推測）
　a matter of **mere** oversight（単なる見落としの問題，単なるミスの問題）

the **mere** existence of individual differences（単なる個人差の存在）
as a result of **mere** introspection（単なる内省の結果として）
be not a **mere** matter of intellectual development（単なる知的発達の問題ではない）

416 ☐ merit /mérit/ 名 利点　動 値する

《使用例》

a considerable **merit** of this theory（この理論の重要な利点の1つ）
the great **merit** of this paper（本稿の利点）
the **merits** of this framework（この枠組みの利点）
merit consideration（考慮に値する）
merit particular attention（特に注目に値する）
a problem that **merits** discussion（議論に値する問題）

《関連語彙 A》

demerit /dimérit/ 名 欠点
　a number of **demerits**（多くの欠点）
　the **demerits** of this theoretical framework（この理論的枠組みの欠点）
　because of these **demerits**（これらの欠点のために）
　become a **demerit**（1つの欠点になる）
　have at least three **demerits**（少なくとも3つの欠点がある）

417 ☐ methodology /meθədɔ́lədʒi/ 名 方法論

《使用例》

the **methodology** used in this study（本研究で用いられる方法論）
an advantage of this **methodology**（この方法論の1つの利点）
the **methodology** of cognitive sociology（認知社会学の方法論）
on the level of **methodology**（方法論のレベルでは）
through various **methodologies**（様々な方法論を通して）
offer a **methodology** for the study of language
　（言語研究に1つの方法論を提供する）
devise a **methodology** to test them（それらを検証する方法論を考案する）

《関連語彙 A》

methodological /meθədəlɔ́dʒikl/ 形 方法論的な，方法論上の
　methodological vagueness（方法論上の曖昧性）
　due to **methodological** issues/problems（方法論上の問題のために）
　for **methodological** reasons（方法論上の理由により）
　be of **methodological** significance（方法論的に重要である）

the **methodological** goal is to do（その方法論上の目的は−することである）

methodologically /meθədəlɔ́dʒikəli/ 副 方法論的に
    a **methodologically** heterogeneous concept（方法論的に異質な概念）
    be **methodologically** attractive（方法論的には魅力的である）
    be not **methodologically** simple（方法論的に容易なものではない）
    be **methodologically** unconstrained（方法論的に制約づけられていない）
    it is **methodologically** valid to do（−することは方法論的に妥当である）

《関連語彙 B》

method /méθəd/ 名 方法
    experimental **methods**（実験方法）
    research **methods**（研究方法）
    this new **method**（この新しい方法）
    a variety of **methods**（様々な方法）
    a **method** for examining usage frequency（使用頻度を調べる方法）
    adopt the following **method**（以下の方法を採用する）

418 □ **minor** /máinər/ 形 わずかな，些細な，重要でない，少数派の，微妙な

《使用例》
a **minor** problem（些細な問題, ほとんど重要ではない問題）
a **minor** difference（わずかな違い, わずかな相違）
these **minor** patterns（これらの少数派のパターン）
show **minor** changes（微妙な変化を示す）
some **minor** amendments are necessary（いくつか微修正が必要である）

419 □ **misleading** /mislí:diŋ/ 形 誤った，誤解を招きやすい

《使用例》
a **misleading** interpretation（誤った解釈）
a **misleading** term（紛らわしい用語, 誤解を招きやすい用語）
misleading information（誤った情報）
be somewhat **misleading**（少し誤っている）
may be **misleading**（誤解を招くかも知れない）
lead to the **misleading** conclusion that S+V
    （−という誤った結論につながる）
it is **misleading** to say that S+V（−と言うのは誤っている）

420 □ **mistakenly** /mistéiknli/ 副 間違って，誤って

《使用例》

quite **mistakenly**（かなり間違った形で）
often **mistakenly**（しばしば間違って）
be **mistakenly** supposed（誤って仮定されている）
Johnson (2000) **mistakenly** assumes that S+V
　（Johnson (2000)は−であると誤って仮定している）
it is **mistakenly** understood that S+V（−であると誤って理解されている）

《関連語彙A》

mistaken /mistéikn/ 形 間違った，誤った
　a **mistaken** philosophical theory（間違った哲学理論）
　the **mistaken** idea that S+V（−という誤った考え方）
　be entirely/completely/wholly **mistaken**（完全に誤っている，完全に間違っている）
　be fundamentally **mistaken**（基本的に間違っている）
　it is **mistaken** to do（−するのは間違っている）
　it seems **mistaken** to do（−するのは間違っているように思える）

mistake /mistéik/ 名 間違い，誤り
　such a **mistake**（このような間違い）
　be a **mistake**（1つの誤りである，1つの間違いである）
　the **mistake** of doing（−するという誤り，−するという間違い）
　it is a **mistake** to assume that S+V（−と仮定するのは間違いである）

421 □ modify /mɔ́dəfai/ 動 修正する

《使用例》

modify this framework（この枠組みを修正する）
modify the structure of categories（カテゴリーの構造を修正する）
modify a definition of polysemy（多義性の定義を修正する）
be **modified** as a result of language use（言語使用の結果として修正される）
a slightly **modified** version of Johnson (2001)
　（Johnson (2001)の微修正版）
should be considerably **modified**（大幅に修正されるべきである）

《関連語彙A》

modification /mɔdəfikéiʃən/ 名 修正
　such slight **modifications**（このような微修正）
　be in need of **modification**（修正の必要がある）
　require **modification(s)**（修正を必要とする，修正を要する）
　do not require any **modifications**（どんな修正も必要としない）
　undergo various **modifications**（様々な変化を被る，多様に変化する）

in this **modification**（この修正版では，この修正では）
through a **modification** of social structure（社会構造の修正を通して）

422 □ mostly /móustli/ 副 主として，ほとんどの場合

《使用例》
be **mostly** not significant（ほとんどの場合重要ではない）
be **mostly** used to do（－するために主として用いられる）
be explained **mostly** in structural terms
　（主として構造的観点から説明される）
rely **mostly** on this structure（主としてこの構造に依存している）
have been **mostly** overlooked（ほとんどの場合見逃されてきた）
mostly by focusing on it（主としてそれに着目することで）

423 □ motivate /móutəveit/ 動 動機づける

《使用例》
motivate the choice of Principle B（原理 B の選択を動機づける）
be **motivated** by the fact that S+V（－という事実によって動機づけられる）
be not sufficiently **motivated**（十分に動機づけられていない）
a principle that **motivates** this change（この変化を動機づける原理）
these differences are strongly **motivated** as well
　（これらの相違も強く動機づけられている）

《関連語彙 A》
motivation /moutəvéiʃən/ 名 動機づけ
　the issue of **motivation**（動機づけの問題）
　a **motivation** for abandoning this framework（この枠組みを放棄する動機づけ）
　constitute sufficient **motivation** to do（－するための十分な動機づけとなる）
　whatever its **motivation**（その動機づけが何であれ）
　there is ample **motivation** to do（－するための十分な動機づけがある）

424 □ multiple /mʌ́ltəpl/ 形 様々な，多種多様な

《使用例》
multiple items（様々な項目）
multiple instances（多種多様な事例）
evidence from **multiple** areas（様々な領域からの証拠）
at **multiple** levels（様々なレベルで，多様なレベルで）
raise **multiple** issues（様々な問題を提起する）

be invoked for **multiple** purposes（様々な目的で喚起される）

《関連語彙 A》
multiplicity /mʌltəplísəti/ 图 多様性，多数
　this evident **multiplicity**（この明らかな多様性）
　the **multiplicity** of melodies（メロディーの多様性）
　recognize the **multiplicity** of electrons（電子の多様性を認識する）
　a **multiplicity** of related disciplines（様々な関連分野，多数の関連分野）
　an infinite **multiplicity** of elements（限りなく多数の要素，多種多様な要素）

425 □ **multitude** /mʌ́ltətjuːd/ 图 多数

《使用例》
a **multitude** of theoretical problems（多くの理論的問題）
a **multitude** of fundamental principles（多数の基本原理）
multitudes of interpretation patterns（多くの解釈パターン）
there are a **multitude** of reasons for doing
　（ーするのには多くの理由がある）
the **multitude** of countries（国の多さ，その多数の国々）

426 □ **mutually** /mjúːtʃuəli/ 副 相互に

《使用例》
two **mutually** exclusive processes（相容れない2つのプロセス）
be **mutually** exclusive（相互に排他的である）
be **mutually** dependent（相互依存している）
be **mutually** attracted to each other（相互に引きつけられている）
these elements are **mutually** contradictory
　（これらの要素は相互に矛盾している）

《関連語彙 A》
mutual /mjúːtʃuəl/ 形 相互の，共通の
　the **mutual** relations of ABC, XYZ, and LMN（ABC, XYZ, LMN の相互関係）
　be of great **mutual** benefit（お互いにとってかなり有益である）
　mutual knowledge（共通知識）
　this guideline is not **mutual**（この指針は共通のものではない）

427 □ **namely** /néimli/ 副 つまり，すなわち

《使用例》
namely the latter framework（すなわち後者の枠組み）

namely Johnson's (2006) notion of *focus*
（つまり Johnson (2006)の「焦点」という概念）
the topic of this study, **namely** categorization
（本研究のトピック，つまりカテゴリー化）
a major principle, **namely** from right to left
（主要原理，すなわち右から左へ）
namely that the subject precedes the verb
（すなわち主語が動詞に先行するということ）

《関連語彙 A》

viz. /víz/ 副 つまり，すなわち
　viz. Chapter 3（つまり第3章）
　viz. Johnson (2004)（すなわち Johnson(2004)）
　(**viz.** the left column)（(すなわち左側の縦列)）
　viz. by measuring its length（つまりその長さを測ることで）
　viz. that this difference is a matter of degree
　　（つまりこの相違が程度問題であるということ）

---

428 □ **narrowly** /nǽrouli/ 副 狭く，狭義に

《使用例》
very **narrowly**（かなり狭く，かなり狭義に）
narrowly defined spatial concepts（狭義に定義された空間概念）
interpret the effect **narrowly**（その効果を厳密に解釈する）
must be more **narrowly** defined（より狭義に定義されなければならない）
have been somewhat **narrowly** understood（やや狭義に理解されてきた）

《関連語彙 A》

narrow /nǽrou/ 形 狭い，限られた
　a **narrow** range of cases（限られた範囲の事例）
　a **narrow** view（視野の狭い見解）
　in a **narrow** sense（狭義には）
　in the **narrow** sense（その狭い意味では，その限定的な意味では）
　be too **narrow** in scope（視野が狭すぎる）
　the scope is exceedingly **narrow**（その範囲はかなり限定的である）

narrow /nǽrou/ 動 狭める，縮小する
　narrow the use of this term（この用語の使用を縮小する）
　narrow the gap between rich and poor（貧富の差を狭める）
　be **narrowed** by this principle（この原理によって狭められる）
　narrow down the range of experience（経験範囲を狭める）

英語論文重要語彙 717

N

narrow down its scope to spoken language（その範囲を話し言葉に狭める）
be **narrowed** down to the following phenomena（以下の現象に狭められる）

429 ☐ **naturally** /nǽtʃərəli/ 副 自然に，自ずと，当然のことながら，当然

《使用例》
quite **naturally**（かなり自然に）
as **naturally** as possible（できるだけ自然に）
occur **naturally**（自然に生じる，自ずと生じる）
be accounted for **naturally**（自然に説明される）
this leads **naturally** to various issues
　（このことが自ずと様々な問題につながってしまう）
Naturally, all remaining errors are my own.
　（当然のことながら，取り残された誤りは全て筆者によるものである）

《関連語彙 A》
natural /nǽtʃərəl/ 形 自然な，自然の
　a **natural** category（自然カテゴリー）
　a **natural** environment（自然環境）
　natural examples（自然な例）
　the **natural** flow of energy（エネルギーの自然な流れ）
　be completely **natural**（全く自然である）
　be considered **natural** in this case（この場合，自然であると考えられる）
　there is a **natural** tendency to do（～する自然な傾向がある）
　it is **natural** to assume that S+V（～であると仮定するのは自然である）
　this assumption would be **natural**（この仮定は自然であろう）

nature /néitʃər/ 名 自然，性質，本質
　the realm of **nature**（自然界）
　human **nature**（人間性）
　the **nature** of this concept（この概念の本質，この概念の性質）
　the complex **nature** of these processes（これらのプロセスの複雑性）
　be metaphorical in **nature**（本来比喩的である）

《関連語彙 B》
unnatural /ʌnǽtʃərəl/ 形 不自然な
　an **unnatural** classification（不自然な分類）
　such **unnatural** interpretations（このような不自然な解釈）
　be totally **unnatural**（完全に不自然である）
　be somewhat **unnatural**（少し不自然である）
　be quite/rather/very **unnatural**（かなり不自然である）

the sentence becomes **unnatural**（その文は不自然になる）

unnaturally /ʌnǽtʃərəli/ 副 不自然に
  quite/very **unnaturally**（かなり不自然に）
  be **unnaturally** interpreted（不自然に解釈される）
  be **unnaturally** treated（不自然に取り扱われる）
  be **unnaturally** unstable（不自然に不安定である）

430 □ necessitate /nəsésəteit/ 動 必要とする

《使用例》

necessitate this approach（このアプローチを必要とする）
necessitate the existence of kinetic energy
  （運動エネルギーの存在を必要とする）
necessitate a different framework（別の枠組みを必要とする）
this principle is also **necessitated**（この原理も必要とされる）
have **necessitated** many other changes
  （他にも多くの変化を必要としてきた）

《関連語彙 A》

necessary /nésəsəri/ 形 必要な
  a **necessary** condition（必要条件）
  a **necessary** and sufficient condition（必要十分条件）
  a **necessary** step towards understanding this mechanism
    （このメカニズムを理解するのに必要なステップ）
  be not strictly **necessary**（厳密には必要ない）
  be seen as **necessary** for doing（－するのに必要であると考えられる）
  may become **necessary**（必要になるかも知れない）
  it seems **necessary** to do（－する必要があるように思われる）
  it would be **necessary** to do（－することが必要であろう）

necessity /nəsésəti/ 名 必要性, 必然性
  the **necessity** of this assumption（この仮定の必要性）
  the **necessity** of distinguishing between ABC and XYZ
    （ABC と XYZ を区分する必要性）
  deny the **necessity** of Principle A（原理 A の必要性を否定する）
  of **necessity**（必然的に, 当然のことながら）
  these elements must of **necessity** be similar
    （これらの要素は必然的に類似していなければならない）
  this notion is a **necessity**（この概念は不可欠なものである）

necessarily /nesəsérəli/ 副 必然的に

be not **necessarily** correct（必ずしも正しい訳ではない）
be **necessarily** interpreted as a verb（必然的に動詞として解釈される）
though not **necessarily** innate（必ずしも生得的である訳ではないが）
this does not **necessarily** mean/imply that S+V
　（これは−ということを必ずしも意味してはいない）
it does not **necessarily** follow that S+V（必ずしも−ということにはならない）
this is not **necessarily** true of complex cases
　（これは複雑なケースには必ずしも当てはまらない）

《関連語彙 B》

unnecessary /ʌnnésəsəri/ 形 不必要な，不要な
　an **unnecessary** assumption（不必要な仮定）
　be **unnecessary** here（ここでは不要である）
　be in many cases **unnecessary**（多くの場合不要である）
　cause **unnecessary** ambiguity（不必要な曖昧性を引き起こす）
　it is **unnecessary** to do（−するのは不要である，−する必要はない）
　this explanation may be **unnecessary**（この説明は不要であるかも知れない）

431 □ **negligible** /néglidʒəbl/ 形 無視できる

《使用例》
a **negligible** comment（無視できるコメント，取るに足らないコメント）
a **negligible** factor（無視できる要因）
be almost **negligible**（ほとんど無視できる）
be **negligible** for present purposes（ここでは無視できる）
its size is **negligible**（そのサイズは無視できる）

《関連語彙 A》

neglect /niglékt/ 動 無視する
　neglect the importance of this notion（この概念の重要性を無視する）
　be generally **neglected**（一般に無視されている）
　be entirely **neglected**（完全に無視されている）
　should not be **neglected**（無視されるべきではない）
　a **neglected** aspect of communication（コミュニケーションの無視された側面）
　an often-**neglected** phenomenon（無視されることの多い現象）

432 □ **normally** /nɔ́ːrməli/ 副 通常は

《使用例》
a **normally** profiled relationship（通常は焦点化される関係）
be **normally** characterized as a conceptual operation

（通常は概念操作として特徴づけられる）
be not **normally** used（通常は用いられない）
be **normally** a matter of construal（通常は解釈の問題である）
as is **normally** the case（通常は正しいように）

《関連語彙 A》
normal /nɔ́:rml/ 形 通常の, 普通の
　　a rather **normal** instance（かなり自然な例, かなり一般的な例）
　　under/in **normal** circumstances（通常は, 通常の状況では）
　　in **normal** language use（通常の言語使用では）
　　be completely **normal**（全く普通である）
　　it is more **normal** to do（−する方が普通である）

433 □ **notably** /nóutəbli/ 副 特に, とりわけ

《使用例》
notably Johnson's (2000) model（特に Johnson (2000) のモデル）
notably Paul C. London（とりわけ Paul C. London）
notably basic medical sciences（特に基礎医学）
most **notably** in Orwell (1999)（とりわけ Orwell (1999) において）
be **notably** objective（特に客観的である, とりわけ客観的である）
have been advanced **notably** by Richard Johnson
　（特に Richard Johnson によって提案されてきた）

《関連語彙 A》
notable /nóutəbl/ 形 注目に値する, 注意すべき
　　some **notable** exceptions（いくつかの注目すべき例外）
　　a **notable** achievement of this framework（この枠組みの特筆すべき功績）
　　it is **notable** that S+V（−なのは注目に値する）
　　what is **notable** here is that S+V（ここで注意すべきは−ということである）
　　this remark is **notable**（この言及は注目に値する）

434 □ **notation** /noutéiʃən/ 名 表記法, 表記

《使用例》
abbreviatory **notations** for these elements（これらの要素の省略表記）
the nature of this **notation**（この表記法の性質）
the **notation** proposed by London (2005)
　（London (2005) によって提案された表記法）
according to the following **notation**（以下の表記法に従って）

using the **notation** of Johnson (2004)
  （Johnson (2004) の表記法を利用して）
create a new **notation**（新しい表記法を作り出す）

《関連語彙 A》
notational /noutéiʃənl/ 形 表記上の
  a **notational** variant（表記上の変異形）
  an ad hoc **notational** device（その場限りの表記法）
  a **notational** device for doing（-するための表記法）
  apart from **notational** differences（表記上の相違は別にして）
  use the following **notational** conventions（以下の表記上の慣習を用いる）
  this is only a **notational** convention（これは表記上の慣習に過ぎない）

435 ☐ **noteworthy** /nóutwə́ːrði/ 形 注目すべき，注目に値する

《使用例》
two **noteworthy** findings（注目すべき2つの研究成果）
be particularly **noteworthy**（特に注目に値する）
it is especially **noteworthy** that S+V（-ということは特に注目に値する）
what is **noteworthy** is that S+V（注目すべきは-ということである）
this fact is also **noteworthy**（この事実にも注目すべきである）

436 ☐ **noticeable** /nóutisəbl/ 形 注目に値する，注目すべき

《使用例》
a **noticeable** difference（注目すべき違い）
a **noticeable** effect（注目すべき効果）
the most **noticeable** peculiarity of this research
  （この研究の最も注目すべき特色）
be especially **noticeable**（特に注目に値する）
be not so **noticeable**（それほど注目すべきではない）
it is **noticeable** that S+V（-なのは注目に値する）

《関連語彙 A》
notice /nóutis/ 動 注目する，注意する，気づく 名 注目
  notice the importance of XYZ theory（XYZ理論の重要性に注目する）
  as Prince (2003) **notices**（Prince (2003) が注目するように）
  it is important to **notice** that S+V（-に気づくことが重要である）
  one thing to **notice** is that S+V（注意すべきは-ということである）
  it should also be **noticed** that S+V（-という点にも注意されたい）

take **notice** of the fact that S+V（－という事実に注目する）
be worthy of **notice**（注目に値する）

437 ☐ notion /nóuʃən/ 图 概念

《使用例》

a fundamental/basic **notion** in this field
　（この学問領域の基本概念, 基礎概念）
two scalar **notions**（2つのスケール概念）
theoretical **notions** such as ABC, XYZ, and LMN
　（ABC, XYZ, LMN などの理論概念）
the **notion** of consciousness（意識という概念）
Johnson's (2002) **notion** of *similarity*
　（Johnson (2002) の similarity という概念）
the abstract **notion** of doing（－するという抽象概念）
define this **notion** in structural terms
　（この概念を構造的観点から定義する）

《関連語彙 A》

notional /nóuʃənl/ 形 概念の，概念的な，概念上の
　a fundamental **notional** system（基本的な概念システム）
　this **notional** similarity（この概念上の類似性）
　such a **notional** characterization（このような概念的特徴づけ）
　other **notional** categories（その他の概念カテゴリー）
　a **notional** differentiation between ABC and XYZ（ABCとXYZの概念上の区別）

notionally /nóuʃənəli/ 副 概念的に
　at least **notionally**（少なくとも概念的には）
　be **notionally** definable（概念的に定義可能である）
　be **notionally** identical to other levels（概念的には他のレベルと全く同じである）
　be **notionally** different from Group A（グループAとは概念的に異なっている）
　they are **notionally** distinct（それらは概念的に異なっている）

438 ☐ novel /nɔ́vəl/ 形 新しい，新規の

《使用例》

novel expressions（新規の表現）
a **novel** structural rule（新しい構造規則）
a **novel** source of information（新しい情報源）
a **novel** view of conceptualization（概念化の新しい考え方）

a **novel** analysis of metaphors（比喩の新しい分析）
be entirely **novel**（完全に新しい，全く新しい）
this theory is not **novel**（この理論は新しいものではない）

《関連語彙 A》

novelty /nάvəlti/ 图 新しさ，斬新さ
　such **novelties**（このような新しさ，このような斬新さ）
　the **novelty** of its content（その内容の新しさ）
　the **novelty** of this research（この研究の斬新さ）
　this structural **novelty**（この構造上の斬新さ）
　this approach is not a **novelty**（このアプローチは新しいものではない）

novelly /nάvəli/ 副 新たに
　a **novelly** discovered structure（新たに発見された構造）
　be **novelly** constructed（新たに構築される，再構築される）
　have been **novelly** recognized（新たに認識されてきた，再認識されてきた）

《関連語彙 B》

new /njúː/ 形 新しい
　a **new** paradigm（新しいパラダイム）
　a **new** theoretical approach（新しい理論的アプローチ）
　this **new** evidence（この新しい証拠）
　these **new** data（これらの新しいデータ）
　be relatively **new**（比較的新しい）
　create a **new** problem（新しい問題を生み出す）
　contain **new** information（新情報を含んでいる）

newly /njúːli/ 副 新たに
　a **newly** introduced network（新たに導入されたネットワーク）
　newly recorded data（新たに記録されたデータ）
　must be **newly** defined
　　（新たに定義されなければならない，再定義されなければならない）

anew /ənjúː/ 副 新たに
　learn this process **anew**（このプロセスを新たに学習する）
　be produced **anew**（新たに生み出される，新たに産出される）
　in order to establish it **anew**（それを新たに確立するために）

---

439 ☐ **numerous** /njúːmərəs/ 形 多くの，様々な

《使用例》
numerous researchers（数多くの研究者）
numerous examples of imitation（模倣の様々な事例）

numerous social factors（様々な社会的要因）
in **numerous** directions（様々な方向に）
pose **numerous** theoretical challenges（多くの理論的課題を課している）

440 □ object /əbdʒékt/ 動 反論する，異議を唱える，反対する

《使用例》
object to Johnson's (2000) account（Johnson (2000)の説明に反論する）
object to this proposal（この提案に異議を唱える）
object strongly to this view（この見解に強く反対する）
Poland (2002) **objects** that S+V（Poland (2002)は－と反論している）
it may/might be **objected** that S+V（－と反論されるかも知れない）
it has been **objected** that S+V（－と反論されてきた）

《関連語彙 A》
object /ɔ́bdʒekt/ 名 物体，対象
　a physical **object** / a material **object**（物質）
　an unidentified flying **object**（未確認飛行物体）
　the name of this **object**（この物体の名称）
　the sole **object** of description（唯一の記述対象）
　Johnson's (2004) **object** of research（Johnson(2004)の研究対象）
　have been an **object** of criticism（1つの批判対象であった）

objection /əbdʒékʃən/ 名 反論，異議
　an **objection** to this theory（この理論への反論）
　valid **objections** against objectivism（客観主義への妥当な反論）
　Johnson's (2008) **objection** that S+V（－という Johnson(2008)の反論）
　in spite of these **objections**（これらの反論にも関わらず）
　raise an **objection** against this proposal（この提案に異議を唱える）

441 □ objective /əbdʒéktiv/ 名 目的　形 客観的な

《使用例》
a principal **objective** of ABC theory（ABC 理論の主目的の 1 つ）
the **objectives** of Section 4（第 4 節の目的）
the **objective** here is to do（ここでの目的は－することである）
be relatively **objective**（比較的客観的である）
an **objective** description（客観的な記述）
in an **objective** way（客観的に）

《関連語彙 A》

objectively /əbdʒéktivli/ 副 客観的に
　objectively speaking（客観的に言って）
　relatively **objectively**（比較的客観的に）
　as **objectively** as possible（できるだけ客観的に）
　be **objectively** correct（客観的に正しい）
　cannot be judged **objectively**（客観的には判断できない）
　discuss this problem **objectively**（この問題を客観的に議論する）

objectivity /ɔbdʒektívəti/ 名 客観性, 客観主義
　this scientific **objectivity**（この科学的客観性）
　its relative **objectivity**（その相対的客観性）
　a foundation for **objectivity**（客観主義の基盤）
　lack **objectivity**（客観性を欠いている）
　rethink the notion of **objectivity**（客観主義という概念を再考する）

442 □ observation /ɔbzərvéiʃən/ 名 観察, 見解

《使用例》
the following **observations**（以下の見解）
Johnson's (2005) basic **observation**（Johnson(2005)による基礎的な観察）
the **observation** that S+V（－という見解）
on the basis of these **observations**（これらの観察に基づいて）
contradict the results of **observations**（観察の結果と矛盾している）
this **observation** is counter to Roland's (2000) claim
　（この見解は Roland (2000) の主張とは正反対である）

《関連語彙 A》
observe /əbzə́:rv/ 動 観察する, 述べる, 気づく, 注意する
　observe the opposite pattern（それとは正反対のパターンを観察する）
　be often **observed** in German（ドイツ語においてよく見られる）
　the differences **observed** between ABC and XYZ
　　（ABC と XYZ の間に観察される相違）
　a similar phenomenon can be **observed**（似たような現象が観察できる）
　Johnson (2000) has repeatedly **observed** that S+V
　　（Johnson (2000) は－ということを繰り返し述べてきた）
　it should be **observed** that S+V
　　（－ということに気づくべきである, －ということに注意すべきである）

observational /ɔbzərvéiʃnl/ 形 観察の, 観測の
　two **observational** groups（2つの観察グループ）
　a body of **observational** studies
　　（観察 / 観測に基づく一連の研究, 一連の観察 / 観測研究）

using the above **observational** data（上記の観察データを用いて）
based on available **observational** data（入手できる観測データに基づいて）
in the **observational** phase（観察段階では，観測段階では）

observable /əbzə́:rvəbl/ 形 観察可能な，観察できる
an **observable** phenomenon（観察可能な現象）
directly **observable** structures（直接的に観察できる構造）
be not directly **observable**（直接的には観察できない）
be universally **observable**（普遍的に観可能である）
must be **observable** at all levels（全てのレベルで観察可能でなければならない）

443 □ obtain /əbtéin/ 動 得る，成立する

《使用例》
obtain the structure in Figure 3（図3の構造を得る）
be **obtained** by omitting this part（この部分を省略することで得られる）
the results **obtained** here（ここで得られた結果）
the evidence **obtained** from this experiment（この実験で得られた証拠）
these data are **obtained** from Johnson (2002)
　（これらのデータは Johnson (2002) からのものである）
obtain at this level（このレベルで成立する）

《関連語彙 A》
obtainable /əbtéinəbl/ 形 得られる，入手できる
be **obtainable** by doing（–することで得られる）
be not **obtainable** from this analysis（この分析からは得られない）
be easily/readily **obtainable**（容易に入手できる）
valuable data **obtainable** from these experiments
　（これらの実験から得られる貴重なデータ）

444 □ obvious /ɑ́bviəs/ 形 明らかな

《使用例》
an **obvious** fact（明らかな事実，分かりきった事実）
as is **obvious** from this discussion（この議論から明らかなように）
cause/raise an **obvious** problem（明らかに問題となる）
it is quite **obvious** that S+V（–なのはかなり明らかである）
it is not so **obvious** that S+V（–ということはそれほど明らかではない）
it becomes **obvious** that S+V（–ということが明らかになる）
this is **obvious** from the fact that S+V

（この点は-という事実から明らかである）
there is an **obvious** similarity between ABC and XYZ
（ABCとXYZの間には明らかな類似性がある）
this is particularly **obvious**（これは特に明らかである）

《関連語彙A》

obviously /ɔ́bviəsli/ 副 明らかに
　obviously inadvertent errors（明らかに軽率な間違い, 明らかに不注意のミス）
　be **obviously** necessary（明らかに必要である）
　be **obviously** untenable（明らかに擁護できない）
　it is **obviously** impossible to do（-するのは明らかに不可能である）
　this is **obviously** a matter of degree（これは明らかに程度問題である）
　Obviously, this is a false assumption.（明らかに, これは誤った仮定である）

445 □ **odd** /ɔ́d/ 形 奇妙な, 奇数の

《使用例》

be considered **odd**（奇妙であると考えられる）
it is rather/quite **odd** to do（-するのはかなり変である）
it woud be somewhat **odd** to do（-するのは少し奇妙であろう）
this form seems somewhat **odd**（この形式は少し奇妙に思われる）
two **odd** numbers（2つの奇数）
odd numbers from 1 through 9（1から9までの奇数）

《関連語彙A》

oddness /ɔ́dnəs/ 名 不自然さ
　the **oddness** of (10)（(10)の不自然さ）
　the **oddness** of this omission（この省略の不自然さ）
　regardless of its **oddness**（その不自然さにも関わらず）
　explain the **oddness** of this sentence（この文の不自然さを説明する）
　its **oddness** is emphasized（その不自然さが強調される）

oddly /ɔ́dli/ 副 奇妙に, 不自然に
　rather **oddly**（かなり不自然に）
　oddly enough（奇妙なことに）
　Oddly, Poland (2000) states that S+V.
　　（奇妙なことに, Poland(2000)は-と述べている）

《関連語彙B》

strange /stréindʒ/ 形 奇妙な
　this **strange** relation（この奇妙な関係）
　these **strange** examples（これらの奇妙な事例）

be **strange** in this context（この文脈では奇妙である）
it is rather **strange** that S+V（-ということはかなり奇妙である）
it seems **strange** to claim that S+V（-と主張するのは奇妙に思える）
this reading is somewhat **strange**（この読みは少し奇妙である）

strangeness /stréindʒnəs/ 图 不自然さ
 the **strangeness** of this discourse（この談話の不自然さ）
 because of its **strangeness**（その不自然さのために）
 produce **strangeness**（不自然さを生み出す）
 its **strangeness** is emphasized（その不自然さが強調される）

strangely /stréindʒli/ 副 奇妙に，不自然に
 strangely enough（奇妙なことに）
 be **strangely** intermingled（不自然に混合されている）
 Strangely, London (2000) is cited here.
  （奇妙なことに，London (2000)がここで引用されている）

446 □ omit /oumít/ 動 省略する，省く

《使用例》

omit the former idea from this discussion
 （この議論から前者の考え方を省略する）
be **omitted** from this discussion（本議論から省略される）
be often **omitted**（しばしば省略される）
can be easily **omitted**（容易に省略できる）
by **omitting** these data（これらのデータを省くことで）

《関連語彙 A》

omission /oumíʃən/ 图 省略
 the **omission** of *but*（*but* の省略）
 a rate of **omission**（省略の割合，省略率）
 the reason for this **omission**（この省略の理由）
 despite these **omissions**（これらの省略にも関わらず）
 this **omission** is especially interesting（この省略は特に興味深い）

omissible /oumísəbl/ 形 省略できる，省略可能な
 omissible elements（省略可能な要素）
 be not **omissible**（省略できない）
 define **omissible** parameters（省略可能なパラメーターを定義する）
 this element is also **omissible**（この要素も省略できる）
 this process is easily **omissible**（このプロセスは容易に省略できる）

447 □ **oppose** /əpóuz/ 動 反対する，対立する

《使用例》
oppose this theory（この理論に反対する）
these **opposing** constraints（これらの対立的な制約）
as **opposed** to standard English（標準英語とは対照的に）
negative evidence as **opposed** to positive evidence
　　（肯定証拠に対立するものとしての否定証拠）
these properties are **opposed** to each other
　　（これらの特性は相互に対立している）
there are **opposing** views concerning this issue
　　（この問題に関しては対立的な見解がある）

《関連語彙 A》
opposition /ɔpəzíʃən/ 名 対立
　this important **opposition**（この重要な対立）
　in **opposition** to functional accounts（機能的説明とは対照的に）
　in direct **opposition** to Johnson's (2002) analysis
　　　（Johnson (2002) の分析とはまったく対照的に）
　explain this **opposition** clearly（この対立を明確に説明する）
　be/stand in **opposition** to each other（相互に対立している）
　there is a similar **opposition** between ABC and XYZ
　　　（ABC と XYZ の間にも似たような対立がある）

opponent /əpóunənt/ 名 反論者，対立者
　a number of **opponents**（多くの対立者）
　the **opponent**'s theoretical idea（その対立者の理論的見解）
　an **opponent** of this view（この見解の反論者の1人）
　refute these **opponents**（これらの対立者を論駁する）
　some **opponents** claim that S+V（～と主張する反論者もいる）

448 □ **opposite** /ɔ́pəzit/ 形 正反対の，逆の　名 反対，正反対

《使用例》
an **opposite** pattern（正反対のパターン）
in the **opposite** direction（正反対の方向に）
in the **opposite** sense（(それとは)逆の意味で）
from the **opposite** perspective（正反対の観点から）
be **opposite** to the former（前者とは正反対である）
the **opposite** of *hot* is *cold*（hot の反対は cold である）

the **opposite** is too strong（その反対は強すぎる）
be the **opposite** of what is predicted（予測したこととは正反対である）

449 ☐ optional /ɔ́pʃənl/ 形 随意的な，選択的な

《使用例》
an **optional** element（随意的な要素）
optional parameters（随意的なパラメーター）
be anything but **optional**（少しも随意的ではない）
be **optional** in the sense that S+V（－という意味で選択的である）
be defined as **optional** parts（選択的な部分として定義される）
this rule becomes **optional**（この規則は選択的になる）

《関連語彙A》
optionally /ɔ́pʃənəli/ 副 選択的に，自由に，随意的に
 be determined **optionally**（自由に決定される）
 tend to be used **optionally**（選択的に使われる傾向がある）
 cannot be **optionally** deleted（自由に削除できない,随意的に削除できない）

option /ɔ́pʃən/ 名 選択肢
 the latter **option**（後者の選択肢）
 the only **option** for doing（－するための唯一の選択肢）
 seem to be an **option**（1つの選択肢であるように思える）
 have the **option** of using diagrams（図式を使うという選択肢がある）
 there are numerous other **options**（他にも多くの選択肢がある）

450 ☐ ordinary /ɔ́:rdəneri/ 形 通常の

《使用例》
the **ordinary** definition（その通常の定義）
ordinary causal relations（通常の因果関係）
in **ordinary** solids and liquids（通常の固体と液体では）
in **ordinary** English（通常英語では）
unlike **ordinary** situations（通常の状況とは異なり）
in the same way as **ordinary** items（通常の項目と同じようにして）

《関連語彙A》
ordinarily /ɔ̀:rdənéərəli/ 副 通常は
 ordinarily invisible substances（通常は目に見えない物質）
 be **ordinarily** quite simple（通常はかなり単純である）
 be **ordinarily** called *bacteria*（通常はバクテリアと呼ばれている）

be **ordinarily** analyzed as a kind of animal（通常は動物の一種として分析される）
it would be **ordinarily** impossible to do（-するのは通常は不可能であろう）

451 □ organize /ɔ́ːrɡənaiz/ 動 構成する，構造化する

《使用例》
be **organized** into five sections（5つの節に構造化される）
be **organized** hierarchically（階層的に構造化される）
be not sufficiently **organized**（十分に構造化されていない）
be in a highly **organized** state（高度に構造化された状態にある）
must be **organized** by categories
　（カテゴリーによって構成されなければならない）
this paper is **organized** as follows:（本稿は以下のように構成される）
this system is well **organized**（このシステムはうまく構造化されている）

《関連語彙A》
organization /ɔ̀ːrɡənaizéiʃən/ 名 構成，構造化
　the **organization** of this paper（本稿の構成）
　the complex **organization** of the memory system（記憶システムの複雑な構造化）
　such **organization** of knowledge（このような知識の構造化）
　irrespective of its **organization**（その構成にも関わらず）
　at another level of **organization**（別の構成レベルで）
　be reflected in the **organization** of society（社会構成に反映される）

organizational /ɔ̀ːrɡənaizéiʃənl/ 形 構成の
　an **organizational** schema（構成スキーマ）
　organizational mechanisms（構成メカニズム）
　a key **organizational** principle（主要構成原理）
　these **organizational** features（これらの構成的特徴）
　the **organizational** structure of the paper（その論文の構成構造）
　at an **organizational** level（構成レベルにおいて）

organizer /ɔ́ːrɡənaizər/ 名 (学会等の)主催者
　a conference **organizer**（大会の主催者）
　a workshop **organizer**（ワークショップの主催者）
　a symposium **organizer**（シンポジウムの主催者）
　a list of conference **organizers**（大会主催者のリスト）
　by international conference **organizers**（国際会議の主催者によって）

《関連語彙B》
reorganize /riːɔ́ːrɡənaiz/ 動 再構成する
　reorganize the comprehension process（その理解プロセスを再構成する）

reorganize the nervous system（その神経系を再構成する）
be reorganized into seven sections（7つの節に再構成される）
should be reorganized as follows:（以下のように再構成されるべきである）
have been reorganized by the editor（編者によって再構成されてきた）

reorganization /riːɔːrɡənaɪzéɪʃən/ 图 再構成
a different **reorganization**（別の再構成）
the **reorganization** of relationships（関係の再構成）
a process of **reorganization**（再構成プロセス）
a principle of **reorganization**（再構成原理）
the advantages of this **reorganization**（この再構成の利点）

452 □ original /ərídʒənl/ 形 独創的な，元々の

《使用例》
an **original** view on socialism（社会主義についての独創的な考え方）
this **original** version（この原典版）
Hogan's **original** proposal（Hogan の元々の提案）
be highly **original**（かなり独創的である）
in an **original** fashion（独創的に）

《関連語彙 A》
originally /ərídʒənəli/ 副 元々は
　an **originally** external pressure（元々は外部からの圧力）
　(**originally** published in 1980)（(原典は 1980 年に出版)）
　be **originally** presented at the conference（その大会で元々は発表される）
　the concept **originally** proposed by Paul A. Johnson
　　（元々は Paul A. Johnson によって提案された概念）

origin /ɔ́ːrədʒin/ 图 起源，発端
　the **origin(s)** of language（言語の起源）
　the **origin** of this problem（この問題の発端）
　differ in **origin**（起源において異なる）
　pay attention to its **origins**（その起源に着目する）
　ABC and XYZ have a common **origin**（ABC と XYZ は共通の起源を持っている）

originality /ərìdʒənǽləti/ 图 独創性，オリジナリティー
　the concept of **originality**（独創性という概念）
　the **originality** of this research（本研究の独創性）
　a work of singular **originality**（相当に独創的な研究）
　have considerable **originality**（かなりの独創性がある，かなり独創的である）

453 originate /ərídʒəneit/ 動 生じる，由来する，考案する

《使用例》
originate in this way（このようにして生じる）
originate from this domain（この領域から生じる）
originate from the same processes（同じプロセスに由来する）
originate this method（この方法を考案する）
be **originated** by Ronald S. Johnson
　（Ronald S. Johnson によって考案される）
Greek art is self-**originated**（ギリシャ芸術は自然発生的である）

《関連語彙 A》
origination /ərìdʒənéiʃən/ 名 始まり，起因
　the **origination** of this civilization（この文明の始まり）
　what this **origination** means（この起因が意味していること）
　reveal its **origination**（その始まり／起因を明らかにする）

originative /ərídʒəneitiv, ərídʒənətiv/ 形 独創的な
　an **originative** idea（独創的な考え方）
　originative research（独創的な研究）
　in an **originative** manner（独創的に）
　be highly **originative**（かなり独創的である）

454 otherwise /ʌ́ðərwaiz/ 副 他の点では，別の方法で，そうでなければ

《使用例》
unless **otherwise** noted（特に注意しない限り）
be **otherwise** known as a linguistic theory（言語理論としても知られている）
in parentheses or **otherwise**（括弧書きかあるいはその他の方法で）
this conclusion suggests **otherwise**（この結論はそうではないと示唆している）
Otherwise, it would become difficult to do.
　（そうでなければ − することは難しくなるであろう）

455 outcome /áutkʌm/ 名 結果

《使用例》
an unforeseen **outcome**（思いがけない結果）
adverse **outcomes**（正反対の結果）
the **outcome** of the first experiment（最初の実験結果）
the ultimate **outcome** of this process（このプロセスの最終結果）

reevaluate the **outcomes**（その結果を再評価する）
this is not a surprising **outcome**（これは驚くべき結果ではない）

456 □ outset /áutset/ 图 始まり，最初

《使用例》
from the **outset**（最初から，はじめから）
from the very **outset**（まさに最初から）
exist from the **outset**（最初から存在している）
it is clear from the **outset** that S+V（－ということは最初から明らかである）
At the **outset**, it is helpful to do.（最初に－するのが有益である）

457 □ overall /óuvərɔ́ːl/ 形 全体の 副 全体的に見て，全体的に

《使用例》
the **overall** structure of this concept（この概念の全体構造）
its **overall** content（その全体の内容）
an **overall** picture of causal relations（因果関係の全体像）
support the **overall** validity of this approach
　（このアプローチの全般的な妥当性を裏づける）
Overall, this argument is subjective.
　（全体的に見て，この議論は主観的である）

458 □ overlap /óuvərlæp/ 图 重複
　　　　　　　　 /ouvərlǽp/ 動 重複する

《使用例》
by virtue of partial **overlap**（部分的な重複によって）
exhibit partial **overlap**（部分的な重複を示している）
there is a great deal of **overlap** between ABC and XYZ
　（ABC と XYZ の間にはかなりの重複がある）
overlap with this proposal（この提案と（部分的に）重複している）
overlapping representation systems
　（（部分的に）重なり合った表示システム）

459 □ overlook /ouvərlúk/ 動 見逃す，見落とす

《使用例》
overlook the fact that S+V（－という事実を見逃している）

overlook the following aspects（以下の側面を見逃している）
be in danger of **overlooking** this trait（この特徴を見落とす危険性がある）
have been **overlooked**（見逃されてきた）
may/might be **overlooked**（見逃されるかも知れない）
should not be **overlooked**（見逃されるべきではない）
it is not to be **overlooked** that S+V
　（－という点は見逃されるべきではない）

《関連語彙 A》
oversight /óuvərsait/ 图 ミス，見落とし
　a similar **oversight**（似たようなミス）
　an important **oversight**（重要なミス）
　remaining **oversights**（取り残されたミス）
　by **oversight**（ミスで，見落としによって）
　in spite of these **oversights**（これらのミスにも関わらず）
　there are some **oversights** as well（いくつか見落としもある）

460 □ overview /óuvərvju:/ 图 概観

《使用例》
a useful **overview** / an instructive **overview**（有益な概観）
such a historical **overview**（このような歴史的概観）
an **overview** of Johnson's (2004) study（Johnson (2004) の研究の概観）
an **overview** of metaphor research（比喩研究の概観）
offer/provide/give an **overview** of this framework（この枠組みを概観する）
begin with a brief **overview** of spatial semantics
　（空間意味論の簡単な概観で始まる）

461 □ overwhelming /ouvərwélmiŋ/ 形 圧倒的な

《使用例》
an **overwhelming** effect（圧倒的な効果）
by **overwhelming** evidence（圧倒的な証拠によって）
an **overwhelming** majority of physicists（圧倒的多数の物理学者）
provide **overwhelming** support for Principle C
　（原理 C を圧倒的に裏づけている，原理 C をかなり強く裏づけている）
the power is **overwhelming**（その力は圧倒的である）
there is an **overwhelming** tendency to do
　（－する圧倒的な傾向がある，－するかなり強い傾向がある）

《関連語彙 A》

overwhelmingly /òuvərwélmiŋli/ 副 圧倒的に
 be **overwhelmingly** strong（圧倒的に強い）
 be **overwhelmingly** important（圧倒的に重要である）
 be **overwhelmingly** used（圧倒的に用いられる）
 occur **overwhelmingly** in this case（この場合圧倒的に生じる）
 the likelihood is **overwhelmingly** high（その可能性は圧倒的に高い）

overwhelm /òuvərwélm/ 動 圧倒する
 overwhelm the book's readers（その本の読者を圧倒する）
 be quite **overwhelmed**（かなり圧倒されている）
 be somewhat **overwhelmed**（少し圧倒されている）
 be **overwhelmed** by other models（他のモデルによって圧倒される）
 be **overwhelmed** by the volume of information（情報量によって圧倒される）

462 □ **pair** /péər/ 名 対，組，ペア 動 対にする，組にする

《使用例》

a **pair** of elements（1組の要素，1対の要素）
a similar **pair** of words（対になる同様の語）
the first element of each **pair**（各ペアの最初の要素）
form-meaning **pairs**（形式と意味のペア，形式と意味の対）
in **pairs**（ペアで，ペアになって）
be interpreted as another **pair**（別の1対 / 1組として解釈される）
paired adjectives such as *good/bad*（good/bad のような対の形容詞）
be **paired** with this number（この数字と対になる，この数字とペアになる）

《関連語彙 A》

pairwise /péərwaiz/ 形 対の 副 対で
 pairwise relations（対の関係）
 be linked in **pairwise** fashion（対になる形で結合される）
 be arranged **pairwise**（対で配列される）
 must be organized **pairwise**（対で構成されなければならない）

pairing /péəriŋ/ 名 ペア，組み合わせ
 this particular **pairing**（この特定のペア）
 a **pairing** of form and function（形式と機能のペア）
 form-meaning **pairings**（形式と意味のペア）
 be established between each **pairing**（各ペア間に確立される）
 be predictable from other **pairings**（別のペアから予測できる）

463 □ paradigm /pǽrədaim/ 名 パラダイム,模範

《使用例》

a new **paradigm** in linguistics（言語学における新しいパラダイム）
competing **paradigms**（競合するパラダイム）
a **paradigm** example（典型例,模範例）
in this **paradigm**（このパラダイムでは）
use the existing **paradigm**（既存のパラダイムを用いる）
a different **paradigm** is needed（別のパラダイムが必要とされる）

《関連語彙 A》

paradigmatic /pærədigmǽtik/ 形 典型的な
　a **paradigmatic** approach（典型的なアプローチ）
　paradigmatic categories（典型的なカテゴリー）
　two **paradigmatic** examples（2つの典型例）
　a **paradigmatic** model for doing（−するための典型的なモデル）

464 □ parallel /pǽrəlel/ 形 類似した,似たような,並列の　名 類似（性）

《使用例》

be **parallel** to the situation in (3)（(3)の状況と類似している）
parallel discussions on this conflict（この論争に関する似たような議論）
in a way **parallel** to that of Part 2（第2部のものと同様の形で）
the idea of **parallel** distributed processing（並列分散処理という考え方）
be **parallel** rather than serial（連続的というより並列的である）
draw a **parallel** between ABC and XYZ
　（ABCとXYZの間の類似性を指摘する）

《関連語彙 A》

parallelism /pǽrəlelizm/ 名 平行性
　this apparent **parallelism**（この明らかな平行性）
　a **parallelism** between ABC and XYZ（ABCとXYZの平行性）
　the constraint of **parallelism**（平行性制約,平行性の制約）
　notice this **parallelism**（この平行性に気づく）
　exhibit a structural **parallelism**（構造的平行性を示している）
　have no connection with **parallelism**（平行性とは関係がない）

465 □ **paraphrase** /pǽrəfreiz/ 動 言い換える 名 言い換え，換言

《使用例》
paraphrase this relation（この関係を言い換える）
be **paraphrased** in terms of function（機能の観点から言い換えられる）
can be **paraphrased** as follows:（以下のように言い換えることができる）
these **paraphrases**（これらの言い換え）
the **paraphrase** in (5)（(5)の言い換え）
paraphrase relationships（言い換えの関係）
stand in a relation of **paraphrase**（言い換えの関係にある）

《関連語彙 A》
paraphrasable /pǽrəfreizəbl/ 形 言い換えられる
　be readily **paraphrasable**（容易に言い換えられる）
　be in principle **paraphrasable**（原理上は言い換えられる）
　be **paraphrasable** as follows:（以下のように言い換えることができる）
　be **paraphrasable** by *take*（take によって言い換えることができる）
　this content is not **paraphrasable**（この内容は言い換えられない）

466 □ **parenthesis** /pərénθəsis/ 名 丸括弧（単数）
　　　parentheses /pərénθəsi:z/ 名 丸括弧（複数）

《使用例》
parentheses around a verb（動詞を囲む括弧）
relevant examples shown in **parentheses**（括弧書きで示された関連事例）
the expression in **parentheses**（括弧書きの表現）
by way of **parenthesis**（ちなみに）
be presented in **parentheses**（括弧書きで提示される）
be shown in **parentheses** in Table 3（表3では括弧書きで示される）

《関連語彙 A》
parenthesize /pərénθəsaiz/ 動 括弧に入れる
　parenthesized letters（括弧に入れられた文字）
　parenthesized numbers（括弧に入れられた数字）
　these **parenthesized** expressions（これらの括弧書きの表現）
　omit the **parenthesized** parts（括弧に入れられた部分を省略する）
　this element can be **parenthesized**（この要素は括弧書きにすることができる）

parenthetically /pǽrənθétikəli/ 副 括弧書きで，ちなみに
　be shown **parenthetically**（括弧書きで示される）
　be not represented **parenthetically**（括弧書きでは示されていない）

the numbers indicated **parenthetically**（括弧書きで示された数字）
parenthetically speaking（ちなみに，ついでながら）
Parenthetically, it is also important that S+V.（ちなみに－ということも重要である）

467 □ **partial** /pá:rʃəl/ 形 部分的な，不完全な

《使用例》

a **partial** generalization（不完全な一般化）
a **partial** list of exceptions（例外の一部のみを掲載したリスト）
a **partial** description of this architecture（この構造の部分的な記述）
on the basis of **partial** information（部分的な情報に基づいて）
because of **partial** overlap（部分的な重複のために）
exhibit **partial** symmetry（不完全な対称性を示している）

《関連語彙 A》

partially /pá:rʃəli/ 副 部分的に，ある程度は
　only **partially**（部分的にのみ，部分的にだけ）
　at least **partially**（少なくとも部分的には）
　be **partially** correct（部分的には正しい，ある程度は正しい）
　be **partially** determined by this principle（この原理によって部分的に決定される）
　be **partially** shown in Figure 3（図3に部分的に示されている）
　can be **partially** elucidated by this method
　　（この方法によって部分的には解明できる）

468 □ **participate** /pa:rtísəpeit/ 動 参加する，関与する，関係する

《使用例》

participate in this experiment（この実験に参加する）
participate in the study（その研究に関与する）
participate in an international conference（国際学会に参加する）
a factor **participating** in this process（このプロセスに関係する要因）
other elements that **participate** in the process
　　（そのプロセスに関与するその他の要素）

《関連語彙 A》

participant /pa:rtísəpənt/ 名 (研究や実験の)協力者，被験者
　experimental **participants**（実験協力者）
　seventy-four **participants**（74人の協力者，74人の被験者）
　the number of **participants**（協力者の数，被験者の数）
　participants' comments（協力者のコメント）

like other **participants**（他の協力者のように）
a **participant** commented that S+V（ある協力者は–とコメントした）

participation /pɑːrtɪsəpéɪʃən/ 图 関与，研究協力
  the **participation** of consciousness（意識の関与）
  a level of **participation**（関与レベル）
  involve **participation** in doing（–するのに関与している）
  prior to **participation** in this study（本研究に協力する前に）
  be paid for their **participation**（彼らの研究協力に対して謝金が支払われる）
  require the **participation** of cognitive scientists
    （認知科学者の研究協力を必要としている）

469 □ **particularly** /pərtíkjulərli/ 副 特に，とりわけ

《使用例》
a **particularly** important system（特に重要なシステム）
particularly salient elements（とりわけ際立った要素）
be **particularly** convincing（特に説得力がある）
be **particularly** true of English verbs（特に英語の動詞に当てはまる）
particularly important is ABC（とりわけ重要なのはABCである）
it is **particularly** interesting that S+V（–ということは特に興味深い）

《関連語彙A》
particular /pərtíkjulər/ 形 特定の，特殊な
  a **particular** pattern（特定のパターン）
  this **particular** example（この特殊な事例）
  in **particular**（特に，とりわけ）
  in **particular** circumstances（特定の状況では，特殊な状況では）
  on a **particular** occasion（ある特定の場合には）
  be of **particular** importance/significance（特に重要である）
  be of **particular** interest here（ここでは特に興味深い）
  merit **particular** attention（特に注目に値する）
  there is no **particular** reason to assume that S+V（–と仮定する理由は特にない）

particularity /pərtɪkjulǽrəti/ 图 特殊性，特色，詳細
  the **particularities** of tradition（伝統の特色）
  the **particularities** of American history（アメリカ史の詳細）
  the disregard of such **particularities**（このような特色の無視）
  given the **particularity** of this phenomenon（この現象の特殊性を挙げれば）
  emphasize cultural **particularities**（文化的特色を強調する）

470 partly /pá:rtli/ 副 部分的に, 少し, ひとつには

《使用例》

a **partly** different view（少し異なった考え方）
be **partly** motivated by this process
　　（このプロセスによって部分的に動機づけられる）
be **partly** distinct from the former（前者とは部分的に異なる）
partly because of this principle（ひとつにはこの原理のために）
this is **partly** because S+V（これはひとつには－するためである）

《関連語彙 A》

part /pá:rt/ 名 部分
　a **part** of this research（この研究の一部）
　at least in **part**（少なくとも部分的には）
　for the most **part**（大部分において）
　in **Part** 5（第5部では）
　become **part** of this area（この領域の一部になる）
　be not **part** of the structure（その構造の一部ではない）
　be divided into three **parts**（3つの部分に分割される）

471 peculiar /pəkjú:ljər/ 形 特有の, 独特の

《使用例》

this **peculiar** concept（この独特な概念）
its **peculiar** feature（その独特の特徴）
a phenomenon **peculiar** to this interpretation（この解釈に特有の現象）
be **peculiar** to metaphorical expressions（比喩表現に特有である）
be not **peculiar** to this disease（この病気に特有ではない）
bring about this **peculiar** effect（この独特の効果をもたらす）

《関連語彙 A》

peculiarity /pəkju:liǽrəti/ 名 特性, 特色
　other **peculiarities**（その他の特性, その他の特色）
　such important **peculiarities**（このような重要な特性）
　one of the **peculiarities** of this group（このグループの特色の1つ）
　one more **peculiarity** is that S+V（もう1つの特色としては－ということが挙げられる）
　this **peculiarity** is explicitly captured（この特性は明確に捉えられる）

《関連語彙 B》

unique /ju:ní:k/ 形 独特の, 特有の
　a **unique** portrayal（独特の描写）

this **unique** approach（この独特のアプローチ）
a **unique** theory of communication（独特のコミュニケーション論）
a phenomenon **unique** to Japanese culture（日本文化に特有の現象）
in a **unique** way（独特に）
be quite/rather **unique**（かなり独特である）
be not necessarily **unique**（必ずしも独特ではない）
have a **unique** role（独特の役割を持っている）
be **unique** to this genre（このジャンルに特有である）

uniquely /juːníːkli/ 副 独特に, 独自に, 唯一的に
a **uniquely** human capacity（人間特有の能力）
be defined **uniquely** / be **uniquely** defined（独特に定義される, 独自に定義される）
can be **uniquely** determined（独自に決定できる）
be **uniquely** identifiable（唯一的に同定可能である）

uniqueness /juːníːknəs/ 名 唯一性, 独特さ
this fundamental **uniqueness**（この基本的唯一性）
the **uniqueness** of the image（そのイメージの独特さ）
the notion of **uniqueness**（唯一性という概念）
because of lack of **uniqueness**（唯一性の不足のために）

472 □ **percentage** /pərséntidʒ/ 名 割合, 比率

《使用例》
this high **percentage**（この高い割合）
the **percentage** of review articles（書評論文の割合 / 比率）
a small **percentage** of the readers（読者の少数）
a large **percentage** of the participants（研究協力者の大多数）
a low **percentage** of adjectives（形容詞の少数）
a high **percentage** of phrasal verbs（句動詞の大部分）
the **percentage** of correct answers were 32 %（正解の割合は32%だった）

《関連語彙 A》
percent /pərsént/ 名 パーセント
about 7.5 **percent**（約 7.5 パーセント）
only 5 **percent**（たったの5パーセント）
39 **percent** of the cases（その事例の 39 パーセント）
one **percent** of the area（その面積の1パーセント）
be over 88 **percent**（88 パーセント以上である）
account for 90 **percent**（90 パーセントを占める）

473 □ **perfectly** /pə́ːrfiktli/ 副 完全に，完璧に

《使用例》

almost **perfectly**（ほぼ完璧に，ほぼ完全に）
be **perfectly** possible（完全に可能である）
work **perfectly** well（かなりよく機能する）
coincide **perfectly** with the guidelines above
　　（上記の指針と完全に一致している）
can be **perfectly** expressed by the notion
　　（その概念によって的確に表現できる）
it is **perfectly** clear that S+V（～ということは完全に明らかである）

《関連語彙 A》

perfect /pə́ːrfikt/ 形 完全な，完璧な
　a **perfect** apparatus（完璧な装置，完璧な道具立て）
　perfect examples of semantic extension（意味拡張の典型例）
　be nearly **perfect**（ほぼ完璧である）
　be not under **perfect** control（完全には制御できない）
　can be analyzed with **perfect** accuracy（極めて正確に分析できる）

perfection /pərfékʃən/ 名 完全，完璧
　a state of **perfection**（完全な状態，完璧な状態）
　the **perfection** of computer technology（コンピュータ技術の完璧さ）
　the **perfection** of abstract art（抽象芸術の極致）
　be near to **perfection** / be close to **perfection**（完璧に近い）
　be/fall short of **perfection**（完全ではない，完璧ではない）
　to great **perfection**（かなり完璧に，十全に）

474 □ **perform** /pərfɔ́ːrm/ 動 行う，果たす

《使用例》

perform an experiment（実験を行う）
perform an analysis of emotional expressions（感情表現の分析を行う）
perform a different function（別の機能を果たす）
the same operation is **performed**（同じ操作が行われる）
recent research **performed** by Paul W. London
　　（Paul W. London によって行われた最近の研究）

《関連語彙 A》

performance /pərfɔ́ːrməns/ 名 遂行，運用，性能，反応，振る舞い
　the **performance** of such an experiment（このような実験の遂行）

an analysis of linguistic **performance**（言語運用の分析）
compare the **performance** of these models（これらのモデルの性能を比較する）
have an effect on **performance**（遂行 / 運用に影響を与える）
predict the **performance** of participants（被験者の反応 / 振る舞いを予測する）

475 ☐ peripheral /pərífərəl/ 形 周辺的な，周辺の

《使用例》
peripheral members of a category（カテゴリーの周辺的成員）
peripheral attributes（周辺的な属性）
a highly **peripheral** case（かなり周辺的な事例）
be found in **peripheral** areas（周辺領域に見つけられる）
be **peripheral** in the sense that S+V（〜という意味で周辺的である）

《関連語彙 A》
periphery /pərífəri/ 名 周辺
the core-**periphery** organization（中心 / 周辺という構図）
the notions of center and **periphery**（中心・周辺という概念）
from the **periphery** of this category（このカテゴリーの周辺から）
at the **periphery** of the element（その要素の周辺に）
be limited to their **peripheries**（それらの周辺に限定される）

476 ☐ perspective /pərspéktiv/ 名 観点，視点

《使用例》
from a cognitive **perspective**（認知的観点から）
from a different **perspective**（別の観点から）
from two theoretical **perspectives**（2つの理論的観点から）
from the **perspective** of ABC theory（ABC 理論の観点から）
the role of **perspective**（視点の役割）
this change in **perspective**（この視点変化）
present a new **perspective** on psychology（心理学に新しい視点をもたらす）

477 ☐ persuasive /pərswéisiv/ 形 説得力のある

《使用例》
a **persuasive** argument（説得力のある議論）
a **persuasive** critique（説得力のある批判）
a more **persuasive** case（より説得力のある事例）
be particularly **persuasive**（特に説得力がある）

this theoretical tool is **persuasive**（この理論的道具立ては説得力がある）

《関連語彙A》

persuasively /pərswéisivli/ 副 納得できるように，説得的に
　more **persuasively**（より納得できる形で，より説得的に）
　quite **persuasively**（かなり説得的に）
　explain this principle **persuasively**（納得できるようにこの原理を説明する）
　should be **persuasively** discussed（納得できるように議論されるべきである）

persuasion /pərswéiʒən/ 名 説得，説得力
　a means of **persuasion**（説得の方法）
　a process of **persuasion**（説得のプロセス）
　the rhetoric of **persuasion**（説得の修辞学）
　be counterproductive to **persuasion**（説得には逆効果である）
　with considerable **persuasion**（かなりの説得力で）

478 □ pertain /pərtéin/ 動 関係する，関連する

《使用例》

pertain to social factors（社会的要因と関係している）
pertain to all mental processes（全ての心的プロセスと関係がある）
pertain primarily to these phenomena（主としてこれらの現象と関係がある）
scientific research **pertaining** to this issue（この問題に関する科学的研究）
everything **pertaining** to life（人生に関する全てのもの）

479 □ pertinent /pə́:rtənənt/ 形 関係している，妥当な，適切な

《使用例》

several **pertinent** issues（いくつかの関連する問題）
a **pertinent** observation（妥当な見解,適切な見解）
a summary of **pertinent** literature（関連文献の要約）
be especially **pertinent** to the discussion here
　（ここでの議論と特に関係がある）
be little **pertinent** to these notions（これらの概念とはほとんど関係がない）
be not **pertinent** here（ここでは関係がない）
an issue **pertinent** to this study（この研究と関係がある問題）
it is **pertinent** to note that S+V（－に注意することが肝要である）

480 □ pervasive /pərvéisiv/ 形 広範な，一般的な

《使用例》

a **pervasive** principle of human cognition（人間認知の一般的な原理）
a **pervasive** pattern of experience（広範に見られる経験パターン）
be quite **pervasive**（かなり一般的である）
be **pervasive** in everyday life（日常生活において広範に見られる）
be **pervasive** in historical linguistics（歴史言語学において広範に見られる）

《関連語彙 A》

pervasively /pərvéisivli/ 副 広範に，一般に，一般的に
　quite/very **pervasively**（かなり広範に）
　a **pervasively** applied principle（広範に適用される原理）
　be observed **pervasively**, be **pervasively** observed（広範に観察される）
　it is **pervasively** acknowledged that S+V（～ということが一般に認められている）

pervade /pərvéid/ 動 浸透する
　pervade our everyday life（我々の日常生活に浸透している）
　pervade all aspects of socialism（社会主義のあらゆる側面に浸透している）
　pervade German literature as well（ドイツ文学にも浸透している）
　be **pervaded** with various problems（様々な問題で満たされている）

pervasion /pərvéiʒən/ 名 浸透，普及
　the **pervasion** of capitalism（資本主義の浸透）
　the gradual **pervasion** of cellular phones（携帯電話の段階的な普及）
　in spite of its **pervasion**（その浸透/普及にも関わらず）
　with the **pervasion** of personal computers（パソコンの普及に伴って）

pervasiveness /pərvéisivnəs/ 名 浸透性，普及
　the **pervasiveness** of such a pattern（このようなパターンの普及）
　show the **pervasiveness** of this category（このカテゴリーの浸透性を示している）

《関連語彙 B》

prevailing /privéiliŋ/ 形 一般的な，広範に見られる
　a **prevailing** tendency（一般的な傾向）
　the **prevailing** pattern（その一般的なパターン）
　the **prevailing** view（その一般的な考え方）
　the currently **prevailing** philosophical theory（現在では一般的な哲学理論）
　the general principles **prevailing** in the framework
　　（その枠組みにおいて広範に見られる一般原理）
　be **prevailing** among scientists（科学者の間で広範に見られる）

---

481 ☐ **phase** /féiz/ 名 段階，側面

《使用例》
two **phases** of organization（2段階の構成）

the final **phase** of the event（その出来事の最終段階）
in the first **phase** of this process（このプロセスの第1段階で）
in the second **phase**（第2段階では）
result in a new **phase**（新しい段階を結果づける）
focus on the initial **phase**（その初期段階に着目する）
have three **phases**（3つの段階がある，3つの側面がある）

482 ☐ **phenomenon** /finɔ́mənɑn/ 名 現象（単数）

《使用例》

a social **phenomenon**（社会現象）
a haphazard **phenomenon**（でたらめな現象，偶然的な現象）
an instance of this **phenomenon**（この現象の一例）
explain this **phenomenon**（この現象を説明する）
be regarded as a marginal **phenomenon**（周辺現象として見なされる）
a similar **phenomenon** occurs（似たような現象が生じる）

《関連語彙 A》

phenomena /finɔ́mənə/ 名 現象（複数）
  other related **phenomena** / other relevant **phenomena**（他の関連現象）
  various interesting **phenomena**（様々な興味深い現象）
  a wide range of cognitive **phenomena**（多種多様な認知現象）
  the nature of linguistic **phenomena**（言語現象の性質）
  the rarity of the **phenomena** described（記述した現象の希少性）
  analyze these **phenomena**（これらの現象を分析する）

《関連語彙 B》

epiphenomenon /epifinɔ́mənən/ 名 随伴現象，付帯現象（単数）
epiphenomena /epifinɔ́mənə/ 名 随伴現象，付帯現象（複数）
  a natural **epiphenomenon**（自然な随伴現象）
  some **epiphenomena**（いくつかの随伴現象）
  an **epiphenomenon** of the process（そのプロセスの付帯現象）
  be only an **epiphenomenon**（単なる随伴現象に過ぎない）
  be regarded as an **epiphenomenon**（1つの付帯現象として見なされる）

483 ☐ **pioneering** /paiəníəriŋ/ 形 先駆的な

《使用例》

a **pioneering** article（先駆的な論文）
a **pioneering** cognitive scientist（先駆的な認知科学者）

Johnson's (2001) **pioneering** research（Johnson (2001) の先駆的な研究）
the **pioneering** work of Paul London（Paul London の先駆的研究）
in this **pioneering** study（この先駆的研究で）

《関連語彙 A》
pioneer /paiəníər/ 名 先駆者　動 開拓する，提唱する
　the **pioneer** of this approach（このアプローチの先駆者）
　one of the **pioneers** in cognitive musicology（認知音楽学の先駆者の1人）
　pioneer this paradigm（このパラダイムを開拓する）
　be **pioneered** by David Poland（David Poland によって提唱される）
　the method **pioneered** by Johnson (2000)（Johnson (2000) で提唱された方法）

484 □ **pitfall** /pítfɔːl/ 名 落とし穴

《使用例》
the **pitfalls** of a traditional analysis（伝統的な分析の落とし穴）
a means for the avoidance of **pitfalls**（落とし穴を避ける方法）
to avoid analytical **pitfalls**（分析レベルの落とし穴を避けるために）
avoid the **pitfall** of redundancy and obscurity
　（余剰性と曖昧性という落とし穴を避ける）
present many **pitfalls**（多くの落とし穴を提示する）

485 □ **pivotal** /pívətl/ 形 中心的な，重要な

《使用例》
pivotal concepts / **pivotal** notions（中心的概念, 重要概念）
a **pivotal** term（重要な用語）
a **pivotal** element（重要な要素）
a **pivotal** factor（中心的な要因）
another **pivotal** article（別の重要な論文）
be not **pivotal** to the argument here（ここでの議論には重要でない）

《関連語彙 A》
pivot /pívət/ 名 要点，核心　形 中心的な　動 依存する
　the **pivot** of this problem（この問題の要点, この問題の核心）
　the **pivot** of London's (2006) framework（London(2006) の枠組みの核心）
　this **pivot** element（この中心的要素）
　the **pivot** role of these elements（これらの要素の中心的な役割）
　pivot on this correspondence（この対応関係に依存している）

pivotally /pívətəli/ 副 中心的に

quite **pivotally**（かなり中心的に）
be **pivotally** important（かなり重要である）
function **pivotally** in the process（その過程において中心的に機能する）
be **pivotally** located（中心に位置づけられる）

486 □ **plausible** /plɔ́:zəbl/ 形 妥当な

《使用例》

a **plausible** working hypothesis（妥当な作業仮説）
be empirically **plausible**（経験的に妥当である）
be highly **plausible**（かなり妥当である）
it is **plausible** to assume that S+V（－と仮定するのは妥当である）
it is more **plausible** to assume that S+V（－と仮定する方が妥当である）
it would be **plausible** to conclude that S+V
　　（－と結論づけるのが妥当であろう）
this generalization seems **plausible**（この一般化は妥当なように思える）

《関連語彙 A》

plausibility /plɔ:zəbíləti/ 名 妥当性
　the **plausibility** of this theory（この理論の妥当性）
　the issue of cognitive **plausibility**（認知的妥当性の問題）
　demonstrate the **plausibility** of this model（このモデルの妥当性を示す）
　question the **plausibility** of XYZ theory（XYZ 理論の妥当性を疑問視する）
　test the **plausibility** of this hypothesis（この仮説の妥当性を検証する）

487 □ **pointless** /pɔ́intlis/ 形 的外れの

《使用例》

a **pointless** debate（的外れな議論）
pointless comments（的外れなコメント）
such **pointless** criticisms（このような的外れの批判）
be quite/rather **pointless**（かなり的外れである）
be completely **pointless**（完全に的外れである）
it would be **pointless** to do（－するのは的外れであろう）

《関連語彙 A》

point /pɔ́int/ 名 点　動 指摘する（out とともに）
　a weak **point** of this theory（この理論の弱点）
　at this **point**（この時点では，現時点では）
　from a historical **point** of view（歴史的観点から）

be to the **point**（適切である）
serve as a **point** of departure（出発点として機能する）
can be reduced to the following three **points**:（以下の3点にまとめることができる）
this **point** is taken up later（この点は後で取り上げられる）
Johnson (2007) **points** out that S+V（Johnson (2007) は−ということを指摘している）
it should be **pointed** out that S+V（−ということが指摘されるべきである）

pinpoint /pínpɔint/ 動 正確に指摘する　形 正確な，精密な
　pinpoint this mechanism（このメカニズムを正確に指摘する）
　be **pinpointed** in Section 5（第5節で正確に指摘されている）
　it is not possible to **pinpoint** these differences
　　（これらの相違を正確に指摘することは不可能である）
　a **pinpoint** answer（正確な答え，的を射た解答）
　this **pinpoint** analysis（この精密な分析）

488 □ **portion** /pɔ́ːrʃən/ 名 部分，一部

《使用例》
a **portion** of the discourse（その談話の一部）
portions of this research（本研究の一部）
the upper **portion** of Figure 3（図3の上部）
the remaining **portions** of the structure（その構造の残りの部分）
a large **portion** of knowledge（知識の大部分，大部分の知識）
in the subsequent **portion** of (10)（(10) の後続部分で）
be divided into two **portions**（2つの部分に分割される）

489 □ **pose** /póuz/ 動 提起する，課す

《使用例》
pose serious problems for this model
　（このモデルに深刻な問題を課している）
pose a difficulty for ABC theory（ABC 理論に1つの問題を課している）
pose numerous descriptive challenges（様々な記述的難題を課している）
have **posed** another question（別の問題を提起してきた）
the question **posed** at the beginning of the section
　（本節の冒頭で提起した問題）
a number of problems are **posed**（多くの問題が提起される）

《関連語彙 A》
raise /réiz/ 動 提起する，高める

raise the following issues（次のような問題を提起する）
raise further questions（さらなる疑問を提起する）
raise a serious problem for this analysis（この分析に深刻な問題を提起する）
a question to **raise** here（ここで提起すべき問題）
the argument **raised** in Johnson (2000)（Johnson(2000)で提起された議論）
have been **raised** by psychologists（心理学者によって提起されてきた）
raise the possibility that S+V（−という可能性を高める）
raise awareness of this issue（この問題の認識を高める）

490 □ posit /pázit/ 動 仮定する

《使用例》

posit the existence of this pattern（このパターンの存在を仮定する）
posit a universal, exceptionless principle
　（普遍的で例外のない原理を仮定する）
be not **posited**（仮定されていない）
if this structure is **posited**（この構造が仮定される場合）
it can be **posited** that S+V（−ということが仮定できる）
this theory **posits** that S+V（この理論は−ということを仮定している）
three elements are **posited** in this case
　（この場合，3つの要素が仮定される）

491 □ position /pəʃíʃən/ 名 立場，見解，位置

《使用例》

these theoretical **positions**（これらの理論的立場）
according to this philosophical **position**（この哲学的見解によると）
in order to criticize this **position**（この立場を批判するためには）
take the opposite **position**（それとは正反対の立場を取る）
occupy the initial **position**（最初の位置を占める）
be placed in the final **position**（最後の位置に置かれる）
there are three reasons for taking this **position**
　（この立場を取るのには3つの理由がある）

《関連語彙 A》

position /pəʃíʃən/ 動 置く，配置する，位置づける
　position the adverb sentence-finally（その副詞を文末に置く）
　be **positioned** centrally（中心に配置される，中央に配置される）
　be **positioned** at the border between ABC and XYZ

　　　　（ABCとXYZの境界に配置される）
　　be **positioned** outside of the area（その領域外に置かれる）
　　be **positioned** as an important element（1つの重要な要素として位置づけられる）
　　the item **positioned** at the top of the list（そのリストの先頭に置かれた項目）

《関連語彙B》

stance /stæns/ 名 立場
　　a neutral **stance**（中立的な立場）
　　such contradictory **stances**（このような矛盾した立場）
　　the only possible **stance**（ありうる唯一の立場）
　　a broad range of **stances**（多種多様な立場）
　　the **stance** taken by Johnson (2005)（Johnson(2005)によって取られる立場）
　　reflect this **stance**（この立場を反映している）
　　adopt a clearer **stance**（より明確な立場を取る，採用する）
　　take a highly ambiguous **stance** toward(s) such phenomena
　　　　（このような現象に対してかなり曖昧な立場を取る）

attitude /ǽtitju:d/ 名 態度，立場
　　a negative **attitude**（否定的な態度）
　　more traditional **attitudes**（より伝統的な立場）
　　this kind of **attitude**（この種の態度 / 立場）
　　the complexity of **attitudes**（態度 / 立場の複雑性）
　　student **attitudes** on/about/regarding smoking cessation
　　　　（禁煙に関する学生の態度）
　　take a positive **attitude** toward(s) new technology
　　　　（新しい科学技術に対して積極的な態度を取る）
　　adopt the same theoretical **attitude**（同じ理論的立場を取る）

492 □ **possibility** /pɔsəbíləti/ 名 可能性

《使用例》

the **possibility** of this theoretical framework（この理論的枠組みの可能性）
the **possibility** of adopting other models（他のモデルを採用する可能性）
another **possibility** is to do（別の可能性としては−することが挙げられる）
consider the **possibility** that S+V（−という可能性について検討する）
open up new **possibilities** for future research
　　（今後の研究に向けて新たな可能性を切り開く）
there are various **possibilities**（様々な可能性がある）
there is no **possibility** of contradiction（矛盾 / 反論の可能性はない）

《関連語彙A》

possible /pάsəbl/ 形 可能な，ありうる
　other **possible** interpretations（他のありうる解釈）
　as naturally as **possible**（できるだけ自然に，できる限り自然に）
　be not **possible** in this case（この場合は不可能である）
　it is also **possible** to do（−することも可能である）
　it becomes **possible** to do（−することが可能になる）
　it would be hardly **possible** to do（−するのはほとんど不可能であろう）

impossible /impάsəbl/ 形 不可能な
　be unequivocally **impossible**（明らかに不可能である）
　seem almost **impossible**（ほとんど不可能なように思える）
　it is nearly **impossible** to do（−するのはほとんど不可能である）
　it would be virtually **impossible** to do（−するのは実際には不可能であろう）
　it is difficult if not **impossible** to do（−するのは不可能ではないが難しい）
　this makes it **impossible** to do（このことは−することを不可能にする）
　this interpretation is **impossible**（この解釈は不可能である）
　this is not **impossible**（これは不可能ではない）

493 □ **postulate** /pάstʃuleit/ 動 仮定する
　　　　　　　　　　/pάstʃulət, pάstʃuleit/ 名 仮定

《使用例》
postulate this distinction（この区分を仮定する）
without **postulating** this principle（この原理を仮定することなく）
be not **postulated**（仮定されていない）
have also been **postulated** in other studies（他の研究でも仮定されてきた）
Johnson (2002) **postulates** that S+V
　（Johnson (2002)は−ということを仮定している）
the **postulate** that S+V（−という仮定）

《関連語彙 A》
postulation /pɔstʃuléiʃən/ 名 仮定
　this ad hoc **postulation**（このその場限りの仮定，このアドホックな仮定）
　the existing **postulations**（その既存の仮定）
　the **postulation** of this cognitive principle（この認知原理の仮定）
　the merits of this **postulation**（この仮定の利点）
　the **postulations** made here（ここで成された仮定）
　require Poland's (2004) **postulation**（Poland(2004)の仮定を必要とする）

494 □ **precede** /prisíːd/ 動 先行する，優先する

《使用例》

precede the latter principle（後者の原理に優先する）
an element that **precedes** it（それに先行する要素）
in what **precedes**（上記では）
the subject **precedes** the verb（主語は動詞に先行する）
be usually **preceded** by formal properties
　　（形式的特性によって通常は先行される）

《関連語彙 A》

precedence /présədəns, prisíːdəns/ 图 優先，先行性
　the **precedence** of these conditions（これらの条件が優先されること）
　the **precedence** of Principle B over Principle A
　　（原理 A よりも原理 B を優先すること）
　take **precedence** over other principles
　　（その他の原理よりも優先される，その他の原理よりも重要である）
　give **precedence** to Pattern A over Pattern B
　　（パターン B よりもパターン A を優先する）
　be different in temporal **precedence**（時間的先行性において異なる）

preceding /prisíːdiŋ/ 圏 先述の，前述の
　the **preceding** analysis（先述の分析）
　the **preceding** questions（前述の問題）
　in the **preceding** discussion（先述の議論では）
　in the **preceding** section（前節では）
　in contrast to the **preceding** examples（先程の事例とは対照的に）

495 □ **precisely** /prisáisli/ 副 正確には，正確に，まさに

《使用例》

more **precisely**（より正確には）
in **precisely** this sense（正確にはこの意味で）
precisely because of limited space（正確には紙幅の都合で）
calculate the number of verbs **precisely**（動詞の数を正確に計算する）
should be defined more **precisely**（より正確に定義されるべきである）
be **precisely** the essence of this analysis（まさにこの分析の本質である）
be not **precisely** the same as (8c)（正確には (8c) とは同じではない）
this is not **precisely** the case（これは正確には正しくない）

《関連語彙 A》

precise /prisáis/ 圏 正確な
　a **precise** definition of this notion（この概念の正確な定義）

the **precise** distance between ABC and XYZ（ABCとXYZの間の正確な距離）
be highly **precise**（かなり正確である）
lack **precise** definition（正確な定義を欠いている）
to be more **precise**（より正確には）
in a **precise** manner（正確に）

precision /prisíʒən/ 名 正確さ
the **precision** of tools（道具立ての正確さ）
the **precision** of the experiments（その実験の正確さ）
with sufficient/great **precision**（かなり正確に）
because of its **precision**（その正確さのために）
in order to give **precision** to the analysis（その分析を正確なものにするためには）
portray this situation with **precision**（この状況を正確に描写する）
can be answered with **precision**（正確に答えることができる）

496 □ **preclude** /priklú:d/ 動 除外する，排除する

《使用例》
preclude the possibility that S+V（－という可能性を除外する）
preclude the existence of barriers（障壁の存在を排除する）
this does not **preclude** that S+V（これは－ということを除外してはいない）
this pattern is **precluded**（このパターンは除外される）

《関連語彙A》
preclusion /priklú:ʒən/ 名 除外，排除
the **preclusion** of experts（専門家の排除）
the absolute **preclusion** of subjectivism（主観主義の完全なる排除）
a rule of **preclusion**（除外規則，排除規則）
in spite of these **preclusions**（これらの除外／排除にも関わらず）

preclusive /priklú:siv/ 形 排除的な，除外的な
its **preclusive** mechanism（その排除メカニズム）
this **preclusive** principle（この排除原理，この除外原理）
for **preclusive** purposes（除外目的で，排除目的で）
be **preclusive** of other rules（その他の規則を除外している）

497 □ **predictable** /pridíktəbl/ 形 予測できる，予測可能な

《使用例》
a completely **predictable** result（完全に予測可能な結果）
predictable correspondences（予測可能な対応関係）
in **predictable** ways（予測可能な形で）

be fully **predictable** from this principle（この原理から完全に予測できる）
be not strictly **predictable**（厳密には予測可能ではない）
be more or less **predictable**（多かれ少なかれ予測可能である）

《関連語彙 A》

predict /pridíkt/ 動 予測する
　predict the order of presentation accurately（提示順序を正確に予測する）
　as **predicted**（予測通りに，予測の通り）
　as **predicted** by this model（このモデルによって予測されるように）
　on the basis of this **predicted** pattern（この予測されたパターンに基づいて）
　a similar process is **predicted** in this case
　　（この場合にも同様のプロセスが予測される）
　it is therefore **predicted** that S+V（従って−ということが予測される）

prediction /pridíkʃən/ 名 予測
　experimentally testable **predictions**（実験によって検証可能な予測）
　the **predictions** presented here（ここで提示された予測）
　the accuracy of this **prediction**（この予測の正確さ）
　in order to obtain accurate **predictions**（正確な予測を得るためには）
　be in line with this **prediction**（この予測と一致している）
　make the same **predictions** about the developmental pattern
　　（その発達パターンについて同じ予測をする）

predictably /pridíktəbli/ 副 予測通りに
　predictably enough（まさに予測通りに）
　behave **predictably**（予測通りに振る舞う）
　may not proceed **predictably**（予測通りに進まないかも知れない）

《関連語彙 B》

unpredictable /ʌnpridíktəbl/ 形 予測できない
　unpredictable elements（予測できない要素）
　be basically **unpredictable**（基本的に予測できない）
　be **unpredictable** from these structures（これらの構造からは予測できない）

unpredictably /ʌnpridíktəbli/ 副 予想外に
　be **unpredictably** explainable（予想外に説明できる）
　be **unpredictably** interesting（予想外に興味深い）
　for an **unpredictably** long time（予想外に長い間）

498 □ **predominantly** /pridɔ́mənəntli/ 副 主として，圧倒的に，大部分において

《使用例》

be **predominantly** tacit（大部分において暗黙である）

be **predominantly** used（主として用いられる, 圧倒的に用いられる）
be derived **predominantly** from Principle B
　（主として原理 B から引き出される）
appear/occur **predominantly** in this case（この場合には圧倒的に生起する）
focus **predominantly** on this issue（主としてこの問題に着目する）

《関連語彙 A》

predominant /pridɔ́mənənt/ 形 支配的な, 有力な, 主な
　its **predominant** area（その支配領域）
　a **predominant** theoretical framework（有力な理論的枠組み）
　these **predominant** patterns（これらの主要パターン）
　the **predominant** cause of this problem（この問題の主な原因）
　on the **predominant** view（その有力な考え方では）
　spatial concepts are **predominant**（空間概念が支配的である）

predominance /pridɔ́mənəns/ 名 優位, 支配
　this overwhelming **predominance**（この圧倒的な優位）
　the **predominance** of temporal concepts（時間概念の支配）
　lead to a **predominance** of negative structures（否定構造の優位につながる）

499 □ **preliminary** /prilímənəri/ 形 予備的な　名 予備知識, 序文

《使用例》

a **preliminary** survey（予備調査）
a **preliminary** study of discourse production（談話産出の予備的研究）
Preliminary Remarks（序言, 緒言, はじめに）
in a **preliminary** way（予備的に）
during **preliminary** stages（予備段階の間は）
should be considered **preliminary**（予備的であると考えられるべきである）
two important **preliminaries**（2 つの重要な予備知識）
Preliminaries（予備知識, 序文）

《関連語彙 A》

preface /préfəs/ 名 序文, はしがき
　in the **preface**（序文で, はしがきで）
　in the **preface** to this book（本書の序文において）
　in the **preface** of Section 2（第 2 節の序文で）
　together with the **preface**（序文とともに）
　be mentioned in the **preface**（はしがきで言及されている）
　the following is taken from the **preface**:（以下は序文から取られている）

500 ☐ **premature** /pri:mətʃúər/ 形 時期尚早の，早計な，未熟な

《使用例》
a **premature** conclusion（早計な結論）
be certainly **premature**（明らかに時期尚早である，確かに早計である）
it is **premature** to discuss Poland's (2003) framework
　（Poland (2003)の枠組みについて議論するのは時期尚早である）
this proposal is **premature** for two reasons
　（この提案は2つの理由で未熟である）
this synthesis would be **premature**（この統合は時期尚早であろう）

《関連語彙 A》
prematurely /pri:mətʃúəli/ 副 早計に，早まって
　accept this position **prematurely**（早計にこの立場を受け入れる）
　the principle abandoned **prematurely**（早まって放棄された原理）
　may be interpreted **prematurely**（早まって解釈されるかも知れない）
　should not be **prematurely** judged（早計に判断すべきではない）

501 ☐ **premise** /prémis/ 名 前提

《使用例》
a mistaken **premise**（間違った前提）
the **premises** underlying this investigation（本研究の背景にある前提）
based on the **premise** that S+V（－という前提に基づいて）
arise from these general **premises**（これらの一般的前提から生じる）
these basic **premises** are obviously false
　（これらの基本的前提は明らかに間違っている）

《関連語彙 A》
precondition /pri:kəndíʃən/ 名 前提条件
　a fundamental **precondition**（基本的な前提条件）
　the **preconditions** discussed in the previous section（前節で議論された前提条件）
　impose a **precondition** on the operation（その操作に前提条件を課す）
　be regarded as a **precondition**（1つの前提条件として見なされる）
　be not a **precondition** for interaction（相互作用の前提条件ではない）

502 ☐ **prerequisite** /prirékwəzit/ 名 前提条件

《使用例》
the only **prerequisite**（唯一の前提条件）

theoretical **prerequisites**（理論的な前提条件）
a **prerequisite** for doing（－するための前提条件）
an important **prerequisite** for language development
　（言語発達の重要な前提条件）
have several **prerequisites**（いくつかの前提条件がある）
be seen as a **prerequisite** for temporality
　（時間性の前提条件として考えられる）

《関連語彙A》

requisite /rékwəzit/ 形 必要な，不可欠な　名 要件，必須条件，必要なこと
　one of the **requisite** processes（必要なプロセスの1つ）
　the amount **requisite** to do（－するために必要な量）
　be **requisite** for doing（－するのに必要である，－するのに不可欠である）
　contain all the **requisite** elements（必要な要素を全て含んでいる）
　this ability is also **requisite**（この能力も必要である，この能力も不可欠である）
　the first **requisite**（第一の要件，第一の必須条件）
　be an obvious **requisite**（明らかに必要なことである）

---

503 ☐ **presentation** /prèzəntéiʃən/ 名 提示，発表

《使用例》

the **presentation** of conceptual structures（概念構造の提示）
the order of **presentation**（提示順，提示順序）
via a **presentation** of new evidence（新たな証拠の提示を通して）
be commonly used in visual **presentations**
　（視覚的提示において一般に用いられる）
the purpose of this **presentation**（本発表の目的）
an oral **presentation**（口頭発表）
a 30-minute conference **presentation**（30分間の学会発表）

《関連語彙A》

present /prizént/ 動 提示する
　present a theory of communication（コミュニケーション論を提示する）
　present data from Johnson (2007)（Johnson(2007)からデータを提示する）
　the model **presented** in Figure 2（図2で提示されたモデル）
　be **presented** in this order（この順序で提示される）
　be also **presented** in Section 5（第5節でも提示される）
　the results are **presented**（その結果が提示される）

present /préznt/ 形 ここでの，存在する

the aim of the **present** study（本研究の目的）
in the **present** paper（本稿では，本論文では）
be sufficient for the **present** purpose（ここでの目的では十分である）
be not relevant to the **present** discussion（ここでの議論とは関係がない）
lie beyond the scope of the **present** article（本稿の範囲を超えている）
be not **present** in French（フランス語には存在しない）

presence /prézəns/ 名 存在
the **presence** of Principle A（原理 A の存在）
the co-**presence** of these models（これらのモデルの共存）
regardless of its **presence**（その存在にも関わらず）
indicate the **presence** of carbon dioxide（二酸化炭素の存在を示す）
depend on the **presence** of both（両方の存在に依存している）

presently /prézntli/ 副 現在，現時点では，目下
be **presently** unclear（現時点では不明である）
be **presently** the case（現時点では正しい）
be **presently** concerned with the latter mechanism
　（目下，後者のメカニズムに関心がある）
a question that is **presently** debated（現在議論されている問題）
the topic **presently** under discussion（目下議論中のトピック）

《関連語彙 B》

publish /pʌ́bliʃ/ 動 発表する，刊行する，出版する
publish these articles（これらの論文を発表する）
publish an academic journal（学術雑誌を刊行する）
publish many academic books（多くの学術書を出版する）
these **published** papers（これらの刊行論文）
an article **published** in *Studies in Sociolinguistics*
　（『社会言語学研究』に発表された論文）
be **published** quarterly（年に 4 回刊行される）

publication /pʌblikéiʃən/ 名 出版物，刊行物，出版，発表
academic **publications**（学術刊行物）
a number of key/major **publications**（多くの主要出版物）
a recent **publication** on the topic（そのトピックに関する最近の出版物）
have been presented in several **publications**（いくつかの刊行物で発表されてきた）
the year of **publication**（出版年，発表年）
prior to its **publication**（その出版の前に）

504 □ **presuppose** /pri:səpóuz/ 動 前提とする

《使用例》

presuppose this assumption（この仮定を前提としている）
presuppose the presence of nitrogen（窒素の存在を前提としている）
the theoretical position that is **presupposed** in the following
　（以下で前提とされる理論的立場）
such an account **presupposes** that S+V
　（このような説明は－ということを前提としている）
these traditional views are **presupposed** here
　（これらの伝統的な考え方がここでは前提とされている）

《関連語彙 A》

presupposition /priːsʌpəzíʃən/ 图 前提
　this common **presupposition**（この共通の前提）
　on the basis of these two **presuppositions**（これら2つの前提に基づいて）
　a **presupposition** is inherited（前提は継承される）
　there is a **presupposition** that S+V（－という前提がある）
　there is no **presupposition** that S+V（－という前提は何もない）

《関連語彙 B》

suppose /səpóuz/ 動 仮定する，考える
　suppose the following mechanism（次のようなメカニズムを仮定する）
　be **supposed** to be stable（安定していると考えられる）
　be more flexible than is generally **supposed**
　　（一般に仮定されているよりも柔軟である）
　have been **supposed** by many researchers（多くの研究者によって仮定されてきた）
　(let us) **suppose** that S+V（－と仮定してみよう）
　it can be **supposed** that S+V（－と仮定することができる）
　it is implausible/unreasonable to **suppose** that S+V
　　（－と仮定するのは妥当ではない）
　there is no reason to **suppose** that S+V（－と仮定する理由は何もない）

supposition /sʌpəzíʃən/ 图 仮定
　a plausible **supposition**（妥当な仮定）
　a consequence of the **supposition**（その仮定の帰結）
　on the **supposition** that S+V（－ということを仮定して）
　question these **suppositions**（これらの仮定を疑問視する）
　support the **supposition** that S+V（－という仮定を裏づける）
　if this **supposition** is correct（この仮定が正しい場合）

505 ☐ **previous** /príːviəs/ 形 先行の，これまでの

《使用例》

previous research on polysemy（多義性に関する先行研究）
in the previous section（前節では）
in the previous subsection（先程の下位セクションでは）
in previous studies/works（先行研究では，これまでの研究では）
unlike previous accounts（これまでの説明とは異なり）
be different from previous analyses（これまでの分析とは異なる）
be based on this previous research（この先行研究に基づいている）

《関連語彙A》
previously /príːviəsli/ 副 先に，これまで
  using the previously discussed method（先に議論された方法を用いて）
  as previously mentioned（先述の通り）
  have previously been understood as a kind of metaphor
    （これまで比喩の一種として理解されてきた）
  be less clear-cut than previously assumed
    （これまで仮定されてきたものほど明確ではない）

506 □ **primarily** /praimérəli/ 副 主として，おもに

《使用例》
be primarily concerned with this process
  （主としてこのプロセスに関心がある）
pertain primarily to this situation（おもにこの状況と関係がある）
focus primarily on interpersonal relationships
  （主として対人関係に着目する）
be primarily a matter of thought（主として思考の問題である）
be defined primarily in terms of semantic structure
  （おもに意味構造の観点から定義される）

《関連語彙A》
primary /práiməri/ 形 主要な，初期の，一次的な
  the primary cognitive mechanisms（その主要な認知メカニズム）
  a primary function of language（言語の主要機能の1つ）
  the primary objective of this paper（本稿の主目的）
  at the primary stages（その初期段階に）
  be of primary importance（最も重要である）
  this process is primary（このプロセスは一次的である）

507 □ **principal** /prínsəpəl/ 形 主要な，中心的な

《使用例》

two **principal** features（2つの主要な特徴）
this **principal** mechanism（この主要メカニズム）
the **principal** goal of this paper（本稿の主目的）
this **principal** structural relationship（この主要な構造的関係）
some of the **principal** issues in ABC theory
　（ABC理論における主要な問題のいくつか）
play a **principal** role in cultural development
　（文化の発達において中心的な役割を果たす）

《関連語彙A》

principally /prínsəpəli/ 副 主として，おもに
　be **principally** concerned with social problems（おもに社会問題に関心がある）
　be **principally** due to molecular motion（主として分子運動によるものである）
　arise **principally** from this process（主としてこのプロセスから生じている）
　these examples are **principally** from English
　　（これらの事例はおもに英語からのものである）
　Chapter 4 is **principally** devoted to the history of sciences
　　（第4章は主として科学史に充てられる）

508 □ **principle** /prínsəpl/ 名 原理

《使用例》

an explanatory **principle**（説明原理）
a general **principle**（一般原理）
another **principle** of coherence（もう1つの一貫性原理）
the basic **principles** of this framework（この枠組みの基本原理）
in terms of this **principle**（この原理の観点から）
as a matter of **principle**（原理上，原理の問題として）
according to the **principle** of economy（経済性の原理に従って）
be impossible in **principle**（原理上不可能である）
be governed by **Principle** B（原理Bによって支配される）

《関連語彙A》

principled /prínsəpld/ 形 一貫性のある，一定の原理に基づいた
　a **principled** account/explanation（一貫性のある説明）
　a **principled** theory（一貫性のある理論）
　in a **principled** manner/fashion（一貫した形で）
　in a more **principled** way（より一貫した形で）

a **principled** answer is provided（一貫性のある答えが提供される）

509 prior /práiər/ 形 先行の，これまでの　副 前に，以前に

《使用例》

prior to the 13th century（13 世紀以前に）
prior to this research（この研究以前には）
prior to beginning this study（本研究を始める前に）
in **prior** research（先行研究では）
these **prior** studies（これらの先行研究）
compared to **prior** models（これまでのモデルと比較して）

《関連語彙 A》

priority /praiɔ́:rəti/ 名 優先，優先事項
　the first **priority** in theoretical physics（理論物理学における最優先事項）
　take/have **priority** over Principle A（原理 A より優先される）
　put/place (a) **priority** on this rule（この規則を重要視する）
　give **priority** to Principle A over Principle B（原理 B よりも原理 A を優先する）
　this principle deserves **priority**（この原理が優先に値する）
　this problem must take top **priority**（この問題は最優先されなければならない）

510 probe /próub/ 動 調べる，調査する　名 調査

《使用例》

probe the relationship between ABC and XYZ
　（ABC と XYZ の関係を調べる）
probe into its developmental patterns（その発達パターンを調べる）
be **probed** via an interview（インタビューを通して調査される）
should be **probed** empirically（実証的に調べられるべきである）
a **probe** for doing（－するための調査）
conduct a **probe** of this phenomenon（この現象の調査を行う）

511 problematic /prɔbləmǽtik/ 形 問題のある

《使用例》

a highly **problematic** term（かなり問題のある用語）
some **problematic** cases（いくつかの問題のあるケース）
be similarly **problematic**（同様に問題である）
be hardly **problematic**（ほとんど問題にはならない）
be **problematic** in practice（実際には問題がある）

this is especially/particularly **problematic**（これは特に問題である）

《関連語彙 A》

problem /prɑ́bləm/ 名 問題
　more fundamental **problems**（より基本的な問題）
　the **problem** with this account（この説明の問題点）
　there are two **problems** with this proposal（この提案には2つの問題がある）
　the same **problem** arises（同じ問題が生じる）
　the **problem** here is that S+V（ここでの問題は−ということである）

unproblematic /ʌnprɑbləmǽtik/ 形 問題のない
　an **unproblematic** endeavor（問題のない試み）
　unproblematic cases（問題のないケース）
　be relatively **unproblematic**（比較的問題ない）
　be completely **unproblematic**（全く問題にならない）
　be essentially **unproblematic**（本質的には問題ない）
　be not **unproblematic**（かなり問題である）
　the former analysis is particularly **unproblematic**（前者の分析は特に問題ない）

《関連語彙 B》

problematize /prɑ́bləmətaiz/ 動 問題視する，問題と見なす
　problematize this position（この立場を問題視する）
　problematize the term（その用語を問題視する）
　problematize expert knowledge（専門知識を問題と見なしている）
　be more **problematized**（さらに問題視されている）
　have been **problematized**（問題視されてきた）

problematization /prɑbləmətaizéiʃən/ 名 問題化
　such a **problematization**（このような問題化）
　an extremely important **problematization**（極めて重要な問題化）
　this type of **problematization**（このタイプの問題化）
　the notion of **problematization**（問題化という概念）
　lead to a number of **problematizations**（多くの問題化につながる）

---

512 □ **procedure** /prəsíːdʒər/ 名 手順

《使用例》
　a **procedure** like this（このような手順）
　an experimental **procedure**（実験手順）
　a **procedure** for doing（−するための手順）
　the processing **procedure**（その処理手順）
　following the same **procedure**（同じ手順に従って）

to simplify the complex **procedure**（その複雑な手順を簡素化するために）

《関連語彙A》
procedural /prəsíːdʒərəl/ 形 手続き上の，手順の
  a **procedural** rule（手続き上の規則）
  a **procedural** error（手続上の間違い，手順の間違い）
  procedural constraints（手続き上の制約）
  these **procedural** issues（これらの手続き上の問題）
  because of **procedural** differences（手順の相違のために）

513 ☐ **proceed** /prəsíːd/ 動 進む

《使用例》
proceed from A to B（A から B へ進む）
as the simulation **proceeds**（そのシミュレーションが進むにつれて）
before **proceeding** to a discussion of this issue
  （この問題の議論へと進んでいく前に）
before **proceeding** to the next section（次節に進む前に）
this integration **proceeds** smoothly（この統合はスムーズに進む）

《関連語彙A》
proceeding /prəsíːdiŋ/ 名 発表論文集
  conference **proceedings**（大会発表論文集）
  edit the **proceedings**（その発表論文集を編集する）
  Proceedings of the ABC Symposium（ABC シンポジウムの発表論文集）
  Proceedings of the 3rd International Conference on Language Technology
    （第3回言語技術国際会議の大会発表論文集）

514 ☐ **profound** /prəfáund/ 形 深い

《使用例》
a very **profound** discussion（かなり深い議論）
a **profound** incompatibility between ABC and XYZ
  （ABC と XYZ の間の深い対立）
in this **profound** sense（この深い意味では）
be more **profound** than the latter（後者よりも深みがある）
have a **profound** influence on the decision
  （その決定に大きな影響を及ぼす）
there are **profound** differences between ABC and XYZ
  （ABC と XYZ の間には大きな違いがある）

《関連語彙 A》

profoundly /prəfáundli/ 副 深く，大いに
　more **profoundly**（より深く）
　be **profoundly** mistaken/false（かなり間違っている）
　be **profoundly** affected by this doctrine（この学説からの強い影響を受けている）
　be **profoundly** grounded in cultural models（文化モデルに深く根ざしている）
　may be **profoundly** modified（大幅に修正されるかも知れない）

profundity /prəfʌ́ndəti/ 名 深さ，深み
　a kind of **profundity**（一種の深み，一種の深さ）
　this **profundity** of relationship（この関係の深さ）
　the **profundity** of realism（現実主義の奥深さ）
　the quality of **profundity**（深みの質）
　account for its **profundity**（その深みを説明する）

515 □ profusion /prəfjúːʒən/ 名 多数，多量，豊富

《使用例》

a **profusion** of theoretical accounts（多くの理論的説明，様々な理論的説明）
a **profusion** of water（大量の水）
such a **profusion** of melodies（このような豊富なメロディー）
an enormous **profusion** of species（おびただしい数の生物種）
the **profusion** of tag questions（付加疑問文の豊富さ）

516 □ properly /prɑ́pərli/ 副 適切に，正確に

《使用例》

more **properly**（より正確には，より適切に）
properly speaking（正確に言えば）
understand this concept **properly**（この概念を正確に理解する）
be not yet **properly** understood（まだ適切に理解されていない）
need to be **properly** interpreted（適切に解釈される必要がある）
can be **properly** described in terms of this model
　（このモデルの観点から正確に記述できる）

《関連語彙 A》

proper /prɑ́pər/ 形 適切な，正確な
　the **proper** understanding of the universe（宇宙の正確な理解）
　the **proper** amount of exercise（適切な運動量，適度の運動）
　under **proper** conditions（適切な条件下では）
　be not the **proper** procedure（適切な手順ではない）

be not **proper** to political activities（政治活動にはふさわしくない）
it seems more **proper** to do（〜する方がより適切なように思える）

improper /imprɔ́pər/ 形 不適切な
an **improper** method（不適切な方法）
these **improper** models（これらの不適切なモデル）
in this **improper** case（この不適切な場合には）
be **improper** here（ここでは不適切である）
it is certainly **improper** to do（〜するのは明らかに不適切である）
it may be **improper** to do（〜するのは不適切であるかも知れない）

improperly /imprɔ́pərli/ 副 不適切に
quite **improperly**（かなり不適切に）
operate it **improperly**（それを不適切に操作する）
be **improperly** dealt with（不適切に取り扱われる，不適切に論じられる）
an **improperly** modified manuscript（適切に修正されていない原稿）

517 ☐ **property** /prɔ́pərti/ 名 特性

《使用例》
emergent **properties**（創発特性）
other functional **properties**（その他の機能特性）
a variety of structural **properties**（様々な構造特性）
a fundamental **property** of nouns（名詞の基本特性）
the general **properties** of natural language（自然言語の一般特性）
properties such as length and weight（長さや重さなどの特性）
have common **properties**（共通特性を持っている）
this **property** is preserved（この特性が保持される）

518 ☐ **proportional** /prəpɔ́ːrʃənl/ 形 比例の

《使用例》
the **proportional** relations between ABC and XYZ
　（ABC と XYZ の比例関係）
be **proportional** to the number of nouns（名詞の数に比例している）
be directly **proportional** to the quantity of electricity
　（電気の量に正比例している）
be inversely **proportional** to the amount of substance
　（物質量に反比例している）
with an intensity **proportional** to its velocity（その速度に比例する強さで）

英語論文重要語彙 717

《関連語彙 A》

proportion /prəpɔ́ːrʃən/ 名 割合，比率
  the **proportion** of women in ABC University
      （ABC 大学における女性の割合 / 比率）
  such a high/low **proportion**（このような高い / 低い割合）
  this **proportion** is 10 percent（この割合は 10% である）
  in the **proportion** of five to one（5 対 1 の割合で）
  in almost equal **proportions**（ほとんど同じ割合で）
  a large **proportion** of the utterances（その発話の大部分）
  be not in **proportion** to the number of students（学生の数に比例していない）
  be in inverse **proportion** to the amount of energy
      （エネルギーの量に反比例している）

proportionally /prəpɔ́ːrʃənəli/ 副 比例して，相対的に
  proportionally to its intensity（その強度に比例して）
  increase **proportionally** to the amount（その量に比例して増加する）
  decrease **proportionally** to the number of verbs（動詞の数に比例して減少する）
  proportionally more frequently（相対的により頻繁に）
  be **proportionally** higher（相対的により高い）

proportionality /prəpɔːrʃənǽləti/ 名 比例関係
  this **proportionality**（この比例関係）
  the **proportionality** between ABC and XYZ（ABC と XYZ の比例関係）
  the **proportionality** of ABC and XYZ（ABC と XYZ の比例関係）
  a **proportionality** is formed（比例関係が形成される）

《関連語彙 B》

proportionate /prəpɔ́ːrʃənət/ 形 比例の
  be **proportionate** to the size（そのサイズに比例している）
  be not **proportionate** to its length（その長さに比例していない）
  in a **proportionate** manner（比例するように）
  the **proportionate** relationship between ABC and XYZ
      （ABC と XYZ の比例関係）

proportionately /prəpɔ́ːrʃənətli/ 副 比例して
  decrease **proportionately**（それに比例して減少する）
  proportionately with its size（その大きさに比例して）
  increase **proportionately** to the amount of water（水の量に比例して増加する）

《関連語彙 C》

disproportionate /dìsprəpɔ́ːrʃənət/ 形 不釣合いの
  a **disproportionate** relationship（不釣合いな関係）
  this **disproportionate** representation（この不釣合いな表示）

be quite **disproportionate** to its width（その幅とかなり不釣合いである）
it is **disproportionate** that S+V（－というのは不釣合いである）

disproportionately /dìsprəpɔ́:rʃənətli/ 副 不釣合いに，極端に
 be **disproportionately** strict（不釣合いに厳密である）
 be **disproportionately** wide（極端に広い）
 a **disproportionately** short line（不釣合いに短い線）

519 □ propose /prəpóuz/ 動 提案する

《使用例》
propose such a hierarchy（このような階層を提案する）
propose a different approach（別のアプローチを提案する）
be **proposed** to distinguish between ABC and XYZ
 （ABC と XYZ を区分するために提案される）
the account **proposed** by Orwell (2003)
 （Orwell (2003) によって提案された説明）
Johnson (2005) **proposes** that S+V
 （Johnson (2005) は－ということを提案している）
it is **proposed** here that S+V（－ということがここでは提案されている）
a variety of principles have been **proposed** so far
 （様々な原理がこれまで提案されてきた）

《関連語彙 A》

proposal /prəpóuzəl/ 名 提案
 a similar **proposal**（似たような提案）
 be based on these **proposals**（これらの提案に基づいている）
 reject Johnson's (2008) **proposal**（Johnson (2008) の提案を却下する）
 come up with the **proposal** that S+V（－という提案を思いつく）
 under this **proposal**（この提案のもとでは）

proposition /prɔpəzíʃən/ 名 提案，主張
 a more specific **proposition**（より具体的な提案）
 a wide range of **propositions**（様々な提案）
 the general **proposition** that S+V（－という一般的主張）
 two contradictory **propositions**（2つの矛盾した主張）
 with respect to the latter **proposition**（後者の提案に関しては）
 adopt this **proposition**（この提案を採用する）

proponent /prəpóunənt/ 名 提唱者
 a/one **proponent** of this notion（この概念の提唱者の1人）
 proponents of ABC theory（ABC 理論の提唱者）

this view's **proponents**（この見解の提唱者）
by **proponents** of the approach（そのアプローチの提唱者によって）
among **proponents** of scientific theories（科学理論の提唱者の間で）
proponents contend that S+V（提唱者は−と主張している）

520 □ propound /prəpáund/ 動 提案する，提示する

《使用例》

propound a variety of approaches（様々なアプローチを提案する）
the notion **propounded** in this paper（本論文で提案された概念）
all the questions **propounded** by Johnson (2002)
（Johnson (2002) によって提示された全ての問題）
such a theory is already **propounded**
（このような理論は既に提案されている）
a number of doctrines have been **propounded**
（多くの学説が提案されてきた）

521 □ prove /prú:v/ 動 証明する，−が分かる

《使用例》

a way of **proving** the existence of God（神の存在を証明する方法）
be easy to **prove**（証明しやすい）
prove (to be) of negligible value（ほとんど価値がないことが分かる）
this experiment **proves** inconclusive
（この実験では結論が出ないことが分かる）
it **proves** extremely difficult to do（−するのはかなり難しいことが分かる）
Johnson (2002) **proves** that S+V
（Johnson (2002) は−ということを証明している）

《関連語彙 A》

proof /prú:f/ 名 証拠，証明
　abundant indirect **proof**（豊富な間接証拠）
　be not susceptible of **proof**（証明可能ではない，証明できない）
　this is **proof** that S+V（これは−という証拠である）
　there is little **proof** that S+V（−という証拠はほとんどない）
　there is further **proof** of this claim（この主張の証拠はさらにある）
　proof of this is presented in the next section（この証拠は次節で提示される）

disprove /disprú:v/ 動 論駁する，反証する
　disprove this assumption（この仮定を論駁する）

disprove the claim that S+V（-という主張を論駁する）
in order to **disprove** it（それを反証するためには）
cannot be **disproved** by the experiments（その実験では反証できない）
this hypothesis has been **disproved**（この仮説は論駁されてきた）

disproof /disprúːf/ 名 反証，反駁
　a similar **disproof**（似たような反証／反駁）
　be capable of **disproof**（反証できる，反駁できる）
　discuss the **disproof**（その反証について議論する）

《関連語彙 B》

proof /prúːf/ 名 校正刷り，校正原稿
　a final **proof**（最終校正原稿）
　a foundry **proof**（念稿原稿）
　the first **proof** of this paper（本稿の初校原稿）
　the second **proof** of this article（この論考の再校原稿）
　read the **proof**（その校正刷りを読む）

proofread /prúːfriːd/ 動 校正する
　proofread this manuscript（この原稿を校正する）
　be **proofread** quite carefully（かなり慎重に校正される）
　have the article **proofread** by someone（その論考を誰かに校正してもらう）
　a **proofread** version（校正版）

proofreading /prúːfriːdɪŋ/ 名 校正
　proofreading errors（校正上のミス）
　the final **proofreading** of this paper（本稿の最終校正）
　at the **proofreading** stage（校正段階で）
　in the first round of **proofreading**（初校において）

522 □ **purpose** /pə́ːrpəs/ 名 目的

《使用例》
the **purpose** of this book（本書の目的）
the main **purpose** of this paper（本稿の主目的）
for expository **purposes**（説明のために）
for all practical **purposes**（実際には）
for **purposes** of comparison（比較のために）
be used for this **purpose**（この目的で使用される）
be not relevant for the **purpose** at hand
　（ここでの目的においては関係がない）
the **purpose** here is to do（ここでの目的は-することである）

523 □ pursue /pərsúː, pərsjúː/ 動 探求する

《使用例》

pursue this issue further（この問題をさらに探求する）
pursue the idea that S+V（-という見解を探求する）
have hardly been **pursued**（ほとんど探求されてこなかった）
be worth **pursuing**（探求する価値がある）
the notion **pursued** by Poland (2002)
　（Poland (2002) によって探求された概念）
the latter idea is not **pursued**（後者の見解は探求されていない）

《関連語彙 A》

pursuit /pərsúːt, pərsjúːt/ 名 探求
　a worthwhile **pursuit**（価値ある探求）
　an academic **pursuit**（学術的探求）
　the **pursuit** of truth（真実の探求）
　even the **pursuit** of science（科学的探求でさえも）
　in these philosophical **pursuits**（これらの哲学的探求において）
　for the **pursuit** of these problems（これらの問題を探求するために）
　in **pursuit** of further evidence（さらなる証拠を求めて）

524 □ purview /pə́ːrvjuː/ 名 範囲

《使用例》

the **purview** of medicine（医学の範囲）
within the **purview** of the present research（本研究の範囲内で）
be beyond the **purview** of the present study（本研究の範囲を超えている）
be clearly beyond the **purview** of this study
　（本研究の範囲を明らかに超えている）
expand its **purview**（その範囲を拡大する）

525 □ qualitative /kwɔ́lətèitiv/ 形 質的な

《使用例》

conduct **qualitative** research（質的研究を行う）
reflect these **qualitative** differences（これらの質的相違を反映している）
from a **qualitative** point of view（質的観点から）
through such a **qualitative** analysis（このような質的分析を通して）
in order to capture **qualitative** changes（質的変化を捉えるためには）

there is a **qualitative** distinction between ABC and XYZ
（ABC と XYZ の間には質的な違いがある）

《関連語彙 A》
quality /kwɔ́ləti/ 图 質，性質，特性
　contradictory **qualities**（矛盾した性質，矛盾した特性）
　changes in voice **quality**（声質の変化）
　a high-**quality** article（質の高い論文）
　the **quality** of sound（音質）
　be diverse in **quality**（質において多様である）
　enhance the **quality** of this model（このモデルの質を高める）

qualitatively /kwɔ́ləteitivli/ 副 質的に
　a **qualitatively** different structure（質的に異なった構造）
　both **qualitatively** and quantitatively（質的にも量的にも）
　be **qualitatively** quite distinct（質的にかなり異なっている）
　be **qualitatively** evaluated（質的に評価される）
　be **qualitatively** the same as (10)（質的には(10)と同じである）

526 □ **quantitative** /kwɔ́ntəteitiv/ 形 量的な，計量的な

《使用例》
a **quantitative** study（計量的研究）
a **quantitative** approach（量的アプローチ, 計量的アプローチ）
a **quantitative** analysis of auxiliary verbs（助動詞の計量的分析）
quantitative data（計量的データ）
in **quantitative** terms（量的観点から）
in a **quantitative** sense（計量的な意味では）

《関連語彙 A》
quantity /kwɔ́ntəti/ 图 量
　the principle of **quantity**（量の原理）
　a **quantity** of alcohol（大量のアルコール）
　a minute **quantity** of gas（微量のガス）
　the **quantity** of data（データの量）
　in terms of **quantity**（量の観点から）
　be different in **quantity**（量において異なる）
　compute these **quantities**（これらの量を計算する）

quantitatively /kwɔ́ntəteitivli/ 副 量的に
　be **quantitatively** similar（量的には似ている）
　be **quantitatively** satisfactory（量的には十分である）

be measured **quantitatively**（量的に計測される）
be **quantitatively** constrained（量的に制限される）
understand the changes **quantitatively**（その変化を量的に理解する）

527 □ query /kwíəri/ 名 疑問

《使用例》
these initial **queries**（これらの最初の疑問）
an answer to this **query**（この疑問の答え）
further **queries** into the phenomenon（その現象へのさらなる疑問）
the **queries** of Johnson concerning relativism
　（相対主義に関する Johnson の疑問）
this **query** is quite natural（この疑問は全く当然である）

528 □ quest /kwést/ 名 探求　動 探求する

《使用例》
a **quest** for semantic structure（意味構造の探求）
an object of scientific **quest**（科学的探究の対象）
in **quest** of further evidence（さらなる証拠を求めて）
undertake/begin the **quest**（その探求を始める）
quest for the essence of emotional expressions
　（感情表現の本質を探求する）

529 □ questionable /kwéstʃənəbl/ 形 疑わしい，問題のある

《使用例》
a **questionable** conclusion（問題のある結論）
be highly **questionable**（かなり疑わしい）
it is **questionable** whether S+V（－かどうかは疑わしい）
what appears **questionable** is ABC（疑わしく思えるのは ABC である）
this view is **questionable**（この考え方には問題がある）

《関連語彙 A》
question /kwéstʃən/ 名 疑問，問題，質問　動 疑問視する
　this **question** mark（この疑問符）
　a more general **question**（より一般的な問題）
　the relation in **question**（当該の関係，問題となっている関係）
　answer the following **question**（以下の質問に答える）
　raise a number of **questions**（多くの問題を生み出す，多くの問題を提起する）

call the theory into **question**（その理論を疑問視する，その理論に異議を唱える）
this **question** remains unanswered（この疑問はまだ答えられていない）
question the assumption that S+V（-という仮定を疑問視する）
this framework has been **questioned**（この枠組みは疑問視されてきた）

530 □ questionnaire /kwestʃənéər/ 名 アンケート

《使用例》
a written **questionnaire**（筆記式のアンケート）
a **questionnaire** on smoking（喫煙についてのアンケート）
using a fill-in-the-blank **questionnaire**（空欄補充のアンケートを用いて）
answer this **questionnaire**（このアンケートに答える）
distribute/collect the **questionnaires**（そのアンケートを配布する / 回収する）

531 □ quite /kwáit/ 副 かなり

《使用例》
a **quite** drastic discrepancy（かなり大きな食い違い，かなり大きな不一致）
quite straightforwardly（かなり率直に）
be interpreted **quite** broadly（かなり広義に解釈される）
be **quite** readable（かなり読みやすい）
be **quite** uncommon（かなり珍しい，かなり稀である）
be **quite** analogous to Poland's (2002) analysis
　（Poland (2002) の分析にかなりよく似ている）
be not **quite** clear（あまり明らかではない）
quite a number of models（かなり多くのモデル）
it is **quite** obvious that S+V（-ということはかなり明らかである）

532 □ quote /kwóut/ 動 引用する　名 引用

《使用例》
quote a celebrated example（有名な例を引用する）
quote another passage from Winter (2002)
　（Winter (2002) から別の一節を引用する）
be **quoted** in Johnson (2007)（Johnson (2007) で引用されている）
be worth **quoting**（引用の価値がある，引用に値する）
all the examples **quoted** in this article（本稿で引用された全ての事例）
the often-**quoted** research（しばしば引用されるその研究）

in the foregoing **quote**（先の引用で，先程の引用で）
in the following **quote**（以下の引用では）

《関連語彙 A》

quotation /kwoutéiʃən/ 图 引用
　these **quotations**（これらの引用）
　the **quotation** from Johnson (2004)（Johnson(2004)からの引用）
　in the following **quotation**（以下の引用では）
　contrary to ordinary direct **quotation**（通常の直接引用とは異なり）
　be enclosed in double **quotation** marks（二重引用符で括られる，囲まれる）

533 □ **radically** /rǽdikəli/ 副 根本的に

《使用例》

a **radically** new theory（根本的に新しい理論）
this **radically** different notion（この根本的に異なった概念）
two **radically** contradicting assumptions（根本的に矛盾した2つの仮定）
more **radically**（より根本的には）
be **radically** different in many ways（多くの点で根本的に異なっている）
deviate **radically** from this definition（根本的にこの定義から逸脱している）

《関連語彙 A》

radical /rǽdikəl/ 形 抜本的な，根本的な
　this **radical** view（この抜本的な考え方）
　a **radical** critique（根本的な批判）
　a more **radical** claim（より根本的な主張）
　a **radical** difference between ABC and XYZ（ABCとXYZの根本的な相違）
　apart from the **radical** assumption that S+V（-という基本的仮定は別にして）

534 □ **randomize** /rǽndəmaiz/ 動 無作為に選ぶ，任意抽出する

《使用例》

randomized items（任意抽出された項目）
10% of the **randomized** subjects（任意抽出された被験者の10％）
in a **randomized** fashion（任意抽出の方式で）
be **randomized** using this system（このシステムによって無作為に選ばれる）
be presented in **randomized** order（任意の順序で提示される）

《関連語彙 A》

random /rǽndəm/ 形 任意の，無作為の，ランダムな
　100 **random** examples（任意の100事例）

fairly **random** motion（かなりランダムな動き）
in this **random** sampling（今回の無作為抽出では）
at **random**（ランダムに，無作為に，任意に）
be presented in **random** order（任意の順で提示される）
be anything but **random**（決してランダムではない）

randomly /rǽndəmli/ 副 任意に，無作為に，ランダムに
at least **randomly**（少なくともランダムに）
100 **randomly** selected nouns（無作為に選ばれた100個の名詞）
be presented **randomly**（ランダムに提示される）
be **randomly** collected（無作為に収集される）
be chosen **randomly** from the corpus（そのコーパスから無作為に選ばれる）
be **randomly** divided into two groups（任意に2つのグループに分けられる）

535 ☐ range /réindʒ/ 名 範囲 動 －にまで及ぶ

《使用例》
the **range** of vision（視野）
a **range** of views on global warming（地球温暖化に関する様々な考え方）
the whole **range** of English linguistics（英語学の全貌）
in a wide/vast **range** of contexts（多種多様な文脈で）
broaden the **range** of experience（経験の範囲を広げる）
cover a wider **range** of examples（より広範囲の事例をカバーする）
lead to a **range** of possibilities（様々な可能性につながる）
range from psychology to mathematics（心理学から数学にまで及ぶ）
range over the whole explanation（全ての説明に及んでいる）
the age **ranges** between 30 and 50 years
　（その年齢は30歳から50歳にまで及んでいる）

536 ☐ rare /réər/ 形 稀な，珍しい

《使用例》
a **rare** phenomenon（稀な現象, 珍しい現象）
this relation is **rare**（この関係は稀である）
be extremely **rare**（かなり稀である）
be relatively **rare**（比較的稀である）
except in extremely **rare** cases（かなり稀な場合を除いて）
it is relatively **rare** to do（－するのは比較的稀である）
this seems to be **rare**（これは稀であるように思える）

英語論文重要語彙 717

《関連語彙 A》
rarity /réərəti/ 名 珍しさ,稀少性
 the **rarity** of this feature（この特徴の珍しさ）
 on account of its **rarity**（その珍しさのために）
 demonstrate the **rarity** of the phenomenon（その現象の稀少性を示す）
 have a **rarity** value（稀少価値がある）
 such an error is a **rarity**（このような間違いは珍しい）

537 □ rather /ráðər/ 副 かなり,むしろ

《使用例》
a **rather** unusual phenomenon（かなり稀な現象）
be **rather** challenging（かなり挑戦的である）
it is **rather** odd/strange to do（-するのはかなり奇妙である）
rather than conversely（その逆よりもむしろ）
rather than being arbitrary（任意というよりもむしろ）
be partial **rather** than exhaustive（包括的というよりかむしろ部分的である）

538 □ ratio /réiʃou/ 名 割合,比率

《使用例》
the **ratio** of men to women（男女比,男女の比率）
the **ratio** of CO_2（二酸化炭素の割合）
various viscosity **ratios**（様々な粘性率）
by a **ratio** of 3:1 [three to one]（3対1の割合で）
in the following **ratio**（以下の割合で）
show a **ratio** of three to two（3対2の割合を示している）
ABC and XYZ are in the same **ratio**（ABCとXYZは同じ割合である）

539 □ rationale /ræʃənǽl/ 名 根拠,理由づけ

《使用例》
a very convincing **rationale**（かなり説得力のある理由づけ）
other conflicting **rationales**（その他の対立的な理由づけ）
the **rationale** behind this theory（この理論の背景にある根拠）
provide a **rationale** for doing（-するための1つの根拠となる）
the **rationale** here is that S+V（ここでの根拠は-ということである）

540 □ reaction /riǽkʃən/ 名 反応

《使用例》
a chemical **reaction**（化学反応）
a neutral **reaction**（中性反応）
psychological **reactions**（心理反応）
this initial **reaction**（この最初の反応）
a **reaction** to this stimulus（この刺激への反応）
including **reaction** time（反応時間を含めて）
describe the students' **reactions**（学生たちの反応を記述する）

《関連語彙 A》
react /riækt/ 動 反応する
  react to this propensity（この傾向に反応する）
  react strongly to these stimuli（これらの刺激に強く反応する）
  react naturally（自然に反応する）
  react in the following way:（以下のように反応する）
  may **react** chemically with silicon（ケイ素と化学反応を起こすかも知れない）

541 ☐ readily /rédəli/ 副 容易に，簡単に

《使用例》
a **readily** perceivable boundary（容易に知覚できる境界）
the **readily** accessible data（その容易にアクセスできるデータ）
be **readily** found in English（英語においては簡単に見つけられる）
be not **readily** attainable（簡単には到達できない）
can be **readily** inferred from the context（その文脈から容易に推論できる）
it can be **readily** understood that S+V
　　（－ということは容易に理解することができる）

《関連語彙 A》
easily /íːzili/ 副 容易に，簡単に
  one **easily** conceivable possibility（直ぐに思いつく1つの可能性）
  relatively **easily**（比較的容易に，比較的簡単に）
  be **easily** accessible（容易にアクセスできる）
  be fairly **easily** inferable from this context（この文脈からかなり容易に推測できる）
  can be **easily** resolved by doing（－することによって容易に解決できる）

easy /íːzi/ 形 容易な，簡単な
  an **easy** problem（簡単な問題，容易な問題）
  the **easiest** way to do（－する最も容易な方法，－する最も簡単な方法）
  be comparatively **easy** to read（比較的読みやすい）
  it is much **easier** to do（－する方がずっと容易である）

this analysis is not so **easy**（この分析はそれほど容易ではない）

ease /í:z/ 图 容易，簡単
  ease of editing（編集のしやすさ）
  with great **ease**（かなり簡単に，かなり容易に）
  with relative **ease**（比較的容易に，比較的簡単に）
  for **ease** of explanation/exposition
    （説明を容易にするために，説明しやすくするために）
  for **ease** of reference（参照しやすくするために）
  for **ease** of presenting counterexamples（反例を提示しやすくするために）

542 ☐ realistic /ri:əlístik/ 形 現実的な

《使用例》
a **realistic** account（現実的な説明）
a more **realistic** model of social interaction
  （社会的相互作用のより現実的なモデル）
in a cognitively **realistic** framework（認知的に現実的な枠組みにおいて）
though not **realistic**（現実的ではないが）
it would not be **realistic** to assume that S+V
  （－と仮定するのは非現実的であろう）

《関連語彙 A》
realistically /ri:əlístikəli/ 副 現実的に
  more **realistically**（より現実的には）
  quite **realistically**（かなり現実的に）
  as **realistically** as possible（できるだけ現実的に）
  a **realistically** constructed text（現実を反映するように構築されたテクスト）
  can be interpreted **realistically**（現実的に解釈できる）

unrealistic /ʌnri:əlístik/ 形 非現実的な
  an **unrealistic** interpretation（非現実的な解釈）
  an **unrealistic** prediction（非現実的な予測）
  be quite **unrealistic**（かなり非現実的である）
  be not always **unrealistic**（必ずしも非現実的ではない）
  it would also be **unrealistic** to do（－するのも非現実的であろう）

unrealistically /ʌnri:əlístikəli/ 副 非現実的に
  quite **unrealistically**（かなり非現実的に）
  become **unrealistically** large（相当に大きくなる）
  though somewhat **unrealistically**（少し非現実的ではあるが）
  may be **unrealistically** interpreted（非現実的に解釈されるかも知れない）

《関連語彙 B》

real /ríːəl, ríːl/ 形 実際の，現実の，実在の
 a **real** phenomenon（実際の現象）
 a **real** experience（現実経験）
 its **real** value（その実際の価値）
 the **real** workings of the human mind（人間の心の実際の働き）
 in **real** life（実生活では）
 in the **real** world（現実世界では）
 in the case of **real** numbers（実数の場合）
 be quite **real**（かなり現実的である）
 be psychologically **real**（心理的に実在している）

really /ríəli, ríːəli/ 副 実際には
 be **really** quite different（実際にはかなり異なっている）
 be **really** not predictable（実際には予測できない）
 be **really** unnecessary（実際には不要である）
 it is not **really** possible to do（－することは実際には不可能である）
 what **really** matters is that S+V（実際に重要なのは－ということである）
 this notion is **really** needed（この概念が実際に必要とされる）

reality /riǽləti/ 名 現実，実在性
 in **reality**（実際には，現実には）
 a description of **reality**（現実の記述）
 a sense of **reality**（現実感覚）
 the **realities** of everyday life（日常生活の現実）
 its psychological **reality**（その心理的実在性）
 the **reality** of the cognitive model（その認知モデルの実在性）
 be distinct from **reality**（現実とは異なる）
 face its **realities**（その現実に直面する）
 this reflects the **reality** that S+V（これは－という現実を反映している）

《関連語彙 C》

realize /ríəlaiz/ 動 認識する，理解する，実現する
 realize the actual situation（その実際の状況を認識／理解する）
 realize the importance of this interaction（この相互作用の重要性を認識する）
 it is important to **realize** that S+V（－ということを認識することが重要である）
 be **realized** as a conceptual process（1つの概念プロセスとして認識される）
 be explicitly **realized** in different ways（様々な形で明確に実現されている）
 this cannot be overtly **realized**（これは顕在的には実現されえない）

realization /riəlaizéiʃən/ 名 認識，実現
 such a **realization**（このような認識）
 the **realization** that S+V（－という認識）

have a clear **realization** of the fact that S+V（−という事実を明確に認識している）
the **realization** of the aim（その目的の実現）
the early/prompt **realization** of the new education（その新しい教育の早期実現）
this pattern of **realization**（この実現パターン）
preclude other **realizations**（その他の実現形 / 具現形を除外する）

543 ☐ realm /rélm/ 名 領域

《使用例》
in the **realm** of mental representations（心的表示の領域内で）
in the **realm** of the social sciences（社会科学の領域では）
in these **realms**（これらの領域では）
in different **realms** of human life（人間生活の様々な領域で）
be specific to this **realm**（この領域に特有である）
come from another **realm**（別の領域に由来する）
there is no such **realm**（このような領域は存在しない）

《関連語彙 A》
domain /douméin, dəméin/ 名 領域
four **domains** of behavior（4つの行動領域）
the boundary of the **domain**（その領域の境界）
a **subdomain** of the **domain**（その領域の下位領域の1つ）
in the social **domain**（社会領域では）
within other **domains** as well（他の領域にも，他の領域でも）
outside the academic **domain**（学術領域外で）
vary across various **domains**（様々な領域間で変容する）

544 ☐ reasonable /ríːznəbl/ 形 妥当な，合理的な，理に適った

《使用例》
a **reasonable** criterion（妥当な基準）
reasonable grounds for doing（−するための合理的な根拠）
be **reasonable** in principle（原理上は妥当である）
it is a **reasonable** assumption that S+V（−というのは妥当な仮定である）
it seems **reasonable** to do（−するのは妥当なように思われる）
Poland's (2002) claim is **reasonable**
　（Poland (2002) の主張は理に適っている）

《関連語彙 A》
reasonably /ríːznəbli/ 副 かなり，合理的に

be **reasonably** exhaustive（かなり包括的である）
account **reasonably** well for this phenomenon（この現象をかなり上手く説明する）
cannot be **reasonably** accounted for（合理的には説明できない）
it is **reasonably** clear that S+V（−ということはかなり明らかである）
it is **reasonably** safe to say that S+V（−と言うのがかなり無難である）
this information is **reasonably** trustworthy（この情報はかなり信頼できる）

unreasonable /ʌnríːznəbl/ 形 不適切な
an **unreasonable** assumption（不適切な仮定）
be methodologically **unreasonable**（方法論的に不適切である）
it is not **unreasonable** to suppose that S+V（−と仮定するのは不適切ではない）
it seems **unreasonable** to do（−するのは不適切なように思える）
it would be **unreasonable** to say that S+V（−と言うのは不適切であろう）

reason /ríːzn/ 名 理由
for various **reasons**（様々な理由で）
for the same **reason**（同じ理由で）
for the following five **reasons**（以下の5つの理由で）
for **reasons** of space（紙幅の都合上）
whatever the **reason**（その理由は何であれ）
explain the **reasons** for this selection（この選択の理由を説明する）
there are three **reasons** for this（これには3つの理由がある）
the **reason** is that S+V（なぜなら−であるからである）

545 □ **recall** /rikɔ́ːl/ 動 思い出す，想起する

《使用例》
be easy to **recall**（想起しやすい）
can be easily **recalled**（容易に想起できる）
recall the discussion in Section 3（第3節での議論を思い出してほしい）
recall that S+V（−ということを思い出してほしい）
recall the fact that S+V（−という事実を思い出してほしい）

546 □ **recognize** /rékəgnaiz/ 動 認識する

《使用例》
recognize the importance of this concept（この概念の重要性を認識する）
have been **recognized** by a number of scholars
　（多くの学者によって認識されてきた）
it is necessary to **recognize** that S+V（−ということを認識する必要がある）
it is generally **recognized** that S+V（−ということが一般に認識されている）

without **recognizing** this complexity（この複雑性を認識せずに）

《関連語彙A》
recognition /rèkəgníʃən/ 名 認識
  pattern **recognition**（パターン認識）
  the **recognition** of similarity（類似性の認識）
  based on this **recognition**（この認識に基づいて）
  acknowledge the **recognition** that S+V（～という認識を認める）
  there is a growing **recognition** that S+V（～という認識が高まっている）

recognizable /rékəgnaizəbl/ 形 認識できる，認識可能な
  a **recognizable** phenomenon（認識できる現象，認識可能な現象）
  a culturally **recognizable** context（文化的に認識可能な文脈）
  be easily **recognizable**（容易に認識できる）
  be obviously **recognizable** at this level（このレベルでは明らかに認識可能である）
  this characteristic becomes **recognizable**（この特徴が認識可能になる）

547 □ reconsider /riːkənsídər/ 動 再考する

《使用例》
reconsider this example（この事例を再考する）
reconsidering these assumptions（これらの仮定を再考すること）
in order to **reconsider** the matter（その問題を再考するためには）
this theory should be **reconsidered**（この理論は再考されるべきである）
let us **reconsider** the examples above（上記の事例を再考してみよう）

《関連語彙A》
reconsideration /riːkənsidəréiʃən/ 名 再考
  such broad **reconsiderations**（このような大まかな再考）
  the **reconsideration** of this assumption（この仮定の再考）
  a **reconsideration** of Johnson's (2008) theory（Johnson(2008)の理論の再考）
  the need for **reconsideration**（再考の必要性）
  principles in need of **reconsideration**（再考を要する原理）

《関連語彙B》
consider /kənsídər/ 動 考える，検討する
  consider the following examples（以下の事例について考える）
  be generally **considered** as an independent principle
    （1つの独立した原理として一般に考えられている）
  should be **considered** separately（別々に検討されるべきである）
  let us **consider** another example（別の事例を考えてみよう）
  the former definition is **considered** desirable（前者の定義が望ましいと考えられる）

consideration /kənsidəréiʃən/ 名 考慮, 考察
　take these elements into **consideration**（これらの要素を考慮に入れる）
　should be taken into **consideration**（考慮に入れられるべきである）
　be worthy of **consideration**（考慮に値する, 考慮する価値がある）
　drop out of **consideration**（考慮から外す）
　the word order under **consideration**（検討中の語順, 考察中の語順）
　due to space **considerations**（スペースの都合により, 紙幅の都合上）
　from these theoretical **considerations**（これらの理論的考察から）

548 □ **recourse** /ríːkɔːrs, rikɔ́ːrs/ 名 頼ること

《使用例》
have **recourse** to Johnson's (2000) model
　（Johnson (2000) のモデルに頼っている）
do not require **recourse** to this cognitive process
　（この認知プロセスに頼らない）
by **recourse** to intuitions（直観に頼って）
without **recourse** to this principle（この原理に頼らずに）
have had **recourse** to these frameworks（これらの枠組みに頼ってきた）

549 □ **recurrent** /rikə́ːrənt/ 形 繰り返しの, 再帰的な

《使用例》
a **recurrent** claim（繰り返される主張）
a **recurrent** commonality（繰り返される共通性）
recurrent structural features（繰り返される構造的特徴）
using **recurrent** networks（再帰的ネットワークを用いて）
be highly **recurrent**（かなり再帰的である）
reside in **recurrent** patterns of activity
　（繰り返される活動パターンの中に存在する）
have been **recurrent** from the beginning（はじめから繰り返されてきた）

《関連語彙A》
recurrently /rikə́ːrəntli/ 副 再帰的に, 繰り返し
　be **recurrently** activated（再帰的に活性化される）
　appear/occur **recurrently** in this context（この文脈に繰り返し生じる）
　must be **recurrently** expressed（再帰的に表現されなければならない）
　this device is **recurrently** utilized（この道具立てが繰り返し利用される）
　Johnson (2002) **recurrently** stresses that S+V

(Johnson (2002) は - ということを繰り返し強調している)

recur /rikə́:r/ 動 再び生じる，繰り返される，再帰する
  recur in a different domain（別の領域で繰り返される）
  recur again and again（何度も再帰する）
  an important term that **recurs** throughout the book
  （本書全体にわたって何度も登場してくる重要な用語）
  the same type **recurs**（同じタイプが再び生じる）

recurrence /rikə́:rəns/ 名 繰り返し
  a **recurrence** of the same pattern（同じパターンの繰り返し）
  the **recurrence** of related elements（関連要素の繰り返し）
  this incessant **recurrence**（この絶え間ない繰り返し）
  be only a partial **recurrence**（部分的な繰り返しに過ぎない）

recurring /rikə́:riŋ/ 形 繰り返し生じる，再帰的な
  a **recurring** feature（再帰的な特性）
  recurring commonalities（繰り返し生じる共通性）
  recurring patterns of expression（繰り返し生じる表現パターン）
  these **recurring** basic processes（これらの再帰的な基本プロセス）

---

550 □ **recursive** /rikə́:rsiv/ 形 再帰的な

《使用例》
a **recursive** model（再帰的なモデル）
a more **recursive** process（より再帰的なプロセス）
this **recursive** program（この再帰的なプログラム）
a specific case of **recursive** structures（再帰構造の具体例）
store a **recursive** structure（再帰構造を蓄積する）
be too **recursive**（再帰的すぎる）
be processed in a **recursive** way（再帰的に処理される）

《関連語彙 A》
recursively /rikə́:rsivli/ 副 再帰的に
  a **recursively** embedded structure（再帰的に埋め込まれた構造）
  occur **recursively**（再帰的に生起する）
  employ this principle **recursively**（この原理を再帰的に用いる）
  be applied **recursively** to the systems（そのシステムに再帰的に適用される）
  this procedure is used **recursively**（この手順が再帰的に用いられる）

recursion /rikə́:rʒən/ 名 再帰性
  a type of **recursion**（再帰性の1タイプ）
  with respect to the notion of **recursion**（再帰性という概念に関しては）

exhibit **recursion**（再帰性を示している）
emphasize the role of **recursion**（再帰性の役割を強調する）
there is no **recursion** in these structures（これらの構造に再帰性は見られない）

551 □ **reducible** /ridjúːsəbl/ 形 還元できる

《使用例》
be **reducible** to the length of time（時間の長さに還元できる）
be theoretically **reducible** to chemistry and physics
（理論的には化学と物理学に還元できる）
be ultimately **reducible** to three basic principles
（最終的には3つの基本原理に還元できる）
be not **reducible** to visual images（視覚イメージには還元できない）
be viewed as (being) **reducible** to features
（素性に還元できるものとして考えられている）

《関連語彙 A》
reduce /ridjúːs/ 動 還元する，減らす，縮小する
　be **reduced** to three components（3つの構成要素に還元される）
　can be **reduced** to the following three points:（以下の3点にまとめることができる）
　cannot be **reduced** to this level（このレベルに還元することはできない）
　reduce the amount of oxygen（酸素の量を減らす）
　the difference should be **reduced**（その違いは縮小されるべきである）

reduction /ridʌ́kʃən/ 名 還元，縮小，削減，減少
　the **reduction** of these constraints to two principles
　　（これらの制約を2つの原理に還元すること）
　the **reduction** of internal structures（内部構造の縮小）
　the **reduction** of energy consumption（エネルギー消費の削減）
　this **reduction** in demand（この需要の減少）
　lead to carbon dioxide **reductions**（二酸化炭素の削減につながる）

reductive /ridʌ́ktiv/ 形 還元主義的な，還元主義の
　a **reductive** view（還元主義的な考え方）
　the **reductive** nature of XYZ theory（XYZ 理論の還元主義的な性質）
　be highly **reductive**（かなり還元主義的である）
　be too **reductive**（還元主義的すぎる）

irreducible /iridjúːsəbl/ 形 還元できない
　an **irreducible** element（還元できない要素）
　such **irreducible** structures（このような還元できない構造）
　be easily **irreducible**（容易には還元できない）

be **irreducible** to three principles（3つの原理に還元することはできない）

552 □ redundant /rɪdʌ́ndənt/ 形 余剰的な，余分な

《使用例》
redundant functions（余分な機能）
heavily **redundant** knowledge（かなり余分な知識）
be highly **redundant**（かなり余剰的である）
be functionally **redundant**（機能の上では余分である）
might be regarded as **redundant**（余剰的であると見なされるかも知れない）
this constraint is not **redundant**（この制約は余剰的ではない）

《関連語彙 A》
redundantly /rɪdʌ́ndəntli/ 副 余剰的に，余分に
　quite **redundantly**（かなり余剰的に）
　a **redundantly** constructed system（余分に構築されたシステム）
　be **redundantly** stored（余分に蓄えられる）
　be produced **redundantly**（余分に産出される）

redundancy /rɪdʌ́ndənsi/ 名 余剰性，冗長性
　the role of **redundancy**（余剰性の役割，冗長性の役割）
　redundancy in mental representation（心的表示における余剰性）
　because of this **redundancy**（この余剰性のために）
　in order to avoid **redundancy**（冗長性を避けるために）
　this is not a **redundancy**（これは余分なものではない）

553 □ refer /rɪfə́ːr/ 動 言及する，呼ぶ，参照する，指示する

《使用例》
refer to this problem（この問題に言及する，この問題に触れる）
refer to the same individual（同じ個体を指示する）
refer to this notion as *complexity*（この概念を複雑性と呼ぶ）
be commonly **referred** to as Principle B（一般に原理 B と呼ばれている）
it may be helpful to **refer** to Johnson (2002)
　（Johnson (2002) を参照するのが有益かも知れない）

《関連語彙 A》
reference /réfərəns/ 名 参考文献，参照，言及
　a list of **references**（参考文献リスト）
　a **reference** book（参考書）
　for ease of **reference**（参照を容易にするために）

with special **reference** to Figure 3（特に図3に関しては）
make **reference** to Johnson's (2005) approach
　　（Johnson (2005)のアプローチに言及する，Johnson (2005)のアプローチに触れる）
function as a **reference** point（1つの参照点として機能する）

554 □ **referee** /rəfərí:/ 图 査読者　動 査読する

《使用例》
anonymous **referees**（匿名の査読者）
a **refereed** journal（査読付き学術雑誌）
the **referees** of *Journal of Humanities*（Journal of Humanities の査読者）
as an anonymous **referee** points out（匿名の査読者が指摘するように）
as suggested by a **referee**（査読者によって示唆されるように）

555 □ **refine** /rifáin/ 動 精緻化する

《使用例》
refine these notions（これらの概念を精緻化する）
a very **refined** analysis（かなり精緻化された分析）
the account **refined** here（ここで精緻化された説明）
be **refined** in Section 3（第3節で精緻化される）
need to be further **refined**（さらに精緻化される必要がある）

《関連語彙 A》
refinement /rifáinmənt/ 图 精緻化
　such **refinement**（このような精緻化）
　an attempt at further **refinement**（さらなる精緻化への試み）
　a **refinement** of this analysis（この分析の精緻化）
　despite the **refinement** of this principle（この原理の精緻化にも関わらず）
　be in need of **refinement**（精緻化する必要がある）
　need further **refinement**（さらなる精緻化が必要である）
　show the need for **refinement**（精緻化の必要性を示している）

556 □ **reflective** /rifléktiv/ 形 反映している

《使用例》
be **reflective** of actual processes（実際のプロセスを反映している）
be more **reflective** of Japanese culture（日本文化をより反映している）
be not necessarily **reflective** of brain structure
　（必ずしも脳の構造を反映している訳ではない）

may not be **reflective** of the fact that S+V
（-という事実を反映していないかも知れない）

《関連語彙A》
reflect /riflékt/ 動 反映する
　reflect the actual situation（その実際の状況を反映している）
　reflect this functionality（この機能性を反映している）
　be directly **reflected** in the structure（その構造の中に直接的に反映されている）
　be adequately **reflected** in these models（これらのモデルに適切に反映されている）
　be **reflected** in different ways（様々な形で反映されている）

reflection /riflékʃən/ 名 反映，見解，熟考
　a direct **reflection** of this pattern（このパターンの直接的な反映）
　be seen as a **reflection** of underlying cognitive structures
　　（基底の認知構造の反映として考えられる）
　be more or less a **reflection** of this competence
　　（多かれ少なかれこの能力の反映である）
　some critical **reflections** on frequency effects
　　（頻度効果に関するいくつかの批判的な見解）
　on/upon **reflection**（よく考えれば，よく考えてみると）

557 □ **refrain** /rifréin/ 動 控える

《使用例》
refrain from sweeping generalizations（包括的な一般化を控える）
refrain from mention of this process
　（このプロセスについて言及することを控える）
refrain from doing so（そうするのを控える）
refrain from using quotation marks（引用符を使うのを控える）
refrain from adopting this framework（この枠組みの採用を控える）

558 □ **refute** /rifjúːt/ 動 論駁する，反論する

《使用例》
refute this claim（この主張に反論する）
refute the view that S+V（-という見解を論駁する）
refute Poland's (2004) objectivism（Poland(2004)の客観主義を論駁する）
cannot be so easily **refuted**（それほど簡単には論駁できない）
be **refuted** for not understanding this stance
　（この立場を理解していないことを理由に論駁される）

《関連語彙A》

refutation /refjutéiʃən/ 图 論駁, 反論
 the **refutation** here（ここでの反論, ここでの論駁）
 the **refutation** of modularity（モジュール性の論駁）
 Poland's (2002) **refutation**（Poland(2002)の反論）
 suffer from **refutation**（論駁に苦しむ, 反論に苦しむ）
 present a strong **refutation** of the latter model
  （後者のモデルを強く論駁する, 後者のモデルに強く反論する）

refutable /rifjú:təbl/ 形 論駁できる, 誤った
 a **refutable** hypothesis（誤った仮説）
 a **refutable** alternative（論駁可能な代案）
 be easily **refutable**（容易に論駁できる）
 be not logically **refutable**（論理的には論駁できない, 論理的には誤っていない）
 scientific theories must be **refutable**（科学理論は論駁できなければならない）

irrefutable /iréfjutəbl, irifjú:təbl/ 形 論駁できない, 論駁不可能な
 irrefutable proof（論駁不可能な証拠）
 be apparently **irrefutable**（明らかに論駁できない）
 be almost **irrefutable**（ほとんど論駁不可能である）
 this position is thus **irrefutable**（従ってこの立場は論駁できない）
 this problem remains **irrefutable**（この問題は論駁できないままである）

559 □ regard /rigá:rd/ 動 見なす, 考える 图 関係, 点

《使用例》
 regard this as a major principle（これを主要原理と見なす）
 be **regarded** as an exaggeration（1つの誇張として見なされる）
 be not **regarded** as fundamental（基本的であるとは見なされない）
 be usually **regarded** as a hierarchy（通常は1つの階層として考えられる）
 may be **regarded** as a kind of change
  （一種の変化として見なされるかも知れない）
 as far as the content is **regarded**（その内容に関する限り）
 in this **regard**（この点では, この点に関しては）
 with **regard** to Spanish（スペイン語に関しては）
 as **regards** the latter（後者に関しては）
 especially in **regard(s)** to meaning structures（特に意味構造に関して）

《関連語彙A》

regardless /rigá:rdləs/ 形 —にも関わらず, —に関わらず（of とともに）
 regardless of its complexity（その複雑性にも関わらず）

regardless of gender and age（性別や年齢に関わらず）
regardless of the type of sentence（文のタイプに関わらず）
regardless of whether S+V（-かどうかに関わらず）

regarding /rigá:rdiŋ/ 前 -に関して（は），-について（は）
regarding the former relation（前者の関係については）
especially **regarding** the issue of categorization（特にカテゴリー化の問題に関して）
important evidence **regarding** human cognition（人間の認知に関する重要な証拠）
similar issues **regarding** background knowledge
　　（背景知識に関する似たような問題）

《関連語彙 B》

disregard /disrigá:rd/ 動 無視する，軽視する　名 無視，軽視
　disregard these examples（これらの事例を無視する）
　disregard the context of philosophy（その哲学文脈を軽視する）
　be **disregarded** in this system（このシステムでは無視される）
　by **disregarding** these differences（これらの相違を無視することで）
　Poland's (2004) **disregard** of XYZ theory
　　（Poland (2004)がXYZ理論を無視/軽視していること）

560 □ **related** /riléitid/ 形 関係のある，関連のある

《使用例》
a **related** topic（関連するトピック，関連トピック）
a range of **related** phenomena（様々な関連現象）
in other **related** disciplines（他の関連分野において）
two phenomena **related** to this process
　（このプロセスに関連する2つの現象）
be closely **related** to the mechanism
　（そのメカニズムと密接に関係している）
be on many occasions **related** to it（多くの場合それに関連づけられる）
be not **related** to the discussion here
　（ここでの議論とは関係がない，ここでの議論とは関連がない）

《関連語彙 A》

relate /riléit/ 動 関連づける，関係がある
　relate these two concepts（これら2つの概念を関連づける）
　relate to the issue（その問題と関係がある）
　relate to the development of a new theory（新理論の発達と関係がある）
　relate various data to each other（様々なデータを相互に関連づける）
　relate this cause to the fact that S+V（この原因を-という事実に関連づける）

the discussion **relating** to utterance comprehension（発話理解に関する議論）

relatedness /riléitidnəs/ 图 関係性，関連性
various levels of social **relatedness**（社会的関連性の様々なレベル）
the structural **relatedness** among individuals（個体間の構造的関連性）
the **relatedness** between ABC and XYZ（ABCとXYZの関係性）
emphasize the **relatedness** of these systems（これらのシステムの関連性を強調する）
this **relatedness** is analyzed（この関係性が分析される）

unrelated /ʌnriléitid/ 圈 無関係の
an **unrelated** topic（無関係なトピック，関係のないトピック）
be **unrelated** to London's (2001) framework
　　（London (2001) の枠組みとは関連がない）
be completely **unrelated** to the question（その問題とは全く関係がない）
be not **unrelated** to the discussion in Section 3（第3節の議論と無関係ではない）
this seems to be **unrelated**（これは無関係であるように思える）
ABC and XYZ are totally **unrelated**（ABCとXYZは全く無関係である）

561 □ **relationship** /riléiʃənʃip/ 图 関係

《使用例》
such spatial **relationships**（このような空間関係）
a one-to-one **relationship**（1対1の関係）
this part-whole **relationship**（この部分・全体関係）
the **relationship** with/to other concepts（他の概念との関係）
a close **relationship** between these two categories
　　（これら2つのカテゴリーの密接な関係）
study the **relationship** between language and cognition
　　（言語と認知の関係を研究する）
have a direct **relationship** with/to the former approach
　　（前者のアプローチと直接関係がある）
have no **relationship** with/to this process
　　（このプロセスとは何の関係もない）
there is no **relationship** between ABC and XYZ
　　（ABCとXYZの間には何の関係もない）

《関連語彙 A》
relation /riléiʃən/ 图 関係，関連
　this force **relation**（この力関係）
　the supposed causal **relation**（その推定上の因果関係）
　an override of this **relation**（この関係の破棄，この関係の無効化）

the causal **relation** between ABC and XYZ（ABC と XYZ の間の因果関係）
the **relation** of language to/and cognition（言語と認知の関係）
relations among the three countries（その3国間の関係）
despite the logical **relation**（その論理関係にも関わらず）
in this **relation**（この関係では，この関連では）
in **relation** to artificial intelligence（人工知能に関しては）
be analyzed in **relation** to the paradigm（そのパラダイムとの関連で分析される）
have little **relation** to/with this problem（この問題とはほとんど関係がない）
this **relation** is left unexplained（この関係は不明のままである）

562 □ relatively /rélətivli/ 副 比較的に，相対的に

《使用例》

a **relatively** stable state（比較的安定した状態）
relatively simple assumptions（比較的単純な仮定）
be **relatively** new（比較的新しい）
be **relatively** small（相対的に小さい）
be **relatively** few in number（数の上で比較的少ない）
until **relatively** recently（比較的最近まで）
be captured **relatively** easily（比較的容易に捉えられる）
be **relatively** unexplored（あまり探求されていない）
its reliability is **relatively** high（その信頼性は比較的高い）

《関連語彙 A》

relative /rélətiv/ 形 相対的な，関係した，関連した
 a **relative** concept（相対的な概念）
 the **relative** pronoun *which*（関係代名詞 which）
 a question **relative** to this conceptual process（この概念プロセスに関連する問題）
 relative to this similarity（この類似性に関しては）
 in terms of the **relative** size of the corpus
  （そのコーパスの相対的なサイズの観点から）
 be **relative** rather than absolute（絶対的というよりか相対的である）
 be understood **relative** to other elements（その他の要素と相対的に理解される，その他の要素との関係／比較を通して理解される）

relativity /relətívəti/ 名 相対性
 the general theory of **relativity**（一般相対性理論）
 the **relativity** of space and time（空間と時間の相対性）
 the theory of linguistic **relativity**（言語相対論）
 be based on the notion of **relativity**（相対性という概念に基づいている）

this kind of **relativity** has been pointed out（この種の相対性が指摘されてきた）

563 □ relevant /réləvənt/ 形 関係のある，関連のある

《使用例》
a **relevant** factor（関連する要因, 関連要因）
relevant phenomena（関連現象）
other **relevant** information（その他の関連情報）
evidence **relevant** to this problem（この問題に関連する証拠）
be not **relevant** to Johnson's (2003) account
　（Johnson (2003) の説明とは関係がない）
what is **relevant** here is ABC（ここで関連しているのは ABC である）

《関連語彙 A》
relevance /réləvəns/ 名 関連性，関係性
　the notion of **relevance**（関連性という概念, 関係性という概念）
　the **relevance** of social experience（社会経験の関連性）
　be of particular **relevance** to frequency effects（頻度効果と特に関係がある）
　have/bear some **relevance** to the latter process（後者のプロセスと少し関係がある）
　have/bear little **relevance** to the discussion here
　　（ここでの議論とはほとんど関連がない）

564 □ reliable /riláiəbl/ 形 信頼できる

《使用例》
reliable statistical data（信頼できる統計データ）
the only **reliable** method of doing（−するための信頼できる唯一の方法）
highly/quite **reliable** information（かなり信頼できる情報）
be statistically **reliable**（統計学的に見て信頼できる）
be not **reliable**（信頼できない, 確かでない）

《関連語彙 A》
reliability /rilaiəbíləti/ 名 信憑性，信頼性
　the **reliability** of search results（探索結果の信憑性）
　this model's **reliability**（このモデルの信憑性）
　with regard to its **reliability**（その信憑性に関しては）
　as for **reliability** of information（情報の信憑性に関しては）
　have little **reliability**（ほとんど信憑性がない）
　enhance the **reliability** of data（データの信頼性を高める）
　it is difficult to judge its **reliability**（その信憑性を判断するのは難しい）

unreliable /ʌnriláiəbl/ 形 信頼できない，疑わしい
　unreliable materials（信頼できない資料）
　be utterly/completely **unreliable**（全く信頼できない）
　be quite/fairly **unreliable**（かなり疑わしい）
　lead to **unreliable** results（不本意な結果につながる）
　this result is at least **unreliable**（この結果は少なくとも信頼できない）

rely /rilái/ 動 依存する，頼る
　rely on the same basic mechanisms（同じ基本メカニズムに依存している）
　rely upon this methodology（この方法論に依存している）
　rely more on intuitions（直観により依存している）
　rely heavily/crucially on these criteria（これらの基準に大きく依存している）
　rely solely on the idea that S+V（―という見解のみに頼っている）
　by **relying** mainly on XYZ theory（主として XYZ 理論に頼ることで）

565 □ **remainder** /riméindər/ 名 残り

《使用例》
the **remainder** of this article/paper（本稿の残りの部分）
the **remainder** of this chapter（本章の残りの部分）
in the **remainder** of this section（本節の残りの部分では）
in the **remainder** of Part 3（第3部の残りの部分では）
in the **remainder** of the present paper（本稿の残りの部分では）

《関連語彙 A》
remaining /riméiniŋ/ 形 残りの，取り残された
　all **remaining** inadequacies（取り残された不備の全て）
　remaining issues（残された課題）
　the three **remaining** categories（残りの3つのカテゴリー）
　the **remaining** portions of this structure（この構造の残りの部分）
　in the **remaining** cases（残りの事例では）
　all **remaining** errors are mine（取り残された不備は全て筆者の責任である）

remain /riméin/ 動 ―のままである
　remain constant（一定のままである）
　remain unchanged（変化しないままである）
　remain unresolved（解決されないままである）
　the relationship **remains** the same（その関係は同じままである）
　it **remains** unclear whether or not S+V（―かどうかは不明のままである）
　the plausibility of this model **remains** to be tested
　　（このモデルの妥当性はこれから検証されなければならない）

《関連語彙 B》

residual /rizídʒuəl/ 形 残りの 名 残り
  the **residual** elements（その残りの要素）
  this **residual** effect（この残留効果）
  these **residual** problems（これらの残された問題）
  the **residuals** of reading times（残りの読解時間）

remnant /rémnənt/ 名 残り，名残 形 残りの
  a **remnant** of objectivism（客観主義の名残）
  the **remnants** of a planet（惑星の残骸）
  protect the **remnant**（その残りを保護する）
  two **remnant** constituents（残り2つの構成要素）

566 remarkable /rimá:rkəbl/ 形 注目すべき，注目に値する，著しい

《使用例》
a **remarkable** outcome（注目すべき結果）
this **remarkable** difference（この著しい違い）
with **remarkable** lucidity（かなり明快に）
show a **remarkable** increase（著しい増加を示す）
be seen as a **remarkable** achievement（注目すべき偉業として考えられる）
it is **remarkable** that S+V（－ということは注目に値する）
this is particularly **remarkable**（この点は特に注目に値する）

《関連語彙 A》

remarkably /rimá:rkəbli/ 副 かなり
  a **remarkably** interesting process（かなり興味深いプロセス）
  on a **remarkably** regular basis（かなり規則的に）
  in a **remarkably** simple manner（かなり単純な方法で）
  be **remarkably** creative（かなり創造的である）
  be **remarkably** similar to Poland's (2001) notion of recursion
    （Poland (2001) の再帰性という概念にかなり似ている）
  it is **remarkably** difficult to do（－するのはかなり難しい）

《関連語彙 B》

remark /rimá:rk/ 名 見解，言及 動 述べる
  this misleading **remark**（この誤った見解）
  a **remark** on/about this theory（この理論に関する1つの見解）
  the **remark** that S+V（－という見解）
  Preliminary **Remarks**（序言，緒言，はじめに）
  Concluding **Remarks**（結論，おわりに）

make an ambiguous **remark**（曖昧な言及をする）
make the same **remark**（同じことを述べている）
there is no **remark** on this point（この点に関する言及はない）
as the author **remarks**（著者が述べるように）
London (2010) **remarks** that S+V（London(2010)は−と述べている）

567 □ reminiscent /rémənísnt/ 形 思い出させる，暗示的な

《使用例》
be **reminiscent** of Johnson's (2007) suggestion
　（Johnson (2007)の提案を思い出させる）
be also **reminiscent** of London's (2008) theory
　（London (2008)の理論も思い出させる）
a stimulus **reminiscent** of this concept（この概念を思い出させる刺激）
this is **reminiscent** of the notion proposed by Poland (2004)
　（この点は Poland (2004) によって提案された概念を思い出させる）
the **reminiscent** use of themes（主題の暗示的使用）

568 □ repercussion /ri:pərkʌ́ʃən/ 名 影響

《使用例》
serious **repercussions**（深刻な影響）
immediate **repercussions** on crops（農作物への直接的影響）
the **repercussions** of this nuclear war（この核戦争の影響）
in order to avoid social **repercussions**（社会的影響を避けるために）
have **repercussions** on this assessment（この評価に影響を及ぼす）

569 □ rephrase /rifréiz/ 動 言い換える，換言する

《使用例》
rephrase this principle in structural terms
　（この原理を構造の観点から言い換える）
can be **rephrased** as follows:（以下のように言い換えることができる）
should be **rephrased** as a kind of imitation
　（模倣の一種として言い換えられるべきである）
a **rephrasing** of the hypothesis（その仮説の言い換え）
can be clarified by **rephrasing**（言い換えによって解明できる）

570 representative /rèprizéntətiv/ 形 代表の，代表的な

《使用例》

a **representative** instance of this category（このカテゴリーの代表的な事例）
some **representative** examples（いくつかの代表例）
three **representative** types（3つの代表的なタイプ）
the analyses that are **representative** of criminal psychology
　（犯罪心理学に典型的な分析，犯罪心理学を代表する分析）
be directly **representative** of this process
　（このプロセスを直接的に表している）

《関連語彙 A》

represent /rèprizént/ 動 示す，表す
　represent the length of time（時間の長さを示している）
　the case **represented** here（ここで示されたケース）
　as **represented** below（以下に示されるように）
　be graphically **represented** in Figure 7（図7に図式的に示されている）
　can be **represented** as follows:（次のように表すことができる）
　Figure 2 **represents** this structure（図2はこの構造を示している）

representation /rèprizentéiʃən/ 名 表示
　an extremely simple **representation**（かなり単純な表示）
　this dynamic **representation**（このダイナミックな表示）
　a totally different **representation**（完全に別の表示，全く異なった表示）
　using such **representations** alone（このような表示のみを用いて）
　in the realm of mental **representations**（心的表示の範囲内で）

571 requirement /rikwáiərmənt/ 名 要件，要求

《使用例》

these **requirements**（これらの要件，これらの要求）
a clear **requirement**（明確な要件）
a broad range of **requirements**（多種多様な要件）
a necessary **requirement** for doing（-するための必要条件）
one pattern that meets these **requirements**
　（これらの要求を満たす1つのパターン）
given these **requirements**（これらの要件を挙げれば）

《関連語彙 A》

require /rikwáiər/ 動 必要とする
　require much processing effort（かなりの処理労力を要する）

require further investigation（さらなる探求を必要とする）
require additional work（さらなる研究を必要とする）
require nothing more than Principle A（原理 A 以外は何も必要としない）
require a rethinking of this assumption（この仮定の再考を必要とする）
new theoretical research is **required**（新たな理論研究が必要である）
more research should be **required** to do
　（－するためのさらなる研究が必要とされるべきである）

572 □ researcher /rɪsə́ːrtʃər, ríːsəːrtʃər/ 图 研究者

《使用例》
a number of **researchers**（多くの研究者）
many other **researchers**（他の多くの研究者）
leading **researchers** in linguistics（言語学における主要研究者）
a co-**researcher**（共同研究者）
a visiting **researcher**（客員研究員）
highly renowned **researchers**（かなり著名な研究者）
have attracted the interest of **researchers**（研究者の関心を引きつけてきた）

《関連語彙 A》
research /rɪsə́ːrtʃ, ríːsəːrtʃ/ 图 研究
　the **research** to date（これまでの研究）
　recent **research** on artificial intelligence（人工知能に関する最近の研究）
　a **research** paper（研究論文）
　a **research** report（研究報告書）
　a **research** fellow（研究員）
　this **research** methodology（この研究方法）
　a need for **research**（研究の必要性）
　an outlook on future **research**（今後の研究に向けての展望）
　in previous **research**（先行研究では）
　in future **research**（今後の研究では）
　in Johnson's (2008) **research**（Johnson (2008) の研究では）

《関連語彙 B》
study /stʌ́di/ 图 研究
　a pilot **study**（予備研究）
　a case **study**（事例研究）
　a **study** in progress（進行中の研究）
　the phenomenon under **study**（研究中の現象）
　the aim of the present **study**（本研究の目的）
　the **study** of linguistic structures（言語構造の研究）

in the present **study**（本研究では）
in future **studies**（今後の研究では）
in previous **studies**（先行研究では）
as this **study** shows（本研究が示すように）
be under **study**（研究中である）
be worthy of **study**（研究に値する）
deserve further **study**（さらなる研究に値する）

study /stÁdi/ 動 研究する
study the influence of context（文脈の影響を研究する）
study the role of consciousness closely（意識の役割について詳しく研究する）
be not worth **studying**（研究する価値がない，研究の価値がない）
have been **studied** in detail（詳細に研究されてきた）
should be **studied** from a historical perspective
  （歴史的観点から研究されるべきである）

《関連語彙 C》

scholar /skɔ́lər/ 名 学者
various **scholars**（様々な学者）
a highly talented **scholar**（かなり有能な学者）
a host of **scholars**（数多くの学者）
scholars interested in this framework（この枠組みに関心のある学者）
by **scholars** such as Johnson and Whitman
  （Johnson や Whitman などの学者によって）
be explained by another **scholar**（別の学者によって説明されている）

professor /prəfésər/ 名 教授
a **professor** at ABC University（ABC 大学の教授）
a **professor** of architecture（建築学の教授）
a **professor** emeritus（名誉教授）
an associate **professor**（准教授）
an assistant **professor**（助教）
a visiting **professor**（客員教授）
a university **professor**（大学教授）
be thankful to **Professor** Mark Poland（マーク・ポーランド教授に感謝する）

lecturer /léktʃərər/ 名 講師
a (full-time) **lecturer**（専任講師）
a part-time **lecturer**（非常勤講師）
a university **lecturer**（大学講師）
a **lecturer** at XYZ University（XYZ 大学講師）
a **lecturer** in applied physics（応用物理学の講師）

graduate /grǽdʒuət/ 形 大学院の
 a **graduate** student（大学院生）
 a **graduate** school（大学院）
 a **graduate** university（大学院大学）
 Graduate School of Agriculture（大学院農学研究科）
 Graduate School of Business Administration（大学院経営学研究科）
 while in **graduate** school（大学院在籍中に）

undergraduate /ʌndərgrǽdʒuət/ 形 学部学生の 名 学部学生
 an **undergraduate** course（学部の課程）
 an **undergraduate** student at XYZ university（XYZ大学の学部学生）
 thirty-eight **undergraduate** students（38名の学部学生）
 among **undergraduate** students（学部学生の間で）
 three **undergraduates**（3人の学部学生）

573 □ resemblance /rizémbləns/ 名 類似，類似性

《使用例》
 bear (a) **resemblance** to Johnson's (2004) theory
  （Johnson（2004）の理論に似ている）
 have (a) strong/close **resemblance** to Principle A
  （原理Aにかなり似ている）
 bear/have no **resemblance** to this framework
  （この枠組みとは全く異なる）
 by way of partial **resemblance**（部分的類似性によって）
 based on **resemblance** between ABC and XYZ
  （ABCとXYZの間の類似性に基づいて）
 there is no **resemblance** between ABC and XYZ
  （ABCとXYZの間に類似性はない）

《関連語彙A》
 resemble /rizémbl/ 動 似ている
  resemble carbon in structure（構造の点で炭素に似ている）
  seem to **resemble** London's (2005) doctrine
   （London（2005）の学説に似ているように思える）
  a phenomenon **resembling** fission（分裂に似た現象）
  English closely **resembles** Danish（英語はデンマーク語によく似ている）
  these members **resemble** each other（これらの成員は相互に似通っている）
  it somewhat **resembles** the pattern in Figure 3
   （それは図3のパターンに少し似ている）

574 □ reside /rizáid/ 動 存在する，-にある

《使用例》
reside in a particular pattern（特定のパターンの中に存在している）
reside in the fact that S+V（-という事実の中に存在している）
reside at the level of experience（経験レベルに存在している）
a structure **residing** in this system（このシステムに備わっている構造）
do not **reside** in the interior of the earth（地球の内部には存在しない）

575 □ resolve /rizɔ́lv/ 動 解決する，解消する，分解する

《使用例》
resolve this issue（この問題を解決する）
resolve these ambiguities（これらの曖昧性を解消する）
can be easily **resolved** by doing（-することで容易に解決できる）
this paradox must be **resolved**（この矛盾が解決されなければならない）
unresolved theoretical issues（未解決の理論的問題）
be **resolved** into individual elements（個々の要素に分解される）

《関連語彙 A》
resolution /rezəlúːʃən/ 名 解決，解明，解消，分解
　the **resolution** of these problems（これらの問題の解決）
　the **resolution** of ambiguity（曖昧性の解消）
　this **resolution** technique（この解決テクニック）
　in the **resolution** process（その解決/解消/分解プロセスにおいて）
　attempt a **resolution** of this mystery（この謎の解明を試みる）

resolvable /rizɔ́lvəbl/ 形 解決できる
　a **resolvable** problem（解決できる問題）
　a readily **resolvable** conflict（容易に解決できる対立）
　be not **resolvable**（解決できない）
　be easily **resolvable**（容易に解決できる）
　this issue may be **resolvable**（この問題は解決できるかも知れない）

576 □ resort /rizɔ́ːrt/ 動 頼る　名 手段

《使用例》
resort to another source of information（別の情報源に頼る）
by **resorting** to this analysis（この分析に頼って）
without **resorting** to this notion（この概念に頼ることなく）
should be a last/final **resort**（最後の手段であるべきである）

as a last **resort**（結局のところ，最後の手段として）
in the last **resort**（結局のところ，最後の手段として）

577 □ **respect** /rispékt/ 图 点，関係

《使用例》
in a few **respects**（いくつかの点で）
in a number of **respects**（多くの点で）
in all **respects**（あらゆる点で，全ての点で）
in this **respect**（この点では）
in other **respects**（その他の点では）
in the following **respects**（以下の点で）
differ in two **respects**（2つの点で異なる）
with **respect** to the former（前者に関しては）
with **respect** to the first three principles（最初の3つの原理に関しては）

578 □ **respectively** /rispéktivli/ 副 それぞれ

《使用例》
account for 10% and 50%, **respectively**
　（それぞれ10%と50%を占めている）
be represented in Figures 6 and 7 **respectively**
　（図6と図7にそれぞれ示される）
ABC and XYZ correspond to P1 and P2, **respectively**.
　（ABCとXYZはそれぞれP1とP2に対応している）
Sections 2 and 3 focus on nouns and verbs, **respectively**.
　（第2節と第3節ではそれぞれ名詞と動詞に着目する）
These examples are given in (3)-(5), **respectively**.
　（これらの事例は(3)から(5)にそれぞれ示される）

《関連語彙A》
respective /rispéktiv/ 形 それぞれの，各々の
　the **respective** claims（そのそれぞれの主張）
　their **respective** merits（それら各々の利点）
　the **respective** roles of input and output（入力と出力のそれぞれの役割）
　the results of the **respective** activities（各々の活動の結果）
　from the **respective** standpoints of men and women
　　（男性と女性のそれぞれの立場から）

579 respondent /rispɔ́ndənt/ 名 回答者

《使用例》

more in-depth information from **respondents**
（回答者からのより詳しい情報）
a total of 300 **respondents**（全体で 300 名の回答者）
one-third of all **respondents**（全回答者の 3 分の 1）
approximately 70 % of all **respondents**（全回答者の約 70%）
respondents were first asked about their academic experience
（回答者にはまず学術経験について尋ねた）

《関連語彙 A》

respond /rispɔ́nd/ 動 反応する，答える
  respond to gravity（重力に反応する）
  respond directly to this stimulus（この刺激に直接反応する）
  respond to the following questions（以下の質問に答える）
  respond only to these items（これらの項目のみに答える）
  respond again in English（再度英語で答える）

response /rispɔ́ns/ 名 反応，応答
  affirmative **responses**（肯定的な反応）
  the subject's **response**（その被験者の反応）
  a different **response** pattern（別の反応パターン）
  a **response** on the part of the speaker（話し手側の反応）
  a **response** to Paul Johnson（Paul Johnson への返答）
  in **response** to Poland's (2002) counterargument
    （Poland (2002) の反論に対して，Poland (2002) の反論に応じて）
  require a different kind of **response**（別種の反応を要求する）

580 responsible /rispɔ́nsəbl/ 形 −の原因となっている，−に責任がある

《使用例》

be partially/partly **responsible** for the fact that S+V
  （−という事実の部分的な原因となっている）
be held **responsible** for the adverse effect（その副作用の原因となっている）
can be construed as **responsible** for this behavior
  （この振る舞いの原因として解釈できる）
the operation (that is) **responsible** for this error
  （このエラーの原因となっている操作）
be mainly **responsible** for this determination

(主としてこの決定に責任がある)

《関連語彙 A》
responsibility /rispɔnsəbíləti/ 图 責任
　this social **responsibility** (この社会的責任)
　be my/our **responsibility** (筆者の責任である)
　be entirely my/our own **responsibility** (全て筆者自身の責任である)
　be a matter of individual **responsibility** (個々人の責任問題である)
　all remaining errors are my/our own **responsibility**
　　(取り残された不備は全て筆者自身の責任である)

581 □ **rest** /rést/ 動 基づく　图 残り

《使用例》
rest on an analysis of basic concepts (基本概念の分析に基づく)
rest on this assumption (この仮定に基づいている)
rest upon the view that S+V (－という考え方に基づいている)
the **rest** of this section (本節の残りの箇所)
in the **rest** of this paper/article (本稿の残りの箇所では)
all the **rest** accept that S+V (残りの人は全て－ということを容認している)

582 □ **restrict** /ristríkt/ 動 制限する, 限定する

《使用例》
restrict the range of studies (研究範囲を限定する)
restrict attention to these examples (これらの事例に注目する)
be highly **restricted** in number (数においてかなり制限されている)
be **restricted** to seven structures (7つの構造に限定される)
be not **restricted** to this environment
　(この環境に制限されない, この環境に限定されない)
in a **restricted** area (制限領域内で)

《関連語彙 A》
restriction /ristríkʃən/ 图 制限, 制約
　this structural **restriction** (この構造制約)
　the third **restriction** on language use (言語使用に関する第3制約)
　the **restrictions** of time and space (時間と空間の制約)
　regardless of these **restrictions** (これらの制約にも関わらず)
　in order to account for such **restrictions** (このような制限を説明するために)
　there are **restrictions** on the use of this expression

（この表現の使用に関しては制限がある）

restrictive /rɪstríktɪv/ 形 制限的な，限定的な
　a more **restrictive** definition（より厳密な定義）
　in a more **restrictive** way（より制限された形で，より限定的に）
　under more **restrictive** conditions（より制限された条件下では）
　be highly **restrictive**（かなり限定的である）
　be particularly **restrictive** in recent research
　　（最近の研究においては特に制限的である）
　may be too **restrictive**（制限的でありすぎるかも知れない）

unrestricted /ʌnrɪstríktɪd/ 形 無制限の，無限の
　unrestricted connections（制限のない結合，無限の結合）
　in the same **unrestricted** space（同じ無限空間において）
　be not **unrestricted**（無制限ではない）
　this extension is **unrestricted**（この拡張は無制限である）

583 □ resultant /rɪzʌ́ltənt/ 形 結果としての，結果として生じる 名 結果

《使用例》
the **resultant** cognitive model（その結果としての認知モデル）
the **resultant** theoretical problems（その結果として生じてくる理論的問題）
denote a **resultant** state（結果としての状態を示している）
the **resultant** of the interaction（その相互作用の結果）
yield the same **resultant**（同じ結果をもたらす）

《関連語彙 A》
result /rɪzʌ́lt/ 名 結果，成果 動 生じる，結果づける
　these experimental **results**（これらの実験結果）
　the **results** of this research（本研究の成果）
　the reliability of the **results**（その結果の信頼性）
　happen as a **result** of this process（このプロセスの結果として生じる）
　report the **results** of a pilot study（予備研究の結果を報告する）
　these **results** suggest that S+V（これらの結果は−ということを示唆している）
　result from the interplay between ABC and XYZ
　　（ABC と XYZ の間の相互作用から生じる）
　result in various kinds of structures（様々な種の構造を結果づける）

584 □ reveal /rɪvíːl/ 動 明らかにする

《使用例》
reveal several weaknesses（いくつかの欠点を明らかにする）

英語論文重要語彙 717

reveal differences between ABC and XYZ
（ABCとXYZの違いを明らかにする）
be partly revealed（部分的に明らかにされている）
be revealed by this model（このモデルによって明らかにされる）
remain unrevealed（不明のままである）
this analysis reveals that S+V（この分析は−なのを明らかにしている）
it is revealed that S+V（−ということが明らかにされる）
as Table 2 reveals（表2が明らかにしているように）
this is not revealed（これは明らかにされていない）

《関連語彙 A》

revealing /riví:liŋ/ 形 明確な
　a more revealing account（より明確な説明）
　be particularly revealing（特に明らかである）
　be revealing of this dilemma（この葛藤を明らかにしている）
　London's (2000) description is quite revealing
　　（London (2000)の記述はかなり明確である）

revealingly /riví:liŋli/ 副 明確に
　be revealingly characterized as follows:（以下のように明確に特徴づけられる）
　can be revealingly described（明確に記述できる）
　Most revealingly, S+V.（最も明確なのは−ということである）

---

585 □ **review** /rivjú:/ 名 書評，概観，再考，査読
　　　　　　　　　　動 再検討する，見直す，概観する

《使用例》

a critical review（批判的再考, 批判的検討）
book reviews（書評）
recent review papers/articles（最近の書評論文）
a peer-reviewed journal（査読誌）
a brief review of the history of English（英語史の概観）
be currently under review（現在査読中である）
in Johnson (under review)（Johnson（査読中）では）
based on this literature review
　（この関連文献の整理に基づいて，この文献調査に基づいて）
review these factors（これらの要因を再検討する）
review these issues succinctly（これらの問題を簡単に見直す）
be reviewed below（以下で概観される）

《関連語彙 A》
reviewer /rivjúːər/ 图 査読者
  an/one anonymous **reviewer**（匿名の査読者）
  three anonymous **reviewers**（3人の匿名査読者）
  one of the **reviewers**（査読者の1人）
  a coterie of **reviewers**（査読者グループ）
  as an anonymous **reviewer** points out（匿名の査読者が指摘するように）
  be suggested by the same **reviewer**（同じ査読者によって示唆される）
  thank two anonymous **reviewers**（2人の査読者に感謝する）

586 □ revise /riváiz/ 動 修正する，改訂する

《使用例》
a **revised** version of London (1999)（London (1999)の修正版）
revise Poland's (2002) generalizations
　（Poland (2002)の一般化を修正する）
be **revised** for publication（出版に向けて改訂される）
should be substantially **revised**（大幅に修正されるべきである）
this definition should be **revised**（この定義は修正されるべきである）

《関連語彙 A》
revision /rivíʒən/ 图 修正，改訂
  be in need of **revision**（修正を必要としている）
  require **revision**（修正を必要としている）
  may be subject to **revision**（修正されるかも知れない）
  a slight **revision** of this article（本稿の微修正）
  through a **revision** process（改訂プロセスを通して）

587 □ revisit /riːvízit/ 動 再考する

《使用例》
revisit the role of this element（この要素の役割を再考する）
revisit the cause of brain death（脳死の原因を再考する）
revisit the assumption in this new light
　（この新たな観点からその仮定を再考する）
an issue often **revisited**（しばしば再考される問題）
have been **revisited** by many researchers
　（多くの研究者によって再考されてきた）
Adjectives **Revisited**（形容詞再考）

《関連語彙 A》
rethink /riːθíŋk/ 動 再考する，再検討する
　rethink this position（この立場を再考する）
　rethink the framework proposed by Johnson (2003)
　　（Johnson (2003)によって提案された枠組みを再検討する）
　need to be **rethought**（再考の必要性がある）
　require a **rethinking** of this model（このモデルの再考を必要としている）
　should be **rethought** from different angles（様々な角度から再考されるべきである）
　this definition needs/requires **rethinking**（この定義は再検討の必要がある）

588 □ **rigid** /rídʒid/ 形 厳密な

《使用例》
a **rigid** dichotomy（厳密な二分法）
this **rigid** definition（この厳密な定義）
rigid analytical procedures（厳密な分析手順）
a more **rigid** hierarchical relation（より厳密な階層関係）
have no **rigid** boundaries（厳密な境界線はない）
set up a **rigid** system（厳密なシステムを確立する）

《関連語彙 A》
rigidity /rədʒídəti/ 名 厳密性，厳密さ
　this structural **rigidity**（この構造的厳密性）
　the **rigidity** of this principle（この原理の厳密性）
　the basis of **rigidity**（厳密性の基盤）
　analyze its **rigidity**（その厳密さを分析する）

rigidly /rídʒidli/ 副 厳密に
　a **rigidly** determined rule（厳密に規定されたルール）
　more **rigidly**（より厳密に，より厳密には）
　be systematized quite **rigidly**（かなり厳密に体系化される）
　have been **rigidly** defined（厳密に定義されてきた）
　cannot be **rigidly** categorized as a noun
　　（厳密には名詞としてはカテゴリー化できない）

589 □ **roughly** /rʌ́fli/ 副 大まかに，ほぼ

《使用例》
be **roughly** the same as Principle A（大まかには原理 A と同じである）
be **roughly** organized as follows:（大まかには次のように構成される）
can be **roughly** divided into two categories

（大まかには2つのカテゴリーに分割できる）
appear at **roughly** the same time（ほぼ同時に生起する）
roughly speaking（大まかに言って，大雑把に言えば）
roughly 10% of the subjects（被験者のほぼ10%）

《関連語彙A》
rough /rʌ́f/ 形 大まかな，概略的な，荒削りの
　a **rough** example（荒削りの事例）
　a very **rough** clue（かなり大まかな手掛かり）
　this **rough** characterization（この大まかな特徴づけ）
　a rather **rough** representation（かなり概略的な表示）
　a **rough** sketch/outline of ABC theory（ABC理論の概要，概略）
　this generalization is exceedingly **rough**（この一般化はかなり荒削りである）

590 □ rudimentary　/ru:déməntəri/ 形 基礎的な，基本的な

《使用例》
a **rudimentary** concept（基礎的な概念）
a **rudimentary** inference model（基本的な推論モデル）
the **rudimentary** laws of gravity（重力の基本法則）
be quite **rudimentary**（かなり基本的なものである）
have a **rudimentary** knowledge of French（フランス語の基礎知識がある）

《関連語彙A》
rudiment /rú:dəmənt/ 名 基礎，基本原理
　the **rudiments** of geometry（幾何学の基礎）
　the **rudiments** of evolutionary theory（進化論の基本原理）
　the existence of **rudiments**（基本原理の存在）
　acquire the **rudiments** of science（科学の基礎を習得する）
　master the **rudiments** of music（音楽の基礎を会得する）

rudimentarily /ru:dəmentérəli, ru:dəméntərəli/ 副 基本的に
　at least **rudimentarily**（少なくとも基本的には）
　be **rudimentarily** recursive（基本的には再帰的である）
　be **rudimentarily** useful（基本的に有益である）
　be **rudimentarily** understood（基本的に理解されている）

591 □ sake　/séik/ 名 目的，原因，理由

《使用例》
for the **sake** of readability（読みやすさを考慮して）

for the **sake** of commodity（便宜的に）
for the **sake** of convenience（便宜的に）
for the **sake** of clarity（分かりやすくするために）
for the **sake** of the argument（議論を進めるために）
for simplicity's **sake**（分かりやすくするために）

---

592 □ **satisfactory** /sætisfǽktəri/ 形 十分な，納得できる

《使用例》

a **satisfactory** analysis（納得できる分析，十分な分析）
a highly **satisfactory** result（かなり十分な結果）
in a **satisfactory** way（十分に，納得できる形で）
be considered **satisfactory**（十分であると考えられる）
be not quantitatively **satisfactory**（量的には十分ではない）
provide/offer a **satisfactory** account of these phenomena
　　（これらの現象に十分な説明を提供する）

《関連語彙 A》

satisfactorily /sætisfǽktərəli/ 副 十分に，納得できるように
　be not **satisfactorily** explored（あまり探求されていない）
　have not been elucidated **satisfactorily**（十分に解明されてこなかった）
　cannot be explained **satisfactorily**（十分には説明できない）
　in order to solve this issue **satisfactorily**
　　（この問題を納得できる形で解決するためには）

satisfy /sǽtisfai/ 動 満たす
　satisfy the first condition（最初の条件を満たす）
　do not **satisfy** this requirement（この要件を満たしていない）
　to **satisfy** these conditions（これらの条件を満たすために）
　this constraint needs to be **satisfied**（この制約が満たされる必要がある）

satisfying /sǽtisfaiiŋ/ 形 十分な，満足できる
　a **satisfying** explanation（十分な説明，満足のいく説明）
　in a **satisfying** manner（十分に，納得できる形で）
　be highly **satisfying**（かなり十分である）
　obtain **satisfying** results（十分な結果を得る）

《関連語彙 B》

unsatisfactory /ʌnsætisfǽktəri/ 形 不十分な
　an **unsatisfactory** account（不十分な説明）
　in an **unsatisfactory** manner（不十分に，不十分な形で）
　be empirically **unsatisfactory**（経験的に不十分である）

be obviously **unsatisfactory**（明らかに不十分である）
this description is still **unsatisfactory**（この記述は依然として不十分である）

unsatisfactorily /ʌnsætisfǽktərəli/ 副 不十分に
be **unsatisfactorily** clear-cut（十分に明確ではない）
be **unsatisfactorily** understood（不十分に理解されている）
be **unsatisfactorily** explained（十分に説明されていない）
have been **unsatisfactorily** discussed（十分に議論されてこなかった）

---

593 ☐ schematize /skíːmətaiz/ 動 図式化する

《使用例》
schematize spatial relations（空間関係を図式化する）
the process **schematized** in Figure 4（図4に図式化されたプロセス）
as **schematized** in Figure 2（図2に図式化されるように）
be appropriately **schematized**（適切に図式化される）
these elements can be **schematized**（これらの要素は図式化できる）

《関連語彙 A》
schematization /skiːmətaizéiʃən/ 名 図式化
spatial **schematizations**（空間の図式化）
the **schematization** of the brain itself（脳そのものの図式化）
schematization patterns（図式化のパターン）
a level of **schematization**（図式化のレベル）
ignore this **schematization**（この図式化を無視する）

schematic /skiːmǽtik/ 形 概略的な, 図式の
a partially **schematic** template（部分的に概略的なテンプレート）
a **schematic** representation（図式表示, 図式による表示）
such a **schematic** description（このような概略的な記述）
be highly/quite **schematic**（かなり概略的である）
be especially **schematic**（特に概略的である, とりわけ概略的である）

schematically /skiːmǽtikəli/ 副 概略的に, 図式上では
more **schematically**（より概略的に）
be described **schematically**（概略的に記述される）
be depicted **schematically** in Figure 3（図3では概略的に描かれる）
can be represented **schematically** as follows:
（以下のように図式表示できる, 図式上では以下のように表示できる）

---

594 ☐ scientifically /saiəntífikəli/ 副 科学的に

《使用例》

scientifically interesting evidence（科学的に見て興味深い証拠）
be scientifically correct（科学的には正しい）
be scientifically unverified（科学的に実証されていない）
test this hypothesis scientifically（この仮説を科学的に検証する）
scientifically speaking（科学的に言えば，科学的に言うと）

《関連語彙 A》

science /sáiəns/ 名 科学
  Western science（西洋科学）
  brain science（脳科学）
  the natural sciences（自然科学）
  in the social sciences（社会科学では，社会科学においては）
  the findings of cognitive science（認知科学の研究成果）
  the philosophy of science（科学哲学）
  the history of science（科学の歴史，科学史）

scientific /saiəntífik/ 形 科学の
  a scientific paradigm（科学のパラダイム）
  a scientific article（科学論文）
  scientific thinking（科学的思考）
  scientific research（科学研究）
  in scientific theories（科学理論では）

scientist /sáiəntəst/ 名 科学者
  cognitive scientists（認知科学者）
  as a social scientist（社会科学者として）
  among scientists（科学者の間で）
  as other scientists have discussed（他の科学者が議論してきたように）
  can also be recommended to political scientists（政治学者にも推薦できる）

595 □ **scope** /skóup/ 名 範囲，領域，余地

《使用例》
the scope of this investigation（本研究の探求領域）
within the limited scope（その限られた範囲内で）
be/lie beyond the scope of this study（本研究の範囲を超えている）
be included in the scope（その領域内に含まれる）
there is considerable scope for revision（修正の余地がかなりある）

596 □ **scrutinize** /skrú:tənaiz/ 動 詳しく調べる，吟味する

《使用例》

scrutinize this requirement further（この要件をさらに詳しく調べる）
be thoroughly **scrutinized**（綿密に吟味される, 綿密に検討される）
when **scrutinized** closer（よく調べると, よく吟味すると）
this effect can be **scrutinized**（この効果が詳しく調べられうる）
these data should also be **scrutinized**
　（これらのデータも詳しく調査されるべきである）

《関連語彙A》

scrutiny /skrúːtəni/ 图 詳細な調査, 吟味
　the items under **scrutiny**（調査中の項目）
　on close **scrutiny**（詳しく調べてみると, よく調べてみると, よく吟味すると）
　on closer **scrutiny**（さらに詳しく調べてみると）
　be under **scrutiny**（詳しく調査中である）
　require a closer **scrutiny**（より詳しい調査を必要とする）
　merit/deserve further **scrutiny**（さらに詳しく調査する価値がある）
　a closer **scrutiny** reveals that S+V（より詳細な調査は−ということを明らかにする）

597 ☐ **secondary** /sékəndəri/ 形 副次的な, 二次的な, 第2の

《使用例》
this **secondary** process（この副次的なプロセス）
a **secondary** aim of this study（本研究の第2の目的）
be taken to be **secondary**（二次的であると考えられる）
have **secondary** functions（副次的な機能を持っている）
be of **secondary** importance（重要性としては二次的である）
as a **secondary** result of this process（このプロセスの二次的な結果として）

《関連語彙A》

tertiary /tə́ːrʃəri/ 形 第3の, 三次的な
　a **tertiary** element（第3の要素）
　tertiary effects（三次的な影響）
　reach this **tertiary** stage（この第3段階に到達する）
　be **tertiary** rather than secondary（二次的というよりもむしろ三次的である）

quaternary /kwɔ́tərnəri, kwətə́ːrnəri/ 形 第4の, 四次的な
　this **quaternary** relation（この4番目の関係）
　the **quaternary** element（その4つ目の要素）
　reach the **quaternary** level（第4段階に到達する）
　be tertiary or **quaternary**（三次的かあるいは四次的である）

598 ☐ **selective** /siléktiv/ 形 選択的な

《使用例》

a **selective** principle（選択原理）
this **selective** process（この選択プロセス）
because of **selective** restrictions（選択制限のために）
as a result of **selective** projection（選択投射の結果）
be highly **selective**（かなり選択的である）
be **selective** in two respects（2つの点で選択的である）

《関連語彙 A》

selectively /siléktivli/ 副 選択的に
　be used **selectively**（選択的に用いられる）
　be projected to the space **selectively**（そのスペースに選択的に投射される）
　can be **selectively** projected（選択的に投射できる）
　by **selectively** reinforcing this pattern（このパターンを選択的に強化することで）

select /silékt/ 動 選択する
　select the latter principle（後者の原理を選択する）
　be **selected** from this list（このリストから選択される）
　be carefully **selected** on the basis of these criteria
　　（これらの基準に基づいて厳選される）
　randomly **selected** participants（ランダムに選ばれた被験者, 任意抽出の被験者）
　Selected Bibliography（参考文献（一部のみ））

selection /silékʃən/ 名 選択
　the **selection** of this hypothesis（この仮説の選択）
　this process of **selection**（この選択プロセス）
　such a random **selection**（このような無作為選択）
　based on the principle of natural **selection**（自然淘汰の原理に基づいて）
　facilitate the **selection** of this image（このイメージの選択を容易にする）

599 □ **seminal** /sémənl/ 形 独創的な, 重要な, 影響力のある

《使用例》

the **seminal** work by Paul Johnson（Paul Johnson による独創的な研究）
Poland's (2005) **seminal** work（Poland (2005) の独創的な研究）
many **seminal** ideas（多くの重要な考え方）
in this **seminal** discussion（この重要な議論において）
this book includes **seminal** papers
　（本書には影響力のある論文が含まれている）

600 □ **separately** /sépərətli/ 副 別々に, 別に

《使用例》

be **separately** stipulated（別々に規定される）
be shown **separately**（別々に示される）
be defined **separately** from this notion（この概念とは別に定義される）
should be **separately** treated（別々に取り扱われるべきである）
must be explored **separately** in future research
　（今後の研究では別々に探求されなければならない）
test these data **separately**（これらのデータを別々に検証する）

《関連語彙 A》

separate /sépərət/ 形 別の，別々の，別個の
　a completely **separate** question（全く別の問題）
　two **separate** factors（2つの別個の要因）
　be presented in **separate** papers（別々の論文で提示される）
　a category **separate** from Type B（タイプ B とは別のカテゴリー）
　require a **separate** explanation（別の説明を必要とする）

separate /sépəreit/ 動 分割する，分離する，区分する
　separate mass nouns from count nouns（質量名詞と可算名詞を区分する）
　separate these substances into two types（これらの物質を2つのタイプに分割する）
　be **separated** into three categories（3つのカテゴリーに分割される）
　be **separated** by a period（ピリオドによって分割される）
　cannot be **separated** from the process（そのプロセスからは分離できない）

separation /sepəréiʃən/ 名 分割，分離，区分
　this artificial **separation**（この人工的な区分, この人工的な分割）
　a **separation** of ABC and XYZ（ABC と XYZ の分割）
　a **separation** of past from present（現在から過去を切り離すこと）
　a complete **separation** between ABC and XYZ（ABC と XYZ の完全な分離）
　in order to justify this **separation**（この分割／分離を正当化するためには）

separable /sépərəbl/ 形 分割可能な，分離可能な
　three **separable** processes（3つの分割可能なプロセス）
　be clearly **separable**（明確に分割できる）
　be **separable** from the system（そのシステムから分離可能である）
　be **separable** from each other（相互に分離可能である）
　be **separable** into two parts（2つの部分に分割できる）

inseparable /insépərəbl/ 形 不可分の，分離不可能な
　an **inseparable** link（不可分の結び付き）
　be **inseparable** from this system（このシステムからは分離できない）
　be **inseparable** from context（文脈からは切り離せない）
　language and thought are **inseparable**（言語と思考は不可分の関係にある）

these two processes are **inseparable**（これら2つのプロセスは分離不可能である）

601 □ series /síəri:z/ 图 一連，シリーズ

《使用例》

a **series** of experiments（一連の実験）
a **series** of covert operations（一連の非顕在的な操作）
in a **series** of studies（一連の研究の中で）
the **series** of papers included in this book
　（本書に収められたその一連の論文）
the purpose of this **series**（このシリーズの目的）
English Literature **Series**（英文学シリーズ）

《関連語彙 A》

serial /síəriəl/ 形 連続的な
　a **serial** pattern（連続的なパターン）
　serial numbers（通し番号）
　this **serial** application（この連続的な適用）
　the **serial** nature of processing models（処理モデルの連続性）
　in a **serial** manner（連続的に）
　in **serial** order（番号順に）

serially /síəriəli/ 副 連続的に
　initially **serially**（最初は連続的に）
　occur **serially**（連続的に生じる）
　arrange them **serially**（それらを連続的に配置する）
　be interpreted **serially**（連続的に解釈される）

602 □ serve /sə́:rv/ 動 機能する，役立つ，果たす

《使用例》

serve as a starting point（出発点として機能する）
serve as a foundation/basis for constructing ABC theory
　（ABC 理論を構築する1つの基盤となる）
serve as a baseline to classify these concepts
　（これらの概念を分類する1つの基準となる）
serve as a useful framework for doing（−するための有益な枠組みとなる）
serve to emphasize this aspect（この側面を強調するのに役立つ）
serve a similar function（似たような機能を果たす）
in order to **serve** such purposes（このような目的を達成するために）

can **serve** as an indirect cue（間接的な手掛かりになりうる）

603 □ sharply /ʃάːrpli/ 副 厳密に，厳しく，明確に

《使用例》

quite **sharply**（かなり厳密に）
decrease **sharply** over the last five years（ここ 5 年で激減している）
criticize this approach **sharply**（このアプローチを厳しく批判する）
contrast **sharply** with the former model
　（前者のモデルとはかなり対照的である，前者のモデルとはかなり異なる）
be **sharply** delineated（厳密に境界づけられる）
be **sharply** distinct from Johnson's (2000) definition
　（Johnson (2000) の定義とは明確に異なる）

《関連語彙 A》

sharp /ʃάːrp/ 形 厳密な，明確な，急激な
　a **sharper** definition（より厳密な定義）
　a **sharp** reduction（急激な減少）
　a **sharp** dichotomy between ABC and XYZ（ABC と XYZ の明確な二分法）
　in **sharp** contrast（かなり対照的に）
　in **sharp** contrast to Winter's (2002) notion
　　（Winter (2002) の概念とはかなり対照的に）
　there is no **sharp** distinction between ABC and XYZ
　　（ABC と XYZ の間に明確な違いはない）

sharpen /ʃάːrpn/ 動 高める，はっきりさせる
　sharpen this argument（この議論を精緻化する）
　sharpen our understanding of this phenomenon（この現象の理解を深める）
　sharpen the need for corpus data（コーパスデータの必要性を高める）
　in order to **sharpen** these differences（これらの相違をはっきりさせるためには）

604 □ shift /ʃíft/ 動 切り替える，切り替わる　名 切り替え

《使用例》

shift category boundaries（カテゴリー境界を切り替える）
shift from A to B（A から B に切り替える）
be **shifted** from A to B（A から B に切り替えられる）
may **shift** according to the level
　（そのレベルに従って切り替わるかも知れない）
a **shift** in point of view（視点の切り替え）

this **shift** in perspective（この視点の切り替え）
a **shift** from A to B（A から B への切り替え）

605 □ shortcoming /ʃɔ́ːrtkʌmiŋ/ 名 欠点，不備

《使用例》
another **shortcoming**（もう 1 つの欠点）
the three **shortcomings** mentioned above（上述の 3 つの欠点）
the **shortcomings** of this analysis（この分析の欠点）
the **shortcomings** of previous studies（先行研究の不備）
have many **shortcomings**（多くの不備がある）
point out these **shortcomings**（これらの欠点を指摘する）
a **shortcoming** of this work is that S+V
　（この研究の欠点の 1 つは－ということである）
this is not a **shortcoming**（これは欠点ではない）

606 □ significance /signífikəns/ 名 重要性，意義，有意性

《使用例》
examine the **significance** of this mechanism
　（このメカニズムの重要性を吟味する）
the philosophical **significance** of metaphorical expressions
　（比喩表現の哲学的意義）
assess the **significance** of this difference（この違いの有意性を判断する）
the **significance** of the results（その結果の有意性）
be of little **significance**（あまり重要ではない）
be of great **significance**（かなり重要である）

《関連語彙 A》
significant /signífikənt/ 形 重要な，有意な，かなりの
　a highly **significant** notion（かなり重要な概念）
　statistically **significant** differences（統計的に見て有意な差）
　a **significant** body of work（かなりの量の研究）
　be of **significant** importance（かなり重要である）
　this is **significant** as well（これも重要である）
　more **significant** is that S+V（より重要なのは－ということである）

significantly /signífikəntli/ 副 明確に，著しく，かなり，重要なことに
　be **significantly** different from Chinese（中国語とは明確に異なっている）
　differ **significantly** from Principle A（原理 A とは明確に異なる）

be **significantly** higher than the average（平均よりかなり高い）
improve the quality of this paper **significantly**（本論文の質を著しく向上させる）
More **significantly**, S+V.（さらに重要なのは−ということである）

insignificant /insignífikənt/ 形 無意味な，些細な，有意でない，微々たる
  an **insignificant** matter（些細な問題）
  insignificant consequences（取るに足らない帰結）
  be statistically **insignificant**（統計学上有意ではない）
  be numerically **insignificant**
    （数字の上では微々たるものである，数字の上ではごくわずかである）
  be apparently **insignificant**（明らかに無意味である）
  be rather **insignificant**（かなり無意味である）

607 □ similarity /simələ́rəti/ 名 類似性

《使用例》
structural **similarities**（構造的類似性）
this sort of **similarity**（この種の類似性）
the degree of **similarity**（類似性の程度）
on the basis of **similarity**（類似性に基づいて）
show/exhibit **similarities** with other models
  （他のモデルとの類似性を示している）
there is an obvious **similarity** between ABC and XYZ
  （ABCとXYZの間には明らかに類似性がある）

《関連語彙A》
similar /símələr/ 形 似たような，類似した
  along **similar** lines（同様に）
  in a **similar** vein（同様の趣旨で，同様に）
  in a **similar** way/manner（同様に）
  a structure **similar** to (5)（(5)に類似した構造）
  be somewhat **similar** to the latter pattern（後者のパターンに少し似ている）
  be analyzed in a **similar** fashion（似たような形で分析される）
  these examples are very/quite **similar**（これらの事例はかなり似ている）
  a **similar** idea can be found in Johnson (2000)
    （似たような考え方がJohnson (2000)にも見られる）

similarly /símələrli/ 副 同様に
  use this term **similarly**（この用語を同様に用いる）
  be **similarly** polysemous（同様に多義的である）
  similarly structured entities（同様に構造化された実体）

英語論文重要語彙 717

similarly to/with other models（他のモデルと同様に）
London (2002) **similarly** argues that S+V
　（London (2002) も同様に〜ということを議論している）
Similarly, Johnson (2004) shows that S+V.
　（同様に，Johnson (2004) も〜ということを示している）
Similarly, this analysis is correct.（この分析も同様に正しい）

---

608 □ simplify /símpləfai/ 動 単純化する，簡素化する

《使用例》

simplify these diagrams（これらの図式を簡素化する）
be **simplified** here（ここでは簡素化されている）
a **simplified** model of conceptual processes
　（簡素化した概念プロセスのモデル）
a **simplified** version of Figure 3（図3の簡略版）
in order to **simplify** the discussion（議論を単純化/簡略化するために）

《関連語彙 A》

simplicity /simplísəti/ 名 分かりやすさ，簡素化，単純さ
　the **simplicity** of its process（そのプロセスの簡素化，そのプロセスの単純さ）
　an operation of great **simplicity**（かなり単純な操作）
　for (the sake of) **simplicity**（分かりやすくするために，簡素化のために）
　for reasons of **simplicity**（簡素化のために，分かりやすくするために）
　because of its **simplicity**（その簡素さのために）

simplistic /simplístik/ 形 単純すぎる，安易な，過度に単純化した
　simplistic assumptions（単純すぎる仮定，安易な仮定）
　such a **simplistic** view（このような単純すぎる見解）
　a rather **simplistic** differentiation（かなり安易な区別）
　this **simplistic** dichotomy（この安易な二分法）
　this definition is too **simplistic**（この定義は過度に単純化しすぎている）

simplification /simpləfikéiʃən/ 名 簡素化，単純化
　an extreme **simplification**（極端な単純化，極端な簡素化）
　this first **simplification**（この最初の簡素化，この最初の単純化）
　the **simplification** of this complex process（この複雑なプロセスの単純化）
　for purposes of **simplification**（分かりやすくするために，簡素化のために）
　due to these **simplifications**（これらの単純化のために）

oversimplify /ouvərsímpləfai/ 動 単純化しすぎる，簡素化しすぎる
　oversimplify a complicated issue（複雑な問題を単純化しすぎている）
　oversimplify the relationship between language and thought

（言語と思考の関係を単純化しすぎている）
an **oversimplified** representation（簡素化しすぎた表示）
be **oversimplified** in the following three ways:
　（以下の3つの点で単純化しすぎている）
be at the risk of **oversimplifying**（単純化しすぎている危険性がある）

609 □ simply /símpli/ 副 単に，簡単に，単純に

《使用例》

be **simply** an aspect of cognitive processing
　（単に認知処理の一面に過ぎない）
be **simply** not applicable to this situation
　（単純にはこの状況に適用することはできない）
should **simply** be jettisoned（あっさり破棄されるべきである）
this is **simply** because S+V（これは単に－であるためである）
put **simply**（簡単に言えば）
more **simply** stated（より分かりやすく言えば）

《関連語彙 A》

simple /símpl/ 形 単純な
　these **simple** examples（これらの単純な事例）
　a **simple** dichotomy（単純な二分法）
　a fairly/quite **simple** analysis（かなり単純な分析）
　be structurally **simple**（構造的に単純である）
　this definition seems **simple**（この定義は単純なように思える）

610 □ simultaneous /saiməltéiniəs, siməltéiniəs/ 形 同時の，同時に生じる

《使用例》

this **simultaneous** input（この同時入力）
the **simultaneous** invocation of two processes（2つのプロセスの同時喚起）
be nearly/almost **simultaneous**（ほとんど同時である）
be exactly **simultaneous**（正確には同時に生じる）
be **simultaneous** with the latter process（後者のプロセスと同時である）
these operations are not **simultaneous**（これらの操作は同時ではない）

《関連語彙 A》

simultaneously /saiməltéiniəsli, siməltéiniəsli/ 副 同時に
　process these expressions **simultaneously**（これらの表現を同時に処理する）
　arise/appear **simultaneously**（同時に生じる）

occur **simultaneously** with the element C（要素 C とともに同時に生起する）
be **simultaneously** experienced（同時に経験される）
be activated **simultaneously**（同時に活性化される）

simultaneity /saimǝltǝníːǝti, simǝltǝníːǝti/ 图 同時性
this **simultaneity**（この同時性）
the **simultaneity** is important（その同時性が重要である）
be mapped onto **simultaneity**（同時性に写像される）
be used to express **simultaneity**（同時性を述べるために用いられる）

611 □ situate /sítʃueit/ 動 位置づける

《使用例》

situate this element between ABC and XYZ
（この要素を ABC と XYZ の間に位置づける）
be **situated** at the core/center of this discussion
（この議論の中心に位置づけられる）
be **situated** at the bottom of this hierarchy
（この階層の最下位に位置づけられる）
be **situated** in this context（この文脈に位置づけられる）
concepts **situated** at a basic level（基本レベルに位置づけられた概念）

《関連語彙 A》

situation /sitʃuéiʃǝn/ 图 状況
a stable **situation**（安定した状況）
the present **situation** of this framework（この枠組みの現状）
in this **situation**（この状況では）
construe this **situation** in various ways（この状況を様々に解釈する）
portray this **situation** with precision（この状況を正確に描写する）
be not an ideal **situation**（理想的な状況ではない）

situational /sitʃuéiʃǝnl/ 形 状況の，状況的な
a **situational** change（状況の変化）
a **situational** construct（状況レベルの構築物）
the purpose of **situational** analysis（状況分析の目的）
in an appropriate **situational** context（適切な状況文脈で）
show the importance of **situational** memory（状況記憶の重要性を示す）

situationally /sitʃuéiʃǝnǝli/ 副 状況的に
situationally grounded meaning（状況依存の意味, 状況に根ざした意味）
be **situationally** difficult（状況的に難しい）
be **situationally** restricted（状況的に制限されている）

can be inferred **situationally**（状況から推論できる）

612 □ sketch /skétʃ/ 動 概観する，略記する 名 概要，概観

《使用例》

sketch the history of color research（色彩研究の歴史を概観する）
be **sketched** in Section 3（第3節で概観される）
sketch out this framework（この枠組みを概略する）
the configuration **sketched** in Figure 3（図3で略記された構図）
as **sketched** in Figure 5（図5に略記されるように）
a brief **sketch** of ABC theory（ABC理論の概要，ABC理論の概観）
give a rough **sketch** of Johnson's (2001) discussion
　（Johnson (2001) の議論の概要を与える，Johnson (2001) の議論を概観する）

《関連語彙A》

sketchy /skétʃi/ 形 概略的な
　this **sketchy** account（この概略的な説明）
　a **sketchy** description of cognitive processes（認知プロセスの概略的な記述）
　a **sketchy** history of Western music（概略的な西洋音楽史）
　be quite/rather/very **sketchy**（かなり概略的である）
　may be somewhat **sketchy**（少し概略的であるかも知れない）

613 □ slightly /sláitli/ 副 少し，やや，若干

《使用例》

a **slightly** revised/modified version of Johnson (1999)
　（Johnson (1999) の微修正版）
a **slightly** different interpretation（少し違う解釈）
differ **slightly** from these traditional approaches
　（これらの伝統的なアプローチとは少し異なる）
be **slightly** odd（少し奇妙である）
to put it **slightly** differently（やや別の言い方をすれば）
in **slightly** more recent terms（若干最近の言葉では）

《関連語彙A》

slight /sláit/ 形 少しの，わずかな，若干の
　a **slight** revision/modification（若干の修正，微修正）
　despite a **slight** increase（若干の増加にも関わらず）
　undergo a **slight** change（少し変化する，少し変化を被る）
　show a **slight** tendency to do（-する若干の傾向を示している）

this difference is **slight**（この違いはわずかである）

614 □ solely /sóulli/ 副 ただ単に，もっぱら

《使用例》

be **solely** structural（ただ単に構造的なものである）
be determined **solely** by whether or not S+V
　（－かどうかによってのみ決定される）
be based **solely** on contextual information（文脈情報だけに基づいている）
occur **solely** at the beginning of this paper（この論文の冒頭にだけ生じる）
focus **solely** on the structure of discourse
　（もっぱら談話構造のみに着目する）

《関連語彙 A》

sole /sóul/ 形 唯一の
　the **sole** exception（唯一の例外）
　the **sole** object of description（唯一の記述対象）
　the **sole** way of doing（－する唯一の方法）
　the **sole** alternative is to do（唯一の代案は－することである）
　this is the **sole** flaw（これが唯一の欠点である）

615 □ solution /səlúːʃən/ 名 解決策，解決，解明

《使用例》

the only **solution**（唯一の解決策）
a **solution** to this problem（この問題の解決策）
a different **solution** to this problem（この問題に対する別の解決策）
the **solution** proposed by Johnson (2003)
　（Johnson (2003) によって提案された解決策）
be in need of **solution**（解明する必要がある，解決する必要がある）

《関連語彙 A》

solve /sɔ́lv/ 動 解決する，解明する
　solve all problems（全ての問題を解決する）
　to **solve** this paradox（この矛盾を解明するためには）
　problem-**solving** abilities（問題解決能力）
　cannot be completely **solved**（完全には解明できない）
　these issues can be **solved**（これらの問題は解決できる）

solvable /sɔ́lvəbl/ 形 解決できる
　an easily **solvable** problem（容易に解決できる問題）

be **solvable** by Principle B（原理 B によって解決できる）
be not readily **solvable**（簡単には解決できない）
this problem is easily **solvable**（この問題は容易に解決できる）

616 □ somewhat /sÁmwət/ 副 少し

《使用例》
be **somewhat** problematic（少し問題がある）
be **somewhat** different from (10a)（(10a)とは少し異なる）
be **somewhat** too strong（少し強すぎる）
offer a **somewhat** different explanation（少し異なった説明を提供する）
in a **somewhat** different manner（少し異なった形で）
it is **somewhat** odd to do（～するのは少し奇妙である）

617 □ specialize /spéʃəlaiz/ 動 専門にする，専門化する，特化する

《使用例》
specialize in the study of gender（ジェンダー研究を専門としている）
a scientist **specializing** in seismology（地震学を専門とする科学者）
a **specialized** journal（専門学術雑誌）
more **specialized** research areas（より専門化した研究領域）
be extremely **specialized**（かなり専門化している，かなり特化している）
can be further **specialized**（さらに専門化されうる）
be **specialized** for its function（その機能に特化している）

《関連語彙 A》
specialization /speʃəl(a)izéiʃən/ 名 専門化，特化，特殊化
　such an extreme **specialization**（このような極度な専門化）
　a high degree of **specialization**（高度な専門化）
　this kind of **specialization**（この種の特化）
　the **specialization** of this process（このプロセスの特殊化）
　through further **specialization**（さらなる特化を通して）

specialty /spéʃəlti/ 名 専門，特徴
　Paul Johnson's **specialty**（Paul Johnson の専門（領域））
　such **specialties**（このような特徴）
　the development of this **specialty**（この特徴の発達）
　be taken as a **specialty**（1つの特徴として考えられる）
　make a **specialty** of economics（経済学を専門としている）

specialist /spéʃəlist/ 名 専門家　形 専門的な，専門上の

a public education **specialist**（公教育の専門家）
a **specialist** in biochemistry（生化学の専門家）
among **specialists**（専門家の間で）
be unknown even to **specialists**（専門家でも知らない）
specialist papers（専門的な論文）
his **specialist** interests（彼の専門上の関心事）

《関連語彙 B》

special /spéʃəl/ 形 特別な，特殊な
　a **special** case of the former（前者の特例，前者の特殊なケース）
　a **special** kind of reference point（特種な参照点）
　be of **special** interest（特に興味深い）
　with **special** reference to individual differences（特に個人差に関しては）
　with **special** attention to these problems（特にこれらの問題に着目して）
　pay/give **special** attention to orthodox definitions
　　（特に伝統的な(従来的な)定義に注目する）
　require no **special** apparatus（特別な道具立てを一切必要としない）
　deserve **special** mention（特筆に値する）
　attach **special** importance to the framework（その枠組みを特に重要視する）
　special thanks also go to Paul Poland（Paul Poland 氏にも特に感謝したい）

specially /spéʃəli/ 副 特に，特別に
　be **specially** emphasized（特に強調されている）
　be **specially** prepared（特別に準備される）
　a **specially** desirable result（特に望ましい結果）
　it should be **specially** noted that S+V（−という点に特に注意すべきである）

618 ☐ **specific** /spɪsífɪk/ 形 具体的な，特定の，特有の 名 詳細

《使用例》

a **specific** example（具体例）
culture-**specific** knowledge（文化特有の知識）
an issue **specific** to this case（このケースに特有の問題）
the **specific** details of this mechanism（このメカニズムの詳細）
in a more **specific** way（より具体的に）
be **specific** to XYZ theory（XYZ 理論に特有である）
be used in **specific** contexts（特定の文脈内で用いられる）
require **specific** inferential processes（特有の推論プロセスを必要とする）
the **specifics** of this research（この研究の詳細）

《関連語彙 A》

specifically /spisífikəli/ 副 具体的には，特に
　specifically adverbs and adjectives（具体的には副詞と形容詞，特に副詞と形容詞）
　more **specifically**（より具体的には）
　be **specifically** construed as a kind of metaphor
　　（具体的には比喩の一種として解釈される）
　deal **specifically** with figurative phenomena（特に比喩現象を取り上げている）
　be **specifically** problematic（特に問題である）

specificity /spesəfísəti/ 名 特異性，特殊性
　the **specificity** of color terms（色彩語彙の特異性）
　the **specificity** of the cognitive system（その認知システムの特殊性）
　in terms of **specificity**（特異性の観点から）
　demonstrate structural **specificities**（構造的特異性を示している）
　highlight its cultural **specificity**（その文化的特異性を強調する）

specify /spésəfai/ 動 特定する，詳述する，規定する
　specify the direction of movement（移動の方向を特定する）
　specify the nature of this process（このプロセスの性質について詳述する）
　be still not **specified**（まだ特定されていない）
　remain **unspecified** / be left **unspecified**（特定されないままである）
　the range **specified** in Figure 3（図3で特定された範囲）
　this rule **specifies** that S+V（この規則は－ということを規定している）
　unless its length is **specified**（その長さが特定されない限り）

specification /spesəfikéiʃən/ 名 特定(化)，特殊化，詳述
　the **specification** of a location（位置の特定）
　a **specification** of the path（その経路の特定化）
　the **specification** of meaning（意味の特殊化）
　the **specification** of the differences（その違いの詳述）
　a further **specification** of this view（この見解についてさらに詳しく述べること）

□ **standard** /stǽndərd/ 形 標準的な，普通の，一般的な

《使用例》
　standard linguistic tests（標準的な言語テスト）
　standard examples of the latter（後者の一般的な例）
　a fairly **standard** account（かなり普通の説明）
　the **standard** view that S+V（－という標準的な考え方）
　standard deviations（標準偏差）
　the **standard** version of XYZ theory（XYZ理論の標準版）
　using **standard** methods（標準的な方法を用いて，一般的な方法を用いて）
　in contemporary **standard** English（標準的な現代英語では）

there is no **standard** term for this notion
　（この概念を表わす一般的な用語は存在しない）

《関連語彙 A》

standard /stǽndərd/ 图 基準, 水準
　a **standard** of comparison（比較の基準, 比較基準）
　a living **standard**, a **standard** of living（生活水準）
　according to these social **standards**（これらの社会的基準に従って）
　set (up) new **standards**（新しい基準を定める）
　meet these **standards**（これらの基準を満たす）
　become (serve as) a **standard** for doing（−するための基準となる）

standardly /stǽndərdli/ 副 一般に
　be **standardly** used to do（−するために一般に用いられる）
　be **standardly** ignored here（ここでは一般に無視されている）
　as **standardly** understood（一般に理解されているように）
　it is **standardly** assumed that S+V（−ということが一般に仮定されている）

620 □ **standpoint** /stǽndpɔint/ 图 観点, 立場

《使用例》

this theoretical **standpoint**（この理論的立場, この理論的観点）
from this **standpoint**（この観点から, この立場から）
from a different **standpoint**（別の観点から）
from other **standpoints**（他の観点から）
from various **standpoints**（様々な観点から）
be approached from the **standpoint** of cognitive psychology
　（認知心理学の観点からアプローチされる）
be analyzed from the **standpoint** of language structure
　（言語構造の観点から分析される）

621 □ **statement** /stéitmənt/ 图 主張

《使用例》

a definitive **statement**（明確な主張）
this general **statement**（この一般的主張）
a series of **statements**（一連の主張）
an exception to the **statement** that S+V（−という主張の例外）
begin with a similar **statement**（似たような主張で始まる）
be confirmed by the following **statement**:

（以下の主張によって確かめられる）

《関連語彙 A》

state /stéit/ 動 述べる，言及する
  state this reason in detail（この理由を詳細に述べる）
  stated more precisely（より正確に言えば）
  as already **stated**（既に述べたように）
  as previously **stated**（先に言及したように，前述したように）
  it is not explicitly **stated** that S+V（－ということは明確には述べられていない）
  it can be **stated** that S+V（－と述べることができる）
  it is no exaggeration to **state** that S+V（－と言っても過言ではない）

《関連語彙 B》

state /stéit/ 名 状態
  this **state** of mind, this mental **state**（この心理状態）
  a series of **states**（一連の状態）
  an internal change of **state**（内部の状態変化）
  the current **state** of XYZ theory（XYZ 理論の現状）
  a **state** of the processing system（その処理システムの状態）
  undergo a change in **state**（状態の変化を被る，状態変化を引き起こす）

《関連語彙 C》

overstate /ouvərstéit/ 動 誇張しすぎる
  overstate its importance（その重要性を誇張しすぎる）
  should not be **overstated**（誇張されすぎるべきではない）
  this issue seems **overstated**（この問題は誇張されすぎているように思える）

overstatement /ouvərstéitmənt/ 名 誇張
  a bold **overstatement**（大胆な誇張）
  be not an **overstatement**（誇張ではない）
  be considered (as) an **overstatement**（1つの誇張と考えられる）

---

statistical /stətístikəl/ 形 統計の，統計上の

《使用例》

a **statistical** test（統計テスト，統計検定）
a **statistical** survey（統計調査）
various **statistical** regularities（統計上の様々な規則性）
in addition to these **statistical** results（これらの統計結果に加えて）
in terms of **statistical** reliability（統計学上の信頼性の観点からは）
be confirmed by this **statistical** analysis
  （この統計分析によって確かめられる）

there is no **statistical** difference between ABC and XYZ
（ABC と XYZ の間には統計上の違いは何もない）

《関連語彙 A》

statistically /stətístikəli/ 副 統計学的に，統計的に
　be **statistically** valid（統計学的に見て妥当である）
　be not **statistically** significant（統計学的に見て有意ではない）
　yield **statistically** significant differences（統計学上の有意差をもたらす）
　this difference is **statistically** reliable（この違いは統計学的に信頼できる）
　there are no **statistically** significant differences between ABC and XYZ
　　（ABC と XYZ の間に統計学上の有意差は何も見られない）

statistics /stətístiks/ 名 統計，統計学
　accurate **statistics** on population density（人口密度に関する正確な統計）
　according to government **statistics**（政府の統計によれば）
　in mathematical **statistics**（数理統計学では）
　be based on corpus **statistics**（コーパス統計に基づいている）
　the **statistics** in Table 3 show/indicate that S+V
　　（表3の統計は−ということを示している）
　the **statistics** are shown in Table 2（その統計は表2に示される）

623 ☐ **stem** /stém/ 動 生じる，由来する

《使用例》

stem from this problem（この問題から生じている）
stem from the fact that S+V（−という事実に由来している）
examples **stemming** from this phenomenon（この現象に由来する事例）
this data **stems** from the ABC corpus
　（このデータは ABC コーパスからのものである）
this **stems** from the observation that S+V
　（これは−という見解から生じている）

624 ☐ **stipulate** /stípjuleit/ 動 規定する

《使用例》

be separately **stipulated**（別々に規定される）
without **stipulating** any special mechanisms
　（特殊なメカニズムを何も規定することなく）
by **stipulating** that S+V（−ということを規定することで）
the condition **stipulated** here（ここで規定された条件）

it must be **stipulated** that S+V（－ということが規定されなければならない）
the latter principle **stipulates** that S+V
　　（後者の原理は－ということを規定している）

《関連語彙A》
stipulation /stípjuléiʃən/ 图 規定，条件
　additional **stipulations**（追加条件）
　at least two of its **stipulations**（少なくともその条件の2つ）
　be not a mere **stipulation**（単なる規定ではない）
　without appealing to these **stipulations**（これらの規定に頼らずに）
　under/on the **stipulation** that S+V（－という条件で）
　this special **stipulation** is needed（この特別な規定が必要とされる）

625 ☐ **straightforward** /streitfɔ́:rwərd/ 形 率直な，容易な，単純な

《使用例》
a fairly **straightforward** analysis（かなり率直な分析）
comparatively **straightforward** examples（比較的単純な事例）
be not so **straightforward**（それほど率直ではない）
can be explained in a **straightforward** manner（率直に説明できる）
it is relatively **straightforward** to do（－することは比較的容易である）

《関連語彙A》
straightforwardly /streitfɔ́:rwərdli/ 副 率直に
　quite **straightforwardly**（かなり率直に）
　more **straightforwardly**（より率直に）
　be **straightforwardly** accounted for（率直に説明される）
　be **straightforwardly** interpretable（率直に解釈できる）
　cannot be **straightforwardly** defined（率直に定義できない）

626 ☐ **stress** /strés/ 動 強調する　图 強調，重点

《使用例》
stress the importance of language change（言語変化の重要性を強調する）
be worth **stressing**（強調に値する）
as **stressed** by Poland (2007)（Poland (2007)によって強調されるように）
Johnson (2001) particularly **stresses** that S+V
　（Johnson (2001)は－ということを特に強調している）
it should be **stressed** that S+V（－ということが強調されるべきである）
this point must be **stressed**（この点が強調されなければならない）

put/place/lay considerable **stress** on this relationship
（この関係をかなり強調する，この関係にかなりの重点を置く）

627 ☐ strictly /stríktli/ 副 厳密に

《使用例》
be **strictly** defined（厳密に定義される）
be not **strictly** predictable（厳密には予測できない）
be not **strictly** necessary（厳密には必要ない）
more **strictly**（より厳密には，より厳密に）
fairly **strictly**（かなり厳密に）
strictly speaking（厳密に言えば，厳密に言って）
via **strictly** cognitive processes（厳密には認知プロセスを通して）
differentiate **strictly** between ABC and XYZ
　　（ABC と XYZ を厳密に区分する）

《関連語彙 A》
strict /stríkt/ 形 厳密な
　a **strict** dichotomy（厳密な二分法）
　this **strict** rule（この厳密な規則，この厳密なルール）
　in a **strict** sense（厳密な意味では）
　on the basis of **strict** criteria（厳密な基準に基づいて）
　assume a **strict** division between ABC and XYZ
　　（ABC と XYZ の間に厳密な区分を仮定する）
　this theory is very **strict**（この理論はかなり厳密である）

strictness /stríktnəs/ 名 厳密性，厳密さ
　this theoretical **strictness**（この理論的厳密性）
　the **strictness** of Principle A（原理 A の厳密さ）
　instead of **strictness**（厳密性の代わりに）
　for the sake of **strictness**（厳密を期して）

628 ☐ strikingly /stráikiŋli/ 副 かなり，著しく

《使用例》
a **strikingly** original classification（かなり独創的な分類）
in a **strikingly** metaphorical way（かなり比喩的に）
be **strikingly** complex（かなり複雑である）
be **strikingly** different（著しく異なる）
be **strikingly** similar to London's (2003) model

(London (2003) のモデルにかなり似ている)

《関連語彙 A》
striking /stráikiŋ/ 形 著しい，顕著な，驚くべき
  a **striking** example of personification（擬人化の顕著な一例）
  another **striking** fact（もう1つの驚くべき事実）
  a **striking** exception to this generalization（この一般化の明らかな例外）
  show **striking** differences（著しい違いを示している）
  bear a **striking** resemblance to the former structure（前者の構造にかなり似ている）
  it is **striking** that S+V（−というのは驚くべきことである）
  what is **striking** here is that S+V（ここで顕著なのは−ということである）
  this is especially **striking**（これは特に顕著である）

629 □ strongly /strɔ́:ŋli/ 副 強く

《使用例》
be **strongly** supported by the data（そのデータによって強く裏づけられる）
be **strongly** dependent on the notion of acceptability
  （容認可能性という概念に強く依存している）
be **strongly** associated with general cognitive abilities
  （一般認知能力と強く結び付いている）
differ **strongly** from other types（他のタイプとは大きく異なる）
correlate **strongly** with the flow of time（時間の流れと強く関連している）
this analysis **strongly** suggests that S+V
  （この分析は−ということを強く示唆している）

《関連語彙 A》
strong /strɔ́:ŋ/ 形 強い，強力な
  extremely **strong** evidence（かなり強力な証拠）
  be **strong** enough to override this principle（この原理を覆すほど強い）
  be overwhelmingly **strong**（圧倒的に強い）
  lend **strong** support to the latter model（後者のモデルを強く裏づける）
  this is a fairly **strong** claim（これはかなり強い主張である）

strength /stréŋkθ/ 名 強さ，強度，強み
  the **strength** of the stimulus（その刺激の強さ）
  the **strength** of connections（結合の強さ，結合強度）
  the degree of **strength**（強さの程度）
  one of the **strengths** of the approach（そのアプローチの強みの1つ）
  differ considerably in **strength**
    （強さにおいてかなり異なる，強度においてかなり異なる）

lend further **strength** to the discussion（その議論をさらに補強する）
the great **strength** of this book is that S+V（本書の大きな強みは−ということである）

strengthen /stréŋkθən/ 動 強化する，強める，補強する
　strengthen this critique（この批判を強める）
　strengthen the conclusion that S+V（−という結論を補強する）
　be further **strengthened** by the fact that S+V
　　（−という事実によってさらに強化される）
　the **strengthening** of the tendency（その傾向の強化）
　connections are **strengthened**（結合が強められる）

---

630 □ **structural** /strʌ́ktʃərəl/ 形 構造的な，構造の

《使用例》
a **structural** template（構造テンプレート）
structural stability（構造的安定性）
basic **structural** properties（基本的な構造特性）
recurrent **structural** features（繰り返される構造的特徴）
the effects of **structural** complexity（構造的複雑性の効果）
the **structural** analysis proposed（提案された構造分析）
in spite of these **structural** ambiguities
　（これらの構造的曖昧性にも関わらず）

《関連語彙 A》
structurally /strʌ́ktʃərəli/ 副 構造的に
　structurally similar elements（構造的に似通った要素）
　be **structurally** identical（構造的に見て同一である）
　be **structurally** similar to (7b)（構造的には(7b)に似ている）
　be **structurally** more complex（構造的により複雑である）
　must be **structurally** distinct（構造的に異なっていなければならない）
　appear in a **structurally** prominent position（構造的に際立った位置に生起する）
　this is **structurally** reflected（この点は構造的に反映される）

structure /strʌ́ktʃər/ 動 構造化する　名 構造
　be **structured** hierarchically（階層的に構造化される）
　this paper is **structured** as follows:（本稿の構成は以下の通りである）
　a wide range of knowledge **structures**（多種多様な知識構造）
　the internal **structure** of this element（この要素の内部構造）
　the emergence of conceptual **structure**（概念構造の創発）
　the **structure** of this article is as follows:（本稿の構成は以下の通りである）

631 subject /sʌ́bdʒekt/ 名 被験者, テーマ, 問題

《使用例》

six **subjects** at least（少なくとも 6 人の被験者）
like other **subjects**（他の被験者のように）
subjects were asked to do（被験者には−するように求めた）
the **subject** of this special issue（この特集号のテーマ）
with regard to this **subject**（この問題に関しては）

《関連語彙 A》

subject /sʌ́bdʒekt/ 形 −を免れない
　be **subject** to variation/change（変化を免れない, 変化しうる）
　be **subject** to revision（修正を免れない, 修正を要する）
　be **subject** to criticism（批判を免れない, 批判にさらされる）
　be **subject** to controversy（論争を免れない, 多くの議論を呼んでいる）
　be **subject** to these principles（これらの原理に左右される）
　be not **subject** to such criticism（このような批判にはさらされない）

subject /səbdʒékt/ 動 −にさらす
　be **subjected** to a slight revision（微修正される）
　be **subjected** to statistical analyses（統計的に分析される）
　be not **subjected** to this influence
　　（この影響にはさらされない, これには影響されない）
　have been **subjected** to examination（調査されてきた, 探求されてきた）
　have been **subjected** to empirical scrutiny（経験的に詳しく検証されてきた）

632 subjective /səbdʒéktiv/ 形 主観的な

《使用例》

a **subjective** construal（主観的な解釈）
a more **subjective** notion（より主観的な概念）
a matter of **subjective** evaluation（主観的評価の問題）
the analyst's **subjective** judgments（その分析者の主観的判断）
be highly **subjective**（かなり主観的である）

《関連語彙 A》

subjectively /səbdʒéktivli/ 副 主観的に
　be **subjectively** valid（主観的には妥当である）
　more **subjectively**（より主観的に）
　at least **subjectively**（少なくとも主観的には）
　be usually **subjectively** construed（通常は主観的に解釈される）

should be **subjectively** determined（主観的に決定されるべきである）

subjectivity /sʌbdʒektívəti/ 图 主観性，主観主義，主観
the theoretical notion of **subjectivity**（主観性という理論的概念）
a certain degree of **subjectivity**（ある程度の主観性）
in terms of **subjectivity**（主観性/主観主義の観点から）
be based on **subjectivity**（主観に基づいている）
be determined by **subjectivity**（主観によって決定される）

633 □ subsequent /sʌ́bsikwənt/ 形 後続の，その後の，次の

《使用例》
in **subsequent** chapters（後続の章で）
in **subsequent** studies（その後の研究では）
in the **subsequent** examples（次の事例では）
be discussed extensively in the **subsequent** section
　（次節で詳しく議論される）
form the basis for **subsequent** language processing
　（後続の言語処理への基盤となる）

《関連語彙 A》
subsequently /sʌ́bsikwəntli/ 副 後で，その後
　be mentioned **subsequently**（後で言及される）
　be **subsequently** presented（後で提示される）
　may **subsequently** be analyzed on the basis of this criterion
　　（この基準に基づいて後で分析されるかも知れない）
　Subsequently, two experiments were carried out.（その後，2つの実験が行われた）

634 □ substantial /səbstǽnʃəl/ 形 本質的な，実質的な

《使用例》
a **substantial** revision of Johnson (1997)
　（Johnson (1997)の大幅な改訂版）
a **substantial** argument against ABC theory（ABC理論への実質的な反論）
a **substantial** body of evidence（一連の本質的な証拠）
show **substantial** differences（本質的な相違を示す）
have a **substantial** effect on the rate of growth
　（その成長率に大きな影響を与える）
there is **substantial** universality in the structure of time
　（時間の構造には実質的に普遍性がある）

《関連語彙 A》

substantially /səbstǽnʃəli/ 副 かなり，実質的には，本質的には
　be **substantially** higher/lower than the average（平均よりもかなり高い/低い）
　differ **substantially** from other approaches
　　（他のアプローチとは実質的に異なる，他のアプローチとはかなり異なる）
　accord **substantially** with ABC theory（実質的には ABC 理論と一致している）
　contribute **substantially** to the development of cognitive science
　　（認知科学の発展に大きく貢献している）
　this **substantially** exceeds the average（これは平均をはるかに上回っている）
　these notions are **substantially** the same（これらの概念は実質的には同じである）

635 □ **substantiate** /səbstǽnʃieit/ 動 実証する

《使用例》
　substantiate this hypothesis（この仮説を実証する）
　substantiate the view that S+V（－という見解を実証する）
　a **substantiated** principle of evolution（実証された進化の原理）
　need to be **substantiated**（実証される必要がある）
　this claim is **substantiated** in ABC theory
　　（この主張は ABC 理論の中で実証される）

《関連語彙 A》

substantiation /səbstǽnʃiéiʃən/ 名 実証
　its **substantiation** program（その実証プログラム）
　the scientific **substantiation** of this model（このモデルの科学的実証）
　need further **substantiation**（さらなる実証が必要である）
　need no further **substantiation**（さらなる実証の必要性はない）
　be in need of further **substantiation**（さらなる実証が必要である）
　provide **substantiation** for Poland's (2006) framework
　　（Poland (2006) の枠組みを裏づける）

636 □ **substantive** /səbstǽntiv/ 形 実質的な，本質的な

《使用例》
　these **substantive** problems（これらの本質的な問題）
　a **substantive** linguistic theory（実質的な言語理論）
　a more **substantive** argument（より本質的な議論）
　lead to more **substantive** interactions（より実質的な相互作用につながる）
　there is no **substantive** difference between ABC and XYZ
　　（ABC と XYZ の間に本質的な違いは何もない）

《関連語彙 A》

substantively /səbstǽntivli/ 副 実質的に，本質的に
more **substantively**（より実質的には，より本質的に）
a **substantively** important effect（実質的に重要な効果）
discuss the issue **substantively**（その問題を本質的に議論する）
must be argued **substantively**（本質的に議論されなければならない）

---

637 ☐ **subtle** /sʌ́tl/ 形 微妙な，複雑な，難解な

《使用例》

a **subtle** difference between ABC and XYZ
　（ABC と XYZ の微妙な違い）
subtle differences in meaning（意味の微妙な違い）
a **subtle** matter of construal（解釈の微妙な問題）
a more **subtle** theory（より複雑な理論，より難解な理論）
be more **subtle** than the grammar of English
　（英文法よりも複雑である，難解である）

《関連語彙 A》

subtlety /sʌ́tlti/ 名 微妙さ
the **subtlety** of this position（この立場の微妙さ）
the **subtleties** of emotion（感情の機微）
a system of considerable **subtlety**（かなり微妙なシステム）
in addition to its **subtlety**（その微妙さに加えて）
capture all the **subtleties**（その微妙さ加減の全てを捉える）

subtly /sʌ́tli/ 副 微妙に，わずかに
a **subtly** different interpretation（微妙に異なった解釈）
in a **subtly** different manner（微妙に異なった形で）
be **subtly** incorrect（微妙に間違っている）
be **subtly** modified by dependent elements（依存要素によってわずかに修正される）
be **subtly** distinct from Johnson's (2009) model
　（Johnson (2009) のモデルとは微妙に異なっている）
differ **subtly** from the definition（その定義とは微妙に異なる）

---

638 ☐ **succeeding** /səksíːdiŋ/ 形 後続の

《使用例》

all **succeeding** experiments（後続実験の全て）
in the **succeeding** contexts（後続文脈では）
in the **succeeding** paragraphs（後続の段落で）

in the **succeeding** chapters（後続の章で）
in the **succeeding** essay（後続の小論で）
during the two **succeeding** years（その後2年の間に）

639 □ succinct /səksíŋkt/ 形 簡潔な

《使用例》
a **succinct** definition of this notion（この概念の簡潔な定義）
a **succinct** account of Principle B（原理Bの簡潔な説明）
a **succinct** overview of XYZ theory（XYZ理論の簡潔な概観）
a **succinct** way of doing（−する簡潔な方法）
be defined in a **succinct** way（簡潔に定義される）

《関連語彙A》
succinctly /səksíŋktli/ 副 簡潔に
  review these issues **succinctly**（これらの問題を簡潔に見直す）
  summarize the findings **succinctly**（その研究成果を簡潔にまとめる）
  can be explained **succinctly**（簡潔に説明できる）
  to put it **succinctly**（簡潔に言えば, 簡単に言えば）
  as Johnson (2002) **succinctly** argues（Johnson(2002)が簡潔に議論するように）

640 □ suffice /səfáis/ 動 十分である

《使用例》
suffice to meet the need（その必要性を満たすのには十分である）
suffice to show that S+V（−ということを示すのには十分である）
suffice for this purpose（この目的のためには十分である）
it **suffices** to say that S+V（−と言っておけば十分である）
it **suffices** to point out that S+V（−ということを指摘しておけば十分である）
suffice it here to say that S+V（ここでは−とだけ言っておきたい）

641 □ sufficient /səfíʃənt/ 形 十分な

《使用例》
a **sufficient** condition（十分条件）
sufficient cues（十分な手掛かり）
given **sufficient** information（十分な情報を与えれば）
be not **sufficient** to account for this fact
　（この事実を説明するのには十分ではない）

be **sufficient** for doing / be **sufficient** to do（−するのに十分である）
have received **sufficient** attention（十分に注目されてきた）
this is not yet **sufficient**（これはまだ十分ではない）
it is **sufficient** to note that S+V（−ということに注意すれば十分である）

《関連語彙 A》

sufficiently /səfíʃəntli/ 副 十分に
  be **sufficiently** coherent（十分に一貫性がある）
  be used **sufficiently** frequently（かなり頻繁に用いられる）
  be **sufficiently** abstract to accommodate the following examples:
    （以下の事例を取り込めるほどに抽象的である）
  be not **sufficiently** explained here（ここでは十分に説明されていない）
  have been **sufficiently** discussed（十分に議論されてきた）

sufficiency /səfíʃənsi/ 名 十分さ，十全さ
  a **sufficiency** of substances（十分な物質，多くの物質）
  demonstrate its **sufficiency**（その十分さを証明する）
  question the **sufficiency** of this account（この説明の十全さを疑問視する）
  argue against the **sufficiency** of this model（このモデルの十全さに反論する）

642 □ **suggestive** /sədʒéstiv/ 形 示唆的な

《使用例》

highly **suggestive** remarks（かなり示唆的な言及）
be quite/very **suggestive**（かなり示唆的である）
be **suggestive** of the fact that S+V（−という事実を示唆している）
be **suggestive** of a close relationship between ABC and XYZ
  （ABCとXYZの密接な関係を示唆している）
it is **suggestive** that S+V（−というのは示唆的である）
it may be more **suggestive** to do（−する方が示唆的であるかも知れない）

《関連語彙 A》

suggest /sədʒést/ 動 示唆する，提案する
  suggest the importance of this principle（この原理の重要性を示唆する）
  suggest a unified framework（統一的な枠組みを提案する）
  as its name **suggests**（その名前が示唆するように）
  be **suggested** by London (2005)（London (2005)によって提案される）
  this **suggests** that S+V（この点は−ということを示唆している）
  more recent research **suggests** that S+V
    （より最近の研究は−ということを示唆している）
  Poland (2002) also **suggests** that S+V（Poland (2002)も−ということを示唆している）

suggestion /sədʒéstʃən/ 名 示唆, 提案
  helpful **suggestions**（有益な示唆）
  an intriguing **suggestion**（興味深い提案）
  the **suggestions** made here（ここで成された提案）
  following this **suggestion**（この提案に従って）
  make the following **suggestions**（以下の提案をする）
  test the **suggestion** that S+V（-という提案を検証する）

643 □ suitable /súːtəbl/ 形 適している

《使用例》
an analysis **suitable** for doing（-するのに適した分析）
under **suitable** conditions（適した条件下では）
be quite **suitable** for this purpose（この目的にはかなり適している）
be particularly/especially **suitable** as a blood test
  （血液検査の方法として特に適している）
be **suitable** for investigating this principle
  （この原理を探求するのに適している）
be not **suitable** for church music（教会音楽には適していない）

《関連語彙 A》
suited /súːtid/ 形 適している
  a structure **suited** to the environment（その環境に適した構造）
  a model **suited** to account for this ability（この能力を説明するのに適したモデル）
  be particularly/especially **suited** for doing（-するのに特に適している）
  be well **suited** to show this effect（この効果を示すのに適している）
  be not **suited** to the story（そのストーリーには適していない）
  be ill-**suited** to this framework（この枠組みには適していない）

unsuitable /ʌnsúːtəbl/ 形 適していない, 不適切な
  an **unsuitable** process（不適切なプロセス）
  an **unsuitable** model for this operation（この操作には適さないモデル）
  be judged **unsuitable**（不適切なものと判断される）
  be **unsuitable** for doing（-するのには適していない）
  given **unsuitable** conditions（不適切な条件を与えれば）
  this seems/appears **unsuitable**（これは適していないように思える）

unsuited /ʌnsúːtid/ 形 適していない
  be **unsuited** to the development of music（音楽の発達には適していない）
  be **unsuited** to capture such tendencies
    （このような傾向を捉えるのには適していない）

be **unsuited** for this research（この研究には適していない）
be **unsuited** for doing（〜するのには適していない）
be fundamentally **unsuited** to explaining psychological phenomena
　　（心理現象の説明には基本的に適していない）

644 ☐ **summarize** /sʌ́məraiz/ 動 まとめる

《使用例》
summarize the main points（その要点をまとめる）
be **summarized** in Figure 1（図1にまとめられる）
can be **summarized** as follows:（以下のようにまとめることができる）
functional properties **summarized** in Table 3
　　（表3にまとめられた機能特性）
to **summarize** the data so far（ここまでのデータをまとめると）

《関連語彙 A》
summary /sʌ́məri/ 名 要約, 概要
　this **summary**（この要約）
　a **summary** of work on idioms（イディオム研究の概要）
　in **summary**（まとめると, まとめれば）
　open with a **summary** of ABC theory（ABC 理論の概要で始まる）
　conclude with a **summary** of this paper（本稿の要約で締め括る）

sum /sʌ́m/ 動 要約する　名 まとめ, 合計, 総和
　sum up the main aspects of this theory（この理論の要点をまとめる）
　can be **summed** up as follows:（以下のようにまとめることができる）
　to **sum** up / **summing** up（まとめると, まとめれば）
　in **sum**（要するに）
　go beyond the **sum** of its components（その構成要素の総和を超えている）

summarily /səmérəli, sʌ́mərəli/ 副 簡潔に, 簡単に
　more **summarily**（より簡潔に）
　rather **summarily**（かなり簡潔に）
　be **summarily** treated（簡単に議論される）
　be **summarily** described in Section 4（第4節で簡潔に記述される）

645 ☐ **supportive** /səpɔ́ːrtiv/ 形 裏づけている

《使用例》
more **supportive** evidence（裏づけとなるさらなる証拠, さらなる傍証）
be **supportive** of this claim（この主張を裏づけている）
be strongly **supportive** of diversity（多様性を強く裏づけている）

be highly **supportive** of the effect（その効果をかなり裏づけている）
strong evidence **supportive** of this conclusion
　　（この結論を裏づける強力な証拠）

《関連語彙 A》
support /səpɔ́ːrt/ 動 裏づける，支持する　名 裏づけ
　support this observation（この見解を裏づけている，この見解を支持する）
　be also **supported** by these experiments（これらの実験によっても裏づけられる）
　lend/give **support** to this claim（この主張を裏づけている）
　provide/offer additional **support** for this analysis（この分析をさらに裏づけている）
　ample evidence in **support** of ABC theory（ABC 理論を裏づける十分な証拠）

supportable /səpɔ́ːrtəbl/ 形 支持できる，擁護できる
　a scientifically **supportable** methodology（科学的に擁護可能な方法論）
　be no longer **supportable**（もはや支持できない，もはや擁護できない）
　would be **supportable** by the following evidence:
　　（以下の証拠によって擁護可能であろう）
　this view is **supportable**（この見解は支持できる）
　Johnson's (2001) claim may be **supportable**
　　（Johnson (2001) の主張は擁護できるかも知れない）

646 ☐ **survey**　/sərvéi, sə́ːrvei/ 名 調査
　　　　　　　　　/sə́ːrvei, sərvéi/ 動 調査する

《使用例》
the results of the statistical **survey**（その統計調査の結果）
such a brief **survey**（このような簡易的な調査）
a **survey** method（調査方法）
in this preliminary **survey**（この予備調査では）
in a recent **survey** of literature（最近の文献調査では）
based on a detailed **survey** of linguistic examples
　　（言語事例の詳細な調査に基づいて）
conduct a **survey** of native speakers（母語話者の調査を行う）
analyze the **survey** data（その調査データを分析する）
survey the literature（その文献を調査する）
the evidence **surveyed** in this paper（本論文で調査された証拠）

647 ☐ **symmetric(al)**　/simétrik(əl)/ 形 対称的な

《使用例》

this **symmetric** relationship（この対称的な関係）
in a **symmetrical** manner（対称的に）
be in one sense **symmetrical**（ある意味では対称的である）
be not perfectly **symmetrical**（完全には対称的ではない）
be **symmetric** to the y-axis（y軸と対称を成している）

《関連語彙A》

symmetrically /simétrikəli/ 副 対称的に
　symmetrically structured systems（対称的に構造化されたシステム）
　be arranged **symmetrically**（対称的に配置される）
　be **symmetrically** connected（対称的に結合される）
　can be defined **symmetrically**（対称的に定義されうる）

symmetry /símətri/ 名 対称性
　a kind of **symmetry**（一種の対称性）
　an example of geometrical **symmetry**（幾何学的対称性の一例）
　the **symmetry** between ABC and XYZ（ABCとXYZの対称性）
　Poland's (2005) principle of **symmetry**（Poland(2005)の対称性原理）
　be in **symmetry**（対称的である）
　reveal a lack of **symmetry**（対称性の不足を明らかにする）

648 ☐ **synthesize** /sínθəsaiz/ 動 統合する

《使用例》

synthesize these frameworks（これらの枠組みを統合する）
synthesize the former with the latter
　（前者を後者と統合する，前者と後者を統合する）
be **synthesized** into three types（3つのタイプに統合される）
synthesize a series of theoretical approaches
　（一連の理論的アプローチを統合する）
the **synthesized** stimuli（その統合された刺激）
these two systems can be **synthesized** with each other
　（この2つのシステムは相互に統合されうる）

《関連語彙A》

synthetic /sinθétik/ 形 統合の，統合的な，総合の
　these **synthetic** models（これらの統合モデル）
　this **synthetic** capacity（この総合力）
　Johnson's (2000) **synthetic** theory（Johnson(2000)の統合理論）
　be highly/fairly **synthetic**（かなり統合的である，かなり総合的である）
　in a **synthetic** manner（総合的に，統合的に）

become more **synthetic**（より統合的になる）

synthetically /sinθétikəli/ 副 統合的に, 総合的に
more **synthetically**（より統合的に, より総合的に）
be **synthetically** explained（統合的に説明される）
should be treated **synthetically**（総合的に論じられるべきである）
can be interpreted **synthetically**（統合的に解釈されうる）

synthesis /sínθəsis/ 名 統合
such a **synthesis**（このような統合）
an example of **synthesis**（統合の一例）
a **synthesis** of these two concepts（これら2つの概念の統合）
the complexity of its **synthesis**（その統合の複雑性）
make a **synthesis** of the two（その2つのものを統合する）

649 ☐ **systematically** /sistəmǽtikəli/ 副 体系的に

《使用例》

explore/investigate this mechanism more **systematically**
（このメカニズムをより体系的に探求する）
reflect **systematically** different conceptualizations
（体系的に異なった概念化を反映している）
be **systematically** structured in terms of function
（機能の観点から体系的に構造化される）
can be described **systematically**（体系的に記述できる）
must be **systematically** studied（体系的に研究されなければならない）

《関連語彙A》

systematic /sistəmǽtik/ 形 体系的な
a **systematic** principle（体系的な原理, 統一的な原理）
a more **systematic** analysis of these concepts（これらの概念のより体系的な分析）
this **systematic** description（この体系的な記述）
in a **systematic** way / in **systematic** ways（体系的に）
be fairly **systematic**（かなり体系的である）

system /sístəm/ 名 システム, 体系, 制度
the whole **system** of the universe（宇宙の全体系）
this educational **system**（この教育システム, この教育制度）
the French political **system**（フランスの政治体制）
the autonomic nervous **system**（自律神経系）
restructure the **system**（そのシステムを再構築する, そのシステムを再構造化する）
explain the linguistic **system**（その言語システムを説明する）

adopt a decimal **system**（10進法を採用する）
using the same dynamic **system**（同様のダイナミックなシステムを使って）

systematize /sístəmətaiz/ 動 体系化する
  systematize these results（これらの結果を体系化する）
  as **systematized** in Table 2（表2に体系化されるように）
  be **systematized** as in Table 4（表4のように体系化される）
  be not **systematized**（体系化されていない）
  be rigidly **systematized**（厳密に体系化されている）

systematization /sistəmətaizéiʃən/ 名 体系化
  this theoretical **systematization**（この理論的体系化）
  the **systematization** shown below（以下に示される体系化）
  a **systematization** of knowledge（知識の体系化）
  the **systematization** of cognitive processes（認知プロセスの体系化）
  in this **systematization**（この体系化では）

650 ☐ table /téibl/ 名 表

《使用例》
the hierarchy shown in **Table** 3（表3に示された階層）
see **Table** 2（表2を参照のこと）
see **Tables** 12 and 13 below（以下の表12と表13を参照されたい）
be shown/given in **Table** 5（表5に示される）
as indicated in **Table** 3（表3に示されるように）
in the third row of **Table** 4（表4の3列目に）
as in the left-hand column of **Table** 3（表3の左側の縦列にあるように）
be as in **Table** 5（表5にある通りである）
Table 2 summarizes the discussion so far.
  （表2はここまでの議論をまとめてある）

《関連語彙A》
tabulate /tǽbjuleit/ 動 表にする
  tabulate these data（これらのデータを表にする）
  the **tabulated** information below（表で提示された以下の情報）
  the results can be **tabulated** as follows:（その結果は以下の表にまとめられる）
  the figures are not **tabulated**（その数値は表には示されていない）

651 ☐ tacit /tǽsit/ 形 暗黙の

《使用例》
a **tacit** assumption（暗黙の仮定）

its **tacit** background knowledge（その暗黙の背景知識）
tacit social rules（暗黙の社会ルール）
the **tacit** presumption that S+V（-という暗黙の推定）
be predominantly **tacit**（主として暗黙である，主として非明示的である）

《関連語彙 A》
tacitly /tǽsitli/ 副 暗黙の内に
  tacitly assumed criteria（暗黙の内に仮定された基準）
  be **tacitly** understood（暗黙の内に理解されている）
  be **tacitly** assumed in a number of studies
    （多くの研究において暗黙の内に仮定されている）
  this account **tacitly** assumes that S+V
    （この説明は暗黙の内に-ということを仮定している）
  it has been **tacitly** accepted that S+V（-ということが暗黙の内に認められてきた）

652 ☐ **tantamount** /tǽntəmaunt/ 形 -に等しい，-と同等である

《使用例》
be **tantamount** to plagiarism（盗用/剽窃に等しい）
be **tantamount** to the claim that S+V（-という主張に等しい）
a view **tantamount** to the denial of Principle A
  （原理 A の否定に等しい考え方）
would be **tantamount** to an unworkable idea
  （机上の空論に等しいであろう）
this is **tantamount** to saying that S+V（これは-と言うのに等しい）

653 ☐ **taxonomy** /tæksɔ́nəmi/ 名 分類

《使用例》
the following **taxonomy**（以下の分類）
the **taxonomy** shown in Table 3（表 3 に示された分類）
on the basis of these **taxonomies**（これらの分類に基づいて）
toward(s) a **taxonomy** of emotional expressions
  （感情表現の分類に向けて）
propose a basic **taxonomy** of cognitive models
  （認知モデルの基本分類を提案する）
be not included in this **taxonomy**（この分類には含まれない）

《関連語彙 A》

taxonomic(al) /tæksənɔ́mik(əl)/ 形 分類の，分類上の
　a standard **taxonomic** model（標準的な分類モデル）
　this **taxonomic** division（この分類上の区分）
　taxonomic relations between categories（カテゴリー間の分類関係）
　be reflected in **taxonomic** hierarchies like (3)（(3)のような分類階層に反映される）
　result in **taxonomic** differences（分類上の相違を結果づける）

taxonomically /tæksənɔ́mikəli/ 副 分類的に，分類上
　taxonomically related concepts（分類上関連している概念）
　taxonomically higher-level categories（分類的により高次のカテゴリー）
　be **taxonomically** different（分類的には異なっている）
　be **taxonomically** diverse（分類的に多様である）

654 □ **technical** /téknikəl/ 形 専門的な

《使用例》
a **technical** report（テクニカル・レポート）
a **technical** treatise（専門文献，専門書）
a glossary of **technical** terms（専門用語辞典，専門用語の解説）
be used as a **technical** term（専門用語として使われる）
be quite/highly **technical**（かなり専門的である）
be somewhat **technical**（少し専門的である）
be too **technical** here（ここでは専門的すぎる）

《関連語彙 A》
technically /téknikəli/ 副 専門的には
　technically speaking（専門的に言えば）
　more **technically**（より専門的には）
　at least **technically**（少なくとも専門的には）
　be **technically** correct（専門的には正しい）
　be **technically** called *intelligence*（専門的には知性と呼ばれる）
　be **technically** known as positivism（専門的には実証主義として知られている）

655 □ **template** /témplət, témpleit/ 名 鋳型，テンプレート

《使用例》
a common **template**（共通のテンプレート）
function as a **template** for doing（〜するための鋳型として機能する）
a structural **template** to understand this process
　（このプロセスを理解するための構造的テンプレート）
the **template** indicated in (8)（(8)に示された鋳型）

using the following **templates**（以下のテンプレートを用いて）

656 ☐ **tendency** /téndənsi/ 图 傾向

《使用例》
a new **tendency**（新しい傾向）
such **tendencies**（このような傾向）
this general **tendency**（この一般的傾向）
this exaggerative **tendency**（この大げさな傾向, この誇張的な傾向）
be only a **tendency**（単なる1つの傾向に過ぎない）
show a strong **tendency** to do（-する強い傾向を示す）
there is a universal **tendency** to do（-する普遍的な傾向がある）
there are various **tendencies** found in this report
（この報告書には様々な傾向が見られる）

《関連語彙 A》
tend /ténd/ 動 -する傾向がある
 tend to occur simultaneously（同時に生じる傾向がある）
 tend to be suppressed（抑制される傾向にある）
 tend strongly to become obscure（曖昧になる強い傾向がある）
 tend not to use these terms（これらの用語を使わない傾向にある）
 have **tended** to be neglected（無視される傾向にあった）

657 ☐ **tenet** /ténət/ 图 考え方, 学説

《使用例》
a central **tenet** of social psychology（社会心理学における中心的な考え方）
one of the basic **tenets** of analytic philosophy
（分析哲学における基本的考え方の1つ）
the **tenets** of individualism（個人主義の学説）
these major **tenets**（これらの主要な学説）
a fundamental **tenet** is that S+V
（基本的な考え方としては-ということが挙げられる）
focus on another **tenet**（別の考え方に着目する）
reject its **tenets**（その学説を放棄する）

658 ☐ **tentative** /téntətiv/ 形 暫定的な, 試験的な

《使用例》

a **tentative** solution（暫定的な解決策）
a **tentative** hypothesis（試験的な仮説）
these **tentative** suggestions（これらの暫定的な提案）
the following **tentative** definition（以下の試験的な定義）
be somewhat **tentative**（いくぶん暫定的なものである）
be more or less **tentative**（多かれ少なかれ試験的である）

《関連語彙 A》

tentatively /téntətivli/ 副 暫定的に，試験的に
　be introduced **tentatively**（試験的に導入される）
　be **tentatively** called Group C（暫定的にグループ C と呼ばれる）
　accept this concept **tentatively**（この概念を暫定的に受け入れる）
　must be defined **tentatively**（暫定的に定義されなければならない）
　London (2006) **tentatively** hypothesizes that S+V
　　（Johnson (2006)は－ということを暫定的に仮定している）

659 ☐ **term** /tə́ːrm/ 名 用語，観点　動 名づける

《使用例》
a technical **term**（専門用語,術語）
a generic **term** for such processes（このようなプロセスの総称）
in Johnson's **terms**（Johnson の用語では）
in **terms** of ABC theory（ABC 理論の観点から）
in functional **terms**（機能的観点から）
in semantic **terms**（意味の観点から）
term this element P3（この要素を P3 と名づける）
be provisionally **termed** POP（暫定的に POP と名づけられる）

660 ☐ **terminology** /tə̀ːrmənɔ́lədʒi/ 名 専門用語，術語

《使用例》
the **terminology** used here（ここで用いられた用語 / 術語）
employ a somewhat different **terminology**（少し異なった用語を用いる）
rely on abstract **terminology**（抽象的な専門用語に依存している）
borrowing the **terminology** of Poland (2002)
　（Poland (2002)の用語を借りれば）
in the **terminology** of Roland and London (2003)
　（Roland and London (2003)の用語では）

《関連語彙 A》

terminological /təːrmənəlɔ́dʒikəl/ 形 用語上の, 術語の
  this **terminological** issue（この用語上の問題）
  a similar **terminological** problem（似たような用語上の問題）
  the **terminological** controversy（その用語上の論争）
  notwithstanding **terminological** differences（術語の相違にも関わらず）
  for reasons of **terminological** uniformity（用語上の統一を図るために）

terminologically /təːrmənəlɔ́dʒikəli/ 副 用語上は
  terminologically relevant definitions（用語上関連のある定義）
  be **terminologically** simple（用語上は単純である）
  be **terminologically** incoherent（用語として一貫性がない）
  be **terminologically** quite different（用語上はかなり異なっている）
  can be captured **terminologically**（用語上は捉えられうる）

---

661 ☐ **testable** /téstəbl/ 形 検証可能な

《使用例》

a **testable** prediction（検証可能な予測）
testable hypotheses（検証可能な仮説）
a **testable** cognitive model（検証可能な認知モデル）
be empirically **testable**（経験的に検証可能である）
be readily **testable**（容易に検証可能である）
in a **testable** way（検証可能な形で）

《関連語彙 A》

test /tést/ 動 検証する 名 検定, 検証
  test the plausibility of this hypothesis（この仮説の妥当性を検証する）
  the hypothesis **tested** in this study（本研究で検証された仮説）
  this ambiguity is not **tested**（この曖昧性は検証されていない）
  conduct a t-**test**（t 検定を行う）
  the results of the **test**（その検定の結果）
  a **test** of ABC theory（ABC 理論の検証）
  improve the reliability of the **test**（その検証法の信頼性を向上させる）

untestable /ʌntéstəbl/ 形 検証不可能な
  an **untestable** model（検証不可能なモデル）
  be utterly **untestable**（全く検証不可能である, 完全に検証不可能である）
  be nearly **untestable**（ほとんど検証不可能である）
  be **untestable** by this method（この方法では検証不可能である）
  this hypothesis is **untestable**（この仮説は検証不可能である）

662 □ theorem /θíərəm/ 名 定理，原理

《使用例》

the Pythagorean **theorem**（ピタゴラスの定理）
the basic **theorem** of structuralism（構造主義の基本原理）
the use of this **theorem**（この定理の使用）
in the next **theorem**（次の定理では）
be based on other **theorems**（他の定理に基づいている）
prove the following **theorem**（以下の定理を証明する）

663 □ theoretical /θìərétikəl/ 形 理論的な，理論上の

《使用例》

a **theoretical** outlook/prospect（理論的展望）
these **theoretical** issues（これらの理論上の問題）
ad hoc **theoretical** devices（その場限りの理論的道具立て）
a number of **theoretical** constructs（多くの理論的仮構物）
Johnson's (2004) **theoretical** framework
　（Johnson (2004) の理論的枠組み）
from a range of **theoretical** perspectives（様々な理論的観点から）
in recent **theoretical** research（最近の理論研究では）
be highly **theoretical**（かなり理論的である）
lack **theoretical** support（理論的裏づけに欠ける）

《関連語彙 A》

theoretically /θìərétikəli/ 副 理論的に，理論上は
　a **theoretically**-defined notion（理論的に定義された概念）
　theoretically interesting questions（理論的に興味深い問題）
　at least **theoretically**（少なくとも理論的には，少なくとも理論上は）
　be **theoretically** conceivable（理論的にはありうる）
　be **theoretically** possible（理論的には可能である）

theory /θíəri/ 名 理論
　Johnson's (2005) social **theory**（Johnson(2005)の社会理論）
　various alternative **theories**（様々な代替理論）
　according to this **theory**（この理論によれば）
　in ABC **theory**（ABC 理論では）
　be feasible in **theory**（理論的には実行可能である）
　these **theories** neglect the fact that S+V
　　（これらの理論は−という事実を無視している）

theorist /θíərist/ 名 理論家
  a leading **theorist**（先導的な理論家の1人, 主要な理論家の1人）
  literary **theorists**（文学理論家, 文芸理論家）
  the vast majority of political **theorists**（大多数の政治理論家）
  among linguistic **theorists**（言語理論家の間では）
  have been proposed by different **theorists**（様々な理論家によって提案されてきた）

664 ☐ **theorize** /θíəraiz/ 動 理論化する

《使用例》
theorize the nature of interactions（相互作用の性質を理論化する）
be **theorized** in functional terms（機能的観点から理論化される）
theorize about semantic change（意味変化についての理論を構築する）
a tool to **theorize** this culture（この文化を理論化するための道具立て）
have been adequately **theorized**（適切に理論化されてきた）

《関連語彙 A》
theorizing /θíəraizɪŋ/ 名 理論化
  theorizing on the basis of frequency data alone（頻度データのみに基づく理論化）
  as a basis for **theorizing**（理論化の基盤として）
  in current **theorizing**（現行の理論化において）
  be brought about by **theorizing**（理論化によってもたらされる）
  be useful in scientific **theorizing**（科学的理論化において有益である）
  play a major role in **theorizing**（理論化において主要な役割を果たす）
  this **theorizing** is also mistaken（この理論化も誤っている）

665 ☐ **thesis** /θíːsis/ 名 （学位）論文, テーマ, 主張（単数）
     theses /θíːsiːz/ 名 （学位）論文, テーマ, 主張（複数）

《使用例》
a master's **thesis**（修士論文）
a graduation **thesis**（卒業論文）
two main **theses**（2つの主要テーマ）
the main **thesis** of this article（本稿の主要テーマ）
one of these **theses**（これらの主張の1つ）
Johnson's (2007) **thesis**（Johnson (2007)の主張 / 論点）
the general **thesis** that S+V（～という一般的主張）
in these **theses**（これらの論文では）

> 英語論文重要語彙 717

666 ☐ thorough /θə́ːrou/ 形 詳細な, 完全な

《使用例》

a **thorough** description of psychological phenomena
　（心理現象の詳細な記述）
a **thorough** framework for doing（ーするための完全な枠組み）
in a **thorough** manner（詳細に, 徹底的に）
be extremely **thorough**（かなり詳細である）
be in need of **thorough** study（詳しい研究が必要である）
provide a **thorough** overview of XYZ theory（XYZ理論を詳しく概観する）

《関連語彙 A》

thoroughly /θə́ːrouli/ 副 詳細に, 綿密に
　analyze this difference **thoroughly**（この違いを詳しく分析する）
　test the hypothesis more **thoroughly**（より綿密にその仮説を検証する）
　be discussed more **thoroughly**（より詳細に議論される）
　have been **thoroughly** studied（詳しく研究されてきた）
　need to be **thoroughly** examined（詳しく調べられる必要がある）

667 ☐ totally /tóutəli/ 副 完全に, 全く

《使用例》

a **totally** new concept（全く新しい概念）
totally unknown regions（全く知られていない地域）
in a **totally** different way（完全に異なった形で）
be **totally** unimportant（全く重要ではない）
be **totally** accidental（全くの偶然である）
be **totally** unaware of this pattern（このパターンに全く気づいていない）
be **totally** ignorant of this principle（この原理を完全に無視している）
it is **totally** impossible to do（ーするのは完全に不可能である）

《関連語彙 A》

total /tóutl/ 形 全部の, 全体的な　名 総計, 全体
　the **total** system of communication（コミュニケーションの全体的なシステム）
　the **total** number of utterances（発話の総数）
　the **total** amount of concrete（コンクリートの全体量）
　a **total** of 100 verbs（全部で 100 個の動詞）
　60 researchers in **total**（全体で 60 人の研究者）

totality /toutǽləti/ 名 全体, 全体性
　the **totality** of the story（そのストーリーの全体）

Poland's (2007) conception of **totality**（Poland(2007)の全体性という概念）
understood in its **totality**（全体として理解されれば）
be present in its **totality**（全体として存在している）

668 ☐ traditional /trədíʃənl/ 形 伝統的な，従来の

《使用例》
the **traditional** view that S+V（－という伝統的な考え方）
traditional approaches to linguistic phenomena
（言語現象への伝統的なアプローチ）
follow a more **traditional** terminology（より伝統的な用語法に従う）
in **traditional** works（伝統的な研究では，従来の研究では）
because of **traditional** disciplinary boundaries
（学問の伝統的な境界線のために）
unlike **traditional** research（伝統的な研究とは異なり，従来の研究とは異なり）
in place of the **traditional** system（その従来のシステムの代わりに）

《関連語彙 A》
tradition /trədíʃən/ 名 伝統
these two **traditions**（これら2つの伝統）
a mere reflection of **tradition**（単なる伝統の反映）
according to the **tradition**（その伝統に従って）
by **tradition**（伝統的には，伝統的に）
in/within the **tradition** of analytical philosophy（分析哲学の伝統の中で）
have a long **tradition**（長い伝統がある）
ignore such a **tradition**（このような伝統を無視する）

traditionally /trədíʃənəli/ 副 伝統的には，伝統的に，従来は
be **traditionally** known as grammatical relations
（文法関係として伝統的に知られている）
be **traditionally** referred to as the basic level（伝統的には基本レベルと呼ばれる）
have **traditionally** been viewed as a conceptual process
（従来は概念プロセスとして考えられてきた）
the distinction **traditionally** drawn between ABC and XYZ
（ABCとXYZを分かつ伝統的な区分，ABCとXYZを分かつ従来の区分）
Traditionally, this is expressed in terms of shape.
（伝統的には，この点は形状の観点から述べられる）

669 ☐ treatise /tríːtis/ 名 専門文献，専門書，学術論文

《使用例》

a technical **treatise**（専門文献，専門書）
an epoch-making **treatise**（画期的な学術論文）
the following **treatises**（以下の専門文献）
a **treatise** on cognitive poetics（認知詩学に関する学術論文）
elementary **treatises** on applied physics（応用物理学の基本文献）
in recent **treatises**（最近の専門文献では）

670 ☐ **treatment** /tríːtmənt/ 名 取り扱い，議論

《使用例》
Johnson's (1998) **treatment** of obesity
　（Johnson (1998) の肥満に関する議論）
a detailed **treatment** of metaphorical processes
　（比喩プロセスの詳細な議論）
a comprehensive **treatment** of these data
　（これらのデータを包括的に取り扱うこと）
deserve further **treatment**（さらなる議論に値する）
in the **treatment** of linguistic phenomena（言語現象の議論において）
following this **treatment**（この議論に従って）

《関連語彙 A》
treat /tríːt/ 動 扱う，取り扱う，論じる
　treat it as a polysemous word（それを多義語として扱う）
　be **treated** as a different category（別のカテゴリーとして扱われる）
　should be **treated** with caution（慎重に扱われるべきである）
　have been **treated** at length（詳細に論じられてきた）
　the principle **treated** in Section 4（第4節で論じられた原理）
　how these structures are **treated**（これらの構造がどのように扱われるか）

671 ☐ **trigger** /trígər/ 動 引き起こす　名 誘因

《使用例》
trigger semantic change（意味変化を引き起こす）
be **triggered** by this context（この文脈によって引き起こされる）
the effect **triggered** by the element（その要素によって引き起こされる効果）
a **trigger** for misunderstanding（誤解への誘因）
function/serve as a **trigger**（1つの誘因として機能する）

672 ☐ **twofold** /túːfould/ 形 二面的な，二重の

《使用例》

such a **twofold** position（このような二面的な立場）
this **twofold** classification（この二分法）
have a **twofold** value（二重の価値を持っている）
the purpose of this paper is **twofold**（本稿の目的は2つある）
the significance of this framework is **twofold**
　（この枠組みの意義は2つある）

《関連語彙A》

threefold /θríːfould/ 形 3つの面を持つ，三重の
　a **threefold** classification（三分法）
　a **threefold** claim（三要素から成り立つ主張）
　from this **threefold** point of view（この三重の観点から）
　postulate a **threefold** distinction（三分割を仮定する）
　the purpose of this study is **threefold**（本研究の目的は3つある）

fourfold /fɔ́ːrfould/ 形 4面から成る，四重の
　a **fourfold** procedure（4つの部分から成る手順）
　this **fourfold** classification（この四分類，この四分法）
　the **fourfold** structure of knowledge（知識の四重構造）
　the aim of this paper is **fourfold**（本稿の目的は4つある）
　a **fourfold** distinction can be made（4つに分類できる）

673 □ typical /típikəl/ 形 典型的な

《使用例》

typical examples of personification（擬人化の典型的な事例）
a **typical** phenomenon（典型的な現象）
a **typical** pattern（典型的なパターン）
a more **typical** analysis（より典型的な分析）
these **typical** features（これらの典型的な特徴）
typical features of antonyms（反意語の典型的な特徴）
be **typical** of these elements（これらの要素に典型的である）
a structure **typical** of this group（このグループに典型的な構造）

《関連語彙A》

typically /típikəli/ 副 典型的に（は）
　more **typically**（より典型的には）
　typically in the former case（典型的には前者の場合に）
　be **typically** used to do（～するために典型的に用いられる）
　be **typically** applied to social phenomena（典型的には社会現象に適用される）

Typically, this characteristic is neglected here.
（典型的には，この特徴はここでは無視される）

atypical /eitípikəl/ 形 非典型的な
　atypical images（非典型的なイメージ）
　an **atypical** member of the category（そのカテゴリーの非典型的な成員）
　be semantically **atypical**（意味的に非典型的である）
　it is quite **atypical** to do（～するのはかなり非典型的である）
　this change is also **atypical**（この変化も非典型的である）

674 ☐ ubiquitous /ju:bíkwətəs/ 形 ありふれた，普遍的な

《使用例》
a **ubiquitous** phenomenon（ありふれた現象，普遍的な現象）
a **ubiquitous** term（普遍的な用語）
its **ubiquitous** operation（そのありふれた操作）
the **ubiquitous** nature of this mechanism（このメカニズムの普遍性）
be **ubiquitous** in English（英語ではありふれている）
be **ubiquitous** in human cognition（人間認知において普遍的である）

《関連語彙 A》
ubiquitously /ju:bíkwətəsli/ 副 至る所で，至る所に
　exist **ubiquitously**（至る所に存在する）
　carry out such operations **ubiquitously**（至る所でこのような操作を行っている）
　be **ubiquitously** expressed（至る所で表現される）
　be **ubiquitously** present（至る所に存在している）

ubiquity /ju:bíkwəti/ 名 普遍性，遍在（性）
　the **ubiquity** of data structure（データ構造の遍在(性)）
　as for the lack of **ubiquity**（普遍性の欠如に関しては）
　owing to the **ubiquity** of this principle（この原理の普遍性のために）
　reveal the **ubiquity** of trauma（トラウマの普遍性を明らかにする）

675 ☐ ultimately /ʌ́ltəmətli/ 副 最終的には，結局のところ

《使用例》
perhaps **ultimately**（おそらく最終的には）
depend **ultimately** on the context（最終的にはその文脈に依存する）
lead **ultimately** to the conclusion that S+V
　（最終的には－という結論につながる）
be **ultimately** quite abstract（結局のところかなり抽象的である）

can **ultimately** be distinguished from each other
（最終的には相互に区分されうる）
Ultimately, all the structures are connected.
（最終的には，その全ての構造が結合される）

《関連語彙 A》
ultimate /ˈʌltəmət/ 形 最終的な，究極の
　Johnson's (2001) **ultimate** goals（Johnson(2001)の最終目標）
　the **ultimate** objective of this theory（この理論の最終目標）
　the **ultimate** outcome of this process（このプロセスの最終結果）
　an **ultimate** scientific account（究極の科学的説明）
　an **ultimate** principle of explanation（究極の説明原理）
　in the **ultimate** sense（究極的には）

676 □ unavoidable /ˌʌnəˈvɔɪdəbl/ 形 避けられない

《使用例》
unavoidable consequences（避けられない帰結）
a number of **unavoidable** problems（多くの避けられない問題）
be **unavoidable** in this analysis（この分析では避けられない）
be practically **unavoidable**（実際には避けられない）
it seems **unavoidable** to do（-することは避けられないように思える）

《関連語彙 A》
avoidable /əˈvɔɪdəbl/ 形 避けられる，回避できる
　an easily **avoidable** condition（容易に回避できる条件）
　be therefore **avoidable**（従って回避できる）
　be not **avoidable** in future research
　　（今後の研究では避けられない，今後の研究では避けて通れない）
　this problem may be **avoidable**（この問題は避けられるかも知れない）

avoid /əˈvɔɪd/ 動 避ける，回避する
　avoid these problems（これらの問題を避ける）
　to **avoid** repetition（繰り返しを避けるために）
　to **avoid** analytical pitfalls（分析上の落とし穴を避けるために）
　avoid making wrong generalizations（誤った一般化に向かうのを回避する）
　be difficult to **avoid**（避けにくい，避けるのが難しい）
　instead of **avoiding** it（それを避ける代わりに）

avoidance /əˈvɔɪdəns/ 名 回避
　an **avoidance** strategy（回避ストラテジー）
　a necessary **avoidance** of Principle B（原理 B の必然的な回避）

the **avoidance** of this problem（この問題の回避）
the **avoidance** of trade friction（貿易摩擦の回避）

《関連語彙B》

eschew /istʃúː/ 動 避ける，控える
　eschew these data（これらのデータを避ける）
　eschew the use of abbreviations（略記の使用を控える）
　in order to **eschew** redundancy（余剰性を避けるために）
　it is also important to **eschew** this principle（この原理を控えることも重要である）

677 □ uncover /ʌnkʌ́vər/ 動 明らかにする

《使用例》

uncover the differences between these terms
　（これらの用語の違いを明らかにする）
uncover the properties of human language
　（人間言語の特性を明らかにする）
uncover the law of gravitation（引力の法則を明らかにする）
in order to **uncover** the role of language
　（言語の役割を明らかにするためには）
three errors are **uncovered**（3つの間違いが明らかにされる）

《関連語彙A》

disclose /disklóuz/ 動 明らかにする
　disclose its presence（その存在を明らかにする）
　disclose the following facts（次のような事実を明らかにする）
　these findings **disclose** that S+V（これらの結果は−ということを明らかにしている）
　this common ground is **disclosed**（この共通土台が明らかにされる）

unveil /ʌnvéil/ 動 明らかにする
　unveil the mysteries of nature（自然界の謎を明らかにする）
　unveil the mechanisms of language change（言語変化のメカニズムを明らかにする）
　in order to **unveil** its past（その過去を明らかにするためには）
　the following facts are **unveiled**:（次のような事実が明らかにされる）

678 □ undeniable /ʌndináiəbl/ 形 否定できない

《使用例》

an **undeniable** fact（否定できない事実）
be now almost **undeniable**（今やほとんど否定できない）
it is **undeniable** that S+V（−ということは否定できない）

it seems **undeniable** that S+V（-ということは否定できないように思える）
the existence of innate faculties would be **undeniable**
（生得能力の存在は否定できないであろう）

《関連語彙 A》
deny /dinái/ 動 否定する
　deny the existence of Principle A（原理 A の存在を否定する）
　there is no **denying** that S+V（-なのは否定できない）
　this is not to **deny** that S+V（これは-ということを否定している訳ではない）
　it cannot be **denied** that S+V（-ということは否定できない）
　this assumption may be **denied**（この仮定は否定されるかも知れない）

denial /dináiəl/ 名 否定
　a **denial** of existence（存在の否定）
　an absolute **denial** of this mechanism（このメカニズムの全否定）
　Johnson's (2002) total **denial** of Principle B
　　（Johnson (2002) による原理 B の全否定）
　by a **denial** of this assumption（この仮定の否定によって）
　this **denial** is plausible（この否定は妥当である）
　there is no justification for the strong **denial**
　　（その強い否定を正当化するものは何もない）

679 □ **underlie** /ʌndərlái/ 動 基底する，-の基礎となる，-の背景にある

《使用例》
underlie a number of cognitive principles（多くの認知原理を基底する）
underlie this traditional view
　（この伝統的な考え方の背景にある，この伝統的な考え方の基礎となっている）
the principles **underlying** semantic structure（意味構造の背景にある原理）
the mechanism **underlying** these strategies
　（これらのストラテジーの基礎を成しているメカニズム）
the schema that **underlies** the meaning of this verb
　（この動詞の意味を基底しているスキーマ）

《関連語彙 A》
underlying /ʌndərláiiŋ/ 形 基底の，基本的な
　this **underlying** structure（この基底構造）
　underlying cognitive structures（基本的な認知構造）
　the **underlying** meaning of *put*（*put* の基本的意味）
　the **underlying** assumption that S+V（-という基本的仮定）
　the **underlying** idea is that S+V（その基本的な考え方は-ということである）

680 □ underline /ˈʌndərlaɪn/ 動 下線を引く，強調する

《使用例》
the **underlined** parts（下線部，下線を引いた部分）
(**underlining** added)（（下線は筆者による））
these elements are **underlined**（これらの要素には下線が引かれている）
underline the importance of this principle（この原理の重要性を強調する）
underline the fact that S+V（－という事実を強調する）

681 □ underscore /ˈʌndərskɔːr/ 動 強調する　名 下線

《使用例》
underscore the fact that S+V（－という事実を強調する）
underscore the importance of XYZ theory
　　（XYZ 理論の重要性を強調する）
this relationship has been **underscored**（この関係は強調されてきた）
two **underscores** in Figure 3（図3内の2つの下線）
be represented/indicated by **underscores**（下線によって示される）

682 □ understandable /ˌʌndərˈstændəbl/ 形 理解できる

《使用例》
be immediately **understandable**（直ぐに理解できる）
be barely **understandable**（かろうじて理解できる，なんとか理解できる）
become **understandable**（理解できるようになる）
make a complex topic **understandable**
　　（複雑なトピックを理解できるようにする）
this situation is **understandable**（この状況は理解できる）
it is easily **understandable** that S+V（－ということは容易に理解できる）

《関連語彙 A》
understand /ˌʌndərˈstænd/ 動 理解する
　in order to fully **understand** these phenomena
　　　（これらの現象を十分に理解するために）
　a framework for **understanding** these differences
　　　（これらの違いを理解するための枠組み）
　be generally **understood** on the basis of this criterion
　　　（この基準に基づいて一般に理解される）
　can be **understood** as an indirect factor

（間接的な要因の1つとして理解することができる）

it can be **understood** that S+V（−であると理解することができる）

understood in this way（このように理解すれば, このように理解すると）

understanding /ˌʌndərstǽndiŋ/ 名 理解
　such an **understanding**（このような理解）
　an adequate **understanding** of the process（そのプロセスの適切な理解）
　a key mechanism in language **understanding**（言語理解における主要メカニズム）
　in the process of **understanding**（その理解プロセスにおいて）
　based on this **understanding**（この理解に基づいて）
　be necessary for the **understanding** of human cognition
　　（人間の認知を理解する上で必要である）
　deepen our **understanding** of ABC theory（ABC 理論の理解を深める）

understandably /ˌʌndərstǽndəbli/ 副 もちろん, 当然
　be **understandably** contentious（当然議論を呼んでいる）
　Understandably, it is not easy to do.（もちろん, −するのは容易ではない）

《関連語彙 B》……………………………………………………………………………

misunderstand /ˌmisʌndərstǽnd/ 動 誤解する
　misunderstand such cues（このような手掛かりを誤解している）
　misunderstand Johnson's (2002) discussion
　　（Johnson (2002) の議論を誤解している）
　be often **misunderstood**（しばしば誤解されている, よく誤解されている）
　have been **misunderstood** on this point（この点で誤解されてきた）
　be likely to be **misunderstood**（誤解される可能性がある）

misunderstanding /ˌmisʌndərstǽndiŋ/ 名 誤解
　an apparent **misunderstanding**（明らかな誤解）
　a series of **misunderstandings**（一連の誤解）
　a complete **misunderstanding** of this assumption
　　（この仮定を完全に誤解していること, この仮定の完全なる誤解）
　lead to **misunderstanding**（誤解につながる）
　court such **misunderstanding**（このような誤解を招いている）
　in order to prevent **misunderstandings**（誤解を避けるために）

---

683 □ **unfortunately** /ʌnfɔ́ːrtʃənətli/ 副 残念ながら

《使用例》……………………………………………………………………………
Unfortunately, it is not possible to do.
　（残念ながら−することは不可能である）
Unfortunately, these data show that S+V.
　（残念ながら, これらのデータは−ということを示している）

It is **unfortunately** not the case that S+V.
（～ということは残念ながら間違っている）

Unfortunately, there is no discussion of new phenomena.
（残念ながら，新しい現象に関する議論はない）

Unfortunately, it is quite difficult to investigate whether this is actually the case.（これが実際に正しいのかどうかを探求することは，残念ながら，かなり難しい）

《関連語彙 A》

unfortunate /ʌnfɔ́ːrtʃənət/ 形 不適切な
　a rather **unfortunate** statement（かなり不適切な言及）
　these **unfortunate** principles（これらの不適切な原理）
　be particularly **unfortunate**（特に不適切である）
　turn out to be **unfortunate**（不適切なのが分かる）
　although this is also **unfortunate**（これも不適切ではあるが）

684 □ **unified** /júːnəfaid/ 形 統一的な

《使用例》

a **unified** approach（統一的なアプローチ）
a **unified** theoretical framework（統一的な理論的枠組み）
a **unified** theory of conceptual integration（概念統合の統一理論）
suggest a **unified** framework（統一的な枠組みを提案する）
provide a **unified** account of these phenomena
　（これらの現象を統一的に説明する）

《関連語彙 A》

unify /júːnəfai/ 動 統合する，統一する
　unify these strategies（これらのストラテジーを統合する）
　unify the former with the latter（前者を後者と統合する）
　be **unified** into a single model（単一モデルに統合される）
　this **unified** representation（この統合された表示）
　toward(s) a **unified** theory of categorization（カテゴリー化の統一理論に向けて）

unification /juːnəfikéiʃən/ 名 統合
　a partial **unification**（部分的な統合）
　a case of conceptual **unification**（概念統合の一例）
　this process of **unification**（この統合プロセス）
　the **unification** of sound and meaning（音声と意味の統合）
　the **unification** of the two mechanisms（その2つのメカニズムの統合）
　by a series of **unifications**（一連の統合によって）

685 ☐ **uniform** /júːnəfɔːrm/ 形 統一的な，一様な

《使用例》

a **uniform** approach（統一的なアプローチ）
a **uniform** theory of categorization（カテゴリー化の統一理論）
in a **uniform** way（統一的に，統一した形で，一様に）
be anything but **uniform**（少しも統一的ではない）
these requirements are not **uniform**（これらの要件は一様ではない）

《関連語彙 A》

uniformly /júːnəfɔːrmli/ 副 統一的に，均等に，一様に
　treat all entities **uniformly**（全ての実体を統一的に取り扱う）
　account **uniformly** for the differences（その違いを統一的に説明する）
　be distributed **uniformly**（均等に分配される，均等に配分される）
　be **uniformly** found in French（フランス語において一様に見られる）
　the ratings are **uniformly** high（その評価は一様に高い）

uniformity /juːnəfɔ́ːrməti/ 名 統一化，統一性
　a principle of **uniformity**（統一化原理，統一化の原理）
　a lack of **uniformity**（統一性の欠如）
　this linguistic **uniformity**（この言語的統一性）
　demonstrate the **uniformity** of natural phenomena
　　（自然現象の統一性を示している）
　for reasons of terminological **uniformity**（用語の統一化を図るために）

686 ☐ **unit** /júːnit/ 名 単位

《使用例》

a **unit** of analysis（分析単位）
a **unit** of measure such as gram and meter
　（グラムやメートルなどの計測単位）
a total of three **units**（全部で3つの単位）
the **units** of description（その記述単位）
three types of **units**（3タイプの単位）
these linguistic **units**（これらの言語単位）
be seen as a basic **unit**（基本単位として考えられる）
these **units** are needed（これらの単位が必要とされる）

687 ☐ **universal** /juːnəvə́ːrsəl/ 形 普遍的な

《使用例》

a **universal** concept（普遍的な概念）
a **universal** phenomenon（普遍的な現象）
a more **universal** approach（より普遍的なアプローチ）
its **universal** immanence（その普遍的内在性）
a **universal** process of analogy（普遍的な類推プロセス）
the existence of **universal** emotions（普遍的な感情の存在）
despite this **universal** value（この普遍的価値にも関わらず）
predict **universal** patterns（普遍的なパターンを予測する）
be presumably **universal**（おそらく普遍的である）

《関連語彙 A》
universally /juːnəvə́ːrsəli/ 副 普遍的に，一般に
  a **universally** accepted definition（一般に知られている定義）
  be **universally** present（普遍的に存在している）
  be almost **universally** applicable（ほとんど例外なく適用できる）
  be **universally** considered to be an abstract concept
    （一般には抽象概念であると考えられている）
  it is **universally** acknowledged/accepted that S+V
    （−ということが一般に知られている）

universality /juːnəvərsǽləti/ 名 普遍性
  the **universality** of human rights（人権の普遍性）
  this apparent **universality**（この明らかな普遍性）
  the idea of **universality**（普遍性という考え方）
  explain this kind of **universality**（この種の普遍性を説明する）
  affirm the **universality** of music（音楽の普遍性を認める，肯定する）
  reject the **universality** of this psychological process
    （この心理プロセスの普遍性を認めていない）

688 □ **unknown** /ʌnnóun/ 形 知られていない，未知の

《使用例》
unknown information（未知の情報）
an as yet **unknown** concept（まだ知られていない概念）
unknown items（未知の項目）
be almost **unknown**（ほとんど知られていない）
be not yet **unknown**（まだ知られていない）
be completely **unknown** to linguists（言語学者には全く知られていない）
this mechanism is **unknown**（このメカニズムは知られていない）

《関連語彙A》

well-known /wélnóun/ 形 よく知られた，周知の
　a **well-known** phenomenon（よく知られた現象）
　well-known examples of metaphors（よく知られた比喩の例）
　be relatively **well-known**（比較的よく知られている）
　be particularly **well-known**（特によく知られている）
　as is **well-known**（よく知られているように，周知のように）
　it is **well-known** that S+V（〜ということはよく知られている）
　it is a **well-known** fact that S+V（〜ということは周知の事実である）

689 □ **unlike** /ʌnláik/ 前 〜とは異なり　形 異なっている

《使用例》

　unlike London (2005)（London (2005) とは異なり）
　unlike traditional research（伝統的な研究とは異なり）
　unlike many other examples（他の多くの事例とは異なり）
　unlike previous accounts（これまでの説明とは異なり）
　unlike what is generally assumed（一般に仮定されているのとは異なり）
　be totally **unlike** the procedure above（上記の手順とは全く異なっている）

690 □ **untenable** /ʌnténəbl/ 形 擁護できない，支持できない

《使用例》

　an **untenable** theory（擁護できない理論）
　be obviously **untenable**（明らかに擁護できない，明らかに支持できない）
　be based on **untenable** criteria（支持できない基準に基づいている）
　this assumption is **untenable**（この仮定は擁護できない）
　such a view becomes **untenable**（このような見解は擁護できなくなる）

《関連語彙A》

tenable /ténəbl/ 形 擁護できる，支持できる
　a **tenable** hypothesis（擁護できる仮説）
　be not **tenable**（擁護できない，支持できない）
　be no longer **tenable**（もはや擁護できない）
　have been taken as a **tenable** one（擁護できるものとして考えられてきた）
　this position is **tenable**（この立場は擁護できる，この立場は支持できる）

691 □ **useful** /júːsfl/ 形 有益な

《使用例》

be highly/extremely **useful**（かなり有益である）
be especially/particularly **useful**（特に有益である）
be **useful** at this stage（現段階では有益である，この段階では有益である）
a **useful** body of research（一連の有益な研究）
a **useful** theoretical framework（有益な理論的枠組み）
a **useful** way of doing, a **useful** way to do（−する有益な方法）
it is **useful** to do（−するのが有益である）

《関連語彙 A》

usefully /júːsfəli/ 副 有益に，有効に
  more **usefully**（より有益な形で，より有効に）
  employ the technology **usefully**（その技術を有効に用いる）
  be **usefully** summarized（有益にまとめられている）
  be very **usefully** compared（かなり有益に比較される）
  can be **usefully** distinguished in principle（原理上は有効に区分できる）

usefulness /júːsflnəs/ 名 有用性，有効性
  the **usefulness** of such theories（このような理論の有用性）
  assess the **usefulness** of the model（そのモデルの有用性を評価する）
  acknowledge the **usefulness** of this theoretical approach
    （この理論的アプローチの有効性を認める）
  vary according to **usefulness**（有用性によって変容する）
  the **usefulness** of this model is unknown（このモデルの有効性は知られていない）

useless /júːsləs/ 形 役に立たない，無益な
  these **useless** data（これらの無駄なデータ）
  a **useless** discussion（無益な議論）
  be **useless** from a scientific point of view（科学的観点からは役に立たない）
  it is absolutely **useless** to do（−するのは全く無益である）
  this concept is **useless** here（この概念はここでは役に立たない）

use /júːz/ 動 使用する，利用する，使う，用いる
    /júːs/ 名 使用，利用，有益
  use a different model（別のモデルを使用する）
  be preferably **used**（好んで用いられる）
  be **used** as a synonym for *appear*（*appear* の同義語として用いられる）
  be widely **used** as a way to do（−するための1つの方法として広く利用される）
  may on occasion be **used**（時々用いられるかも知れない）
  (by) **using** this approach（このアプローチを用いて）
  another term is **used** here（ここではもう1つの用語が使われる）
  focus mainly upon language **use**（言語使用に主として着目する）
  make little **use** of these principles（これらの原理をほとんど利用していない）

be of great **use**（かなり有益である）

692 □ **utilize** /júːtəlaiz/ 動 利用する，用いる

《使用例》
utilize other evidence（他の証拠を用いる）
utilize natural energy（自然エネルギーを利用する）
the method **utilized** in this study（本研究で利用された方法）
be frequently **utilized**（頻繁に用いられる）
be **utilized** with great effectiveness（かなり有効に利用される）
can be directly **utilized** during this process
　　（このプロセスの間は直接利用することができる）
these notions are **utilized**（これらの概念が用いられる）

《関連語彙 A》
utilization /júːtəl(a)izéiʃən/ 名 利用
　a **utilization** problem（利用上の問題）
　the **utilization** of medical knowledge（医学知識の利用）
　the effective **utilization** of resources（資源の有効利用）
　by the **utilization** of conceptual processes（概念プロセスの利用によって）
　despite its **utilization**（その利用にも関わらず）

utility /juːtíləti/ 名 有用性
　the **utility** of this notion（この概念の有用性）
　show its **utility**（その有用性を示している）
　prove the **utility** of corpus data（コーパスデータの有用性を証明する）
　the **utility** of ABC theory is that S+V（ABC 理論の有用性は−という点にある）
　this account has great **utility**（この説明はかなり有用である）

693 □ **vague** /véig/ 形 曖昧な

《使用例》
a rather **vague** concept（かなり曖昧な概念）
a number of **vague** answers（多くの曖昧な解答）
be extremely/quite/very **vague**（かなり曖昧である）
be somewhat **vague**（少し曖昧である）
be too **vague** with regard to this claim（この主張に関しては曖昧すぎる）
be left **vague**（曖昧なままである）
a relatively **vague** notion（相対的に曖昧な概念）

《関連語彙 A》

英語論文重要語彙 717

vaguely /véigli/ 副 曖昧に，漠然と
　a **vaguely** defined concept（漠然と定義された概念）
　rather **vaguely**（かなり曖昧に，かなり漠然と）
　be **vaguely** understood（漠然と理解されている）
　be used quite **vaguely**（かなり曖昧に用いられる）
　conceive the effect **vaguely**（その効果を漠然と想像する）

vagueness /véignəs/ 名 曖昧性
　the term **vagueness**（曖昧性という用語）
　this apparent **vagueness**（この明らかな曖昧性）
　the **vagueness** of this theory（この理論の曖昧性）
　result in a kind of **vagueness**（一種の曖昧性を結果づける）
　this **vagueness** is hardly critical（この曖昧性はほとんど重要ではない）

《関連語彙 B》

obscure /əbskjúər/ 形 曖昧な　動 曖昧にする
　these **obscure** terms（これらの曖昧な用語）
　be somewhat **obscure**（少し曖昧である）
　may become **obscure**（曖昧になるかも知れない）
　it would be **obscure** to do（−するのは曖昧であろう）
　this process remains **obscure**（このプロセスは曖昧なままである）
　obscure these issues（これらの問題を曖昧にする）
　be totally **obscured**（完全に曖昧にされている）

obscurely /əbskjúərli/ 副 曖昧に
　somewhat **obscurely**（少し曖昧に）
　rather **obscurely**（かなり曖昧に）
　an **obscurely** defined concept（曖昧に定義された概念）
　be **obscurely** expressed（曖昧に述べられる）

obscurity /əbskjúərəti/ 名 曖昧さ，曖昧性
　this sort of **obscurity**（この種の曖昧性）
　a similar **obscurity**（似たような曖昧性）
　a cause of **obscurity**（曖昧性の1つの原因，曖昧性の一因）
　the **obscurity** of these terms（これらの用語の曖昧さ）
　there are many **obscurities**（多くの曖昧さがある）

694 □ **validate** /vǽlədeit/ 動 実証する，検証する

《使用例》
　validate this theoretical model（この理論的モデルを実証する）
　validate the first two assumptions（最初の2つの仮定を実証する）
　need to be **validated**（実証される必要がある）

be **validated** experimentally（実験によって検証される）
in order to **validate** this distinction（この違いを実証するためには）

《関連語彙 A》
validation /vǽlədéiʃən/ 图 検証, 実証
　these **validation** rules（これらの検証規則）
　a **validation** experiment（検証実験）
　a **validation** study on the effectiveness of advertising
　　（広告の有効性に関する実証研究）
　perform (the) **validation** of this hypothesis（この仮説の検証を行う）
　require experimental/empirical **validation**（実験による検証を必要とする）
　be used for **validation** purposes（検証 / 実証のために用いられる）

---

695 □ **validity** /vəlídəti/ 图 妥当性

《使用例》
the **validity** of this framework（この枠組みの妥当性）
the psychological **validity** of this parameter
　（このパラメーターの心理学的妥当性）
demonstrate the **validity** of this hypothesis（この仮説の妥当性を証明する）
test the **validity** of this model（このモデルの妥当性を検証する）
discuss the **validity** of XYZ theory（XYZ理論の妥当性について議論する）

《関連語彙 A》
valid /vǽlid/ 形 妥当な
　a **valid** generalization（妥当な一般化）
　a **valid** objection to Winter's (2002) model
　　（Winter (2002) のモデルへの妥当な反論）
　be **valid** for doing（～するのに妥当である）
　be more or less **valid**（多かれ少なかれ妥当である）
　may be **valid** for different purposes（別の目的では妥当かも知れない）
　if this argument is **valid**（この議論が妥当ならば）
　it would be **valid** to say that S+V（～と言うのは妥当であろう）

---

696 □ **valuable** /vǽljuəbl/ 形 価値がある, 有益な, 貴重な

《使用例》
valuable comments（有益なコメント）
a **valuable** tool（有益な道具立て）
valuable evidence（貴重な証拠）

英語論文重要語彙 **717**

be particularly **valuable**（特に価値がある）
be extremely **valuable**（かなり価値がある）
make a **valuable** contribution to this discussion
　　（この議論に貴重な貢献をする）

《関連語彙 A》
value /vǽlju:/ 图 価値, 値
　a sense of **value**（価値観）
　social **values**（社会的価値）
　an absolute **value**（絶対値）
　the **value** of y（y の値）
　have the same **value**（同じ価値がある, 同じ価値を持っている）
　be of immense **value**（計り知れない価値がある）
　recognize the **value** of art（芸術の価値を認識する）

697 □ **variable** /véəriəbl/ 形 変わりやすい　图 変数

《使用例》
this **variable** property（この変わりやすい特性）
be flexible and **variable**（柔軟で変わりやすい）
be culturally **variable**（文化的に変容しやすい）
a dependent **variable**（従属変数）
the values of the two **variables**（その 2 つの変数の値）
limit the number of **variables**（変数の数を制限する）

698 □ **variation** /veəriéiʃən/ 图 変容, 変化, 変動

《使用例》
such cultural **variation**（このような文化的変容）
this kind of semantic **variation**（この種の意味変化）
the range of **variation**（その変動範囲）
despite slight **variations**（わずかな変容にも関わらず）
capture this **variation**（この変化を捉える）
have a wide range of **variation**（様々に変化する）
show considerable **variations**（かなりの変容を示す）

699 □ **variety** /vəráiəti/ 图 多様性, 変種

《使用例》
the **variety** of emotional expressions（感情表現の多様性）

these **varieties**（これらの変種）
a **variety** of factors（様々な要因）
a **variety** of experimental techniques（様々な実験技法）
a wide/broad **variety** of information（多種多様な情報）
a great/large **variety** of processes（多種多様なプロセス）

700 □ various /véəriəs/ 形 様々な

《使用例》
various languages（様々な言語）
its **various** functions（その様々な機能）
these **various** possibilities（これらの様々な可能性）
various metaphorical construals（様々な比喩解釈）
various types of abstract concepts（様々なタイプの抽象概念）
various kinds of evidence（様々な種類の証拠）
at **various** levels（様々なレベルで）
for **various** reasons（様々な理由により）
via **various** processes of analogy（様々な類推プロセスを通して）
be used in **various** ways（様々な形で用いられる）

《関連語彙 A》
variously /véəriəsli/ 副 様々に
  be **variously** labeled in previous studies
    （先行研究では様々な名称が付けられている）
  have been **variously** described as ABC, XYZ, or LMN
    （ABC, XYZ, LMN など様々な名称で記述されてきた）
  this relation has been **variously** termed（この関係は様々な名称で呼ばれてきた）

701 □ vary /véəri/ 動 変容する，異なる

《使用例》
vary depending on / according to the surrounding environment
  （その周辺環境によって変容する）
vary in specific details（細かい部分については異なる）
vary greatly/considerably/significantly/enormously（大きく変容する）
vary from person to person（人によって異なる）
vary between languages（言語間で異なる）
though details **vary**（詳細は異なるけれども）

《関連語彙A》

varied /véərid/ 形 様々な,多様な
  these **varied** factors（これらの様々な要因）
  varied political activities（様々な政治活動）
  be extremely **varied**（かなり多様である）
  look at **varied** cases（様々なケースを見る）
  become more **varied**（より多様化する）

variedly /véəridli/ 副 様々に,多様に
  quite **variedly**（かなり多様に）
  be **variedly** structured（多様に構造化されている）
  have been **variedly** interpreted by researchers
    （研究者によって様々に解釈されてきた）

702 □ verify /vérəfai/ 動 実証する,証明する,検証する

《使用例》

verify Johnson's (2003) claims（Johnson (2003) の主張を検証する）
have been **verified** experimentally（実験によって証明されてきた）
the accuracy of this notion is **verified**
    （この概念の正確さが実証／証明される）
it is impossible to **verify** this view（この見解を実証するのは不可能である）
it can be easily **verified** that S+V（～ということは容易に実証されうる）

《関連語彙A》

verification /verəfikéiʃən/ 名 検証,実証
  an experimental **verification**（実験による検証）
  the **verification** of this explanation（この説明の検証）
  the **verification** of hypotheses（仮説の検証）
  the process of **verification**（その実証プロセス）
  the first **verification** is particularly important（最初の検証が特に重要である）

verifiable /vérəfaiəbl/ 形 実証可能な,検証可能な
  an experimentally **verifiable** hypothesis（実験によって検証可能な仮説）
  be easily **verifiable**（容易に検証できる）
  in an empirically **verifiable** way（経験的に実証可能な形で）
  must be **verifiable**（実証可能でなければならない）
  this is not **verifiable**（これは検証可能ではない）

verifiability /verəfaiəbíləti/ 名 実証可能性,検証可能性
  the problem of **verifiability**（検証可能性の問題）
  this question of **verifiability**（この検証可能性の問題）

on the **verifiability** of evolutionary theories（進化論の実証可能性について）
with some degree of **verifiability**（ある程度の実証可能性でもって）
be determined by **verifiability**（実証可能性によって決定される）

703 ☐ version /və́ːrʒən/ 名 版，バージョン

《使用例》

an expanded **version** of Johnson (2002)（Johnson (2002) の拡大版）
a modified **version** of Roland (1990)（Roland (1990) の修正版）
a slightly revised **version** of London (2000)（London (2000) の微修正版）
a new **version** of ABC theory（ABC 理論の新しいバージョン）
a compacted **version** of Figure 4（図 4 の簡略版）
in a more recent **version**（より最近のバージョンでは）

704 ☐ vertical /və́ːrtikl/ 形 縦の，垂直の

《使用例》

a **vertical** line（縦線，縦の線）
a **vertical** hierarchy（縦の階層）
a **vertical** line segment（垂直の線分）
on the **vertical** axis（その縦軸上で）
by **vertical** arrows（縦の矢印によって）
whether **vertical** or horizontal（垂直であろうと水平であろうと）
whether this object is **vertical** or horizontal
　（この物体が垂直であるか水平であるか）

《関連語彙 A》

vertically /və́ːrtikəli/ 副 垂直に
　move **vertically**（垂直に動く）
　fall **vertically**（垂直に落下する）
　be **vertically** extended（垂直方向に伸びる）
　be placed **vertically**（垂直に置かれる）
　a **vertically** cut object（垂直に切断された物体）

《関連語彙 B》

perpendicular /pə̀ːrpəndíkjulər/ 形 垂直の
　a **perpendicular** line（垂線，垂直線）
　this **perpendicular** axis（この垂直軸）
　be almost **perpendicular**（ほぼ垂直である）
　be **perpendicular** to the path（その経路に対して垂直である）

英語論文重要語彙 717

in **perpendicular** direction（垂直方向に）

705 □ view /vjúː/ 图 考え方，見解　動 考える，見なす，見る

《使用例》
the traditional **view** that S+V（～という伝統的な考え方）
in Johnson's (2002) **view**（Johnson (2002) の見解では）
under/on this **view**（この考え方では）
from a different point of **view**（別の観点から）
there are many other **views**（他にも多くの考え方がある）
view the mechanism as a universal principle
　（そのメカニズムを普遍原理として見なす）
should be **viewed** as a category
　（1つのカテゴリーとして考えられるべきである）
viewed in this way（このように考えると，このように見れば）
viewed in this light（この観点から見れば）
viewed from the opposite perspective（それとは正反対の観点から見れば）

706 □ viewpoint /vjúːpɔint/ 图 観点，視点

《使用例》
from this **viewpoint**（この観点から）
from the **viewpoint** of XYZ theory（XYZ 理論の観点から）
from a historical **viewpoint**（歴史的観点から）
from a different **viewpoint**（別の観点から）
from various **viewpoints**（様々な観点から）
the difference of a **viewpoint**（視点の違い）
offer a new **viewpoint**（新しい視点を提供する）

《関連語彙 A》
angle /ǽŋgl/ 图 観点，視点，角度
　the **angle** of this study（この研究の視点）
　numbers in **angle** braces（山括弧（<>）書きの数字）
　from another **angle**（別の観点から）
　from the opposite **angle**（それとは正反対の観点から）
　from different/various **angles**（様々な観点から）
　tackle this problem from a different **angle**（別の角度からこの問題に取り組む）
　adopt a different **angle**（別の視点を採用する）
　an **angle** of 45 degrees（45 度の角度）

be not a right **angle**（直角ではない）

707 □ **virtually** /və́:rtʃuəli/ 副 実際には

《使用例》
be **virtually** the same principle（実際には同じ原理である）
be **virtually** synonymous with Poland's (2002) notion of *splitting*
　（実際には Poland (2002) の splitting という概念と同義である）
be **virtually** used/employed to do（実際には−するために用いられる）
it would be **virtually** impossible to do
　（−することは実際には不可能であろう）
there are **virtually** no errors（実際には間違いはない）

《関連語彙 A》
virtual /və́:rtʃuəl/ 形 実際の，事実上の，仮想的な
　the **virtual** impossibility of doing（−することが実際には不可能なこと）
　its **virtual** abandonment（その事実上の放棄）
　the effects of **virtual** reality（仮想現実の効果）
　a **virtual** world（仮想世界）
　the **virtual** nature of this model（このモデルの仮想性）
　in this **virtual** space（この仮想空間内で）

708 □ **virtue** /və́:rtʃu:/ 名 利点

《使用例》
one of the **virtues** of this model（このモデルの利点の１つ）
have a number of **virtues**（多くの利点を持っている）
emphasize these **virtues**（これらの利点を強調する）
whether that is a defect or a **virtue**（それが欠点であるか利点であるか）
by **virtue** of metaphorical mappings（比喩的写像によって）
by **virtue** of the fact that S+V（−という事実によって）
in **virtue** of the contents（その内容によって）

709 □ **vital** /váitl/ 形 極めて重要な，不可欠な

《使用例》
a **vital** principle（不可欠な原理）
some **vital** questions/problems（いくつかの極めて重要な問題）
a **vital** means of doing（−するためのかなり重要な方法）
play a **vital** role in this conceptualization

（この概念化において極めて重要な役割を担う）
be **vital** to the understanding of this process
　　（このプロセスの理解には不可欠である）
can be considered as **vital**（不可欠であると考えられる）

710 □ warrant /wɔ́:rənt/ 動 正当化する

《使用例》

warrant this distinction（この相違を正当化する）
warrant the conclusion that S+V（〜という結論を正当化する）
this assumption is **warranted**（この仮定は正当化される）
such an account is not **warranted**（このような説明は正当化されない）
this is **warranted** by the following data:
　　（このことは以下のデータによって正当化される）

《関連語彙 A》

unwarranted /ʌnwɔ́:rəntid/ 形 正当化されない
　an **unwarranted** theory（正当化されない理論）
　be utterly **unwarranted**（全く正当化されない）
　be **unwarranted** for the following reasons:（以下の理由で正当化されない）
　remain **unwarranted**（正当化されないままである）
　this assumption is **unwarranted**（この仮定は正当化されない）

warrantable /wɔ́:rəntəbl/ 形 正当化できる
　a **warrantable** experimental procedure（正当化できる実験手順）
　be fully **warrantable**（完全に正当化できる）
　this method is not **warrantable**（この方法は正当化できない）

unwarrantable /ʌnwɔ́:rəntəbl/ 形 正当化できない
　an **unwarrantable** assumption（正当化できない仮定）
　an **unwarrantable** abstraction（正当化できない抽象化）
　this generalization is **unwarrantable**（この一般化は正当化できない）

711 □ weakness /wí:knəs/ 名 弱点，欠点

《使用例》

a major **weakness**（重大な欠点）
the **weakness** of this theory（この理論の弱点）
on account of its **weakness**（その弱点のために，その弱点が理由で）
reveal several **weaknesses**（欠点をいくつか明らかにする）
there are a number of **weaknesses**（多くの欠点がある）

《関連語彙 A》

weaken /wíːkn/ 動 弱める
　weaken the latter assumption（後者の仮定を弱める）
　be **weakened** by the structure（その構造によって弱められる）
　another way of **weakening** the strength（その強度を弱める別の方法）
　a special type of **weakening**（弱化の特殊タイプ）
　various kinds of **weakening** processes（多種多様な弱化プロセス）

weak /wíːk/ 形 弱い
　a **weak** point（弱点）
　an exceptionally **weak** structure（例外的に弱い構造）
　be clearly too **weak**（明らかに弱すぎる）
　the strength is quite **weak** here（その強度はここではかなり弱い）

weakly /wíːkli/ 副 弱く
　very/fairly **weakly**（かなり弱く）
　albeit/although rather **weakly**（かなり弱いけれども）
　whether strongly or **weakly**（強かろうが弱かろうが）
　be **weakly** connected（弱く結合されている）
　be **weakly** dependent on the rate of growth（成長率に弱く依存している）

712 □ wealth /wélθ/ 名 豊富，多数

《使用例》

a **wealth** of researchers（多くの研究者，多数の研究者）
a **wealth** of examples from London (2000)
　（London (2000)からの豊富な事例）
a **wealth** of evidence to support this claim（この主張を裏づける多数の証拠）
through a **wealth** of linguistic data（多数の言語データを通して）
gather a **wealth** of information（多くの情報を集める）

713 □ wholly /hóuli/ 副 完全に，全く

《使用例》

be **wholly** distinct at this level（このレベルでは完全に異なっている）
be **wholly** part of this structure（完全にこの構造の一部である）
be **wholly** unwarranted（全く正当化されない）
to **wholly** account for this difference（この違いを完全に説明するためには）
in a **wholly** new way（全く新しい方法で）
must be **wholly** explained（完全に説明されなければならない）

《関連語彙 A》

whole /hóul/ 形 全体の，全体的な 名 全体
　the **whole** shape of this triangle（この三角形の全体的な形状）
　in the **whole** range of European literature（ヨーロッパ文学の全領域で）
　cover the **whole** spectrum（その全領域をカバーする）
　a part-**whole** relationship（部分・全体関係）
　the sentence as a **whole**（その文全体）
　be on the **whole** justifiable（一般的には正当化できる）

---

714 □ **widely** /wáidli/ 副 広く，広範に

《使用例》

quite **widely**, fairly **widely**（かなり広く，かなり広範に）
a **widely** accepted definition（広く容認された定義）
be **widely** used in Germany（ドイツでは広範に用いられる）
be **widely** known as Principle A（原理 A として広く知られている）
have been **widely** discussed（広く議論されてきた）
it is **widely** acknowledged that S+V（～ということが広く知られている）

《関連語彙 A》

wide /wáid/ 形 広い，広範な
　a **wide** variety of expressions（多種多様な表現）
　a **wide** range of specific examples（広範な具体事例）
　be sufficiently **wide**（十分に広い）
　in a **wide** sense（広い意味では，広義には）
　in a **wider** context（より広い文脈の中で）
　cover **wide** areas（広い領域をカバーする）

widen /wáidn/ 動 広げる
　widen the scope of inquiry（その探求範囲を広げる）
　the need to **widen** the scope of description（その記述範囲を広げる必要性）
　a **widened** area（拡大領域）
　by **widening** the research scope（その研究範囲を広げることで）
　the range of application is **widened**（その適用範囲が広げられる）

《関連語彙 B》

broad /brɔ́:d/ 形 広い，大まかな
　a **broad** interpretation（大まかな解釈，大雑把な解釈）
　a **broad** overview（概要）
　this **broad** definition（この広い定義）
　three **broad** categories（3つの大まかなカテゴリー）

a **broad** range/variety of issues（多種多様な問題）
the **broad** outlines of this discussion（この議論の概要）
in a **broad** sense（広い意味では，広義には）
in a **broader** sense（より広い意味では，より広義には）
from a **broader** perspective（より広い観点から）

broadly /brɔ́:dli/ 副 広く，大まかに
  broadly speaking（大まかに言えば，大雑把に言えば）
  more **broadly**（より広く，より広義に；より大まかには）
  in **broadly** the same terms（大まかには同じ観点から）
  be **broadly** in accord with the assumption（大まかにはその仮定と一致している）
  be defined very **broadly**（かなり広く定義される，かなり広義に定義される）
  fall **broadly** into two categories（大まかには2つのカテゴリーに分類される）

broaden /brɔ́:dn/ 動 広げる
  broaden the focus/scope of research（研究範囲を広げる）
  broaden the definition of this notion（この概念の定義を広げる）
  an attempt to **broaden** its scope/range（その範囲を広げる1つの試み）
  in order to **broaden** knowledge（知識を広げるためには）
  be **broadened** further by these factors（これらの要因によってさらに広げられる）

715 ☐ **worthy** /wɔ́:rði/ 形 価値がある，値する

《使用例》
be **worthy** of further investigation（さらなる研究の価値がある）
be **worthy** of further analysis（さらに分析する価値がある）
be **worthy** of mention（言及に値する）
be **worthy** of special mention（特筆に値する）
be **worthy** of consideration（考慮に値する）
be **worthy** of note（注目に値する）
it is also **worthy** of notice that S+V（-ということも注目に値する）

《関連語彙 A》
worth /wɔ́:rθ/ 形前 価値がある，値する
  be **worth** mentioning（言及に値する）
  be **worth** studying（研究する価値がある）
  it is **worth** pointing out that S+V（-ということは指摘する価値がある）
  it is also **worth** noting that S+V（-ということも注目に値する）
  it is **worth** discussing this issue here（この問題をここで議論する価値がある）

unworthy /ʌnwɔ́:rði/ 形 価値のない
  an **unworthy** element（価値のない要素）

be **unworthy** of note/attention（注目する価値はない, 注目に値しない）
be entirely **unworthy** of study（研究の価値が全くない, 全く研究に値しない）
be **unworthy** of further investigation（さらなる探究の価値はない）
be **unworthy** of special mention（特筆に値しない）

716 ☐ **worthwhile** /wə́ːrθhwáil/ 形 価値がある

《使用例》
a **worthwhile** pursuit（価値ある探求）
be highly **worthwhile**（かなり価値がある）
it is **worthwhile** to point out that S+V（－ということを指摘する価値はある）
it would be **worthwhile** to do（－する価値はあるであろう）
future research in this direction may be **worthwhile**
　　　（この方向における今後の研究は価値があるかも知れない）

717 ☐ **yield** /jíːld/ 動 もたらす，生み出す

《使用例》
yield statistically significant differences（統計学上の有意差をもたらす）
yield interesting results（興味深い結果をもたらす）
yield a metaphorical interpretation（比喩解釈を生み出す）
yield a different pattern（異なったパターンを生み出す）
yield evidence that S+V（－という証拠をもたらす）

キーワード検索（日本語）

※数字は見出し語彙番号
※太字は見出し語彙／関連語彙

あ

相容れない 241, 426
合図 006
曖昧さ **227**, **693**
曖昧すぎる **693**
曖昧性 **033**, **227**, **693**
曖昧な **033**, **176**, **227**, **693**
曖昧なままである **693**
曖昧に **033**, 206, **227**, 291, **693**
曖昧にする 230, **693**
曖昧になる 656
アカデミックな **005**
明らかな **041**, **084**, 146, **191**, **233**, **252**, **406**, **444**
明らかに **041**, **084**, 156, 160, **194**, **201**, **227**, **233**, 355, **406**, **444**
明らかにする ... **081**, **084**, 195, **212**, **251**, **252**, **315**, 327, 394, **406**, **584**, **677**
明らかになる 351
アクセスする 187, 338
アクセスできる 317, 541
挙げる **224**
アスタリスク **057**
値 104, **696**
値する **171**, **416**, **715**
与える **008**, 088, 120, 157, 177, 243, 612
新しい 138, **214**, **438**
新しいアプローチ 411
新しい考え方 438
新しい傾向 337
新しい視点 476, 706
新しい証拠 214
新しいタイプ 145
新しいデータ 438
新しい方向 186
新しい方向性 186
新しい要素 210

新しさ **438**
扱う **015**, 128, **138**, **154**, **670**
扱われる 269
あっさり 609
圧縮 262
圧倒する **461**
圧倒的多数 405, **461**
圧倒的な **461**
圧倒的に **461**, **498**
圧倒的に強い 629
集める 145, 187, 233, 395, 712
圧力 243, 452
当てはまらない 430
当てはまる **043**, 136, 188, 235, 469
充てられる 277, 507
充てる **180**
後から考えると 308
後から考えれば 308
あと智恵 **308**
後で 209, 251, 384, **388**, 487, **633**
後になって考えれば 308
アドバイス 249, 373
アドホックな 493
あふれている 004
アプローチ **045**
アプローチする **045**
あまり 208, 253, 531, 562, 592, 606
過ち 156
誤った **228**, **265**, **325**, **334**, **419**, **420**, **558**
誤った一般化 676
誤った考え方 **265**
誤って **228**, **334**, **420**
誤り **228**, **265**, **325**, **420**
誤りを犯す 404
荒削りの **589**
新たな可能性 492

新たな観点から 587
新たな証拠 503
新たに 178, 370, **438**
アラビア文字 030
あらゆる点で 577
表している 570
表す **406**, **570**
表れ **406**
表れ方 406
現れる 214
表わす 619
ありうる 364, **491**, **492**, 663
ありうる唯一の 491
ありふれた **674**
あるいは **031**, 211
ある意味で 320, 330
ある意味では 647
ある程度の 010, 048, 225, 335, 632, 702
ある程度は 055, 162, 255, **467**
ある特定の 338
ある場所で 396
アルファベット **030**
アルファベット順で **030**
アルファベット順にする **030**
アルファベット順の **030**
アルファベットの **030**
アルファベット表記 030
安易な **608**
アンケート 098, 126, 197, **530**
暗示的な **567**
安定した 562, 611
安定している 504
安定性 630
暗に 322
暗黙の 233, **323**, **651**
暗黙の内に 234, **323**, **651**

い

英語論文重要語彙 717

あ

言い換え ……………………… **465**
言い換える ………… **465**, **569**
言う …… 264, 334, 419, 544, 640, 652, 695
以下 ………………… **278**, **304**
以外 ……………………………… 571
意外に ………………………… 093
意外にも ……………………… 045
鋳型 ……………………………… **655**
以下で ……… 254, 504, 585
以下では ………… 278, 304
以下に ………………………… 570
以下の …………… **278**, 608
以下の仮説 ………………… 312
以下の仮定 ………………… 258
以下の事実 … 008, 145, 233
以下の事例 … 041, 070, 301
以下のデータ ……………… 710
以下の点で ………………… 577
以下の通り ………………… 630
以下の抜粋 ………………… 257
以下のように …… 077, 251, 269, 293, 364, 384, 451, 465, 540, 569, 584, 593, 644
以下の理由で ……………… 710
以下の割合で ……………… 538
以下は ……………… 278, 499
意義 ………………… **606**, 672
異議 ……………………………… **440**
偉業 ……………………………… 011
異議を唱える …… **025**, **076**, **191**, 379, **440**, 529
いくつか ……… 146, 238, 319, 414, 418, 459, 507, 711
いくつかの …… 113, 148, 238, 316, 352, 408, 433, 479, 482, 502, 503, 511, 556, 570, 709
いくつかの点で ……… 087, 203, 315, 577
いくぶん ……………………… 658
意見 ………………… 025, 249
意見の一致 … **025**, **119**, 134
意識 …… 216, 232, 468, 572
維持する ………… 123, 335,
369, **403**
異質な ………………………… 417
以上 ……………………………… 472
異常な ………………………… 219
いずれか ……………………… 310
以前 ………………… 281, 509
依然として ……… 084, 219, 227, 326, 332, 355, 592
以前に ……………… 214, **509**
以前は ………………………… **281**
依存 ……………………………… **167**
依存関係 ……………………… **167**
依存する …………… **167**, **485**, **564**, 660
依存的な ……………………… **167**
依存要素 ……………………… 637
イタリック体 ……………… **380**
イタリック体で …………… 380
至る所で ……………………… **674**
至る所にある ……………… 104
位置 …………… 347, **396**, **491**, 618, 630
一因 ………………… 329, 693
一次元の ……………………… 185
位置している ……………… 360
一次的である ……………… **506**
一次的な ……………………… **506**
一次不等式 ………………… 225
著しい ……… 132, **566**, **628**
著しく ……………… **606**, **628**
位置づけられる ………… 485
位置づける ……… **396**, **491**, **611**
一番上に ……………………… 374
一番下に ……………………… 090
一番下の ……………………… 090
一部 …………… 060, 467, 470, **488**, 713
一方向の ……………………… 186
一面 …………… 010, 053, 105, 130, 261, 609
一様な ………………………… **685**
一様に ………………………… **685**
一覧表 ………………………… **374**
一覧リスト ………………… 133
一例 …… 025, 048, 074, 079, 146, 167, 187, 201, 242,
271, 332, 352, 364, 482, 628, 647, 648, 684
一例として ………………… 077
一例としては ……………… 316
一連 ……………………………… **601**
一連の …… 011, 093, 105, 111, 181, 210, 219, 312, 359, 442, 634, 684, 691
一貫した形で ……………… 508
一貫して ………… **088**, **122**
一貫性 ……………… **088**, **122**
一貫性なく ……… **329**, **333**
一貫性のある …… **088**, **122**, **508**
一貫性のない ……………… **129**
一見したところ ……… 236, 351
一切 ………………… 243, 617
一種 …………… 364, 375, 450, 505, 569, 618
一種の …… 124, 159, 167, 225, 227, 282, 514, 559, 647, 693
一緒に ……………… 089, 382
一節 ……………………………… 532
一線 ……………………………… 033
一線を引く ………………… 033
一層 ………………… 095, 327
逸脱 ……………………………… 411
逸脱している ……………… 533
一致 …………… **007**, **008**, **025**, **094**, **116**
一致関係 ……………………… 094
一致した ……………………… **008**
一致している …… 193, 312, 497, 714
一致しない ……… **025**, **333**
一致する …… **008**, **025**, **094**, **116**, **122**, **141**
一定の ………………………… **123**
一定の間隔で ……………… 365
一定の原理に基づいた … **508**
一定のままである ……… 123
一般化 ………………………… **293**
一般化する ………………… **293**
一般化プロセス ………… 293
一般原理 ………… 131, 170,

キーワード検索（日本語）

あ

　　　　　　　　　 294, 508
一般性 ･･････････････････**294**
一般的傾向 ･･････････ 008, 656
一般的見解 ･･････････････ 294
一般的主張 ･･･････080, 519,
　　　　　　　　　 621, 665
一般的前提 ･････････････ 501
一般的でない ･･･････････ 368
一般的特徴 ･･････････････077
一般的な ･･･････**091**, 172, **294**,
　　　　 412, **480**, **619**
一般的な方法で ･････････ 264
一般的な例 ･･･････････････ 619
一般的に ･･････････**294**, **480**
一般的に言って ･･･････････ 294
一般的には ･･････ 091, 293, 713
一般特性 ･･････････････････ 517
一般に ････**091**, 294, **387**, **480**,
　　　　　 503, **619**, **687**
一般に受け入れられた ･･･ 294
一般に仮定される ･･････････294
一般に知られている ･･････ 294,
　　　　　　　　　　　687
一般認知能力 ･･･････ 294, 629
一般法則 ･･････････････････ 231
一般理論 ･･････････････････294
一般論 ･･････････････････**294**
一方の面では ･･･････････ 259
移動 ･･････････････ 125, 618
以内 ････････････････････ 237
違反 ･･･････････････････ 041
今のところ ･･･････････････084
今や ･･････････ 051, 134, 168,
　　　　　　　 231, 678
意味 ･･････････････････**411**
意味合い ･･･････････････003
意味がない ･････････････ 179
意味構造 ･････････ 282, 506,
　　　　　　　　 528, 679
意味する ･･･････････**322**, **411**
意味的に ･･･････ 088, 329, 673
意味内容 ･････････････････ 179
意味のある ･･･････････････**411**
意味の上で ･･････････････ 411
意味のない ･････････ 179, **411**
意味変化 ･･････ 284, 294, 315,

　　　　　　　　 328, 664, 671, 698
イメージ ･･････ 140, 471, 551,
　　　　　　　 598, 673
以来 ････････････････････ 214
いわゆる ････････････････ 165
言われている ･･････････････ 411
因果関係 ･･･････ 145, 170, 236,
　　　　　　 450, 457, 561
インターネット ･････････ 257
インターフェイス ･････････**360**
インタビュー ･･･････････ 510
引用 ･････････････**079**, **532**
引用する ･･････････**079**, **532**
引用に値する ･････････････ 532
引用符 ･･････････････････ 557

う

上の ･･･････････････････**397**
上部分 ･････････････････**397**
上方向に ･････････････････ 186
上向きに ･････････････････ 186
上向きの ･････････････････ 273
受け入れられている ･･････091
受け入れる ･･････**006**, 500, 658
受けている ･････････････ 514
受けない ･････････････････022
受けやすい ･･･････････････022
受ける ･･･････････････････ 149
動き ･･･････060, 175, 209, 349
動く ･･･････････ 269, 310, 704
疑い ･･････････････････**201**
疑いの余地がない ･････････ 201
疑う ･･･････････････**201**, 294
疑わしい ･･･････**049**, 137, **155**,
　　　　　 201, 206, **321**,
　　　　　　 　　529, **564**
内側 ･････････････････････ 362
内側の ･･･････････････････**362**
内の ･････････････････････**362**
宇宙 ････････････････ 256, 516
うまく（上手く）･････ 164, 238,
　　　　　　　　　　 451
生み出す ････ 105, 258, 438,
　　　　　　 445, 529, **717**
埋め込む ･････････････099, 550
埋める ･･･････････････････ 179

裏づけ ････････**114**, **142**, **645**
裏づけている ････････････ 142
裏づけとなる ･･･････････**142**
裏づける ･････････ 014, **051**, **114**,
　　　　　 142, 145, 270, 271,
　　　　　 312, 629, 635, **645**
上回っている ･･･････････ 634
運動量 ･･････････････････ 516
運用 ･･････････････････**474**

え

影響 ･･････022, 166, **208**, 225,
　　　　 232, **319**, **344**, **568**,
　　　　　　　　 572, 631
影響されない ･･･････････ 631
影響される ･･････････････ 344
影響はない ･･････････････ 410
影響力 ･････････ 168, 319, 344
影響力のある ･････････**344**, 599
影響を与える ･･･**022**, 120, 156,
　　　　　 157, 177, 208, 225,
　　　　　　 243, 255, 318, 319,
　　　　　　 344, 474, 634
影響を受ける ･･･････････ 263
影響を及ぼす ･･･････201, 243,
　　　　　　　 268, 344, 514, 568
影響を示す ･･････････････ 337
英文法 ･･････････････077, 637
描かれる ･････････････････ 593
描く ･･･････････････ 195, 273
液体 ････････････････････ 450
会得する ･････････････････ 590
エラー ･･･････････････････ 580
選ぶ ･････････････････････048
得られる ･････････････ 124, **443**
得る ･･････ 108, 142, **443**, 592
円 ･･･････････ 067, 269, 396
円滑にする ･･･････････････ 262
円錐 ･････････････････････ 397

お

応答 ････････････････････**579**
負うところが多い ･･････････ 168
応用 ･････････････････････**043**
応用する ･････････････････**043**
応用できる ･･･････････････**043**

あ

応用領域 043
応用例 043
大いに 121, **514**
多かれ少なかれ 007, 206, 255, 286, 312, 497, 556, 658, 695
大きく 151, 167, 183, 318, 564
大きく貢献する 410, 634
大きく異なる 183, 629
大きくなる 542
大きく変容する 701
大きさ 219, 225, 362, **400**, 518
大きな 054, 276, 319, 531
大きな影響 514, 634
大きな相違点 168
大きな違い 183, 195, 514
大きな変容 406
多くの 012, 037, 080, 086, 089, 096, 111, 115, 124, 126, 134, 203, 210, 224, 260, 274, 275, 278, 311, 320, 325, 326, 332, 345, 350, 373, 416, 425, **439**, 447, 484, 503, 520, 572, 641, 676, 712
多くの議論を呼んでいる 631
多くの欠点 711
多くの研究者 587
多くの点で 076, 115, 533, 577
多くの場合 091, 258, 430, 560
多くの利点 708
多くの理由 425
多く見られる 004
大げさな 656
多さ 425
大雑把な 714
大雑把に言えば 714
大雑把に言って 589
多すぎる 237
大幅な 634
大幅に 421, 514, 586
大まかな ... 164, 547, **589**, **714**

大まかに **589**, **714**
大まかに言えば 047, 714
大まかに言って 589
大まかには 141
大文字 **072**
大文字化 **072**
大文字書き **072**
大文字で書く **072**
大文字の **072**, **398**
おおよその **047**
犯す 404
置かれる 075, 491, 704
置き換える 058, 266
置く 310, **491**
憶測 **118**
奥深さ 514
起こす 540
行う **111**, 248, 313, **474**, 694
行っている 674
行われる 089
収められる 601
押しやる 062
おそらく 007, 011, **049**, **104**, **258**, 323, 324, 341, 368, 391, 675, 687
お互いに 115, 184
落とし穴 204, **484**, 676
驚くべき **628**
驚くべき結果 455
驚くべきことである 628
驚くべきことではない 226, 303
驚くべきことに 253
驚くべき事実 628
同じ 088, 110, 124, 127, 129, 172, 182, 223, 251, 277
同じ形で 064
同じ価値 696
同じ観点から 714
同じ機能 288
同じ結果 583
同じ結論 108, 389
同じこと 235, 411, 566
同じである **225**, 313, 525,

589, 634
同じではない 225, 495
同じ長さ 225
同じならば 225
同じ批判 149
同じ方向に 186
同じ方針で 186
同じ方法で 230
同じままである 565
同じように 225
同じようにして 450
同じ予測 497
同じ理由で 544
同じ割合 538
各々の 090, 124, **578**
自ずと **429**
おびただしい数の 515
思いがけない 455
思い出させる **567**
思い出してほしい 545
思い出す **545**
思いつく 519
思える 006, 029, 114, 118, 119, 135, 155, 173, 179, 233, 266, 267, 271, 286, 312, 327, 371, 384, 409, 420, 445, 449, 486, 492, 516, 529, 536, 544, 560, 573, 609, 621, 643, 676, 678
思えるかも知れない 328
重さ 517
主な 054, **498**
主な原因 498
主な相違点 193
主な違い 404
主な要因 404
おもに 207, **401**, **506**, **507**
思われる 122, 303, 321, 339, 430, 445, 544
及ぶ 292, 409, **535**
及ぼす 201, **243**
オリジナリティー **452**
オリジナル原稿 202
おわりに 566
終わりまで 248

音楽 ················· 071	階層 ··············· 170, **305**	外部から ············ **256**, **260**
温度 ·················· 375	階層関係 ········· 305, 588	外部環境 ················ 256
	階層構造 ················ 305	外部構造 ················ 256
か	階層システム ············ 305	外部で ·················· **256**
解 ···················· 225	階層的な ················ **305**	外部の ·················· **256**
会員 ···················· 197	階層的に ················ **305**	外部要素 ················ 256
外界 ············ 175, 256, 359	階層ネットワーク ········ 305	解明 ············· **212**, **315**,
外角 ····················· 256	階層の ·················· **305**	**575**, **615**
概括する ················· **293**	階層レベル ············· 305	解明する ······· **212**, **251**, **315**,
下位カテゴリー ······· 164, 415	下位タイプ ············· 199	379, **615**
概観 ······ 070, 107, 370, **460**,	開拓する ················ **483**	外面 ···················· 256
585, **612**, 639	改訂 ···················· **586**	外面的に ················ **260**
概観する ······· **585**, **612**, 666	改訂する ················ **586**	概要 ········ 070, 107, 379, 589,
懐疑主義 ················· 237	改訂版 ·················· 634	**612**, **644**, 714
階級 ··················· 305	改訂プロセス ············ 586	概略 ·············· 070, 589
階級制度 ················ 305	欠いている ······ **179**, 294, 372,	概略する ··············· 612
下位区分 ··············· 199	**386**, 399, 441, 495	概略的な ······· **589**, **593**, **612**
解決 ············ **575**, **615**	外的にも ··············· 256	概略的に ·········· **181**, **593**
解決策 ················· **615**	回転する ··············· 237	下位領域 ················ 543
解決する ········· **156**, **301**,	解答 ············· 487, 693	科学 ···················· **594**
575, **615**	回答者 ················· **579**	科学技術 ················ 491
解決できる ······ 329, **575**, **615**	概念 ············· **105**, **437**	科学研究 ··············· 594
介在 ··················· **413**	概念化 ·········· 075, 133, 136,	科学研究費 ············· 289
介在する ··············· **413**	267, 649, 709	科学史 ·········· 314, 507, 594
介在的な ··············· **413**	概念拡張 ··············· 254	化学式 ················· 282
外在的な ············ **256**, **260**	概念基盤 ··············· 284	科学者 ·············· **594**, 617
外在的に ············ **256**, **260**	概念構造 ········ 209, 261, 350,	科学知識 ············ 332, 381
介在要素 ··············· 413	357, 413, 503, 630	科学的裏づけ ············ 114
概算 ···················· **047**	概念システム ········· 367, 437	科学的観点からは ········ 691
解釈 ···················· **364**	概念上の ················ **437**	科学的研究 ············· 478
解釈可能な ·············· **364**	概念操作 ················ 432	科学的思考 ············· 594
解釈する ················ **364**	概念装置 ················ **040**	科学的実証 ············· 635
解釈性 ·················· **364**	概念的な ············ **105**, **437**	科学的説明 ········· 348, 675
解釈的な ················ **364**	概念的に ············ **105**, **437**	科学的探究 ············· 523
解釈できない ··········· **364**	概念統合 ······· 105, 358, 684	科学的に ················ **594**
解釈できる ············· **364**	概念の ············· **105**, **437**	科学的に言うと ·········· 594
解釈の ·················· **364**	概念プロセス ······ 105, 542,	科学的に言えば ·········· 594
解釈の問題 ········· 233, 364	608, 668, 692	科学的に見て ············ 594
解釈パターン ············ 425	概念リンク ·············· 394	科学的分析 ·············· 175
解釈プロセス ············ 364	概念レベル ·············· 369	科学的理論化 ··········· 664
回収する ················ 530	下位の ·················· 305	科学の ·················· **594**
解消 ···················· **575**	開発する ·········· 089, 266	化学反応 ··········· 247, 540
解消する ··········· **130**, **575**	回避 ···················· **676**	科学理論 ········ 519, 558, 594
下位セクション ·········· 505	回避する ················ **676**	科学論文 ················ 594
解説 ···················· **316**	回避できる ·············· **676**	限られた ················ **428**
概説 ···················· **049**	外部 ···················· **256**	限られた数の ········ 275, 393

| 英語論文重要語彙 **717** |

限られた範囲の	428	
限られている	275	
限られる	113	
限りなく多数の	424	
角	400	
欠く	**179**, 309, **386**	
学位	**162**	
学位論文	**665**	
角括弧 [ ]	069	
学際的アプローチ	188	
学際的観点から	188	
学際的研究	188	
学際的探求	523	
学際的である	188	
学際的な	**188**, 253	
学際的プロジェクト	188	
学際領域	214	
隠されていた	309	
学士号	162	
確実な	**108**	
学者	**572**	
学習	262	
学習する	438	
学術刊行物	503	
学術経験	579	
学術雑誌	005, **383**, 503	
学術書	503	
学術上	**005**	
学術的に	**005**	
学術の	**005**	
学術分野	005	
学術領域外で	543	
学術論文	192, **669**	
確証	**108**, **142**	
核心	**485**	
革新的な	**348**	
学生	023, 491	
学説	**200**, **657**	
学説原理	200	
学説上の	**200**	
学説の	**200**	
拡大	**254**	
拡大原理	254	
拡大する	**254**, 288, 310, 524	
拡大データ	254	
拡大的な	**254**	
拡大版	254, 703	
拡大範囲	254	
拡張	**254**, 582	
拡張概念	105	
拡張原理	254	
拡張する	254	
拡張的な	254	
拡張版	254	
拡張プロセス	254	
拡張レベル	254	
角度	162, 400, **706**	
確認する	**051**	
学部	**023**	
学部学生	404, **572**	
学部学生の	**572**	
学問境界	188	
学問上の	188	
学問的価値	188	
学問的な	**188**	
学問の	**188**	
学問分野	**188**, 241	
学問領域	188, 214, 437	
確立	**231**	
確立する	**231**, 346, 438, 588	
欠けている	007, 194, **386**	
かけ離れている	141	
欠ける	250, 386, 663	
下限がある	397	
過去	229, 600, 677	
囲まれる	532	
過言ではない	621	
重なり合った	458	
重ね合わす	317	
課している	439	
箇所	**211**	
過小評価	**232**	
過小評価する	**232**	
課す	076, 243, **489**, 501	
数	034, 051, 079, 199, 210, 375, 468, 495, 518, 697	
数多くの	439, 572	
数において	582	
数の上では	562	
仮説	**312**	
下線	**680**, **681**	
下線によって	681	
下線部	680	
下線を引く	**680**	
仮想空間	707	
仮想現実	219, 707	
仮想性	707	
仮想世界	707	
仮想的な	**312**, **707**	
数え切れないほどの	343	
課題	015, **076**, 565	
過大評価	**232**	
過大評価する	**232**	
片側	**259**	
形作る	100	
下端	397	
価値	188, 672, **696**	
価値ある	523	
価値がある	014, 160, 171, 212, 253, 318, 376, 523, **696**, **715**, **716**	
価値がない	521	
価値観	696	
価値のない	**715**	
学科	**023**	
学会	**112**	
学会発表	503	
画期的な	248, 669	
括弧	**069**, **466**	
括弧書き	454	
括弧書きで	069, **466**	
括弧書きの	069	
確固たる	108	
括弧に入れられた	466	
括弧に入れる	**069**, **466**	
活性化される	129, 549, 610	
活性化していない	355	
かつて	**281**	
かつては	**281**	
葛藤	584	
活動	578	
活動パターン	549	
活動範囲	254	
仮定	**056**, **258**, **493**, **504**	
課程	572	

過程 ················· 485
仮定してみよう ················ 504
仮定上の ············· **312**
仮定上は ············· **312**
仮定する ········ **056**, **258**, 305,
　　　　312, **490**, **493**, **504**
仮定的に ················ **312**
カテゴリー ················ **074**
カテゴリー化 ············ **074**
カテゴリー階層 ············ 305
カテゴリー化する ············ **074**
カテゴリー境界 ······ 074, 604
カテゴリー成員 ······ 074, 163
カテゴリーの ············ **074**
過度に ············ 237, 608
過度に単純化した ············ **608**
過度の ············ 237
必ずしも ········· 008, 139, 166,
　　　　233, 276, 331, 341, 410,
　　　　430, 471, 542, 556
かなり ···· **004**, 008, 068, **091**,
　　　　121, 149, 154, 164, **209**,
　　　　219, **237**, **238**, **259**, **264**,
　　　　268, **307**, **318**, **343**, **531**,
　　　　537, 539, **544**, **566**, 589,
　　　　606, 612, **628**, **634**, 693
かなり曖昧に ······· 206, 693
かなり後で ················ 388
かなりある ················ 595
かなり疑わしい ········ 529, 564
かなり上手く ······· 238, 544
かなり影響力のある ············ 344
かなり大きな ············ **219**
かなり多くの ····· 004, **219**, 531
かなり簡単に ············ 541
かなり完璧に ············ 473
かなり興味深い ············ 368
かなり詳しく ···· 102, 168, 207
かなり厳密に ···364, 588, 627
かなり広範に ·········480, 714
かなり異なった ············ 194
かなり異なっている ············ 368
かなり異なる ··· 121, 183, 603,
　　　　629, 634
かなり最近の ················ 264
かなり周辺的な ············ 475

かなり重要である ············· 606
かなり重要な ········ 259, 400
かなり詳細な ············ 174
かなり詳細に··· 035, 102, 121,
　　　　168, 174, 287, 390
かなり慎重に ········ 237, 521
かなり正確に ············ 170
かなり説得的に ············ 477
かなり狭い ·········237, 392
かなり率直に···· 187, 531, 625
かなり対照的である ········· 603
かなり対照的に···· 132, 603
かなり高い ········ 606, 634
かなり多数の ············ 343
かなり単純 ············ 169
かなり単純である ············ 450
かなり単純な ············ 609
かなり小さい ············ 343
かなり近い ·······024, 085, 166
かなり抽象的である ········· 675
かなり著名な ············ 572
かなり強い ············ 461
かなり的確に ············ 384
かなり長い ········ 238, **390**
かなり似ている ········573, 607,
　　　　628
かなりの ·········· 117, **121**, 168,
　　　　237, **264**, **606**
かなりの影響 ············ 243
かなりの数の ············ 264
かなりの少数派············ 405
かなりの説得力で············ 477
かなりの相違 ············ 025
かなりの注目 ······ 121, 180
かなりの重複 ············ 458
かなりの程度 ··· 121, 162, 255
かなりの部分で············ 255
かなりの変容············ 698
かなりの量の ············ 121, 219,
　　　　264, 606
かなり低い ············ 634
かなり広く ········364, 714
かなり頻繁に············ 641
かなり深い ············ 168
かなり深く ············ 168
かなり複雑な ············ 367

かなり不自然に ············ 445
かなり変である ············ 445
かなり稀な ············ 240
かなり短い ············ 365
かなり密接に ············ 366
かなり難しい··· 136, 237, 259,
　　　　521, 566, 683
かなり明快に············ 399
かなり有益である···· 252, 354
かなり有効に ·········· 208, 692
かなり容易に ············ 541
かなりよく ············ 473
かなり余分な ············ 552
かなり弱い ············ 238
可能性 ····· 224, 232, **391**, **492**
可能性がある ···220, 492, 682
可能性はない············ 492
可能な ············ **492**
可能にする ············ 282
カバーする ······· 222, 278, 535,
　　　　713, 714
過半数 ············ 405
下部 ············ 397
下部の ············ **397**
絡み合う ············ 100
かろうじて············ 682
変わっていない············ 410
代わりに ············ 056
変わりやすい············ **697**
巻 ············ **379**
含意 ············ **322**
簡易化 ············ **262**
含意する ············ **322**
考え ············ 160
考え方 ···· 116, 122, 143, 218,
　　　　227, 240, 265, 381,
　　　　420, 446, 453, 607,
　　　　657, 687, **705**
考えてみよう ···········079, 278,
　　　　392, 547
考えてみると ············ 556
考えられている········ 091, 551,
　　　　687
考えられる ······059, 097, **104**,
　　　　129, 130, 135, 145, 158,
　　　　203, 208, 265, 317, 330,

英語論文重要語彙 717

337, 406, 429, 430, 499, 502, 504, 547, 556, 566, 592, 597, 621, 686, 709
考える **104**, **158**, **504**, **547**, **559**, **705**
間隔 **365**
喚起 **234**, 262
喚起する **234**
環境 582, 643
喚起力 234
関係 017, **394**, **559**, **561**, **577**, 055
関係がある 140, **410**, 478, 479, **560**, 561, 563
関係がない 189, 260, **410**, 464, 560, 563
関係した **562**
関係している 366, **479**
関係する **106**, **468**, 478
関係性 **560**, 563
関係づける **055**, 140, **394**
関係なくなる 377
関係のある **560**, 563
関係のない 377, 560
簡潔さ **107**
簡潔性 **107**
簡潔な **070**, **107**, **639**
簡潔に **070**, **107**, **639**, **644**
簡潔に言えば 107, 639
換言 **465**
還元 **551**
還元主義的 237
還元主義的な **551**
還元主義の **551**
換言する **569**
還元する **551**
換言すれば 183
還元できない **551**
還元できる **551**
刊行する **503**
刊行物 **503**
刊行論文 503
観察 **442**
観察可能な **442**
観察グループ 442
観察経験に基づく 216

観察研究 442
観察する **442**
観察段階では 442
観察データ 216, 442
観察できない 187
観察できる 120, 122, **442**
観察の **442**
観察力 238
感謝 **044**, **299**
感謝したい 617
感謝して **298**
感謝する **012**, 014, **044**, 229, 289, 298, 572, 585
感謝の **298**
感謝表現 044, 299
慣習 181, 340, 374, 434
慣習的な 411
慣習の問題 415
関心 **106**, **368**, 572
関心がある **106**, 401
関心事 **106**, 617
関心を引く 368
関心を寄せる 368
関する **106**
完成 **098**
完成させる **098**
間接証拠 145, 521
間接的な **338**
間接的な影響 338
間接的な証拠 338
間接的な手掛かり 602
間接的な要因 682
間接的に **338**
間接的にのみ 338
完全 **473**
完全な **002**, **098**, **287**, **473**, **666**
完全なる 496
完全に ... **002**, **032**, 087, 094, **098**, 122, **222**, **287**, 314, 420, **473**, **667**, **713**
完全に新しい 438
完全に一致している ... 287
完全に別の 570
完全否定 002
完全分離 378

完全放棄 381
簡素化 **608**
簡素化しすぎる **608**
簡素化する 512, **608**
簡素化のために 608
観測研究 442
観測段階では 442
観測の **442**
簡単 **541**
簡単な **070**, **541**
簡単に **070**, 189, 237, **541**, **609**, **644**
簡単に言えば ... 107, 609, 639
観点 **476**, **620**, **659**, 705, **706**
巻頭論文 192
完璧 **473**
完璧さ 473
完璧な **276**, **473**
完璧に **276**, **473**
完璧に近い 473
関与 **468**
肝要である 479
関与している 410
関与する **468**
関与レベル 468
簡略版 001, **608**, **703**
完了 **098**
慣例の **153**
還暦 180
関連がある 201
関連学問領域 188
関連がない 560
関連現象 098, 482, 560, 563
関連した **562**
関連している 563
関連情報 563
関連事例 466
関連する **478**
関連性 **560**, 563
関連づけられる 560
関連づける **055**, **394**, **560**
関連データ 034
関連トピック 560
関連のある **560**, 563

か

428

関連文献 ……………… 395, 479	稀少価値 ……………………… 536	659, 664
関連分野 ………… 188, 424, 560	稀少性 ……………… 482, **536**	機能的な …………………… **288**
関連要因 …………… 263, 563	机上の空論 …………………… 652	機能的に …………………… **288**
関連要素 …………………… 549	擬人化…… 004, 074, 278, 352,	機能的に言えば …………… 288
	364, 393, 628, 673	機能特性 ………… 288, 517, 644
き	擬人法 ………………………… 013	機能の上では ………………… 552
起因 ………………………… **453**	奇数 ………………… 103, 445	機能の観点から …………… 649
起因させる …………… **052**, **060**	奇数の ………………………… **445**	機能の観点からは ………… 250
起因する ……………… **052**, **060**	築く ………………… 141, 231	機能分析 ……………………… 288
記憶 ……………………… 352	既成概念 ……………………… 231	基盤 …………… **063**, **065**, **284**,
機会 ……………………… 286	既成語 ………………………… 231	441, 588, 664
器官 ………………………… **040**	既成事実 ……………………… 231	基盤となる ………… 602, 633
期間 …………… 077, 222, 238	既成の ………………………… **231**	基盤を置く ………………… **063**
機器 ………………………… **178**	既成理論 ……………………… 231	機微 …………………………… 637
基金 ………………… 296, 298	基礎 …………………………… **590**	厳しく ……………………… **603**
器具 ………………………… **354**	基礎概念 ………… 064, 284, 437	規模 …………………………… **400**
帰結 ………………………… **120**	規則 …… 107, 110, 169, 282,	技法 ……………………………… 181
起源 ………… 086, 204, **452**	304, 334, 438, 449, 496,	基本 …………………………… 290
危険性 ……………… 232, 237	509, 512, 618, 627, 694	基本概念 ………… 180, 437, 581
危険性がある… 237, 459, 608	規則性 ………………………… 622	基本原理 ……… 216, 224, 284,
寄稿 ………………………… **133**	規則的に ……………………… 566	290, 425, 508,
寄稿者 ………………… **133**, 374	基礎研究 ………… 180, 284, 349	551, **590**, 662
寄稿する ……………………… **133**	基礎知識 ……………………… 590	基本構造 ……………………… 254
寄稿論文 ……………………… 133	基礎的な ……………… **064**, **284**,	基本単位 ……… 064, 210, 686
記述 ………………………… **170**	**290**, **590**	基本的意味 …… 064, 186, 258,
技術 ………………… 018, 691	既存データ …………………… 111	284, 533, 679
記述可能な ………………… **170**	既存の ………… **246**, 250, 463	基本的考え方 ……… 064, 657
記述研究 ……………………… 170	期待 ……………………………… 131	基本的前提 …………………… 501
記述する ……………………… **170**	期待する ……………………… 092	基本的特性 ………… 210, 356
記述対象 ……………… 440, 614	貴重な ……………… **373**, **696**	基本的特徴 …………………… 272
記述単位 ……………………… 686	気づいていない ……… 041, 667	基本的な …… **064**, **210**, **284**,
記述的観点から …………… 170	気づいている ………………… 393	**290**, **590**, **679**
記述的妥当性 ……………… 016	気づかれなかった ………… 309	基本的な考え方 …………… 679
記述的道具立て ……… 170, 178	気づく ……… 324, **436**, **442**, 464	基本的に …… **064**, **290**, **590**
記述的な ……………………… **170**	規定 …………………………… **624**	基本特性 ……………………… 517
記述できない ……………… 170	基底構造 ……………… 346, 679	基本プロセス ………………… 549
記述的難題 ………………… 489	基底する ……………………… **679**	基本文献 ……………………… 669
記述的に ……………………… 170	規定する …… 588, **618**, **624**	基本分類 ……………………… 653
記述できる ………………… **170**	基底の ………………………… **679**	基本法則 ……………………… 590
記述的枠組み ……………… 170	記入する ……………………… 098	基本メカニズム …………… 564
記述内容 ……………………… 127	疑念の余地を残す ………… 409	基本要素 ……………………… 210
記述範囲 ……………………… 714	機能 …………………………… **288**	基本レベル ………… 611, 668
記述方法 ……………………… 170	機能上の ……………………… 203	奇妙な ………………………… **445**
記述レベル ………………… 170	機能する ……… 284, **288**, **602**	奇妙なことに ……………… 445
基準 ……… **147**, 237, 602, **619**	機能性 ……………… 221, **288**	奇妙に ………………………… **445**
基準となる ………………… 619	機能的観点から …… 159, 288,	義務的である ……………… 303

英語論文重要語彙 **717**

疑問 …………… 086, **527**, **529**	狭義には ………………………… 428	共有特徴 ……………………… 077
疑問視する …… 016, 046, **076**, 087, **201**, 486, **529**, 641	競合原理 ……………………… 096	協力して …………………… 089
	競合する …………………… 463	協力者 ……………………… **468**
	競合する形で ………………… 115	強力な …… 216, 219, 225, 282, 354, 412, **629**
疑問符 ………………………… 529	競合的な ……………… **096**, 115	
逆 ……………………………… **375**	競合の ……………………… **096**	強力な証拠 ………… 629, 645
客員教授 ……………………… 572	競合モデル ………………… 096	極性 ………………………… 105
客員研究員 …………………… 572	競合理論 …………………… 096	曲線 ………………………… 273
逆効果である ………………… 477	強固な ……………………… 114	極端すぎる ………………… 237
逆順に ………………………… 030	強固なものにする …… 056, 119	極端な …… 205, **237**, **259**, 608
脚注 …………………………… **279**	強固に ……………………… 055	極端な例 …………………… 259
逆で …………………………… 131	教授 ………………………… **572**	極端に …………………… **237**, **518**
逆である ……………………… 136	業績 ………………………… **011**	極致 ………………………… 473
逆ではない …………………… 136	共存 ……………………… **246**, 503	極度な ……………………… 617
逆に …………………… **136**, 375	共存関係 …………………… 246	局面 ………………………… **185**
逆に言えば …………………… 136	共存する …………………… **246**	拒否する …………………… 161
逆の ……… **136**, **143**, **375**, **448**	強調 ……………………… **215**, **626**	許容される ………………… 238
逆の意味で …………………… 448	強調しすぎる ……………… **215**	許容しない ………………… 257
逆の順序で …………………… 375	強調する ……… **215**, **306**, **626**, **680**, **681**	許容する …………………… 314
逆のもの ……………………… **136**		許容範囲内で ……………… 393
却下する ……………………… 519	共通基盤 …………………… 063	距離 ……… 047, 123, 375, 495
客観主義 ……………………… **441**	共通した …………………… 091	切り替え …………………… **604**
客観性 ……………… 179, **441**	共通性 ……………………… **091**	切り替える ………………… **604**
客観的関係 …………………… 159	共通知識 …………………… 426	切り替わる ………………… **604**
客観的な ……………………… **441**	共通点 ……………… **091**, 154	ギリシャ文字 ……………… 030
客観的に言って ……………… 441	共通特性 …………………… 517	切り離して ………………… 378
究極的には …………………… 675	共通特徴 …………………… 091	切り離す …………… **378**, 600
究極の ………………………… **675**	共通土台 …… 063, 231, 677	切り離せない ……………… 600
急激な ………………………… **603**	共通の ……………… **091**, **426**	切り開く …………………… 492
急速な ………………………… 381	共通の起源 ………………… 452	記録 ………………………… 112
急速に ………………………… 254	強度 ……………………… **629**, 711	記録される ………………… 010
行 …………………… **090**, 237	共同 ………………………… **089**	記録する ……… 320, 332, 438
教育上の ……………………… 199	共同研究 …………………… 382	議論 ………… **050**, **134**, **155**, **189**, **191**, **670**
教員 …………………………… 023	共同研究者 ……… **055**, **089**, 572	
強化 …………………………… 629	共同研究する ……………… **089**	議論されていない ………… 189
境界 …… **068**, 084, 159, 160, **163**, 175, 176, 320, 491	共同作業 …………………… 382	議論する …………… **050**, **155**, **189**, **191**
	共同する …………………… **089**	
境界設定 ………………… **163**, 165	共同で ……………… **089**, 382	議論中の ……………… 189, 503
境界線 ………… **068**, 084, 160, 165, 199, 231, 273, 588, 668	共同の ……………… **089**, 382	議論に値する ……………… 416
	興味 ………………………… **368**	議論にならない …………… 134
	興味深い ………… **076**, 179, **368**	議論にはつながらない …… **134**
境界づけ ……………………… **164**	興味深いことに …………… **368**	議論の余地がある ………… **049**, **155**, 191
境界づける …………… **163**, **164**	興味深く ……………………… **368**	
境界を定める …… **163**, **164**, 165	興味をそそる ……………… **368**	議論の余地がない ………… 134
強化する …………… 598, **629**	共有する ……………… 040, 060, 277, 282	議論を進めるために …… 050, 591
狭義に …………………………… **428**		議論を呼んでいる … **128**, **134**,

430

キーワード検索（日本語）

.... 631	具体的な証拠 145	詳しく述べる 207, 254, 618
際立たせる 261	具体的な内容 179	詳しくは 236
際立った... 187, 210, 469, 630	具体的に **109**, 618	詳しく論じる 207, **247**
際どいケース 393	具体的に言えば 109	
極めて 132, 151, 230, **259**,	具体的には **109**, **618**	**け**
324, 343, 473, 511	具体例 146, 316, **352**,	計画 248
極めて重要である 259	550, 618	経験 003, 068, 109, 213,
極めて重要な **230**, **709**	くつがえす 080	254, 386, 535
極めて正確に 473	覆す 629	経験科学 216
近刊 **283**	区分 **165**, **184**, **195**,	経験される 610
近刊の **283**	**199**, **600**, 668	経験主義 **216**
近似値 047	区分する **165**, 183, **184**,	経験的に 114, **216**
近接した **047**	195, **196**, 600	経験の **216**
均等性 **225**	区分できない **196**	経験パターン 480
均等に 197, **685**	区分できる **196**	経験論 **216**
近年 219	区別 **184**, 195	傾向 145, 245, **656**
吟味 **596**	区別する **184**, **196**	傾向がある 128, 270, 347,
吟味する **596**, 606	区別できない **196**	449, 461, **656**
近隣分野 188	区別できる **196**	傾向を示している 613
	組 **462**	経済的な 282
く	組み合わせ **462**	計算 235, 271
食い違い 531	組み立てる 282	計算する 055, 495, 526
空間 083, 105, 210,	組にする **462**	軽視 **559**
396, 582	グラフ 185	形式 007, 055, 126, 156,
空間概念 428	繰り返される 343, 549	172, 216, 219, 413,
空間関係 317, 336,	繰り返し 006, 051, 149,	462, 338, 360
561, 593	237, 352, 411,	形式化 **282**
空間の 593	442, **549**, 676	形式化する **282**, 326
空所 **179**	繰り返し生じる **549**	形式構造 282
偶然 **007**	繰り返しの 274, **549**	形式主義 068
偶然的な 482	繰り返す 235, **549**	形式上は **282**
偶然ではない 007	グループ 074, 083, 114,	形式的すぎる 282
偶然では全くない 328	183, 304, 371, 437, 471,	形式的特性 282, 494
偶然に **007**	534, 585, 658, 673	形式的特徴 272
偶然にも 007	苦しむ 558	形式的な **282**
偶然の **007**, 328	苦しんでいる 203	形式的に **282**
偶然の一致 **007**	加えて **014**, **291**	形式の **282**
偶発的な **328**	加える **014**, 210, 374	軽視する **559**
空欄補充 530	詳しい **085**, **174**, **336**	芸術作品 044
括られる 532	詳しい議論は 174	継承 **346**
具現形 **109**, **406**, 542	詳しい研究 666	形状 345, 668, 713
具体化する **352**	詳しく 015, 102, **168**, 171,	継承可能な **346**
具体事例 004, 109,	316, 336, 384, 572,	継承関係 346
311, 714	631, 633, 666	継承原理 346
具体性 **109**	詳しく調べる **351**, **596**	継承する **346**
具体的な **109**, **618**	詳しく調べると 351	継承できる **346**

語	ページ
継承パターン	346
継承物	346
形成	129, 243
形成される	518
形成する	157, 359, 405
計測される	526
計測する	325
継続する	**129**
計測単位	686
継続的な	**129**
継続的に	**129**
軽率な	444
計量的研究	526
計量的データ	526
計量的な	**526**
計量的分析	526
経路	222, 255, 618, 704
ケース	157, 215, 236, 238, 259, 313, 511, 570, 617, 618, 701
激減している	603
結果	037, **120**, 274, **455**, 583
結果状態	120
結果づける	209, 214, 481, **583**, 653, 693
結果として	**120**
結果として生じる	**583**
結果としての	**120**, 583
欠陥	**203**, **276**
欠陥のある	**203**, **276**
結局のところ	576, **675**
結合	052, **055**, 366, **394**
結合させる	**055**
結合する	**394**
結合の	**055**
決して	276, 409, 411, 534
欠如	081, 129, **179**, **386**, 674, 685
決着がついていない	108
決定	**156**, **177**
決定する	**156**, **177**
決定的でない	**108**, 161
決定的な	**108**, **148**, **151**, **156**, **157**, **161**, **176**
決定的に	**148**, **151**, **157**
欠点	**020**, **203**, **276**, **320**, **326**, 346, **416**, 584, **605**, **711**
欠点ではない	605
欠点のない	**276**
結論	**108**, 566
結論が出ない	521
結論づける	**108**
結論として	108
結論に至っていない	108
結論に達する	389
結論の出ない	108
原因	251, 253, 260, 317, 349, 381, 560, 580, 587, **591**, 693
原因となる	**580**
見解	094, 098, 146, 228, 282, **442**, **491**, **556**, 564, **566**, **705**
限界	044, 129, **393**
研究	014, 111, **349**, **376**, **572**
言及	**414**, 433, **553**, **566**, 642
研究員	572
研究協力	**468**
研究者	**572**
研究所	**023**
研究助手	055
研究助成金	**296**
研究する	**349**, **572**
言及する	**414**, **553**, 557, **621**
研究成果	**274**
研究対象	349, 376, 440
研究中である	572
研究中の	572
研究トピック	124
研究に値しない	715
研究に値する	572
言及に値する	715
研究の焦点	277
言及はない	566
研究範囲	582, 714
研究費	**289**
研究費助成	289, 298
研究プログラム	076
研究プロジェクト	348
研究報告書	572
研究方法	417, 572
研究補助金	**296**
研究領域	043, 617
研究論文	572
言及をする	566
言語	246, 255, 288, 345, 359, 378, 413, 700
原稿	**202**, 302, **408**, 409, 516
現行の	664
言語使用	292, 432, 582
言語処理	359
言語データ	712
言語変化	358, 626, 677
言語理解	294
検査	175, 643
現在	**152**, **503**, 585, 600
顕在的な	412
顕在的には	542
現在では	480
現在の	023, **152**, 389
現実	**013**, **542**
現実感覚	542
現実経験	542
現実主義	205, 329, 514
現実世界	542
現実的な	**542**
現実的に	**542**
現実には	542
現実の	**542**
現時点では	084, 487, **503**
検出	**175**
検出する	**175**
検出できる	**175**
検出率	175
検証	133, **661**, **694**, **702**
減少	409, **551**
現象	**482**, 603
現状	152, 293, 611, 621
検証可能性	**702**
検証可能な	216, **661**, **702**
検証可能な形で	661
検証実験	694
検証する	486, **661**,

キーワード検索（日本語）

694, **702**
減少する 375, 518
現状では 326
検証不可能な **661**
検証法 661
建設的な **126**, 149, 150, 298
源泉 284
厳選される 598
健全な 155
現存している 408
現代 619
現代の 285
現段階では 691
検知 **175**
顕著である 092
顕著な **196**, **628**
検定 217, **661**
限定される 241
献呈する **180**
限定する **113**, **393**, **582**
限定的 028
限定的である 428
限定的な 275, 428, **582**
原典 452
原典版 452
検討 **236**
検討する **015**, 085, 148, 492, **547**
見当違い **377**
検討中の 547
原文通り 215, 380
厳密さ **588**, **627**
厳密性 **588**, **627**
厳密な 582, **588**, **603**, **627**
厳密な意味では 627
厳密な基準 627
厳密な区分 627
厳密に 428, **588**, **603**, **627**
厳密に言えば 627
厳密に言って 627
厳密を期して 627
原理 145, **508**, **662**
原理上 508
原理上は 199, 343, 465, 544, 691

原理の問題として 508

こ

語 055, 061, 072, 103, 292
語彙 030, 033, 226
号 **379**
考案する **178**, 266, **453**
行為 158
講演 **112**
効果 **208**
工科大学 023
効果的な **208**
効果的なものにする 208
効果的に **208**, 269
効果のない **208**
広義には 714
合計 **644**
貢献 **133**
貢献する **133**
貢献性 **133**
貢献をする 696
講座 023
考察 **547**
考察中の 547
行使 **243**
講師 **572**
公式 169, **282**
行使する **243**
高次の 093, 653
後者 **281**
後者の **281**
向上 010
向上させる 606, 661
向上を示す 010
更新する 123
構図 475, 612
校正 **521**
構成 **124**, **126**, **451**, 481
校正原稿 **521**
構成原理 124, 451
構成構造 **126**, 451
構成される 362, 589
構成上 **124**
校正上の 521
構成上の **124**

校正刷り **521**
校正する **521**
構成する **103**, **124**, **126**, 185, **451**
構成性 **124**
構成体 **126**
校正段階 521
構成的な **124**
構成的に **124**
構成の **124**, **126**, **451**
校正版 521
構成部分 101, 124
構成プロセス 126
構成メカニズム 451
構成要素 **101**, **124**, 210, 551, 565, 644
構成力 126
構成レベル 451
功績 **011**, 433
構造 **124**, 630
構造化 **451**
構造化される 362
構造化する **451**, 630
構造原理 404
構造式 282
構造システム 378
構造主義 662
構造制約 582
構造的関係 507
構造的観点から 083, 170, 422, 437
構造的対比 132
構造的特徴 549, 630
構造的な **630**
構造的に **630**
構造的複雑性 630
構造的平行性 464
構造的類似性 162
構造特性 517, 630
構造の **630**
構造パターン 257
構造分析 630
構造要素 243
後続する **220**, **278**
後続の **220**, **388**, **633**, **638**
後続部分で 488

後続文脈	638
構築	**126**
構築する	**126**, 664
構築中の	126
構築の	**126**
構築物	**126**, 169, 611
構築プロセス	126
後注	**279**
肯定証拠	447
肯定する	687
肯定的である	156
肯定的な	579
行動	110, 251
口頭発表	503
高度な	162, **209**, 617
高度に	451
広範囲	102
広範囲にわたる	**102**
広範囲の	395, 535
広範な	**254**, **268**, 374, **480**, **714**
広範に	**254**, **268**, **480**, **714**
広範に見られる	**480**
候補	108
被る	613, 621
項目	067, 305, 351, 424, 450, 491, 534, 579, 596, 688
公理	266
合理主義	216
効率よく	**208**
合理的な	**544**
合理的に	**544**
考慮	**009**, 547
考慮から外す	547
考慮されていない	192, 355
考慮する	009
考慮に値する	416, 547, 715
考慮に入れる	547
超えている	068, 084, 192, 503, 524, 595, 644
超える	**237**
コーパス	038, 047, 103, 169, 222, 225, 233, 257, 275, 318, 374, 534, 562, 623
コーパスデータ	603, 692
コーパス統計	622
コーパス分析	153
誤解	**419**, **682**
誤解する	**682**
誤解につながる	682
誤解を招いている	682
誤解を招きやすい	364, **419**
互換性	**094**
国際音標文字	030
国際会議	112, 192, 382, 451, 468
国際学会	112
国際シンポジウム	112
国際討論会	112
国際フォーラム	112
国際ワークショップ	112
酷似している	085
国立大学	023
ごくわずか	606
個々人	187
ここで	009, 018, 021, 037, 050, 071, 151, 181, 189, 217, 250, 274, 324, 370, 386, 433, 443, 489, 497, 563, 570, 624, 642, 660, 715
ここでの	**152**, 187, 189, 201, 337, 377, 410, 441, 479, 485, **503**, 511, 522, 539, 558, 560, 563
ここでは	001, 072, 077, 135, 182, 229, 250, 281, 313, 314, 322, 377, 379, 398, 410, 430, 431, 469, 479, 504, 516, 519, 608, 619, 640, 641, 673, 691, 711
ここでも	337
個々の	236, 277, 293, **340**, 378
個々の事例	340
ここまでの	008, 041, 274, 644, 650
心から	299
心から感謝する	299
試み	**059**, 511, 555, 714
試みる	**059**
こじつけの	**267**
語順	177, 547
誤植	004
個人	**340**
個人間で	340
個人差	183, 340, 415, 617
個人主義	657
個人で	**340**
個人によって	340
個人の	**340**
固体	450
答え	046, 108, 156, 227, 399, 487, 508, 527
答えられていない	529
答えられる	161, 187
答える	108, 161, 187, 495, 529, 530, **579**
誇張	559, **621**
誇張しすぎる	**621**
誇張する	079
誇張的な	656
誇張法	135
古典的な	**082**
古典的に	**082**
こと	271
異なった	**183**, **193**, **194**
異なった形で	**183**
異なっている	**689**
異なる	**183**, **689**, **701**
子供	232, 319
この意味で	495
この関係では	394
この観点から	150, 620, 705, 706
この時点では	356, 487
この種の	025, 037, 077, 083, 107, 125, 129, 154, 177, 198, 220, 228, 245, 251, 254, 288, 325, 329, 491, 562, 607, 617, 687, 693, 698
この順序で	503
この状況では	611
この立場から	620

この段階では 691
この点 044, 053, 064, 131,
　　　137, 236, 566, 626
この点で 682
この点では 242, 559, 577
この点について 207
この場合 046, 333, 429,
　　　461, 490
この場合には 122, 498
この場合にも 497
この場合は 492
この方向の 186, 251
好まれる 041
好む **270**, 281, 347
この目的で 522
この目的のためには 640
このような 326, 339, 341,
　　　364, 378, 386, 394, 460,
　　　471, 487, 504, 519, 593,
　　　608, 643, 648, 656, 682,
　　　690, 710
このように 269, 682, 705
このように考えると 705
このようにして 269, 453
このように見れば 705
このように理解すると 682
このように理解すれば 682
好んで 691
誤謬 **265**
個別に **340**
個別の **340**
細かい部分 701
コミュニケーション ...065, 213,
　　　259, 262, 369, 411,
　　　431, 471, 503, 667
コメント 012, 039, 044,
　　　126, 254, 298, 302,
　　　315, 350, 373, 408,
　　　431, 468, 487, 696
コメントする 468
小文字 030
小文字の **398**
固有性 **345**
固有である 345
固有の 125, 186, **345**, **369**
固有名詞 027, 170

これまで............ 111, 165, **309**,
　　　505, 519
これまでに 234, 309
これまでの 037, 186, 269,
　　　505, **509**, 572, 689
これまでは **309**
これまでよりも 268
コロキアム **112**
今回の 534
根拠 035, 231, 266, **284**,
　　　355, **384**, **539**, 544
根拠がない 284, 372
根拠の乏しい **372**
根拠のない **372**
混合される 445
今後の 186, 188, 201, 349
今後の研究 186, 201, 716
今後の研究では 572, 600,
　　　676
今後の研究において 376
今後の研究に向けて 492,
　　　572
混同 **117**
混同する **117**
今日では 381
コンピュータ 178, 271
コンピュータ技術 473
コンピュータ上での 271
コンピュータ上では 271
根本的な **533**
根本的に 230, **290**,
　　　332, **533**
根本的には 290
混乱 **117**
混乱する **117**
混乱のもと 117
混乱を招く 117

さ

差 428
差異 **183**
最下位 611
最下部に 129
再帰構造 550
再帰する **549**
再帰性 **550**

再帰的な **549**, **550**
再帰的に **549**, **550**
最近 155, 192, 562
最近の 223, 227, 264, 274,
　　　376, 474, 503, 572, 585,
　　　642, 646, 663, 669, 703
最近の研究 242, 582
最近の言葉では 613
最近まで 562
最近よく 155
再検討 236, 587
再検討する 236, **585**, **587**
際限なく 343
再考 037, **547**, 571,
　　　585, 587
再校原稿........................... 521
再考してみよう 547
再考する 441, **547**, **587**
再構成 **126**, 451
再構成原理 451
再構成する **126**, 451
再構成プロセス 451
再構造化する 649
再構築 **126**
再構築される 438
再構築する 008, **126**, 649
再考を要する 547
最後に 108
最後の 090, 491
最後の手段 576
最終結果 455, 675
最終決定 108, 156, 177
最終稿 202
最終校正 521
最終校正原稿 521
最終手段 354
最終段階 481
最終的な **108**, **675**
最終的に **108**
最終的には **675**
最終判断 156
最終目標 675
最初 **456**
最初から 456
最初に **347**
最初の 059, 072, 110, **347**,

さ

語	ページ
	372, 455, 462, 491, 527, 540, 577, 592, 608, 694, 702
最初は	047, **347**, 601
最新の	295
サイズ	167, 225, 431, 518, 562
在籍中に	572
採択	**018**
採択率	018
再調査	**236**
再調査する	**236**
再定義	026, 060, **159**
再定義する	113, **159**, 438
最適化する	198
最適な	300
再度	579
再認識される	438
才能	318, 371
差異はない	193
再評価する	455
再分析	**037**
再分析する	**037**
最優先事項	509
最優先する	509
採用	**018**
採用可能な	**018**
採用する	**018**, 281, 285, 649
採用できる	**018**
採用率	018
先に	070, 414, **505**, 621
先の	532
先程	280
先程の	280, 494, 505, 532
作業仮説	312, 486
削減	**551**
削除できない	449
作品	382
作例	126
避けて通れない	676
避けにくい	676
避けられない	**341**, 676
避けられる	**676**
避ける	277, **676**, 682
避けるのが難しい	676
些細な	**418**, 606
捧げる	**180**
定める	068, 396, 619
雑誌	005, 133, **383**
刷新	**348**
査読	**585**
査読誌	585
査読者	383, **554**, **585**
査読者グループ	585
査読する	**554**
査読中	585
査読中である	585
査読付き	383, 554
サブタイトル	223
様々な	049, 077, 078, 103, 105, 126, **183**, **198**, 305, 348, 368, 395, **407**, 412, **424**, **439**, 535, 699, **700**, **701**
様々な角度から	587
様々な形で	198, 359, 542, 556, 700
様々な可能性	492, 535
様々な間隔で	365
様々な観点から	198, 620, 706
様々な傾向	656
様々な現象	088
様々な種の	583
様々な種類の	249, 700
様々な程度の	162
様々なデータ	560
様々な部分で	362
様々な文献で	395
様々な方向に	439
様々な名称で	385, 700
様々な問題	480
様々な要因	263
様々な理由で	544
様々な理由により	700
様々な領域で	290
様々に	**198**, 611, 698, **700**, **701**
左右される	631
さらす	**631**
さらなる	**014**, **291**, 645
さらなる議論	189
さらなる研究	084, 171, 233
さらなる証拠	523
さらに	**014**, **291**, 302, 511
さらにある	521
さらに詳しく	085, 168, 174, 596
さらに重要なのは	606
さらには	**291**
残骸	565
三角形	256, 713
参加する	189, **468**
参考書	553
参考文献	**066**, **553**, 598
三次元	185
三次元の	185
三次的な	**597**
三次方程式	225
三重の	**672**
産出	395
産出される	552
産出する	359, 438
参照	001, 042, 050, **553**
参照されたい	189, 209, 229, 254, 279, 283, 650
参照しやすくするために	541
参照する	**553**
参照点	234, 553, 617
参照のこと	174, 273, 279, 280, 287, 374, 650
斬新さ	**438**
暫定的な	**658**
暫定的に	**658**
賛同する	**025**
残念ながら	**683**
サンプル	037
三分割	672
三分法	**182**, 672
三分法的な	182
三分法の	**182**
三面的な	**672**

し

語	ページ
仕上げる	098
恣意性	**048**
恣意的な	**048**

キーワード検索（日本語）

さ

恣意的に ················ **048**
シーン ·················· 234
支援される ············· 296
しかし ·················· 013
しかしながら ·········· 108
時間 ········ 052, 121, 219, 318,
　　　551, 570, 582, 629, 634
時間概念 ················ 498
時間間隔 ················ 365
時間関係 ····· 196, 236, 364
時間性 ·················· 502
時間的に ················ 033
式 ······················· **282**
時期 ····················· 236
時期尚早な ············ **500**
字義通りの ············· 411
時期に来ている ······· 236
軸 ························ 647
軸上で ··················· 704
仕組み ············ 233, **412**
刺激 ······· 033, 256, 540, 567,
　　　　　579, 629, 648
資源 ············ 275, 373, 692
次元 ····················· **185**
試験的な ··············· **658**
試験的に ··············· **658**
次元の ·················· **185**
思考 ·········· 127, 210, 255,
　　　　　　　363, 378
事項 ····················· 509
思考実験 ··············· 248
思考内容 ··············· 127
思考の問題 ············· 506
思考パターン ·········· 129
思考プロセス ···· 073, 251
示唆 ············· 350, **642**
視座 ····················· 131
思索的 ·················· 028
示唆される ············· 554
示唆している ·········· 642
示唆する ·········· 223, **322**,
　　　　　　　583, **642**
示唆的である ·········· 642
示唆的な ··············· **642**
示唆に富む ············· 044
支持 ····················· **270**

支持者 ·················· 278
指示する ··············· **553**
支持する ········· 128, **645**
事実 ······· 008, 009, 025, 052,
　　　060, 073, 079, 087, 098,
　　　102, 139, 142, 169, 231,
　　　258, 306, 314, 337, 341,
　　　342, 368, 384, 394, 406,
　　　423, 435, 436, 444, 459,
　　　542, 545, 556, 560, 574,
　　　580, 623, 629, 641, 642,
　　　　　663, 680, 708
事実上の ··············· **707**
支持できない ········· **690**
支持できる ······ **645**, **690**
辞書 ····················· 239
次章で ·················· 189
指針 ············ 216, 426, 473
システム ··············· **649**
次節 ····················· 513
次節で ·········· 170, 521, 633
自然 ····················· **429**
自然界 ············ 407, 429
自然科学 ··············· 594
自然カテゴリー ······· 074
自然環境 ··············· 429
自然現象 ··············· 685
自然である ············· 403
自然な ·················· **429**
自然な帰結 ············· 214
自然な傾向 ············· 429
自然に ·················· **429**
自然の ·················· **429**
自然発生的である ···· 453
時速 ····················· 237
従う ············· **116**, **278**, 668
従って ········· 008, **120**, **303**,
　　　　320, 497, 558, 676
下側 ····················· 397
下の ····················· **397**
下向きの ··············· 273
質 ························ **525**
実験 ············ 111, 145, **248**
実現 ············· 013, **542**
実現化 ·················· **013**
実現可能性 ············· **271**

実現可能な ············· **271**
実験技法 ··············· 699
実験協力者 ············· 468
実現形 ·················· 542
実験計画 ··············· 248
実験結果 ······· 124, 248, 274,
　　　　　　294, 455, 583
実験材料 ··············· 248
実験室 ·················· 219
実現する ········· **013**, **542**
実験で ·················· **248**
実験データ ··· 110, 114, 248
実験手順 ········ 512, 710
実験では ········ 156, 248
実験によって ··· 142, 166, 175,
　　　　　　　248, 694, 702
実験による ······ 166, **248**
実験の ·················· **248**
実現パターン ·········· 542
実験方法 ······ 248, 277, 417
実験用器具 ············· 354
実験レベル ············· 114
実行可能性 ············· **271**
実行可能な ············· **271**
実行不可能な ·········· **271**
実際 ····················· **013**
実在している ·········· 542
実在性 ············ **013**, **542**
実際に ·········· **013**, 246, 337
実際には ······· **013**, 208, 246,
　　　　274, 492, 511, 522,
　　　　　　542, 676, **707**
実際の ·········· **013**, **542**, **707**
実在の ············ **013**, **542**
実際の状況 ····· 130, 341,
　　　　　　　542, 556
実質的な ········ **634**, **636**
実質的に ········ **410**, **636**
実質的には ············· **634**
実証 ········ 166, **635**, **694**, **702**
実証可能性 ············· **702**
実証可能な ············· **702**
実証研究 ········ 216, 694
実証されていない ···· 594
実証する ········ 321, **635**,
　　　　　　　694, **702**

437

英語論文重要語彙 717

さ

実証的な ………………… **216**
実証的に ………………… **216**
実証プロセス …………… 702
実数 ……………………… 542
実生活 …………………… 542
実線 ……………………… 129
実践 ……………………… 129
実践的に ………………… 269
実線矢印 ………………… 273
実体 …… 009, 058, 172, 234,
 260, 272, 312, 317, 330,
 343, 364, 396, 607, 685
質的観点から …………… 525
質的研究 ………………… 525
質的相違 ………………… 525
質的な …………………… **525**
質的な違い ……………… 525
質的に …………………… **525**
質的分析 ………………… 525
質的変化 ………………… 525
質の高い ………………… 525
実のところ ……………… 377
失敗の可能性 …………… 391
執筆者 …………………… 133
質問 ……………………… **529**
実用的な ………………… 354
実用的に ………………… 269
実例 …………… 013, **242**, 352
実例としては …………… 316
指摘 ……………………… **172**
指摘する ……… 326, **487**, 605
視点 …… 358, **476**, 604, **706**
視点変化 ………………… 476
自動化 …………………… 120
自動である ……………… 151
自動的に ………………… 234
シナリオ ………………… 234
支配 ……………………… **498**
支配される ………… 064, 508
支配する ………………… 317
支配的である …………… 498
支配的な ………………… **498**
支配領域 ………………… 498
しばしば ……… 062, 093, 217,
 329, 420, 446,
 532, 587, 682

支払われる ……………… 468
紙幅の都合上 … 393, 544, 547
紙幅の都合で …………… 495
シミュレーション ……… 513
自明の …………… **233**, 379
自明の問題 ……………… 233
締め括る ………… **108**, 644
示される ……… 042, 067, 069,
 072, 090, 578
示している ………… 583, 692
示す …… 050, **166**, **172**, **190**,
 195, **245**, **337**, **406**, 566,
 570, 607, 611, 634, 698
示すもの ………………… **337**
占めている ………… 405, 578
占める ………… **009**, 103, 124,
 255, 396, 472, 491
四面的な ………………… **672**
視野 ……………………… 428
社会科学 ………………… 594
社会機能 …………… 193, 288
社会現象 …………… 482, 673
社会システム …………… 290
社会的影響 ………… 344, 568
社会的価値 ……………… 696
社会的基準 ……………… 619
社会的要因 ……………… 439
社会問題 …………… 379, 507
謝金 ……………………… 468
弱点 …………………… 487, **711**
借用する ………………… 105
謝辞 ……………………… **012**
写実性 …………………… 013
捨象する ………………… **003**
写像 ………………… 186, 708
写像される ……………… 610
斜体 ……………………… **380**
斜体で …………………… 380
斜体で示す ……………… **380**
斜体表記 ………………… 072
弱化 ……………………… 711
弱化プロセス …………… 711
若干 ……………………… **613**
若干の …………………… **613**
若干の増加 ……………… 613
視野の狭い ……………… 428

ジャンル ……………… 214, 471
宗教的な ………………… 194
集合 ……………………… 097
修辞学 ……………… 082, 477
修士号 …………………… 162
収集される ……………… 534
収集する ………………… 129
修士論文 ………………… 665
修正 …………………… **421**, **586**
修正する ……… 124, **421**, **586**
修正の必要がある ……… 406
修正の余地 ……………… 595
修正版 ………… 421, 586, 703
修正を要する … 120, 421, 631
十全さ …………………… **641**
十全に …………………… 473
従属変数 ………………… 697
重大な …………………… 711
重大な誤り ……………… 404
周知の …………………… **688**
周知の事実 ……………… 688
周知のように …………… 688
重点 …………………… **215**, **626**
重点を置く ……………… 626
習得される ……………… 003
習得する ………………… 590
柔軟性 ………… 121, 154, 337
柔軟である ……………… 504
柔軟な …………………… 697
自由に …………………… **449**
十分さ …………………… **641**
十分条件 ………………… 641
十分詳細に ……………… 287
十分注意して …………… 237
十分である ………… 503, **640**
十分ではない …………… 592
十分な …… 035, **287**, **592**, **641**
十分な結果 ……………… 592
十分な証拠 ………… 145, 645
十分な情報 ……………… 641
十分に … **004**, **016**, 035, 212,
 222, **287**, 384,
 592, **641**, 682
十分には ………………… 592
十分に発達した ………… 287
周辺 …………………… **409**, **475**

周辺環境	701
周辺現象	376, 482
周辺的な	**409**, **475**
周辺の	**475**
周辺領域	475
集約	**218**
集約する	**218**
重要概念	485
重要視する	008, 225, 229, 324, 509, 617
重要性	**075**, **324**, **400**, **606**
重要性としては	597
重要性を示す	266
重要である	409
重要でない	**410**, **418**
重要ではない	**409**, 606
重要な	**075**, **148**, **151**, **324**, **404**, **410**, **416**, **485**, **599**, **606**, **709**
重要な含意	322
重要なことに	**324**, **606**
重要な証拠	559
重要な相違	195
重要なのは	151
重要な役割	148, 151
従来的な	617
従来の	**668**
従来の研究では	668
従来は	**668**
従来まで	309
従来までは	**309**
重力	232, 579
収録する	295
主観	**632**
主眼	**277**
主観主義	**632**
主観性	**632**
主観的な	**632**
主観的に	**632**
主観的判断	**632**
主観的評価	**632**
縮小	**551**
縮小する	**428**, **551**
主催者	112, **451**
趣旨	**208**
主題	567

主体化	313
手段	**354**, **411**, **576**
主張	**080**, **128**, **519**, **621**, **665**
主張する	**021**, **080**, 157, **403**
出現	**214**
出現する	**214**
術語	659, **660**
熟考	**556**
術語の	**660**
出発点	487, 602
出版	452, **503**
出版会	023
出版する	192, 223, **503**
出版に向けて	586
出版年	503
出版物	407, **503**
出力	578
取得する	162
主として	060, **075**, 277, 335, 381, **387**, **401**, **422**, 478, **498**, **506**, **507**
首尾一貫した	**088**
首尾一貫しない	**329**
手法	248
主目的	026, 075, 192, 248, 277, 401, 441, 506, 507, 522
主要位置	401
主要因	404
主要概念	093, 180
主要学術雑誌	383, 389
主要機能	288, 506
主要原理	427, 559
主要構成原理	451
主要出版物	503
主要成分	101
主要タイプ	401
主要テーマ	665
主要な	**075**, **389**, **401**, **404**, 412, **506**, **507**, 663
主要な問題	507
主要な役割	664
主要パターン	498
主要部	404

主要メカニズム	507, 682
主要理論	231, 389
主流	**402**
主流の	**402**
種類	224
循環	129
循環論的	064
准教授	572
順序	048, 177, 322
順序不同で	048
純粋な	170
純粋に	317
準備される	617
使用	**217**, **691**
章	019, 079, 103, 180, 215, 223, 379, 388, 427, 507, 633, 638
上位の	305
上記では	494
上記の	094, 136, 169, 189, 194, 247, 287, 379, 394, 442, 473, 547, 689
上記の図	183
状況	**078**, 432, 464, 469, **611**
状況依存の	611
状況下で	198
状況から	611
状況的な	**611**
状況的に	**611**
状況の	**611**
状況分析	611
状況文脈	611
上記リスト	374
条件	**110**, **494**, **624**
上限がある	397
条件下で	110, 328
条件下では	516, 582
条件つきで	**110**
条件つきの	**110**
条件づけられた	**110**
条件づける	**110**
条件とする	**110**
条件の	**110**
条件反射	110
証拠	**145**, 337, **521**

英語論文重要語彙 717

さ

証拠はない ················· 145
詳細 ······· **168**, **174**, **209**, **390**, **469**, **618**, 701
詳細な ············ **174**, **209**, **254**, **336**, **666**
詳細な研究 ···················· 209
詳細な調査 ············ **596**, 646
詳細に ···· 035, **085**, 102, **168**, **209**, **254**, 287, 390, 572, 621, **666**, 670
詳細については ·············· 119
生じている ················· 507
生じない ··············· 333, 414
詳述 ······················ **247**, **618**
詳述する ········· **209**, **247**, **618**
上述の ············ 037, 263, **280**, **414**, 605
生じる ····· 007, 129, 134, **213**, **214**, 227, 246, 250, 314, 332, 341, 347, 396, 429, **453**, 461, 482, 501, 511, 549, **583**, 601, **610**, 614, **623**
少数 ···················· **405**, 472
少数の ·········· 074, 103, 250, 282, **405**
少数派 ··························· **405**
少数派グループ ············ 405
少数派の ··············· **405**, 418
使用する ······················ **691**
詳説 ····························· **247**
状態 ········ 451, 473, 583, **621**
招待執筆者 ··················· 133
状態変化 ················ 362, 621
上端 ······························ 397
冗長性 ························· **552**
焦点 ····························· **277**
焦点化される ··············· 432
焦点の ························· **277**
使用頻度 ······················ 417
上部 ······················ 397, 488
上部の ·························· **397**
招聘討論者 ··················· 189
障壁 ····························· 496
情報 ········ 010, 069, 197, 219, 240, 254, 329, 334, 364, 377, 419, 467, 544, 564, 579, 650, 688, 699, 712
情報源 ············ 005, 438, 576
情報単位 ······················ 159
情報分布 ······················ 197
情報量 ························· 461
証明 ····················· **166**, **521**
証明可能な ··················· **166**
証明しやすい ··············· 521
証明する ········· **145**, **166**, **521**, 662, **702**
証明できる ··················· **166**
省略 ····················· **001**, **446**
省略可能な ··················· **446**
省略形 ························· **001**
省略する ··············· **001**, **446**
省略できる ··················· **446**
省略表記 ············· 304, 434
省略率 ························· 446
少量の ·························· 034
小論 ····························· 638
除外 ····················· **240**, **496**
除外される ·········· 008, 185
除外する ············ 032, 161, **240**, **496**
除外的な ······················ **496**
初期原稿 ············· 192, 202
初期段階 ············ 347, 373, 481, 506
初期の ·········· 143, **347**, **506**
初期反応 ······················ 347
緒言 ················ 370, 499, 566
序言 ················ 370, 499, 566
初校 ····························· 521
初稿 ····························· 202
初校原稿 ······················ 521
序章 ····························· **370**
徐々に ·················· 214, 269
助成 ····························· 289
助成金番号 ··················· 296
助成する ······················ **289**
序節 ····························· 370
諸相 ····························· 053
所属先 ························· **023**
書評 ····················· 180, **585**
書評論文 ··············· 472, 585
序文 ····························· **499**
書物 ···················· 283, **379**
処理 ········ 100, 173, 232, 262
処理される ········ 029, 129, 550
処理システム ··············· 621
処理する ············ 046, 102, 327, 610
処理手順 ······················ 512
処理モデル ··················· 601
処理労力 ······················ 571
知らない ·············· 314, 617
調べる ········· **236**, **349**, **351**, **376**, **510**, **596**
知られていない ········ 320, 355, **688**, 691
知られている ··· 172, 282, 387, 454, 654, 668, 687, 714
知られているように ··········· 082
シリーズ ······················ **601**
退ける ·············· 098, 182, **381**
自律性 ·················· 140, 322
私立大学 ······················ 023
自律的な ······················ 101
支離滅裂さ ··················· **329**
支離滅裂な ··················· **329**
資料 ····························· 564
事例 ················ **146**, 206, **352**
事例研究 ······················ 572
事例不足 ······················ 146
審議会 ·························· 296
新機軸 ························· **348**
新規の ·························· **438**
進行中の ··············· 155, 572
人工的な ······················ 600
深刻な ······ 120, 331, 489, 568
真実 ····························· 523
新情報 ························· 438
信じられてきた ··············· 082
人生 ····························· 349
慎重に ············ 237, 351, 670
心的操作 ······················ 242
心的な ·························· 254
心的表示 ············· 122, 225
進展 ····························· 180
進展する ······················ 269
浸透 ····························· **480**

浸透する ················ **480**	水平に ···················· 310	少しも ············· 449, 685
浸透性 ···················· **480**	水平の ···················· 310	図示 ························ 181
信憑性 ···················· **564**	水平方向に ············· 310	図式 ······ **181**, 264, **273**, 337,
進歩 ························ 156	推論 ······················ **342**	396, 414, 449, 608
シンポジウム ········· 112	推論可能な ············· 342	図式化 ···················· **593**
信頼性 ············· 344, **564**	推論関係 ················· 342	図式化する ······· **181**, **593**
信頼できない ········· **564**	推論構造 ················· 342	図式上では ············· **593**
信頼できる ······ 544, **564**	推論しにくい ········· 120	図式で ···················· **181**
心理学的妥当性 ····· 695	推論する ················ **342**	図式的に ················· 570
心理学的に ············· 321	推論的に ················ **342**	図式では ················· 181
心理現象 ················· 250	推論できる ············ **342**	図式の ············· **181**, **593**
心理実験 ················· 248	推論によって ········ **342**	図式表示 ········· 181, 593
真理条件 ················· 159	推論の ··················· **342**	図示する ················· **181**
心理的実在性 ········· 542	推論能力 ················· 342	進む ··················497, **513**
心理反応 ················· 540	推論パターン ········· 334	スタイル ··········· 005, 219
心理プロセス ········· 687	推論プロセス ··· 342, 618	ずっと ···················· 541
尽力 ······················· **243**	推論モデル ············· 590	ステップ ················· 430
新理論 ···················· 560	数字 ············ 061, 067, 069,	既に ············ 231, 337, 414,
	397, 706	520, 621
す	数式 ························ 282	捨てる ···················· **381**
図 ··························· **273**	数字の上では ········· 606	ストーリー ······· 643, 667
随意的な ················ **449**	数値 ················ 093, 650	ストラテジー ··· 266, 676,
随意的に ················ **449**	数例 ················ 014, 414	679, 684
遂行 ······················· **474**	図解 ························ 316	すなわち ········· 070, **427**
水準 ······················· **619**	スキーマ ········· 293, 679	スペース制限 ········· 393
推奨される ············· 281	隙間 ······················· **179**	スペースの都合により ···· 547
垂線 ························ 704	少なくとも ······· 060, 156, 256,	スペース不足のため ··· 386
推薦する ················· 370	260, 323, 325, 371, 411,	全て ······ **222**, 228, 280, 292,
推薦できる ············· 594	416, 437, 467, 470, 534,	332, 429, 502, 580,
推測 ············· **118**, **258**, **342**	564, 590, 624, 631, 632,	637, 638, 565
推測可能な ············· 342	654, 663	全ての ···· 043, 078, 104, 185,
推測する ······· **118**, **258**, **342**	直ぐに ············ 175, 271, 297,	224, 244, 246, 351,
推測できる ······· 124, **342**	**317**, 682	369, 478, 520, 532,
推測をする ············· 342	直ぐに思いつく ········ 541	535, 615, 685
垂直軸 ···················· 704	スクリーン ············ 190	全ての条件 ············· 225
垂直線 ···················· 704	スケール ······ 003, 109, 129,	全ての事例 ············· 287
垂直である ············· 704	185, 259, 397, 437	全ての点で ······· 313, 577
垂直に ···················· **704**	助教 ························ 572	全てのもの ············· 478
垂直の ···················· **704**	少し ········ 027, 117, 267, **409**,	全てのレベルで ····· 442
垂直方向に ············· 704	**470**, **613**, **616**	スムーズに ············· 513
推定 ······ **047**, **232**, **258**, 651	少し曖昧である ····· 693	スロット ········· 370, 393
推定される ············· 177	少し異なった ···· 250, 364, 470	
推定上の ········ 146, 561	少し異なる ······· 613, 616	**せ**
推定する ········ **232**, **258**	少し違う ················· 613	成員 ················ 573, 673
推定で ···················· 232	少し似ている ···· 573, 607	成果 ················ **274**, **583**
随伴現象 ················ **482**	少しの ···················· **613**	正解 ························ 472

英語論文重要語彙 **717**

さ

正確さ ………… **010**, **495**, 702
正確な ………… **010**, **139**, **235**, **487**, **495**, **516**
正確なものにする ………… 495
正確に ………… **010**, **139**, **235**, 473, **495**, **516**, 611
正確に言えば ………… **516**, 621
正確に指摘する ………… **487**
正確には ……… **235**, **495**, 610
生活 ………………………… 543
生活水準 ………………… 619
世紀 ……………… 408, 509
生起する ……… 089, 391, 498, 550, 589, 630
生起パターン ……………… 195
正規分布 ………………… 047
制御できない ……… 179, 473
制限 ………………… **393**, **582**
制限がある ………………… **582**
制限された ………………… 292
制限される …………… 275, 526
制限する ………… **125**, **393**, **582**, 697
制限的な ………………… **582**
制限領域内で ……………… 582
生産性 ……………… 140, 343
生産的に ………………… 307
性質 ………… 315, **429**, **525**
生成される ………………… 004
生成する ………………… 275
精緻化 ……………… **209**, **555**
精緻化する ………… **209**, **555**
成長 ………………………… 261
成長率 ……………… 634, 711
静的 ………………………… 122
静的である ………………… 230
制度 ………………………… **649**
正当化 ……………………… **384**
正当化されない ……… 303, **710**
正当化する …………… **384**, 710
正当化できない ……… **384**, 710
正当化できる ………… **384**, 710
正当性 ……………………… **384**
正当な理由 ………………… **384**
生得的 ……………………… 430
生得能力 ………………… 678

性能 ……………………… **474**
正反対 ……………… **131**, 448
正反対である ……………… 448
正反対の ……………… **131**, 322, **448**, 455
正反対の立場 ……………… 491
正反対の方向に ……………… 448
正比例している ……………… 518
成分 ……………………… **101**
性別 ……………… 183, 559
精密科学 ………………… 235
精密な ……………… **235**, **487**
制約 ……………… **125**, **582**
制約づけられていない …… 417
制約づける ………… 177, 186
成立させる ………………… 246
成立する …………… 246, **443**
世界 ………………………… 170
世界観 ……………………… 195
責任 ……………… 222, **580**
責任がある ………………… **580**
責任問題 ………………… 580
セクション ……………… 390
節 ………… 022, 050, 079, 085, 108, 154, 189, 220, 223, 278, 285, 293, 414, 441, 451, 499, 503, 545, 555, 560, 565, 578, 612, 644, 670
積極的な態度 ……………… 491
接近 ……………………… **047**
摂氏 ……………………… 162
絶対値 …………… 002, 696
絶対的な ………………… **002**
絶対的に ………………… **002**
節タイトル ……………… 223
絶対に ……………………… **002**
切断する ………………… 704
切断点 …………………… 048
接点 ……………………… **360**
セット …………………… 379
説得 ……………………… **477**
説得的に …………… **087**, 477
説得力 ……………… **087**, 477
説得力がある ……… **095**, 315
説得力がない ……………… 137

説得力のある … **087**, **137**, **477**
説得力のない ……………… 137
説得力をもって ……………… 137
説明 ……………… **009**, **212**, **250**, **251**, **316**
説明可能な ………… **009**, **250**
説明原理 ………… 168, 250, 508, 675
説明されない ……………… 250
説明しにくい ……………… 347
説明図 ……………………… 004
説明する ……… **009**, 244, **250**, **251**, 287, **316**, 336
説明的な ………………… **250**
説明できない ……………… **250**
説明できる ………… **009**, **250**
説明の ……………………… **250**
説明モデル ……………… 250
説明力 …………… 179, 250, 386
狭める ……………… 048, **428**
狭い ……………………… **428**
狭く ……………………… **428**
狭すぎる ………………… 428
ゼロ ……………… 225, 313
線 ………………… **273**, 394, 518
全回答者 ………………… 579
全期間 …………………… 222
先駆者 ……………………… **483**
先駆的研究 ……………… 483
先駆的な ………………… **483**
線グラフ ………………… 185
専攻 ……………………… **404**
専攻学生 ………………… **404**
先行研究 ……… 106, 122, 167, 219, 386, 505, 509, 572, 605, 700
先行する ………… 427, **494**
専攻する ………………… **404**
先行性 …………………… **494**
先行の ……………… **505**, **509**
先行文脈 ………………… 413
潜在的に ………………… 115
前者 ……………………… **281**
前者の ……………………… **281**
前述したように ……………… 621
先述の ………… 063, **280**, 330,

	414, 494	
前述の	280, 414, 494	
先述の通り	414, 505	
前述の通り	414	
全事例	071	
前節で	501	
前節では	494, 505	
全体	063, 222, 667, 713	
全体系	649	
全体構造	457	
全体性	667	
全体像	457	
全体で	579	
全体的	044, 122	
全体的な	319, 667, 713	
全体的に	457	
全体的に見て	457	
全体として	667	
全体の	222, 457, 713	
全体量	667	
選択	423, 598	
選択肢	031, 449	
選択する	598	
選択制限	598	
選択的な	449, 598	
選択的に	449, 598	
選択的になる	449	
選択プロセス	598	
選定	133	
前提	501, 504	
前提条件	501, 502	
前提とする	504	
先導的な	389, 663	
先頭に	491	
専任講師	572	
専念する	180	
全般	294	
全範囲	255, 287, 292	
全般的な	457	
線引きする	164	
全否定	678	
全表面	222	
全部で	667, 686	
全部の	667	
線分	225, 704	
全貌	535	

専門	617
専門化	617
専門家	249, 371, 617
専門学術雑誌	617
専門化する	617
専門家の	249
専門書	038, 654, 669
専門上の	617
専門知識	249, 511
専門的援助	298
専門的概念	105
専門的指導	249
専門的すぎる	654
専門的である	201
専門的な	249, 617, 654
専門的に言えば	654
専門的には	654
専門にする	617
専門文献	654, 669
専門用語	038, 072, 159, 654, 659, 660
専門用語辞典	654
専門用語集	030, 295
専門領域	617
全領域	222, 292, 713

そ

層	256
相違	025, 183, 193, 195
相違性	081
相違点	168, 170, 183, 188, 193
増加	393, 566, 613
増加させる	003
増加する	141, 319, 518
相関関係	140
相関関係がある	140
早期実現	542
想起する	545
総計	667
早計な	500
早計に	500
相互依存している	426
相互依存する	288
草稿	112, 202
総合的に	648

総合の	648
総合力	648
相互関係	140, 363, 426
相互作用	263, 359, 363
相互作用する	359, 360
相互作用によって	359
相互作用の	359
相互作用モデル	359
相互対立的な	331
相互に	140, 167, 183, 184, 194, 196, 197, 317, 335, 378, 426, 447, 560, 573, 600, 648, 675
相互に関係する	140
相互に関連する	140
相互の	426
操作	105, 136, 242, 364, 384, 474, 501, 580, 601, 608, 610, 643, 674
操作する	409, 516
総称	659
総数	667
想像する	693
創造性	180, 232, 284, 343
創造的である	566
想像力	393
相対主義	527
相対性	562
相対的な	562
相対的に	518, 562, 693
装置	040, 178
想定上	104
想定する	104
想定できる	104
そうでなければ	454
相当数の	264
相当する	034, 226
相当な	264
相当に	452, 542
相当物	226
相当量の	264
創発	214
創発構造	214
創発する	214
創発性	214
創発的な	214

創発特性	214, 517	
双方向システム	359	
双方向性	359	
双方向的	186	
双方向的である	359	
双方向的な	186	
双方向の	**359**	
相補的な	**097**	
相補分布	097, 197	
総和	225, **644**	
促進する	**262**	
属す	083	
属する	074, 364	
属性	**060**	
速度	047, 237, 518	
側面	044, **053**, 120, **185**, 197, **261**, 284, 309, 378, 431, 459, 480, **481**, 602	
損なわれていない	356	
素性	364, 551	
組成	**124**	
注ぐ	**180**	
育てる	376	
卒業論文	665	
率直な	**625**	
率直に	**187**, **625**	
外側	**256**	
外側の	**256**	
備える	176	
その後の	**633**	
その意味では	058	
その逆	375, 537	
その逆ではない	136	
その結果	120	
その結果として	**120**	
その後	317, **633**, 638	
その後の	388	
その全ての	378, 675	
その他の	023, 054, 086, 112, 122, 232, 437, 471, 494, 496, 517, 539, 542, 562, 563	
その他の点では	577	
その他の方法で	454	
その点	157	
その場合には	246	
その場限りの	178, 434, 493, 663	
そのまさに	233	
そのまま	222	
そのままでは	326	
そのままにして	356	
そのままの	**356**	
そのまま残している	356	
そのもの	593	
それ自体	215	
それぞれ	**578**	
それぞれの	**578**	
それでも	405	
それどころか	131	
それとなく	322	
それとは正反対の	705, 706	
それに応じて	**141**	
それに従って	**008**	
それに対応する	141	
それに反して	131	
それほど	233, 436, 444, 541, 558, 625	
存在	**246**, 250, **503**	
存在しない	007, **246**, 503, 543	
存在する	**246**, **503**, 549, **574**	

た

第1段階	481	
第2段階	481	
第2の	**597**	
第3段階	597	
第3の	**597**	
第4段階	597	
第4の	**597**	
第X回	112, 192, 513	
第X巻	379	
第X章	019, 079, 180, 215, 223, 379, 427, 507	
第X節	015, 022, 050, 079, 085, 108, 154, 189, 223, 285, 293, 414, 441, 487, 499, 503, 545, 555, 560, 578, 612, 644, 670	
第X部	464, 470, 565	
代案	**031**, 115	
第一の	502	
対応関係	**141**, 485	
対応する	**141**	
対応線	141	
大会	**112**, 452	
大会主催者	451	
大会発表論文	112	
大会発表論文集	513	
大学	**023**	
大学院	572	
大学院生	572	
大学院大学	572	
大学院の	**572**	
大学教授	572	
大学講師	572	
大規模な	093	
体系	**649**	
体系化	**649**	
体系化される	588	
体系化する	**649**	
体系的な	**649**	
体系的に	**649**	
対策	215	
題される	223	
対照	**093**, **132**	
対象	**440**	
対照関係	132	
対照研究	132	
対照する	**132**	
対称性	**647**	
対照的である	132, 603	
対称的である	**647**	
対照的な	**132**	
対称的な	**647**	
対照的に	093, **132**, 447, 494	
対称的に	**647**	
対照分析	132	
対照を成す	132	
対称を成す	**647**	
対人関係	403, 506	
対人的な	369	
題する	**223**	
体積	123, 375	
代替の	**031**	

キーワード検索（日本語）

代替理論 ················031, 663
大多数 ···············**405**, 472
大多数の ············· 405, 663
大多数の場合 ················ 219
大胆な ························ 621
たいていの場合 ············ 405
態度 ··················173, **491**
タイトル ··········084, **223**, 322
タイトルを付ける ·········**223**
ダイナミックである ······ 369
ダイナミックな ·······345, 570, 649
ダイナミックに ············· 359
大半 ···················**071**, 405
大半のケース ················ 405
対比 ············ 106, **132**, 337
対比関係 ···············132, 154
対比する ·····················**132**
対比的な ·····················**132**
対比的に ·····················**132**
代表的な ············**242**, **570**
代表の ·······················**570**
代表例 ······· 146, 242, 352, 570
タイプ ····· 019, 022, 062, 083, 085, 091, 122, 129, 145, 148, 151, 184, 196, 198, 254, 257, 345, 367, 511, 549, 550, 559, 570, 600, 629, 648, 686, 700
大部分 ·······**071**, 167, 472, 518
大部分において ······· 470, **498**
大部分の ······················ 488
大部分は ·················255, 323
題名 ··························**223**
題目 ·························· 192
対立 ········ 052, **115**, **331**, **447**
対立概念 ······················ 246
対立者 ······················**447**
対立する ··········**115**, 168, **447**
対立するもの ··············**447**
対立的な ·········**115**, **331**, 447
対立的に ·····················**115**
大量 ············004, 034, 219, 318, 515, 526
ダウンロードする ············ 192
絶えず ·······················**123**

絶え間ない ··········**123**, 549
高い ········ 061, 461, 472, 518, 562, 606, 634, 685
高まっている ················ 546
高める ·····**489**, 525, 564, **603**
多義語 ························ 670
多義性 ····· 159, 214, 421, 505
多義的である ················ 607
類稀な ·······················**330**
たくさんある ···············**004**
蓄えられる ············ 415, 552
蓄える ························ 333
他言語 ·················235, 311
確かに ···········049, **201**, 500
確かめられる ················ 621
確かめる ·····················**051**
多次元 ························ 185
多種多様な ······ 219, 311, 343, 378, **407**, **424**, 482, 491, 630, 699, 711, 714
多数 ···········**311**, **424**, **425**, **515**, **712**
多数の ········· 311, 343, 424, 425, 712
タスク ·················098, 100
尋ねる ························ 579
多大な ···········**219**, **268**, **318**
正しい ········ **139**, 201, 432
正しく ·····················**139**
正しくない ···········136, 495
ただ単に ·············**415**, **614**
立場 ········ 150, 182, 191, **491**, 578, **620**, 637
達する ···············108, 389
達成 ··························**011**
達成する ············**011**, 602
達成できる ···············**011**
たったの ······················ 472
縦軸上で ······················ 704
縦線 ··························· 704
縦の ··························**704**
縦の行 ······················**090**
縦の矢印 ····················· 704
縦の列 ······················**090**
立てる ···············282, 312
縦列 ··················427, 650

妥当性 ··········**016**, **046**, **087**, **486**, **695**
妥当性を欠いた ··············**372**
妥当でない ··················**321**
妥当な ···**016**, **046**, **173**, **264**, **479**, **486**, **544**, **695**
例えば ···········072, 080, 352
喩える ·······················**093**
他の ·······023, 036, 043, 064, 091, 093, 101, 106, 124, 129, 133, 138, 188, 234, 246, 261, 263, 274, 286, 405, 407, 482, 543
他の多くの ············· 572, 689
他の箇所で ··················**211**
他の観点から ················ 620
他の研究 ··············· 196, 493
他の研究者 ··················· 254
他の条件 ······················ 225
他の証拠 ······················ 692
他の点では ··················**454**
他のモデル ·······461, 492, 607
他の要因 ······················ 335
他の理論 ······················ 196
他のレベル ··················· 437
他分野 ················188, 363
保つ ··························· 403
多様化 ······················**198**
多様化する ···········**198**, 701
多様性 ····**198**, **424**, 645, **699**
多様である ··········121, 525, 701
多様な ····043, **198**, **424**, **701**
多様に ···········**198**, 421, **701**
頼っている ··················· 548
頼らない ······················ 548
頼り過ぎる ··················· 237
頼る ···········239, **564**, **576**
頼ること ····················**548**
足りない ······················ 194
多量 ·························**515**
他領域 ························ 254
誰もが認める ················ 134
単位 ··················138, **686**
単一モデル ··················· 684
段階 ········ 124, 169, 199, 312, 388, **481**

段階的な……………480	置換する……………058	抽象性……………**003**
探求……**236**, **253**, **349**, **376**, **523**, **528**	地球……………222	抽象的な……………**003**
	蓄積する……………550	抽象的に……………**003**
探求価値……………171	知見……………**350**	中心………075, 213, 611
探究心……………376	知識……034, 071, 072, 074, 168, 176, 198, 234, 332, 451, 488, 552, 618, 649, 672, 714	中心性……………**075**
探求する……**236**, **253**, **349**, **376**, **523**, **528**		中心的概念……………485
		中心的主張……………075
探求中の……………376		中心的な………**075**, **485**, **507**
探求範囲……………714	知識構造………176, 282, 630	中心的な考え方……………657
探求領域……………595	知識表示……………309	中心的な役割……………507
探索結果……………564	知識量……………034	中心的に……………**485**
短縮版……………001	知性……………337	中心的役割……………075
単純化……………**608**	ちなみに……………**328**, **466**	中心に……………**075**, 491
単純化しすぎる……………**608**	致命的な……………228	中性反応……………540
単純化する……………**608**	着目する………047, 187, **277**, 387, 452	注目………121, 180, **436**
単純さ……………**608**		注目されてきた……………641
単純すぎる………237, **608**	注……………250	注目される………035, 154
単純な………316, **609**, 625	注意されたい………328, 436	注目すべき………238, **435**, **436**, 566
単純な形で……………237	注意すべき……………**433**	
単純に……………**609**	注意すべきである……442, 617	注目すべきは……………435
単調な……………**272**	注意すべきは……………433, 436	注目する…014, 179, 187, 277, **436**, 582, 617
単独で……………269	注意する……………151, **436**, **442**, 641	
単なる………118, 126, 179, **415**, 482		注目に値しない……………715
	中央……………075	注目に値する…229, 416, **433**, **435**, **436**, 469, 566, 715
単なる一般論……………294	中央に……………**075**, 491	
単なる仮定……………312	仲介……………**413**	注目をする……………180
単なる偶然……………007	注解……………**038**	注目を注ぐ……………180
単なるミス……………415	仲介する………360, **413**	中立な……………491
単なる列挙……………224	仲介的な……………**413**	調査………111, **236**, **351**, **510**, 596, 646
単に……………**415**, **609**, **614**	中核概念……………075	
丹念に……………408	中核的な……………**075**	調査する……**236**, **349**, **351**, **510**, 646
段落……………638	中括弧 ｛ ｝……………069	
談話……………445	中間段階……………361	調査中である………236, 596
	中間点……………361	調査中の………351, 596
ち	中間にある……………361	調査データ……………646
地域……………667	中間の……………**361**	調査方法……………646
小さい……………072	中間の立場……………361	長時間にわたる……………**390**
近い………024, **047**, **085**, 166, 200	中間レベル……………361	挑戦的な……………**076**
	注釈………001, **038**, 066, 250	重複………291, 355, **458**
違い……………**183**, **195**	注釈を付ける……………**038**	重複する……………**458**
知覚する……………317	抽出……………**257**	直接引用………187, 532
知覚できる……………541	抽出する……………**003**, **257**	直接原因………187, 317
近々……………283	抽出プロセス……………257	直接証拠……………075
近づける……………**047**	抽象化……………**003**, 710	直接的影響……………568
力………213, 229, 243, 461	抽象概念………297, 437, 687, 700	直接的である……………187
力関係……………561		直接的な……………**187**, **317**

キーワード検索（日本語）

直接的な形で 187
直接的に **187**, 317
直面する 123, 542
直訳 187
著者 017, 122, 130,
　　　　　　　　　　192, 566
直角 706
直観 **371**
直観的洞察 371
直観的な 371
直観的に 371
直観的理解 371
直観に反する 371
直観力 371
著名な 572
地理的に 085

つ

対 **462**
追加 **014**
追加原理 014
追加条件 624
追加する **014**
追加の **014**
追加要素 014
追随者 **278**
対で **462**
ついでながら **328**, 466
対にする **462**
対になる 462
対の **462**
通時的 102
通常 279
通常の **153**, **432**, **450**
通常は 078, 113, **153**, 175,
　　　432, **450**, 494, 559, 632
通例の 153
使う **691**
次の 192, **633**, 662
次のような 190, 489,
　　　　　　　　　　504, 677
次のように 278, 570, 589
作り出す 246, 434
続いて生じる **220**
続けて 080
続ける **129**

つながり 187, 191, 212,
　　　　252, 320, **394**
つながる 117, 130, 200,
　　　209, 232, 313, **389**, 682
常に 104
つまり 070, **427**
強い 055, 140, 391, **629**
強い依存 167
強い影響 514
強い傾向 656
強い相関関係 140
強い立場 018
強く 114, 322, 344,
　　　　423, 440, **629**
強く反応する 540
強さ 518, **629**
強すぎる 448, 616
強み **020**, **629**
強める 394, **629**

て

提案 **519**, **642**
提案される 663
提案する 009, 050, 083,
　　　278, 312, **519**, **520**,
　　　615, **642**, 653
提案をする 642
定義 **159**
定義上 159
定義上は 159
提起する 281, 424,
　　　　489, 529
定義する **159**
定義できる **159**
提供される 508
提供する 417, 592,
　　　　616, 706
提示 **019**, **503**
定式化 **282**
定式化する **282**, 399
提示順 503
提示順序 497, 503
提示する **019**, **503**, **520**
提唱 **019**
提唱者 **021**, **519**
提唱する **019**, **021**, 483

定数 **123**
定着した **231**
定着している 168
程度 **154**, **162**, **255**,
　　　　607, 629
程度問題 162, 345, 387,
　　　　427, 444
定理 403, **662**
定量化 313
データ 004, 009, 030, 034,
　　037, 038, 060, 063, 094,
　　102, 110, 111, 114, 169,
　　197, 199, 216, 219, 222,
　　240, 241, 257, 258, 264,
　　278, 318, 331, 333, 337,
　　346, 373, 438, 443, 446,
　　503, 526, 541, 564, 600,
　　623, 629, 644, 664, 670,
　　676, 683, 691, 712
データ圧縮 262
データ構造 674
データ抽出 257
データ分析 085
データベース 063, 103, 332
テーマ 112, 192, 292,
　　　　631, 665
手掛かり **086**
的確な 399
的確に **384**, 473
適合性 **094**
適していない **643**
適している **046**, 282, **643**
適切性 **046**
適切である 487
適切ではない 326
適切な **016**, **046**, 217,
　　　　479, **516**
適切な用語 386
適切に **016**, **046**, 137, 301,
　　　　364, **384**, **516**
適度の 516
適用 **043**
適用される 334
適用する **043**
適用できる **043**
適用範囲 714

英語論文重要語彙 717

た

適用領域	043
できる限り	244, 294, 492
できるだけ	010, 098, 244, 429, 441, 492, 542
テキスト	100
テクニカル・レポート	654
テクニック	575
手順	**512**
手順の	**512**
テスト	094, 619, 622
でたらめな	482
哲学者	344
哲学的見解	491
手続き上の	**512**
徹底的に	315, 666
デフォルト	234
点	033, 053, 087, 218, 313, 315, 316, 326, **487**, 551, **559**, **577**, 598, 608
典型的である	673
典型的な	146, **242**, **463**, 570, **673**
典型的に	**082**, **673**
典型的には	**673**
典型例	146, 242, 278, 352, 463, 473
点線	141, 163, 273
伝統	**668**
伝統的な	617, **668**
伝統的な考え方	**668**
伝統的に	**668**
伝統的には	**668**
テンプレート	593, 655
展望	572, 663

と

度	**162**
統一化	**685**
統一見解	**119**
同一視	**225**, 313
同一視する	**313**
統一する	**684**
統一性	**685**
同一である	282, 288
統一的な	649, **684**, **685**
統一的な枠組み	642, 684
統一的に	684, **685**
同一の	**313**
統一理論	684, 685
等価	**226**
当該書物	379
当該の	106, 529
等間隔で	365
同義語	691
動機づけ	**423**
動機づける	**423**
同義である	707
同義ではない	098
道具立て	030, 037, **040**, 135, 156, 170, **178**, 219, 250, 339, **354**, 495, 617, 664, 696
統計	**622**
統計学	**622**
統計学的に	**622**
統計結果	**622**
統計検定	**622**
統計上の	**622**
統計上の違い	**622**
統計調査	622, 646
統計データ	564
統計的に	**622**
統計テスト	**622**
統計の	**622**
統計分析	037, 180, 622
統合	**358**, **648**, **684**
動向	268
投稿	**133**
投稿者	**133**
投稿する	**133**
統合する	**358**, **648**, **684**
統合的な	**648**
統合的に	**648**
統合の	**648**
統合プロセス	358, 684
統合モデル	**648**
統合理論	358, 648
洞察	**350**
洞察する	350
洞察力に富んでいる	350
洞察力に満ちた	**350**
洞察力のある	**350**
同時喚起	234, 610
同時効果	382
同時性	**610**
同質な	364
同時である	610
同時に	089, 234, 352, **382**
同時に生じる	**008**, **610**, 656
同時に生起する	610
同時入力	610
同時の	**008**, **382**, **610**
投射される	598
投射する	310
導出	**169**
導出する	169
登場順で	374
登場する	082, 549
当然	232, **429**, **682**
当然である	403, 527
当然の結果	120
当然のことながら	**429**, 430
到達	**011**
到達可能な	**011**
到達する	**011**, 293, 597
到達できない	541
同定	**313**
同定可能な	**313**
同定する	**313**
同定できる	**313**
同程度に	255
同程度の	162
同等性	**225**, **226**
同等である	**225**, 226, **652**
同等でない	**225**
同等とみなす	225
同等に	**092**, **226**
同等の	**226**
同等物	**226**
導入	**370**
導入される	658
導入する	348, **370**
導入的な	**370**
盗用	652
同様に	**029**, **036**, 037, **141**, 186, 190, **225**, 235, 250, 269, 315, 322, 324, **392**, **607**

キーワード検索（日本語）

同様にして 269
同様の 208, 497
同様の形で 464
同様の趣旨で 607
同僚 023
同量の 007, 034
討論会 **112**
討論者 **189**
通し番号 601
解き方 225
時々 149, 176, 274, 691
時には 170, 327
解く 225
特異性 060, **618**
特異な 197
独自に **471**
読者 461, 472
特集号 379, 631
特殊化 **617**, **618**
特殊性 **469**, **618**
特殊タイプ 711
特殊な 313, **469**, **617**, 624
特種な 617
特殊なケース 617
特色 077, 436, **469**, **471**
特色のない **272**
特性 **471**, **517**, **525**
独占的な **241**
独創性 **452**
独創的である 452
独創的な **452**, **453**, 599
独創的に 452, 453
特徴 **077**, **272**, **617**
特徴づけ **077**
特徴づける **077**
特徴的である 077, 195
特徴的な **077**, **195**, **196**
特徴的に **077**, **195**
特徴の上では 077
特徴のない **272**
特定 **618**
特定化 **618**
特定する **618**
特定の 172, 396, **469**, **618**
独特さ **471**
独特に **471**

独特の **471**
独特の効果 471
特に 125, 128, 215, **229**,
    433, **469**, 511, 553,
    617, **618**
特に興味深い 368, 617
特に顕著である 628
特に重要である 281, 324,
    702
特にない 469
特に問題である 618
特に有益である 353
特筆すべき 433
特筆に価しない 715
特筆に価する 171, 414,
    617, 715
特別な **229**, **617**
特別に **617**
特別の **229**
匿名査読者 039, 585
匿名の **039**, 585
特有の 241, **471**, **618**
独立 **335**
独立した現象 378
独立した原理 547
独立して 269, **335**
独立の **335**
独立変数 335
特例 617
どこにもない 300
土台 **063**, **065**, 231, **284**
どちらの 284
特化 **617**
特化する **617**
どっちつかずの 227
留める 113
どの程度 255
どの程度まで 162
どのような基準で 147
どのように 119, 670
トピック **098**, 124, 128,
    129, 215, 278, 414,
    427, 503, 560, 682
乏しい 342
捉える **073**, 230, 637
取られている 499

取り上げ方 238
取り上げている 618
取り上げられる 487
取り上げる 076, 099, 154
取り扱い **670**
取り扱う 088, **301**, **670**
取り扱われる ... 429, 516, 600
取り組む **015**, 706
取り込む 641
取り残された **565**
努力 123
とりわけ 325, **433**, **469**
取る **018**, 491
取るに足らない 431, 606
富んでいる 350

な

内在している 340, 345, 352
内在性 687
内的的傾向 369
内在的特性 369
内在的な **369**
内省 415
内的に 333, **362**
内的にも 256
内部 088, 187, **362**, 574
内部構成 124
内部構造 074, 362,
    551, 630
内部状態 362
内部の **362**, 621
内部は **362**
内部表面 362
内部メカニズム 362
内容 **127**, 179, 228, 322,
    410, 438, 457, 465, 708
なお一層 095, 327
長い 237
長い間 018, 083, 497
長い伝統がある 668
長さ 037, 052, 061, 225,
    237, 375, **390**, 427, 517,
    551, 570, 618
長すぎる 237
流れ 189, 429, 629
名残 **565**

449

英語論文重要語彙 717

成された ················ 493, 642	二重性 ···························· **204**	認識できる ······················· **546**
成される ··········· 105, 177, 293	二重線 ···························· 181	認知 ········ 106, 357, 559, 561
成す ······························ 129	二重の ······················ **204, 672**	認知原理 ················· 493, 679
なぜ ······························ 250	二重の意味で ····················· 204	認知構造 ·················· 556, 679
なぜなら ··························· 544	似たような ············· **092**, 464,	認知システム ····· 218, 312, 618
謎 ·························· 575, 677	519, **607**	認知操作 ········ 064, 083, 159,
名づける ············ **205, 385, 659**	似たような形で ·········· 126, 607	364, 413
納得できる ······················· **592**	似たような種の ···················· 358	認知的 ··························· 125
納得できる形で ········ 137, 592	日常生活 ··············· 480, 542	認知的観点から ···················· 250
納得できるように ······ **137, 477,**	日常の ···························· 359	認知的に ··························· 542
592	似ている ·············· **027, 029,**	認知能力 ········ 140, 358, 629
何の影響も与えない ··········· 319	**036, 573**	認知プロセス ··········· 129, 253,
何も関係がない ··················· 394	似てくる ···························· 029	548, 612, 627, 649
何も言及していない ··········· 414	担う ························ 075, 148	認知メカニズム ··················· 506
何もない ············ 086, 108, 125,	二分法 ············· **182**, 195, 672	認知モデル ······ 065, 148, 542,
201, 206, 333, 337, 394,	二分法的な ······················· 182	583, 653, 661
504, 622, 636, 678	二分法の ······················· **182**	
名前 ······················ 072, 642	二面性 ···························· 204	**ね**
波線 ······························ 273	二面的な ······················· **672**	根ざしている ····················· 514
並び替える ······················· 030	入手可能 ························ 152	ネットワーク ···· 055, 181, 234,
成り立つ ···························· **103**	入手できる ················ 442, **443**	305, 346, 364, 438, 549
成る ······························ 103	入門 ······················ 107, **370**	念稿原稿 ······················· 521
なる ······························ **124**	入門クラス ······················· 370	年次大会 ························ 112
難解な ····························· **637**	入門書 ······················ 336, 370	念頭 ································ 393
難題 ······················ **076**, 156	入門的な ························ **370**	年に4回 ··························· 503
なんとか ····························· 682	入門の ···························· **370**	年齢 ········ 198, 369, 535, 559
何度も ····························· 549	入力 ··············· 256, 359, 578	
何の関係もない ··················· 561	任意性 ····························· **048**	**の**
何の根拠もない ··················· 384	任意抽出する ····················· **534**	濃度 ······························ 375
何ら問題はない ··················· 134	任意抽出の ························ 598	能力 ········ 074, 140, 246, 294,
	任意に ······················ **048, 534**	335, 342, 358, 471, 502,
に	任意の ······················ **048, 534**	556, 615, 643, 678
似通った ···························· 630	任意の順序で ···················· 534	残された ···························· 565
似通っている ····················· 573	任意の順で ······················· 534	残された課題 ···················· 565
似通ってくる ····················· 029	人気がある ························ 219	残す ······························ 409
二元性 ····························· **204**	人間 ············· 063, 074, 113,	残り ······························ **565, 581**
二元論 ····························· **204**	357, 542, 559	残りの ···························· **565**
二項対立的な ····················· **182**	人間性 ···························· 429	残りの箇所 ························ 581
二項対立の ······················· 182	人間生活 ························ 543	残りの人 ···························· 581
二次元で ························ 185	人間特有の ······················· 471	残りの部分 ············ 488, 565
二次元の ························ 185	人間の ···················· 105, 106, 284	望ましい ···························· **173**
二次的な ························ **597**	認識 ·············· **012, 044**, 489,	望ましくない ····················· **173**
二次的に ························ 169	542, 546	伸びる ···························· 704
二次方程式 ······················· 225	認識可能な ······················· **546**	述べられる ············ 668, 693
二重引用符 ······················· 532	認識可能になる ··················· 546	述べる ···· 033, 039, 084, 158,
二重括弧 ························ 337	認識する ············ **044, 542, 546**	160, **207**, 252, **414**,

キーワード検索（日本語）

442, **566**, 610, **621**

は

場合 ……… 177, 281, 469, 490, 504, 516, 536, 542, 673
把握される ………………… 342
把握する ………… **073**, 222, **297**
バージョン ………………… **703**
パーセント ………………… **472**
背景 ………………………… **062**
背景化する ………………… **062**
背景情報 …………………… 062
背景知識………055, 062, 234, 559, 651
背景にある …………… 501, 539
背景の ……………………… **062**
排除 ………………… **240**, **496**
排除する …………… **381**, **496**
排除的な …………………… **496**
排他的である ……………… 426
排他的な …………………… **241**
排他的に …………………… **241**
配置される ………………… 647
配置する ……………075, 279, **491**, 601
入ってくる ………………… 329
配布する ………… **197**, 530, 685
配列される ………… 333, 462
配列する …………………… 030
破壊される ………………… 256
馬鹿げている ……………… 406
計り知れない ……… 268, **318**
計り知れない価値 ………… 696
図る ………………………… 685
測る ………………… 400, 427
破棄 ………………………… 561
博士 ………………………… 243
博士号 ……………………… **162**
博士論文 …………… 098, **192**
漠然と ……………………… **693**
莫大さ ……………………… **318**
莫大な …………… **219**, 318
莫大な数の ………………… 219
波形矢印 …………………… 273
はしがき …………………… **499**
始まり ……………… **453**, 456

始まる ………460, 621, 644
はじめから ………… 456, 549
初めて ……………………… 370
はじめに ……… 370, 499, 566
はじめは …………………… 047
始める ……………………… 528
場所 ………………………… **396**
外す ………………… **240**, 547
派生 ………………………… **169**
派生する …………………… **169**
派生的 ……………………… **169**
派生による ………………… **169**
派生の ……………………… **169**
派生プロセス ……………… 169
破線 ………………………… 273
破線矢印 …………………… 273
パターン ··036, 041, 055, 074, 091, 105, 109, 117, 122, 134, 172, 175, 213, 224, 231, 245, 250, 258, 262, 274, 313, 352, 368, 411, 418, 442, 448, 469, 490, 494, 593, 607, 667, 673, 687, 717
果たす ……148, 151, 157, 262, 288, 290, **474**, 507, **602**, 664
働き ……… 187, 243, 252, 350, 362, 367, 542
はっきりさせる ……………**603**
発見 ………………… **175**, 373
発見された ………………… 438
発見される ………………… 228
発見する …………………… 007
発見できる ………………… **175**
発見プロセス ……………… 180
抜粋 ………………… **239**, 257
抜粋する …………………… **239**
発達 ……… 180, 249, 266, 415, 560, 617, 643, 507
発達パターン ……… 497, 510
発展 …………**019**, 133, 318, 410, 634
発展させる …… 251, **254**, 312
発表 ………………………… **503**
発表する …………… 089, 112,

192, **503**
発表年 …………………… 503
発表論文 ………………… 112
発表論文集 ……………… **513**
抜本的 …………………… 348
抜本的な ………………… **533**
発話 ……………… 518, 667
幅 ………………………… 518
省く ……………… **001**, 446
早まって ………………… **500**
パラグラフ ………239, 390
パラダイム ……… 183, 246, **463**, 594
パラメーター………246, 446, 449, 695
バランス ………… 362, 403
はるかに ………… **330**, 634
版 ………………………… **703**
範囲 ……**068**, 084, **113**, 125, 163, 237, 254, **255**, 292, **393**, 428, **524**, **535**, **595**, 618, 714
反意語 …………… 272, 673
範囲内で ………………… 595
範囲を定める ……… **163**, **164**
反映 ……………………… **556**
反映する ………………… **556**
番号順に ………………… 601
反している ……………… 143
反射する ………………… 329
反証 ………… **131**, **145**, **266**, 364, **521**
反証可能性 ……………… **266**
反証可能な ……………… **266**
反証する ……… **114**, **266**, **521**
反証の余地がある ……… 266
反証プロセス …………… 266
反証を免れない ………… 266
反する …………………… 143
反対 ……… **131**, **375**, **448**
反対する ………… 191, 217, **440**, **447**
反対に ………… **136**, **143**, **375**
反対の………**131**, **136**, **143**, **375**, **448**
反対のもの ……………… **136**

は

| 判断 ······· **156**, 160, 249, 632
| 判断される ·············· 008, 643
| 判断する ········ 006, 139, 156, 564, 606
| 判断を下す ······················ 156
| 範疇化 ····························· 201
| 反直観的な ······················ **371**
| 反応 ················ **474, 540, 579**
| 反応時間 ························· 540
| 反応する ·············· **540, 579**
| 反応パターン ·················· 579
| 反駁 ································ **521**
| 反駁する ························ 130
| 反比例して ······················ **375**
| 反比例している ······· 375, 518
| 反比例の ························ **375**
| 反例 ·························· 114, **146**
| 反論 ············· **144**, 440, 558
| 反論者 ····························· **447**
| 反論する ·············· **130**, 440, **558**, 641

ひ

| 控える ···················· **557, 676**
| 比較 ··············· **093**, 353, 619
| 比較基準 ························· 619
| 比較研究 ························· 093
| 比較実験 ························· 093
| 比較する ························ 093
| 比較的 ····················· **092**, 409
| 比較的新しい ··· 092, 438, 562
| 比較的簡単に ·················· 541
| 比較的少ない ·················· 562
| 比較的高い ······················ 562
| 比較的小さい ·················· 232
| 比較的近い ······················ 085
| 比較できない ·················· **330**
| 比較的に ················· **093, 562**
| 比較的稀である ·············· 536
| 比較的容易である ···· 093, 625
| 比較的容易に ··········· 073, 541
| 比較的よく ······················ 688
| 比較にならない ·············· **330**
| 比較の ···························· **093**
| 比較のために ··· 093, 269, 522
| 比較分析 ························· 093

| 比較目的で ······················ 269
| 引き起こされた ·············· 256
| 引き起こす ······ 033, 043, 117, 333, 430, 621, **671**
| 引き算 ····························· 411
| 引き出す ················ **169**, 334
| 引きつけられる ·············· 426
| 引きつける ······················ 572
| 卑近な ···························· 070
| 引く ········ 033, 084, 273, **680**
| 低い ·············· 061, 121, 305, 409, 518, 634
| 非形式的な ······················ **282**
| 非形式的に ······················ **282**
| 非決定的な ······················ 108
| 非顕在的な ······················ 601
| 非顕在的に ······················ 370
| 非現実的な ······················ **542**
| 非現実的に ······················ **542**
| 被験者 ····· 103, **468**, 589, **631**
| 被験者全員 ······················ 299
| 微修正 ····· 418, 421, 586, 613
| 微修正される ·················· 631
| 微修正版 ········ 421, 613, 703
| 非常勤講師 ······················ 572
| 非常に ···························· **318**
| 非常に多くの ·················· 219
| 非対称性 ························· **058**
| 非対称的な ······················ **058**
| 非対称的に ······················ **058**
| 非妥当性 ························· **321**
| 左 ··································· 427
| 左上 ································ 397
| 左側 ······················· 273, 650
| 左側の ····················· 090, 427
| 左下 ······················· 273, 397
| 筆記式の ························· 530
| 筆者 ········· 014, 123, 215, 228, 249, 380, 429, 680
| 筆者自身 ························· 222
| 筆者自身の責任 ·············· 580
| 筆者の責任 ··········· 565, 580
| 必須条件 ························· **502**
| 必然性 ····························· **430**
| 必然的な ············ 120, **341**, 676
| 必然的な結果 ·················· 341

| 必然的に ················ **341, 430**
| 必要がある ······ 037, 043, 139, 159, 178, 196, 212, 221, 231, 253, 282, 384, 555, 587, 592, 615, 635, 694
| 必要十分条件 ··········· 110, 430
| 必要条件 ····················430, 571
| 必要性 ···· 012, 021, 037, 081, 215, 232, 247, **430**, 547, 572, 587, 603, 635, 640, 714
| 必要性がある ············081, 236
| 必要である ······ 014, 077, 086, 120, 142, 147, 171, 201, 212, 236, 253, 418, 555, 635, 666
| 必要であろう ·················· 291
| 必要ではない ·················· 124
| 必要とされる ·· 084, 098, 124, 153, 160, 221, 249, 335, 430, 463, 542, 624, 686
| 必要としている ·············· 586
| 必要としない ··········· 243, 617
| 必要とする ······· 037, 102, 114, 159, 162, 212, 225, 236, 249, 376, **430**, 468, 493, **571**, 596, 618
| 必要な ···················· **430, 502**
| 必要ない ················037, 345, 430, 627
| 必要な量 ························· 502
| 必要はない ······················ 083
| 否定 ····················· 034, **678**
| 否定証拠 ························· 447
| 否定する ·········· **130**, 312, **678**
| 否定的な ························· 491
| 否定できない ·················· **678**
| 非典型的 ························· 156
| 非典型的な ······················ **673**
| 非同等性 ························· **225**
| 等しい ····**034, 225, 226**, 288, 313, 390, **652**
| 等しく ···························· 225
| 等しくない ············· **225**, 226
| 等しくなる ······················ 226
| ひとつには ······················ **470**

キーワード検索（日本語）

人によって 701
批判 **149**, **150**
批判する **149**, **150**
批判対象 440
批判的検討 236, 585
批判的な **148**, 556
批判的に **148**
批判にさらされる 631
微々たる **606**
非物理的 098
微妙さ **637**
微妙な **418**, **637**
微妙な違い 637
微妙に 183, **637**
微妙に異なる 637
非明示的である 651
非明示的な **323**
非明示的に **323**
比喩 053, 077, 088, 438
比喩解釈 700, 717
比喩現象 088
比喩的である 429
比喩的に 364, 628
比喩表現 471
表 090, **650**
評価 025, 193, **232**, 252,
568, 632, 685
評価される 525
評価する 016, 087, 198,
220, 226, 260, 691
表記 **434**
表記される 304
表記上の **434**
表記する **380**
表記法 217, **434**
表現 083, 100, 106, 111,
226, 227, 275, 294, 325,
336, 374, 380, 438, 466,
528, 582, 610, 653, 699,
714
表現されていない 032
表現される 549, 674
表現する 033
表現方法 109
表示 **570**, 589
表示システム 458

表示する 007, 135
描写 010, 471
描写する 495, 611
標準的な **619**
標準版 619
標準偏差 619
表示レベル 281, 313
剽窃 652
表で提示する 650
表に示す 650
表にする **650**
表にまとめる 650
表面 256, 362
表面上は 029
表面全体 222
開かれる 112
ピリオド 600
比率 **472**, **518**, **538**
微量の 034, 526
比例関係 **518**
比例して **518**
比例している 518
比例の **518**
非連続性 **129**
非連続的な **129**
非連続的に **129**
広い 119, **714**
広い意味では 714
広がる 409
広く 691, **714**
広く知られている 006, 012,
387, 714
広く認められている 025
広げる 535, **714**
非論理的な 147
ヒント **086**
頻度 044, 052, 254
頻度データ 169
頻繁に 079, 091, 518, 692

ふ

部 464, 470, 565
不安定である 429
不一致 **025**, **331**, 531
増える 129, 409
フォーラム **112**

深い **168**, **514**
深い対立 514
深い知識 168
深く **168**, **514**
深く感謝する 299
不確定性 176, 232
不確定の **176**
不可欠な 124, **230**, **339**,
357, **502**, **709**
不可欠なもの 430
深さ **168**, **514**
不可能な **492**
不可能にする 492
不可分 105
不可分の **600**
不可分の関係 600
深み **514**
深みがある 514
深める **168**, 603, 682
不完全さ **332**
不完全性 332
不完全な **203**, **320**,
332, 467
不完全に **320**, **332**
不規則である 201
普及 **480**
不均衡性 **225**
不均等性 **225**
複雑化 **100**
複雑化させる **100**
複雑化する 014
複雑さ **099**
複雑すぎる 099
複雑性 **099**, 145, 429
複雑な **099**, **100**, **209**,
367, **637**
複雑な問題 608
複雑に **099**, **100**, **367**, 394
複雑にする **100**, 155, 219
副作用 580
副次的な **597**
複製する 332
副題 223, 379
含まれている 379, 599
含まれない 653
含まれる 595

は

453

含む 061, 079, **103**, 320, 334	太字で 304	169, 172, 180, 181, 186, 194, 195, 198, 199, 215, 220, 225, 234, 242, 244, 277, 282, 287, 290, 303, 315, 316, 323, 341, 342, 344, 345, 347, 348, 359, 364, 367, 406, 410, 426, 438, 593, 597, 600, 610, 617, 643, 675, 682, 699
含んでいる 362, 438, 502	太字の **067**	
付言する **014**	太線 **067**, 273	
不公平な **264**	太線の **067**	
ふさわしくない 516	無難である 108, 544	
不思議ではない 303	不備 **228**, **320**, **326**, **332**, **355**, **605**	
不自然さ **445**		
不自然な **429**	不必要な **430**	
不自然に **429**, 445	部分 069, 103, 199, 225, 310, 339, 346, 357, 369, 443, 449, 466, **470**, **488**, 600	分 047, 061
不自然になる 429		文 103, 122, 158, 198, 225, 235, 242, 292, 332
不十分さ **332**, 355		
不十分である 326		文化 129, 162, 359, 378, 664
不十分な **320**, **332**, **355**, 592	部分的相違 025	
	部分的な 374, 458, **467**	分解 **575**
	部分的な原因 580	分解する **575**
不十分な形で 592	部分的に 094, 276, 312, **467**, **470**, 584, 593	文化差 009
不十分な説明 592		分割 **199**, **600**
不十分な点 355	部分的には 156	分割可能な **600**
不十分に **332**, **355**, 592	部分的不一致 025	分割される 401
付随的な **328**	部分的類似性 573	分割する 184, **199**, **600**
付随的に **328**	普遍原理 060, 300, 705	分割できない **199**
不正確さ **325**	普遍性 634, **674**, **687**	分割できる **199**
不正確な **325**	普遍的価値 687	分割不可能な 199
不正確なデータ 325	普遍的な **674**, **687**	文化的 125, 165
不正確に **325**	普遍的な傾向 656	文化的特色 469
不整合性 **333**	普遍的に **687**	文化的に 546, 697
不足 052, 081, 213, 275, **386**, 471, 647	不本意な 564	文化的変容 698
	不明確な **227**	文化モデル 514
不足している **386**	不明の **084**	文献 **395**, **669**
付帯現象 **482**	不明のままである 084, 561, 584	文献調査 585, 646
再び生じる **549**		分散 197
不注意の 444	不要な **430**	分散する **197**
普通の **432**, 619	不利な点 **020**	分散性 197
物質 246, 272, 369, 440, 450, 641	古い原稿 408	分析 **037**, 111
	振る舞い 156, **474**, 580	分析可能な **037**
物質量 518	振る舞う 115, 497	分析結果 122
物体 246, 310, 365, 396, **440**, 704	触れる 070, 222, **414**, 553	分析原理 037
	付録 **042**, 287	分析者 **037**, 156
不釣合いに **518**	プログラム 076, 296, 550, 635	分析上 **037**
不釣合いの **518**		分析上の **037**
不適切性 **327**	プロジェクト 089, 188, 271, 348	分析する **037**
不適切な **264**, **326**, **327**, 516, 544, 643, 683		分析単位 686
	プロセス 008, 013, 014, 037, 044, 060, 070, 073, 083, 088, 098, 100, 104, 105, 124, 126, 129, 166,	分析ツール 370
不適切に 326, 327, 516		分析的に **037**
不等式 **225**		分析できる **037**
太字 **067**		

キーワード検索（日本語）

分析手順	588
分析の	**037**
分析のために	217
分析方法	037
分析レベル	183, 484
文頭	347
文頭に	347
分配	**197**
分配される	685
分配する	**197**
分布	**197**
分布関係	197
分布傾向	197
分布状態	197
分布上の	**197**
分布上は	**197**
分布データ	**197**
分布的に	**197**
分布の	**197**
分布パターン	197
文法	065
文法的に	006, 010, 334
文末脚注	**279**
文末に	491
文脈	016, 065, 148, 167, 177, 227, 231, 233, 234, 327, 342, 344, 377, 378, 386, 394, 413, 445, 535, 541, 549, 600, 611, 618, 671, 675, 714
文脈依存の	167
文脈上の	086
文脈情報	240, 614
文脈要因	263
文明	453
分野	004, 005, 093, 188
分離	**199, 378, 600**
分離可能な	**378, 600**
分離する	**378, 600**
分離できない	105, **378**, 600
分離できる	**378**
分離不可能な	**378, 600**
分離プロセス	378
分類	**083, 653**
分類階層	225, 653
分類関係	653

分類基準	083, 147
分類原理	083
分類される	714
分類システム	083
分類上	**653**
分類上の	**083, 653**
分類する	**074, 083**
分類体系	083
分類的に	**653**
分類できる	**083**
分類の	**083, 653**
分類プロセス	083
分類モデル	653

へ

ペア	**462**
ペアで	462
ペアになる	462
ペアの	462
平均	**061, 411**, 634
平均温度	411
平均距離	411
平均して	**061**, 411
平均すると	061
平均値	**411**
平均で	411
平均の	**061, 411**
平均より	061, 121, 409, 606
平均よりも	634
平行性	**464**
平凡な	**272**
並列的	464
並列の	**464**
ページ	066, 237, 295
ページ数	380
ページ制限	393
ページ末に	279
ベース	**063**
ベースの	163
別個に	**335**
別個の	**335, 600**
別次元の	185
別種の	579
別に	**600**
別にして	378
別の	020, 023, 028, **031**, 043, 049, 060, 077, 078, 103, 133, 148, 164, **183**, 185, **194**, 220, 245, 258, 263, 285, 312, 322, 346, 409, 430, 451, 462, 463, 474, 485, 519, **600**, 615
別の言い方をすれば	183, 613
別の角度から	706
別の箇所で	211
別の形で	269
別の可能性	492
別の考え方	657
別の観点から	183, 476, 620, 705, 706
別の視点	028, 706
別の方法	711
別の方法で	269, **454**
別の方面	186
別の目的では	695
別のモデル	691
別の問題	183, 364, 489
別の要因	395
別の領域で	549, 579
別々に	154, **340**, 547, **600**
別々の	313, **600**
減らす	**551**
変異形	434
変化	022, 060, 070, 078, 129, 161, 418, 423, 430, 611, 631, 673, **698**
変化しうる	631
変化しない	565
変化する	100, 123, 167, 613, 698
変化を被る	613, 621
便宜	**135**
便宜上	**135**, 181
便宜的な	**135**
便宜的に	**135**, 591
偏差	619
遍在	**674**
遍在性	**674**
編者	008, 039, 451
変種	**699**
編集	541

| 英語論文重要語彙 **717** |||

編集する 513
変数 226, **697**
返答 579
変動 **698**
返答する 033
変動範囲 **698**
弁別的な **195**
変容 301, **698**
変容する **701**

ほ

崩壊 389
包括的な **102**, **244**, 557
包括的に **102**, **244**
放棄 **381**, 707
放棄する **381**, 657
方向 136, **186**, 716
方向性 **186**, 345
方向の **186**
報告書 237, 572, 656
報告する 274, 583
放射状の 190
傍証 645
方針 **186**
法則 008, 116, 266, 677
膨大な **219**, 318
膨大な量の 219, 318
方程式 **225**
冒頭 079, 192, 489, 614
豊富 **004**, **515**, **712**
豊富さ 515
豊富である 141
豊富な **004**, 515, 712
豊富に **004**
方法 109, 251, **269**, **354**,
           411, **417**, 477
方法論 **417**
方法論上の **417**
方法論的な **417**
方法論的に **417**
方略 266
他にも多くの 430, 449, 705
補強する **629**
保護する 565
母語話者 646
保持される 517

星印 **057**
保持する 077
補集合 097
保証 **300**
保証される 312
保証する **221**, **300**
補助金 289
補助金番号 296
細線 273
発端 **452**
ほとんど 006, 025, 119,
   170, 187, 189, 243, 320,
   341, 343, 356, 364, 393,
   418, 431, 492, 511, 521,
   523, 558, 564, 610, 661,
   687, 688, 691, 693
ほとんど同じ 518
ほとんど関係がない .. 479, 561
ほとんど関連がない 563
ほとんどない 012, 122, 521
ほとんどの場合 134, 275,
           422
ほぼ **047**, 129, 201,
           276, **589**, 704
ほぼ同じ 390
ほぼ完全に 473
ほぼ完璧である 276, 473
ほぼ完璧に 473
ほぼ同時に **047**, 589
ほぼ同等に 226
ほぼ等しい 225
ほぼ間違いない 201
本 038, 127, 223,
           283, 461
本格的な 287
本巻 211, 379
本議論 446
本研究 ... 026, 046, 084, 152,
   158, 240, 274, 284, 289,
   296, 322, 339, 360, 417,
   452, 468, 488, 501, 503,
   509, 524, 572, 583, 595,
   597, 661, 692
本研究で 282, 312
本研究では 113, 152
本研究の範囲 524

本稿 018, 026, 059, 071,
   075, 079, 192, 202, 277,
   416, 451, 506, 507, 521,
   522, 565, 581, 586, 644,
           665
本稿全体 072
本稿で 111, 192, 347, 532
本稿では 106, 180, 192,
           236, 253, 306, 503
本稿の範囲 192, 503
本稿の目的 672
本質 **230**, **429**
本質的な **230**, **369**, **410**,
           634, **636**
本質的な違い 230, 636
本質的な部分 369
本質的に 194, 196, **230**,
           369, **410**, 636
本質的には **345**, **634**
本書 015, 054, 187, 201,
   211, 223, 292, 401, 409,
   499, 522, 599, 601, 629
本章 108, 565
本章で 224
本書全体にわたって 549
本書の構成 630
本節 180, 489, 565, 581
本節で 251
本発表 503
本来 **230**, **345**, 429
本来備わっている 345
本来は **369**
本論文 014, 108, 128, 133,
           520, 606, 646
本論文で 152
本論文では 192, 503

ま

前に **509**
紛らわしい 419
勝っている 020
まさに 036, 368, **495**, 497
まさに同様の 269
増す 391
ますます 320
まだ 011, 248, 516,

キーワード検索（日本語）

529, 641, **688**
まだ知られていない **688**
また別の問題 183
また別の問題である 364
間違い **228**, **325**, **420**
間違いなく **201**
間違った **228**, **334**, **420**
間違った形で ... **228**, **334**, **420**
間違って **334**, **420**
間違っている 683
全く **002**, **032**, **098**, **222**,
　　　　　　　235, **564**, **667**, **713**
全く新しい 185, 348,
　　　　　　　　　　　　　438, 667
全く新しい方法で **713**
全く同じこと 235
全く同じである 235, 313,
　　　　　　　　　　　　　　　　437
全く同じの **313**
全く関係がない 560
全く逆で 131
全く異なった 222, 570
全く異なる 573
全く根拠がない 284
全く知らない 314
全く知られていない ... 667, 688
まったく対照的に 447
全く当然である 527
全く同様に 036, 235, **313**
全くの偶然 007, 667
全くの無知 314
全く不思議ではない 303
全く別個の 028
全く別の 194, 600
全く無関係である 560
末尾 192
的外れな 155
的外れの **487**
まとめ **644**
まとめる **218**, 329, 487,
　　　　　　　　　551, 639, **644**
まとめると 644
まとめれば 644
的を射た **487**
免れない 134, 159,
　　　　　　　　　　　266, **631**

招く 117, 130
丸括弧（ ）.............. 069, **466**
稀である 237, 531
稀な **091**, **536**, 537
稀に **091**
満足できる **592**
満足のいく **592**
真ん中 396
真ん中に 190
真ん中の 090

み

見出だす 175
見落とし **459**
見落とす **459**
未解決である 191
未解決の 575
見方 098
未刊の 192
右 427
右上 397
右側 273
右側の 090
右下 397
短い 518
身近な 070
未熟な **500**
ミス **459**, 521
水掛け論 134
ミスで 459
見出し項目 380
満たす 087, 110, 147,
　　　　　　　　　571, **592**, 640
未知の **688**
導き出す 108, **169**
見つけられる 475, 541
見つける 145, **175**, **274**
密接な **085**, 366
密接な関係 366, 642
密接に 055, **085**, 366, 394
密度 622
認めない 182
認められている 006, 025,
　　　　　　　　　　　　　　　　091
認められる 651
認める **012**, **017**, **025**, 246,

323, 687, 691
見直す 070, **585**, 639
見なされる 126, 203, 409,
　　　　　　　　　　　482, 501, 552
見なす **158**, 313, **559**, **705**
見抜いている 350
見逃す **459**
未発表原稿 408
見本 242
見られない 550, 622
見られる 119, 175, 183,
　　　　　　　　　　　607, 656, 685
魅力的である 417
魅力的な 318
見る 070, 701, **705**

む

無意味である 411
無意味な **411**, **606**
無益な **302**, **691**
無関係 **377**
無関係性 **377**
無関係である **260**, 335
無関係ではない 560
無関係の **335**, **377**, 560
無関連の **377**
向けられる 121
向ける **187**
無限 **318**, **343**
無限性 149, 318, **343**
無限に 199, **343**
無限には 275
無限の **343**, **393**, **582**
無限の可能性 393
無効化 561
無効にする 080, **372**
無作為選択 598
無作為抽出 534
無作為に選ぶ **534**
無作為の **534**
無視 **314**, **559**
無視されることの多い ... 431
無視している 667
無視する **314**, **431**, **559**
無視できる **431**
矛盾 **130**, 175, 200, **329**,

	227, 252, 269, **406**, **584**,	最も影響力のある 344
	603, **606**	最も基本的な 210
331, **333**, 575, 615	明確に異なる 603	最も重要である **506**
矛盾した **130**, **329**,	明示性 **252**	最も低い 305
331, **333**	明示的な **252**, 315	最も左側の 274
矛盾して **329**, **333**	明示的に **252**, 269	最も左の 090
矛盾している 241, 442	名称 **172**, **385**, 440, **700**	最も右側の 210
矛盾しない **094**	明晰さ **399**	最も右の 090
矛盾する **130**	名誉教授 572	最も身近な 242
矛盾点 333	名誉博士号 162	もっぱら **614**
矛盾を招く 130	メカニズム **412**	モデル 016, 031, 037, 065,
無条件で 110	珍しい **091**, **536**	074, 082, 084, 089, 092,
無条件の 110	珍しさ **536**	105, 115, 120, 126, 148,
むしろ **537**	目に見えない 450	150, 151, 173, 178, 183,
無数の 343	面 **053**, **261**	185, 203, 208, 209, 210,
難しい 051, 164, 175, 219,	面積 472	215, 232, 236, 247, 254,
259, 492, 564	綿密な **085**	266, 270, 271, 276, 281,
難しくない 337	綿密に **085**, 596, **666**	282, 283, 320, 321, 326,
難しくなる 454		327, 334, 339, 347, 359,
結び付き 007, **055**, 161,	**も**	364, 376, 381, 386, 394,
366, **394**, 600	もう1つの 011, 015, 031,	406, 463, 497, 503, 509,
結び付く 341	196, 254, 406,	516, 542, 548, 564, 565,
結び付ける **055**	410, 508, 691	584, 587, 608, 629, 635,
結ぶ 394	もう一方の面では 259	637, 641, 643, 661, 691,
無制限ではない 582	網羅していない 244	695, 707
無制限に 393	網羅的な **244**	モデル化する 185
無制限の **393**, **582**	網羅的に **244**	基づいていない 063
無駄な 691	目次 **127**	基づいている 258, 325,
無知 **314**	目的 **026**, 152, 229, 269,	340, 342, 387, 401, 505,
無理な 267	295, 417, 424, **441**, 503,	519, 562, 614, 622, 632,
無理もない 009	**522**, 542, **591**, 597, 601	662, 690
	目的とする **026**	基づく **063**, **581**, 664
め	もし 250	元のままの **356**
明快さ **399**	文字 072	求める 631
明快な **399**	文字体系 **030**	元々の **452**
明快に **399**	モジュール 335	元々は **452**
明確化 **081**	モジュール性 558	戻る 317, 388
明確さ **081**, 252	もたらす 046, **208**, 471,	もの 027, 226, 690
明確な **033**, **084**, 156, 160,	476, 583, 622, 664, **717**	もはや 246, 300, 314,
161, 176, **191**, 227,	用いる **217**, **691**, **692**	406, 645, 690
233, **252**, **584**, **603**	もちろん **682**	模範 **463**
明確な形で 176	目下 **503**	模範例 **463**
明確な境界 396	目下のところ 152	模倣 439
明確な境界線 199	最もありうる 364	問題 046, **100**, 345, 364,
明確な証拠 227	最もありそうな 364	**379**, **511**, **529**, **631**
明確な違い 603	最も一般的である 258	問題化 **511**
明確に **033**, **084**, **108**, 156,		
157, 160, **161**, 194, 195,		

キーワード検索（日本語）

問題解決 615
問題視する **511**
問題点 511
問題となっている 379, 529
問題となる 075, 444
問題と見なす **511**
問題のある **511**, 529
問題のない **511**

や

約 **047**, 222, 472, 579
役立つ **602**
役に立たない .. **208**, **302**, **691**
役割 070, 075, 081, 148,
　　　　151, 157, 164, 189, 204,
　　　　216, 232, 262, 290, 322,
　　　　413, 471, 476, 485, 550,
　　　　552, 572, 578, 587, 677
役割を担う 404, 709
役割を果たす 324
矢印 075, 186, **273**
矢印の頭 273
矢印の先 273
山括弧 <> 069, 706
やや 428, **613**
やや低い 409
やり方 269

ゆ

唯一性 **471**
唯一的に 313, **471**
唯一の 031, 086, 104, 170,
　　　　172, 238, 411, 440, 449,
　　　　491, 502, 564, **614**
優位 **498**
有意義な **411**
有意義に 411
有意差 622, 717
優位性 002, 337
有意性 **606**
有意でない **606**
有意ではない 606, 622
有意な **606**
有意な差 606
誘因 **671**
有益 **691**

有益な **135**, **286**, **302**, **353**,
　　　　354, **373**, **691**, **696**
有益な方法 135
有益な枠組み 602
有益に **691**
有限個の 275
有限性 275
有限に 275
有限の 275
融合する 384
有効性 **208**, **691**, 694
有効に 208, **691**
有効利用 692
優先 **494**, 509
優先される 509
優先事項 **509**
優先する **494**, 509
有能な 572
有名な 146
有名な例 532
有用性 **691**, 692
有用である 692
有力な **498**
歪める 341
豊かに **004**
ゆっくりと 237
由来する **169**, 213, 343,
　　　　453, 543, 623

よ

容易 **541**
容易化 **262**
容易ではない 682
容易な **541**, 625
容易に **541**, 615
容易にする **262**
容易にするために 541
要因 **263**
容器 256, 362
要求 **571**
要求する .. 160, 249, 350, 579
要件 087, **502**, 571
用語 091, **659**, 660
用語解説 **295**
擁護可能な 645
用語集 **295**

用語上の **660**
用語上の統一 660
用語上は **660**
擁護する 128
擁護できない .. 444, 645, **690**
擁護できる **645**, **690**
用語の統一化 685
用語法 **668**
要旨 **003**
要する 120, 219, 571
要するに 070, 644
要素 **210**
要素間で 210
要点 107, 371, 401,
　　　　　　　　　485, 644
容認 **006**
容認可能性 **006**, 629
容認可能な **006**
容認された 714
容認する **006**, 110
容認できない **006**
容認できる **006**
容認不可能な **006**
用法 219, 347
要約 107, 108, **218**, 644
要約する **218**, 644
容量 219
よく 082, 682, 688
よく考えてみると 556
よく考えると 085
よく考えれば 556
よく吟味すると 085, 596
よく調べてみると 596
よく調べると 236, 596
よく知られた 181, **231**,
　　　　　　　　　　259, **688**
よく知られている ... 231, 688
よく知られているように 082
抑制される 656
よく定着した **231**
よく似ている 573
よく見られる 442
よく見れば 236
横軸 310
横線 310
横の **310**

459

横の行	090	
横の列	090	
横方向の	310	
四次的な	597	
余剰性	552	
余剰的な	552	
余剰的に	552	
予想外に	497	
予測	169, 497	
予測可能性	002, 055	
予測可能な	497	
予測したこと	448	
予測する	497	
予測できない	497	
予測できる	497	
予測通りに	497	
予測の通り	497	
予測をする	497	
余地	191, 201, 266, 409, 595	
4つ目の	597	
余白	409	
呼ばれる	082, 135, 227, 228, 281, 304, 450, 654, 658, 668	
予備研究	572, 583	
予備段階	499	
予備知識	499	
予備調査	499, 646	
予備的研究	499	
予備的な	499	
予備的に	499	
予備分析	037	
呼ぶ	205, 385, 553	
余分な	014, 342, 552	
余分に	552	
読み	234, 445	
読みやすい	291, 531, 541	
読みやすさ	591	
読む	100, 521	
より一般的な	282	
より一般的には	294	
より基本的な	210	
より具体的に	618	
より詳しい	174, 336	
より詳しく	037, 085, 168, 174, 209, 351	
より詳しくは	174	
より厳密には	627	
より高次の	653	
より高度な	209	
より広範に	268	
より最近の	642, 703	
より重要なのは	606	
より詳細な	168	
より詳細に	174, 254, 666	
より正確な	235	
より正確に	159, 516	
より正確には	235, 495	
より説得的に	477	
より率直な	170	
より率直に	625	
より多様に	198	
より適切に	516	
より深い	168	
より深く	168	
より複雑な	367	
より明確な	252	
より明確に	195	
より良く	044	
弱い	093, 711	
弱く	711	
弱すぎる	711	
弱める	711	
四重構造	672	
四重の	672	
4番目の	597	
四分法	672	
四分類	672	

ら

落下する	704	
ランダムな	534	
ランダムに	534	

り

利益	237	
理解	044, 262, 682	
理解しにくい	369	
理解する	044, 317, 542, 682	
理解できる	682	
理解プロセス	451, 682	
力点	229	
力点を置いて	229	
離散的	129	
リスト	374	
理性	377	
理想的な	611	
率	634, 711	
立証する	231	
利点	020, 054, 330, 416, 493, 708	
理に適った	544	
理に適っている	544	
略語	001	
略す	001	
略記	001, 676	
略記する	612	
理由	056, 087, 149, 158, 169, 240, 425, 446, 469, 491, 504, 544, 591, 621	
理由づけ	539	
理由は何であれ	544	
利用	691, 692	
量	034, 232, 318, 518, 526, 551, 606	
利用	217	
領域	043, 068, 163, 164, 222, 254, 255, 256, 305, 313, 344, 378, 404, 424, 453, 470, 543, 595, 714	
領域外に	491	
領域内に	595	
両極	259	
両極端	259	
利用される	249	
利用していない	691	
利用上の	692	
利用する	020, 035, 072, 217, 241, 254, 691, 692	
両端に	129	
量的観点から	526	
量的な	526	
量的に	526	
量的には	526	
量の観点から	526	
両方向矢印	273	

キーワード検索（日本語）

両方で……………………… 340	理論的モデル………………… 694	574, 593, 604, 700, 713
両方の……………………… 503	理論的問題…… 425, 575, 583	レポート…………………… 654
両立しない……………… **331**	理論的枠組み……… 120, 126,	連想………………………… **055**
両立する ………………… 122	253, 285, 416, 492, 498,	連想の……………………… **055**
理論………………………… **663**	561, 663, 684, 691	連続している……………… 129
理論化……………………… **664**	リンク……………………… **394**	連続スケール……………… 129
理論家……………………… **663**	リンクする………………… 141	連続性………………… 053, **129**
理論概念…………………… 437	臨床研究…………………… 066	連続体……………………… **129**
理論化する……………… **664**	倫理上の…………………… 276	連続的……………………… 464
理論研究……………… 024, 246,	倫理的問題………………… 302	連続的な………………… **129**, 601
571, 663		連続的に………………… **129**, 601
理論上の…………………… **663**	**る**	連絡先……………………… 141
理論上の問題……………… 663	類似………………… **464**, 573	連立不等式………………… 225
理論上は…………………… **663**	類似した………… **464**, 607	
理論的アプローチ… 438, 648,	類似性… **024, 464**, 573, 607	**ろ**
691	類似の………… **027, 036, 092**	労力…………… **243**, 342, 364
理論的一般化……………… 293	類推………………………… 126	ローマ字…………………… 030
理論的裏づけ……………… **663**	類推プロセス… 232, 687, 700	録音機器…………………… 178
理論的概念…… 164, 240, 632	累積効果…………………… 049	論考………………………… 521
理論的学説………………… 200	ルール…………… 072, 110, 588,	論証…………………… **050**, 081
理論的仮構物……………… 663	627, 651	論じられる………… 395, 516
理論的課題………………… 439		論じる………… 046, **154, 207**,
理論的仮定…………… 116, 130	**れ**	254, 269, **301, 670**
理論的含意………………… 322	例………………… **146**, 316	論争………… **134, 191**, 464
理論的関心事……………… 368	例外………………………… **238**	論争中である……………… 191
理論的観点………… 476, 620	例外的な…………………… **238**	論争につながる…………… 134
理論的観点から…………… 663	例外的に……………… **238**, 711	論争になりやすい………… 128
理論的帰結………………… 120	例外ではない……………… 238	論争の絶えない…………… **134**
理論的見解………………… 447	例外なく…………………… 687	論争の種…………………… 134
理論的考察………………… 547	例外のない………………… 490	論争を起こしやすい…… 128
理論的構築物……………… 126	例示する…………… **242**, 316	論争を免れない…………… 134
理論的根拠………………… 384	例証する…………… **145**, 242	論点………………………… 195
理論的主眼………………… 277	歴史………… 126, 303, 612	論駁………………………… **558**
理論的説明………………… 515	歴史的……………… 045, 460	論駁する……… **143, 266**, 447,
理論的体系化……………… 649	歴史的観点から… 376, 487,	**521**, 558
理論的立場…… 491, 504, 620	572, 706	論駁できない……………… **558**
理論的展望……………… 663	歴史的事実………………… 314	論駁できる………………… **558**
理論的道具立て…… 040, 135,	列…………………………… **090**	論駁不可能な……………… **558**
178, 477, 663	列挙………………………… **224**	論文………… **192**, 283, 383,
理論的洞察………………… 350	列挙する…………… **224**, 374	**665, 669**
理論的土台………………… 284	レベル…… 003, 013, 023, 033,	論文集……………………… 192
理論的な………………… **663**	093, 104, 114, 117, 124,	論法………………………… 116
理論的難題………………… 076	158, 170, 241, 246, 281,	論理…………………… 008, 303
理論的に………… 198, **663**	290, 294, 303, 305, 313,	論理学……………………… 282
理論的には………………… 271	360, 361, 369, 396, 417,	論理関係…………………… 561
理論的背景………………… 062	424, 443, 546, 551, 560,	論理的一貫性……… 088, 122

461

論理的欠陥 ……………………… 276
論理的に ……………………………… 139
論理的には ……………… 037, 558
論理的矛盾 ……………………… 333

わ

ワークショップ ……… **112**, 223
y 軸 ……………………………………… 647
分かりきった ……………………444
分かりやすい ………………… **399**
分かりやすく ………… 081, **399**
分かりやすく言えば ………609
分かりやすくするために …252, 591, 608
分かりやすさ …**081**, **399**, **608**
分かる ………………………**521**, 683
分かれる ……………………………074
枠組み ………………………………**285**
分けられる …………………… 534
わずかな ………………**418**, **613**
わずかに ……………… **409**, **637**
割合 …………… 219, 241, 446, **472**, **518**, **538**
割り切れない ……………… **199**
割り切れる ………………… **199**

―

―以外は ……………………… 571
―以上である ………………… 472
―以前に ……………………… 214
―以前には ……………………… 509
―以来 ……………………………… 214
―おきに ……………………… 365
―があれば ……………………………056
―かどうか …… 037, 049, 051, 084, 139, 155, 177, 206, 346, 349, 377, 529, 559, 565, 614
―がない限り ……………………… 256
―がないために ……………… 145
―がないので …… 161, 227, 386
―が何であれ ……………………… 423
―かも知れない ……009, 010, 013, 014, 031, 120, 130, 135, 173, 205, 220, 228, 246, 264, 315, 327, 328, 340, 389, 440, 552, 642, 716
―から切り離して …………… 378
―から独立させて …………… 378
―から取られている ………499
―からの引用である ………079
―からのものである ‥507, 623
―から見れば ……………… 705
―が理由で ………………… 711
―間隔で ……………………… 365
―間で ……………… 121, 183, 543
―けれども …… 013, **028**, 313, 320, 338, 701, 711
―されない限り ……………… 125
―次第である ………………… **110**
―しない限り ………… 454, 618
―しにくくなる ……………… 141
―しやすくするために ……… 541
―する限り ……………… 008, 246
―する代わりに ………056, 676
―することで …070, 093, 126, 129, 159, 212, 243, 262, 277, 422, 559
―することなく ………104, 172, 349, 493, 624
―するだけでは …………… 355
―するためである …………… 470
―するために …233, 236, 240, 251, 262, 287, 297, 438, 523, 547, 582, 619, 682
―するためには ……… 084, 242, 262, 282, 313, 491, 521, 592, 600, 677, 694, 713
―するための ……… 276, 285
―する時 …………………………244
―する時でさえ ……………… 226
―する時には ……………………… 013
―する時は ………………………… 229
―する必要がある ………… 141
―する必要はない …… 083, 201
―する前に ………… 098, 468, 509, 513
―するまで ………………………098
―せずに ………043, 234, 240, 413, 546
―だけに ………………………… 614
―だけに留める ……………… 113
―であるが ……………………**028**
―であれ ………………………… 256
―であろう …………007, 010, 016, 017, 033, 046, 050, 051, 056, 084, 104, 139, 173, 233, 264, 265, 326, 327, 330, 332, 334, 364, 368, 411, 429, 430, 445, 450, 486, 487, 492, 500, 542, 544, 645, 678, 693, 707, 716
―であろうと ……………… 704
―ではあるが… 325, 338, 409, 542, 683
―ではないが … 241, 430, 542
―でも知らない ……………… 617
―でもって ……………… 702
―という意味で ………097, 449, 475
―という意味では …………… 110
―ということになる ……… **278**
―という趣旨の ………………208
―という条件下では ……… 110
―という条件で ……… 110, 624
―という点において ……… 255
―というよりもむしろ ………597
―と一致している …… 116, 186
―と言っておけば十分である
 …………………………640
―と言っても過言ではない
 …………………………621
―と同じである ……… 525
―と同じようにして ………450
―通りに ……………… 269, 364
―と仮定してみよう ……… 139
―と比べて ……………………093
―として …………………074, 594
―と同様に ……………………607
―と同様の形で ……………464
―とともに ……………055, 089, 499, 610
―との関係で ………055, 394
―との関係の中で ……140, 561
―との比較によって ……… 156
―とは関係なく ……………… 335

キーワード検索（日本語）

—とは異なり … 040, 143, 194, 450, 505, 532, 668, **689**
—とは正反対である … 442
—とは対照的に … 447, 494
—とは独立して … 288, 335
—とは別に … 600
—とは全く別個にして … 335
—と比較して … 093, 509
—と比較すると … 093
—に値する … **171**, 253, 509
—にある … **574**
—にあるように … 181, 650
—に言えば … 282, 288, 294
—に応じて … 257, 579
—に関わらず … **559**
—に関して … 229
—に関しては … 013, **106**, 119, 281, 447, 519, 550, 553, **559**, 561, 562, 564, 577, 631, 674, 693
—に関する … 086, 106, 478, 560
—に関する限り … 030, 106, 127, 195, 309, 559
—に関する詳細は … 174
—に加えて … 288, 414, 622, 637
—に従えば … 166, **278**
—に従って … **008**, 116, 167, 181, 186, 246, **278**, 282, 414, 434, 508, 512, 604, 619, 642, 668, 670
—に従っている … 122
—に過ぎない … 294, 312, 415, 434, 482, 549, 609, 656
—にする … 208
—に沿って … 003, 109, 129, 186, 310
—に対して … 491, 579
—に頼って … 576
—に頼らずに … 250, 548, 624
—に頼ることなく … 576
—に着目して … 401, 617
—については … 006, **559**
—につれて … 513
—に伴って … 480

—になる … **124**, 271, 348
—に根ざした … 611
—にのみ … **241**
—に反して … 131
—に比例して … 518
—に向けて … 083, 653, 684
—にも関わらず … 020, 024, 048, 080, 091, 107, 123, 145, 150, 156, 200, 203, 225, 226, 252, 254, 325, 329, 332, 345, 379, 440, 445, 446, 451, 459, 480, 496, 503, 555, **559**, 561, 582, 613, 630, 660, 687, 692, 698
—に基づいて … 063, 065, 083, 086, 124, 147, 156, 167, 196, 197, 209, 214, 216, 225, 247, 257, 282, 284, 288, 313, 401, 442, 467, 501, 504, 546, 573, 585, 598, 607, 627, 633, 646, 653, 682
—に基づく … 169
—によって … 089, 178, 267, 411, 458, 573, 632, 691, 708
—によると … 491
—によるものである … 049, 320, 507
—によれば … **008**, 149, 312, 376, 622, 663
—の1つ … 020
—の間 … 248
—の間で … 025, 037, 278, 480, 519, 572, 594, 617
—の間では … 663
—の間に … 638
—の間の … 363, 394
—の間は … 499, 692
—の後で … 390
—の後に … 370
—の一部である … 077, 713
—の一部として … 063
—の多く … 368
—の代わりに … 210, 627, 668

—の関係にある … 465
—の観点から … 099, 107, 159, 186, 282, 294, 327, 346, 359, 390, 401, 465, 618, 632
—の観点からは … 173, 448
—の基礎となる … **679**
—の基盤として … 664
—の結果 … 364, 598
—の結果として … 056, 120, 220, 253, 415, 421, 583
—の外に … 396
—のためである … 258, 609
—のために … 068, 125, 193, 208, 217, 234, 258, 260, 263, 275, 316, 318, 320, 321, 387, 416, 417, 445, 467, 471, 495, 512, 522, 536, 552, 598, 608, 668, 674, 694, 711
—の典型である … 242
—の点で … 288
—の点では … 006
—の流れの中で … 189
—の場合 … 281
—の背景にある … 539, **679**
—の範囲内で … 068, 113
—の方式で … 534
—の方針に沿って … 186
—のほとんど … 320
—の前に … 112, 214, 503
—のままである … **565**
—のみで … 103
—のみに … 614
—のみに基づく … 664
—のみを用いて … 570
—のもとで … 056, 249
—のもとでは … 037, 364, 519
—の用語を借りれば … 660
—のように … 631
—の理由で … 135, 169, 500, 544
—の理由により … 417
—の領域では … 543
—の領域内で … 543
—の割合で … 518, 538

―ばかりである ……………… 241
―は除いて ……………………… 238
―は別として ………… 349, 414
―は別にして ………… 434, 533
―べきである ‥ 014, 030, 088, 132, 137, 142, 168, 215, 240, 252, 328, 376, 381, 421, 442, 495, 510, 547, 576, 586, 600, 626, 705
―ほど ………………… 302, 505
―まで ………………………… 248
―向けである ………………… 187
―よりむしろ ………………… 136
―よりもむしろ ……………… 537
―列目に ……………………… 650

―を挙げれば …. 414, 469, 571
―を与えれば ………… 641, 643
―を祝って …………………… 180
―を仮定して ………………… 504
―を考えてみよう …………… 070
―を考慮して ………… 122, 591
―を考慮すれば ……………… 024
―を根拠に …………………… 266
―を使って ……… 057, 181, 649
―を通して …… 037, 086, 089, 150, 159, 168, 169, 198, 217, 222, 231, 234, 236, 254, 263, 266, 296, 336, 370, 413, 421, 503, 510, 525, 586, 617, 627, 700, 712
―を念頭において ………… 393
―を除いて …… 240, 241, 279, 414, 536
―を用いて ……. 178, 241, 337, 346, 442, 505, 530, 549, 619, 655, 691
―を求めて …………… 523, 528
―を容易にするために ……. 553
―を擁護して ………………… 384
―を理由に ……. 149, 150, 558
―を理由にして ……… 081, 384
―を利用して ………………… 434

キーワード検索（英語）

※数字は見出し語彙番号
※太字は見出し語彙／関連語彙

A

abandon	**381**
abandonment	**381**
abbreviate	**001**
abbreviation	**001**
abbreviatory	434
ability	074, 140, 335, 342, 406, 502, 615, 629, 643
abound	**004**
about	050, 086, 103, 119, 155, 156, 160, 191, 206, 222, 293, 342, 349, 471, 491, 566, 579, 664
above	008, 037, 070, 094, 122, 131, 136, 169, 189, 247, 263, 330, 379, 414, 442, 547, 605, 689
above-mentioned	**414**
absence	062, 129, 145, 161, 227
absent	007
absolute	**002**
absolutely	**002**
abstract	**003**
abstraction	**003**
abstractly	**003**
abstractness	**003**
absurd	406
abundance	**004**
abundant	**004**
abundantly	**004**
academic(al)	**005**
academically	**005**
accept	**006**
acceptability	**006**
acceptable	**006**
acceptance	**006**
access	187, 338
accessible	317, 541
accident	**007**
accidental	**007**
accidentally	**007**
accommodate	641
accord	**008**
accordance	**008**
according	**008**
accordingly	**008**
account	**009**
accountable	**009**
accuracy	**010**
accurate	**010**
accurately	**010**
achievable	**011**
achieve	**011**
achievement	**011**
acknowledge	**012**
acknowledgment	**012**
acquire	003, 590
across	121, 183, 340, 543
act	115, 158
action	251
activated	129, 549, 610
active	355
activity	254, 382, 516, 549, 578, 701
actual	**013**
actuality	**013**
actualization	**013**
actualize	**013**
actually	**013**
ad hoc	178, 434, 493, 663
add	**014**
addition	**014**
additional	**014**
additionally	**014**
address	**015**
adequacy	**016**
adequate	**016**
adequately	**016**
adjacency	281
admit	**017**
adopt	**018**
adoptable	**018**
adoption	**018**
advance	**019**
advancement	**019**
advantage	**020**
adverse	455, 580
advice	249, 373
advocate	**021**
affect	**022**
affiliation	**023**
affinity	**024**
affirm	687
affirmative	579
aforementioned	**414**
after	335, 370, 384, 390
afterward(s)	317
again	549, 579
against	050, 145, 364, 440, 634, 641
age	198, 369, 535, 559
agree	**025**
agreement	**025**
aim	**026**
akin	**027**
albeit	**028**
alike	**029**
allow	282
almost	129, 226, 275, 276, 341, 343, 356, 393, 431, 473, 492, 518, 558, 610, 678, 687, 688, 704
alone	570, 664
along	003, 109, 129, 186, 250, 310, 607
alphabet	**030**
alphabetic(al)	**030**
alphabetically	**030**
alphabetize	**030**
already	231, 337, 414, 520, 621
alternative	**031**

A

alternatively ············· **031**	antonym ············ 272, 673	arrowhead ·············· 273
although ······· 064, 320, 409, 683, 711	any ························· 421, 624	article ···························· **192**
altogether ························ **032**	anything ········ 449, 534, 685	artificial ········· 561, 572, 600
always ············ 104, 139, 233, 275, 276, 410, 542	apart ······· 349, 414, 434, 533	ascertain ····················· **051**
ambiguity ······················· **033**	apparatus ······················ **040**	ascribable ···················· **052**
ambiguous ···················· **033**	apparent ························ **041**	ascribe ·························· **052**
ambiguously ················· **033**	apparently ····················· **041**	aside ····························· 414
amendment ················· 418	appealing ···················· 624	asked ···················· 579, 631
among ··· 025, 037, 091, 278, 480, 519, 560, 561, 572, 594, 617, 663	appear ········· 004, 082, 279, 382, 391, 498, 529, 549, 589, 610, 630, 643	aspect ··························· **053**
		assess ············ 087, 606, 691
		assessment ····· 025, 193, 568
	appearance ················· 374	asset ····························· **054**
amount ·························· **034**	appendices ··················· **042**	assistance ··················· 298
ample ···························· **035**	appendix ······················· **042**	assistant ······················ 572
analogical ···················· 232	appendixes ·················· 042	associate ······················ **055**
analogous ····················· **036**	applicable ····················· **043**	association ··········· **055**, 112
analogously ················· **036**	application ···················· **043**	associative ···················· **055**
analogy ·········· 126, 687, 700	apply ······························ **043**	assume ·························· **056**
analyses ························ **037**	appreciate ····················· **044**	assumption ··················· **056**
analysis ························· **037**	appreciation ················· **044**	assured ······················· 312
analyst ··························· **037**	approach ······················ **045**	asterisk ·························· **057**
analytic(al) ···················· **037**	appropriate ··················· **046**	asymmetric(al) ············· **058**
analytically ···················· **037**	appropriately ················ **046**	asymmetrically ············· **058**
analyzable ····················· **037**	appropriateness ··········· **046**	asymmetry ···················· **058**
analyze ·························· **037**	approximate ·················· **047**	attach ····················· 229, 617
anatomical ·················· 112	approximately ··············· **047**	attainable ····················· 541
anatomy ······················ 336	approximation ·············· **047**	attempt ·························· **059**
anew ····························· 438	arbitrarily ······················· **048**	attention ······· 035, 121, 154, 180, 187, 197, 277, 416, 452, 469, 582, 617, 641, 715
angle ····························· **706**	arbitrariness ·················· **048**	
angled ·························· 069	arbitrary ························· **048**	
annotate ························ **038**	architecture ··········· 467, 572	
annotation ····················· **038**	area ········ 043, 068, 163, 188, 290, 424, 470, 472, 475, 491, 498, 582, 617, 714	attitude ·························· **491**
annual ························· 112		attract ············· 368, 426, 572
anonymous ···················· **039**		attractive ················ 318, 417
another ········· 011, 015, 020, 031, 043, 133, 185, 254, 261, 263, 335, 346, 364, 406, 409, 451, 489, 492, 605, 706, 711	arguable ························ **049**	attributable ···················· **060**
	arguably ························ **049**	attribute ························· **060**
	argue ····························· **050**	atypical ························· **673**
	argument ······················ **050**	auditory ························ 074
	argumentation ············· **050**	author ············ 017, 122, 566
	arise ······· 007, 134, 227, 332, 333, 341, 414, 501, 507, 511, 610	automatic ···················· 151
answer 動 ······ 108, 161, 495, 529, 530		automatically ·············· 234
		automatization ············ 120
answer 名 ····· 046, 108, 156, 227, 399, 405, 472, 487, 508, 527, 693	around ························ 466	autonomic ··················· 649
	arrange ·········· 030, 333, 462, 601, 647	autonomous ················ 101
		autonomy ············ 140, 322
answerable ················ 187	arrow ····························· **273**	auxiliary ······················ 526

available ········ 152, 226, 442
average ······················ **061**
avoid ·························· **676**
avoidable ··················· **676**
avoidance ··················· **676**
await ······················ 043, 114
aware ························· 393
awareness ··················· 489
axes ·························· 310
axiom ························· 266
axis ················ 310, 647, 704

B

bachelor ······················ 162
background ················· **062**
balance ················ 362, 403
barely ························ 682
barren ························ 134
barrier ························ 496
base ·························· **063**
based ························· **063**
baseline ······················ 602
basic ·························· **064**
basically ······················ **064**
basis ·························· **065**
bear ········ 085, 563, 573, 628
because ·········· 026, 068, 145,
258, 263, 320, 387,
393, 467, 470, 471,
495, 598, 609, 668
become ·········· 014, 029, 041,
074, 100, 141, 153,
226, 271, 320, 348,
377, 402, 444, 449,
454, 470, 492, 682
before ···················· 112, 214,
268, 513
begin ············ 460, 528, 621
beginning ······ 079, 192, 489,
509, 549, 614
behave ························ 497
behavior ········ 110, 156, 243,
543, 580
behind ······················ 539
being ······ 156, 225, 537, 551
believed ················ 082, 091

belong ············ 074, 083, 364
below ···· 060, 242, 254, 570,
585, 649, 650
benefit ············ 237, 308, 426
better ··················· 044, 386
between ·········· 024, 025, 033,
048, 068, 084, 093, 115,
132, 140, 141, 164, 165,
182, 183, 195, 199, 274,
360, 366, 413, 514, 535,
561, 611, 622, 701
beyond ············ 068, 084, 192,
503, 524, 595, 644
bibliography ················ **066**
bidirectional ················ 186
binary ························ 195
biological ···················· 018
biologically ················· 110
birthday ····················· 180
black ························· 310
blank ························ 530
blend ························ 384
bodily ························ 124
body ··············· 204, 219, 442,
606, 634, 691
bold ·························· **067**
boldface ····················· 304
book ······ 004, 015, 038, 054,
075, 124, 127, 187, 201,
211, 223, 283, 292, 350,
370, 461, 499, 503, 549,
553, 585, 601, 629
border ······················· 491
borrowed ··············· 105, 660
both ········ 256, 340, 503, 525
bottom ············ 090, 129,
279, 611
bound ················ **068**, 366
boundary ···················· **068**
bounds ······················· 068
brace ························ 706
bracket ······················ **069**
brief ·························· **070**
briefly ······················· **070**
bring ··················· 246, 471
broad ························ **714**

broaden ······················ **714**
broadly ······················ **714**
broken ······················· 273
broken-line ················· 273
brought ······················ 664
build ························· 088
bulk ·························· **071**
but ········ 013, 136, 368, 412,
449, 534, 685

C

calculate ············ 055, 495
calculation ·········· 235, 271
call ········ 031, 135, 159, 165,
212, 227, 228, 236,
281, 304, 376, 450,
529, 654, 658
candidate ···················· 108
cannot ··········· 002, 007, 016,
138, 169, 240, 301, 358,
544, 551, 558, 678
capable ······················ 521
capacity ············ 074, 219,
471, 648
capital ······················· **072**
capitalization ··············· **072**
capitalize ··················· **072**
capture ······················ **073**
care ····················· 237, 351
carefully ········ 408, 521, 598
carry ················ 089, 633, 674
case ······ 013, 048, 076, 122,
136, 157, 215, 246, 259,
271, 281, 313, 341, 393,
432, 475, 477, 495, 516,
542, 550, 570, 572, 617,
683, 684
cases ····· 071, 134, 206, 219,
232, 236, 238, 240, 242,
258, 259, 293, 340, 351,
405, 428, 430, 472, 511,
536, 565, 701
cast ·························· 201
categorical ·················· **074**
categorization ·············· **074**
categorize ··················· **074**

C

category ······························ **074**
causal ············ 145, 170, 450,
　　　　　　　　　　457, 561
causality ·························· 236
cause 動 ········ 033, 043, 117,
　　　　　　　　256, 430, 444
cause 名 ········ 187, 251, 253,
　　　　　260, 317, 349, 381,
　　　　　498, 560, 587, 693
caution ······························ 670
celebrated ············ 146, 532
Celsius ······························ 162
center ············ 213, 475, 611
central ······························ **075**
centrality ························ **075**
centrally ·························· **075**
century ···················· 408, 509
certain ············ 225, 255, 632
certainly ········ 049, 500, 516
cf. ·· 042
challenge ························ **076**
challenging ···················· **076**
change 動 ············ 123, 167,
　　　　　　　　　　219, 410
change 名 ······ 013, 022, 060,
　　　　　078, 129, 161, 186, 256,
　　　　　328, 362, 418, 430, 525,
　　　　　526, 559, 613, 621, 631
changing ················ 100, 123
chapter ·········· 019, 079, 103,
　　　　　108, 180, 189, 215, 223,
　　　　　224, 370, 379, 388, 427,
　　　　　　507, 565, 633, 638
characteristic ················ **077**
characteristically ········ **077**
characterization ·········· **077**
characterize ··················· **077**
choice ······························· 423
chosen ···················· 048, 534
circle ······················ 067, 396
circular ················· 064, 269
circulation ······················ 129
circumstance ················ **078**
citation ···························· **079**
cite ···································· **079**
civilization ······················ 453

claim ································· **080**
clarification ··················· **081**
clarify ······························ **081**
clarity ······························· **081**
class ································· 370
classic(al) ······················· **082**
classically ······················· **082**
classifiable ····················· **083**
classification ·················· **083**
classificatory ·················· **083**
classify ···························· **083**
clear ································· **084**
clear-cut ·························· **084**
clearly ······························ **084**
clinical ···················· 066, 112
close ································· **085**
closely ······························ **085**
clue ·································· **086**
co-presence ···················· 503
co-researcher ················· 572
coexist ····························· **246**
coexistence ···················· **246**
coexistent ······················· **246**
cogency ··························· **087**
cogent ······························ **087**
cogently ·························· **087**
cognition ······· 077, 106, 336,
　　　　　　　363, 561, 674
cognitive ······· 006, 040, 064,
　　　065, 125, 129, 140, 208,
　　　218, 250, 294, 313, 364,
　　　476, 482, 486, 493, 506,
　　　　　556, 609, 679
cognitively ······················ 542
coherence ······················· **088**
coherent ·························· **088**
coherently ······················ **088**
coincide ·························· **008**
coincidence ···················· **007**
coincident ······················ **008**
coincidental ··················· **007**
coincidentally ················ **007**
collaborate ····················· **089**
collaboration ················· **089**
collaborative ·················· **089**
collaboratively ··············· **089**

collaborator ···················· **089**
colleague ························ 023
collect ············ 129, 530, 534
collection ······················ 192
colloquium ····················· **112**
column ···························· **090**
combination ··················· 007
come ······ 006, 085, 200, 246,
　　　　314, 343, 519, 543
comment 動 ···················· 468
comment 名 ········ 012, 039,
　　　044, 126, 254, 259, 298,
　　　302, 315, 350, 373, 408,
　　　431, 468, 487, 696
commodity ····················· 591
common ·························· **091**
commonality ·················· **091**
commonly ······················· **091**
communication ······ 065, 213,
　　　259, 262, 369, 411,
　　　431, 471, 503, 667
compacted ······················ 703
comparable ···················· **092**
comparably ···················· **092**
comparative ··················· **093**
comparatively ··············· **093**
compare ·························· **093**
comparison ····················· **093**
compatibility ·················· **094**
compatible ····················· **094**
compelling ······················ **095**
competence ···················· 556
competing ······················ **096**
compilation ···················· 030
complementary ············· **097**
complete ························· **098**
completely ······················ **098**
completion ····················· **098**
complex ··························· **099**
complexity ······················ **099**
complexly ······················· **099**
complicate ······················ **100**
complicated ···················· **100**
complicatedly ················ **100**
complication ·················· **100**
component ····················· **101**

キーワード検索（英語）

compose ……………… **103**
comprehend ……… 287, 369
comprehension …… 125, 262, 451, 560
comprehensive ……………… **102**
comprehensively ………… **102**
compression ……………… 262
comprise ……………………… **103**
computational ……… 112, 271
computationally ………… 271
compute ……………………… 526
computer ……… 178, 473, 480
conceivable ……………… **104**
conceivably ………………… **104**
conceive ……………………… **104**
concentrate ……………… 180
concept ……………………… **105**
conception ………………… **105**
conceptual ………………… **105**
conceptualization ……… 075, 133, 136, 267, 438, 649, 709
conceptualize ……… 036, 183
conceptually ……………… **105**
concern ……………………… 106
concerned ………………… 106
concerning ………………… 106
concise ……………………… **107**
concisely …………………… **107**
conciseness ……………… **107**
conclude …………………… **108**
conclusion ………………… **108**
conclusive ………………… **108**
conclusively ……………… **108**
concrete …………………… 109
concretely ………………… 109
concreteness ……………… 109
condition …………………… **110**
conditional ………………… **110**
conditionally ……………… **110**
conditioned ……………… **110**
conduct ……………………… **111**
cone ………………………… 397
conference ………………… **112**
configuration ……………… 612
confine ……………………… **113**

confirm ……………………… **114**
confirmation ……………… **114**
conflict ……………………… **115**
conflicting ………………… **115**
conflictingly ……………… **115**
conform …………………… **116**
conformity ………………… **116**
confuse …………………… **117**
confusion ………………… **117**
conjecture ………………… **118**
connect …………………… **394**
connection ………………… **394**
consciousness …… 216, 232, 437, 468, 572
consensus ………………… **119**
consequence …………… **120**
consequent ……………… **120**
consequently …………… **120**
consider …………………… **547**
considerable …………… **121**
considerably …………… **121**
consideration …………… **547**
consist ……………………… **103**
consistency ……………… **122**
consistent ………………… **122**
consistently ……………… **122**
constant …………………… **123**
constantly ………………… **123**
constituency …………… **124**
constituent ……………… **124**
constitute ………………… **124**
constitution ……………… **124**
constitutive ……………… **124**
constitutively …………… **124**
constrain ………………… **125**
constraint ………………… **125**
construable ……………… **364**
construal ………………… **364**
construct ………………… **126**
construction ……………… **126**
constructive ……………… **126**
construe …………………… **364**
contain …………………… **103**
contemporary …… 285, 619
contend …………………… **080**
content …………………… **127**

contention ……………… **128**
contentious ……………… **128**
context ………016, 043, 065, 089, 148, 167, 177, 227, 231, 233, 234, 327, 342, 363, 386, 413, 535, 541, 611, 614, 618, 638, 714
contextual ……086, 240, 263, 364, 614
contextually ……………… 342
continue ………………… **129**
continuity ………………… **129**
continuous ……………… **129**
continuously ……………… **129**
continuum ……………… **129**
contradict ………………… **130**
contradiction …………… **130**
contradictory …………… **130**
contrary …………………… **131**
contrast …………………… **132**
contrastive ……………… **132**
contrastively …………… **132**
contribute ………………… **133**
contribution ……………… **133**
contributor ……………… **133**
control ……………… 179, 473
controversial …………… **134**
controversy ……………… **134**
convenience …………… **135**
convenient ……………… **135**
conveniently …………… **135**
convention …………… 181, 340, 415, 434
conventional ……… 374, 411
converse ………………… **136**
conversely ……………… **136**
convincing ……………… **137**
convincingly …………… **137**
cope ………………………… **138**
copied ……………………… 332
core ………………… 475, 611
corpora ………225, 257, 374
corpus …………038, 047, 103, 145, 153, 169, 222, 257, 275, 318, 534, 562, 603, 622, 623, 692

469

correct ·································· **139**	culture ············045, 122, 162, 359, 378, 471, 556, 618, 664	defect ································ **203**
correctly ······························ **139**		defective ·························· **203**
correlate ···························· **140**		defend ································ 128
correlation ························ **140**	cumulative ························ 049	defense ······························ 158
correspond ························ **141**	curly ···································· 069	definable ·························· **159**
correspondence ·············· **141**	current ································ **152**	define ·································· **159**
correspondingly ·············· **141**	currently ···························· **152**	definite ······························ **160**
corroborate ······················ **142**	curved ································ 273	definitely ···························· **160**
corroboration ··················· **142**	customarily ······················ **153**	definition ···························· **159**
corroborative ···················· **142**	customary ·························· **153**	definitive ···························· **161**
coterie ································ 585	cut ·················048, 084, 505, 592, 704	definitively ························ **161**
council ································ 296		degree ································ **162**
count ·································· 203		delete ·································· 449
counter ······························ **143**	cut-off ································ 048	delimit ································ **163**
counterargument ············ **144**		delimitation ······················ **163**
counterevidence ············ **145**	**D**	delineate ···························· **164**
counterexample ·············· **146**	danger ················232, 237, 459	delineation ························ **164**
counterintuitive ················ **371**	dashed ································ 273	demand ······························ 551
counterproductive ·········· 477	data ········004, 009, 034, 038, 060, 063, 085, 102, 110, 111, 169, 197, 198, 216, 219, 222, 241, 257, 264, 325, 331, 438, 442, 503, 526, 564, 603, 644, 646, 710	demarcate ·························· **165**
country ······················ 425, 561		demarcation ······················ **165**
course ················189, 232, 572		demerit ································ **416**
court ···································· 682		demonstrable ···················· **166**
cover ·············222, 278, 535, 713, 714		demonstrate ······················ **166**
		demonstration ···················· **166**
		denial ·································· **678**
covert ·································· 601	database ····················103, 332	denote ································ 583
covertly ································ 370	date ···································· 572	density ························375, 622
create ···············105, 434, 438	day ······································ 168	deny ···································· **678**
creative ······························ 566	deal ···································· **154**	department ························ **023**
creativity ····················· 180, 232, 284, 343	debatable ·························· **155**	departure ···························· 487
	debate ································ **155**	depend ································ **167**
credibility ···························· 179	decide ································ **156**	dependence ······················ **167**
criteria ································ **147**	decided ······························ **156**	dependent ·························· **167**
criterion ······························ **147**	decidedly ···························· **156**	depict ·························· 273, 593
critical ································ **148**	decimal ······························ 649	depiction ···························· 010
critically ······························ **148**	decision ······························ **156**	depth ·································· **168**
criticism ······························ **149**	decisive ······························ **157**	derivation ···························· **169**
criticize ································ **149**	decisively ···························· **157**	derivational ························ **169**
critique ······························ **150**	declaration ························ 335	derive ·································· **169**
crucial ································ **151**	decline ································ 409	describable ························ **170**
crucially ······························ **151**	decrease ··········375, 518, 603	describe ······························ **170**
cubic ·································· 225	dedicate ···························· **180**	description ························ **170**
cue ···································· **086**	deem ·································· **158**	descriptive ························ **170**
cultural ········009, 125, 129, 165, 284, 350, 469, 507, 514, 618, 698	deep ·································· 168	descriptively ······················ **170**
	deepen ································ 168	deserve ································ **171**
	deeply ································ 168	design ································ 248
culturally ·········411, 546, 697	default ································ 234	

D

designate ······················ **172**
designation ····················· **172**
desirable ························ **173**
despite ············024, 091, 123,
　　　　156, 200, 254, 332,
　　　　446, 555, 561, 613,
　　　　687, 692, 698
destroy ·························· 256
destruction ····················· 389
detail ···························· **174**
detailed ·························· **174**
detect ···························· **175**
detectable ······················ **175**
detection ······················· **175**
determinate ···················· **176**
determination ················· **177**
determine ······················ **177**
develop ··········089, 105, 251,
　　　　266, 312, 376
development ······ 133, 180,
　　　　249, 266, 318, 410,
　　　　415, 502, 507, 560,
　　　　617, 634, 643
developmental ······· 497, 510
deviate ·························· 533
deviation ··············· 411, 619
device ··························· **178**
devise ··························· **178**
devoid ··························· **179**
devote ··························· **180**
diachronic ····················· 102
diagram ························ **181**
diagrammatic ················· **181**
diagrammatically ············ **181**
dichotomous ·················· **182**
dichotomy ····················· **182**
dictionary ····················· 239
differ ···························· **183**
difference ······················ **183**
different ························ **183**
differentiate ·················· **184**
differentiation ················ **184**
differently ····················· **183**
difficult ··········043, 051, 120,
　　　　136, 219, 237, 259,
　　　　337, 369, 454, 492,
　　　　564, 566, 611, 683
difficulty ······················· 489
digital ··························· 178
dilemma ······················· 584
dimension ····················· **185**
dimensional ··················· **185**
direct ··························· **187**
direction ······················· **186**
directional ····················· **186**
directionality ·················· **186**
directly ························· **187**
disadvantage ·················· **020**
disagree ························ **025**
disagreement ················· **025**
discard ························· **381**
disciplinary ···················· **188**
discipline ······················· **188**
disclose ························ **677**
disconfirm ····················· **114**
discontinuity ·················· **129**
discontinuous ················· **129**
discontinuously ·············· **129**
discourse ······· 126, 445, 488,
　　　　499, 614
discover ·········007, 228, 438
discovery ·········007, 180, 373
discrepancy ··················· 531
discrete ························ 129
discuss ························· **189**
discussant ····················· **189**
discussion ····················· **189**
display ·························· **190**
disproof ························ **521**
disproportionate ············ **518**
disproportionately ·········· **518**
disprove ······················· **521**
dispute ························· **191**
disregard ······················ **559**
dissertation ··················· **192**
dissimilar ······················ **193**
dissimilarity ··················· **193**
dissociable ···················· **378**
dissociate ······················ **378**
dissociation ··················· **378**
distance ·········047, 123, 313,
　　　　375, 411, 495
distinct ························· **194**
distinction ····················· **195**
distinctive ····················· **195**
distinctively ··················· **195**
distinctly ······················ **194**
distinguish ···················· **196**
distinguishable ·············· **196**
distinguishing ··············· **196**
distort ·························· 341
distribute ······················ **197**
distribution ···················· **197**
distributional ················· **197**
distributionally ·············· **197**
diverse ························· **198**
diversely ······················· **198**
diversification ················ **198**
diversify ························ **198**
diversity ······················· **198**
divide ··························· **199**
divisible ························ **199**
division ························· **199**
doctor ·························· 162
doctoral ················· 098, 192
doctorate ····················· **162**
doctrinal ······················ **200**
doctrine ······················· **200**
document ······················ 246
domain ························ **543**
dominate ······················ 317
dotted ············· 141, 163, 273
double ···················181, 273,
　　　　337, 532
double-headed ·············· 273
doubt ·························· **201**
doubtful ······················· **201**
doubtless ······················ **201**
down ··························· 428
download ····················· 192
downward ···················· 273
draft ···························· **202**
drastic ·························· 531
draw ······033, 084, 093, 195,
　　　　199, 273, 334, 464
drawback ····················· **203**
drawn ·················· 108, 668
drop ···························· 547

dual **204**	elemental **210**	enumerate **224**
dualism **204**	elementary **210**	enumeration **224**
duality **204**	elsewhere **211**	environment 256, 429, 582, 643, 701
dub **205**	elucidate **212**	environmental 060, 112, 167
dubious **206**	elucidation **212**	epiphenomena **482**
dubiously **206**	emanate **213**	epiphenomenon **482**
due 033, 049, 125, 193, 234, 258, 260, 320, 386, 417, 507, 547, 608	embed 099, 550	epoch-making 669
	emerge **214**	equal **225**
during 248, 342, 499, 638, 692	emergence **214**	equality **225**
	emergent **214**	equally **225**
dwell **207**	emerging **214**	equate **225**
dynamic 345, 369, 570, 649	emeritus 572	equation **225**
	emphases **215**	equivalence **226**
dynamically 359	emphasis **215**	equivalent **226**
	emphasize **215**	equivalently **226**
E	empirical **216**	equivocal **227**
each 090, 097, 115, 124, 183, 184, 196, 288, 317, 426, 447, 462, 560, 573, 600, 648, 675	empirically **216**	equivocality **227**
	empiricism **216**	equivocally **227**
	employ **217**	erroneous **228**
	employment **217**	erroneously **228**
earlier 143, 192, 202, 414	encapsulate **218**	error **228**
	encapsulation **218**	eschew **676**
early 373, 543	enclose 532	especial **229**
earth 060, 222, 574	end 129, 192, 248, 259, 397	especially **229**
ease **541**		essay 638
easily **541**	endeavor 511	essence **230**
easy **541**	endnote **279**	essential **230**
economic 215, 225, 261	enhance 525, 564	essentially **230**
economical 282	enormous **219**	establish **231**
economy 031, 117, 205, 247, 508	enormously **219**	established **231**
	enough 368, 445, 497, 629	establishment **231**
edit 513		estimate **232**
editing 541	enquire **349**	estimation **232**
editor 039, 451	enquiry **349**	ethical 276, 302
effect **208**	ensue **220**	evaluate 016, 198, 220, 226, 260, 525
effective **208**	ensuing **220**	
effectively **208**	ensure **221**	evaluation 252, 632
effectiveness **208**	entire **222**	even 226, 320, 324, 327, 523, 617
effort 123, 342, 364, 571, 645	entirely **222**	
	entirety **222**	evenly 197
either 310	entitle **223**	event 481
elaborate **209**	entity 009, 058, 172, 234, 260, 272, 312, 317, 330, 343, 364, 396, 607, 685	ever 268
elaborately **209**		everyday 359, 480, 542
elaboration **209**	entrench 168	everything 478
element **210**	entry 380	

everywhere ················ 104
evidence ················· **145**
evident ·················· **233**
evidently ················ **233**
evocation ················ **234**
evoke ···················· **234**
evolution ················ 635
evolutionary ···023, 590, 702
exact ···················· **235**
exactly ·················· **235**
exaggerate ··············· 079
exaggeration ········ 559, 621
exaggerative ············· 656
examination ············· **236**
examine ················· **236**
example ················· **146**
exceed ·················· **237**
exceeding ··············· **237**
exceedingly ············· **237**
excellence ··············· 146
except ···········238, 279, 536
exception ··············· **238**
exceptional ············· **238**
exceptionally ··········· **238**
exceptionless ············ 490
excerpt ················· **239**
excessive ··············· **237**
excessively ············· **237**
exclude ················· **240**
exclusion ··············· **240**
exclusive ··············· **241**
exclusively ············· **241**
exemplary ··············· **242**
exemplification ········· **242**
exemplify ··············· **242**
exercise ················· 344
exert ··················· **243**
exertion ················ **243**
exhaustive ·············· **244**
exhaustively ············ **244**
exhibit ················· **245**
exist ··················· **246**
existence ··············· **246**
existing ················ **246**
expand ·················· **254**
expansion ··············· **254**

expatiate ··············· **247**
expatiation ············· **247**
expect ··················· 092
expectation ·············· 131
experience 動 ············ 610
experience 名 ······· 003, 068,
　109, 213, 254, 317,
　386, 428, 480, 535,
　542, 563, 574, 579
experiential ········ 065, 103
experientialism ·········· 150
experiment ·············· **248**
experimental ············ **248**
experimentally ·········· **248**
expert ·················· **249**
expertise ··············· **249**
explain ················· **250**
explainable ············· **250**
explanation ············· **250**
explanatory ············· **250**
explicate ··············· **251**
explication ············· **251**
explicit ················ **252**
explicitly ·············· **252**
explicitness ············ **252**
exploit ·················· 178
exploration ············· **253**
explore ················· **253**
exposition ········· 109, 541
expository ··············· 522
express ··········033, 044, 158,
　227, 299, 473, 549,
　610, 668, 674, 693
expression ·····044, 083, 109,
　111, 138, 194, 226, 227,
　275, 294, 299, 325, 374,
　380, 438, 466, 549, 582,
　610, 714
extend ·················· **254**
extension ··············· **254**
extensional ············· **254**
extensive ··············· **254**
extensively ············· **254**
extent ·················· **255**
exterior ················ **256**
external ················ **256**

externally ·············· **256**
extra ··············· 014, 342
extract ················· **257**
extraction ·············· **257**
extrapolate ············· **258**
extrapolation ··········· **258**
extreme ················· **259**
extremely ··············· **259**
extrinsic ··············· **260**
extrinsically ··········· **260**

F

face ················ 123, 542
facet ··················· **261**
facilitate ·············· **262**
facilitation ············ **262**
fact ·······009, 013, 052, 073,
　079, 087, 139, 142, 169,
　191, 231, 233, 258, 314,
　368, 414, 435, 444, 459,
　574, 628, 642, 678, 688,
　708
factor ·················· **263**
facts ···········008, 102, 231,
　314, 677
faculty ················· **023**
fail ····················· 138
failure ·················· 391
fair ···················· **264**
fairly ·················· **264**
fall ············074, 401, 473,
　704, 714
fallacious ·············· **265**
fallacy ················· **265**
false ············444, 501, 514
falsifiability ·········· **266**
falsifiable ············· **266**
falsification ··········· **266**
falsify ················· **266**
far ·········008, 030, 041, 084,
　106, 111, 127, 165, 195,
　244, 246, 274, 309, 328,
　519, 559, 644, 650
far-fetched ············· **267**
far-reaching ············ **268**
far-reachingly ·········· **268**

fashion	269	
fatal	228	
fault	156	
favor	270	
feasibility	271	
feasible	271	
feature	272	
featureless	272	
fellow	572	
few	014, 113, 238, 414, 562, 577	
field	004, 043, 093, 164, 188, 214, 344, 363, 404, 437	
figurative	223, 618	
figure	273	
fill	179, 530	
final	090, 156, 202, 481, 491, 521, 576	
finally	491	
financial	298	
find	274	
finding	274	
finite	275	
finitely	275	
finiteness	275	
first	047, 059, 072, 090, 110, 180, 202, 236, 351, 370, 372, 455, 462, 481, 502, 509, 521, 577, 579, 592, 608, 694, 702	
fission	573	
flaw	276	
flawed	276	
flawless	276	
fledged	287	
flexibility	121, 154, 337	
flexible	504, 697	
flow	429, 629	
focal	277	
foci	277	
focus	277	
follow	278	
follower	278	
following	278	
footnote	279	
force	179, 243, 366, 367, 561	
foregoing	280	
form 動	129, 185, 359, 405, 518, 633	
form 名	007, 055, 126, 140, 156, 172, 216, 219, 338, 360, 413, 445, 462	
formal	282	
formalism	068	
formalization	282	
formalize	282	
formally	282	
formation	105, 129, 243	
former	281	
formerly	281	
formula	282	
formulae	282	
formulate	282	
formulation	282	
forth	009	
forthcoming	283	
forum	112	
forward	050, 083, 144, 152, 278, 312	
found	007, 146, 183, 228, 274, 475, 541, 607, 656, 685	
foundation	284	
foundational	284	
foundry	521	
fourfold	672	
framework	285	
frequency	044, 052, 169, 254, 417, 556, 563, 664	
frequently	079, 518, 641, 692	
fruitful	286	
fulfill	147	
full	287	
full-fledged	287	
full-time	572	
fully	287	
fully-fledged	287	
function	288	
functional	288	
functionality	288	
functionally	288	
fund	289	
fundamental	290	
fundamentally	290	
further	291	
furthermore	291	
future	186, 188, 201, 349, 376, 492, 572, 600, 676, 716

G

gamut	292	
gap	428	
gather	712	
gender	183, 559, 617	
general	294	
generality	294	
generalization	293	
generalize	293	
generally	294	
generate	004, 275	
generic	412, 659	
genetic	346	
genre	214, 471	
geographically	085	
geometrical	647	
geometry	268, 590	
gesture	414	
give	100, 170, 258, 333, 460, 494, 495, 509, 612, 617, 645	
given	024, 042, 056, 069, 308, 469, 571, 578, 641, 643, 650	
glean	145, 187, 395	
glossary	295	
gloss	001	
go	014, 080, 299, 617, 644	
goal	011, 192, 417, 507, 675	
govern	064, 508	
gradual	480	
gradually	214

キーワード検索（英語）

graduate ················· **572**
graduation ·············· 665
gram ······················· 686
grammar ······· 015, 065, 077,
180, 415, 637
grammatical ········ 126, 148,
210, 381, 402, 668
grammatically ············ 006,
010, 334
grant ······················ **296**
graph ······················ 185
graphic ···················· 316
graphically ··············· 570
grasp ······················ **297**
grateful ··················· **298**
gratefully ················· **298**
gratitude ················· **299**
great ······ 004, 008, 011, 071,
087, 117, 149, 154, 168,
174, 207, 208, 324, 368,
390, 399, 400, 405, 416,
426, 458, 473, 495, 541,
606, 608, 629, 691, 692,
699
greater ················ 168, 255
greatly ··········· 183, 198, 701
ground ·········· 231, 266, 355,
544, 677
grounded ············· 514, 611
group ···· 074, 083, 114, 183,
304, 371, 378, 405, 437,
442, 471, 534, 658, 673
growing ··················· 546
growth ·········· 261, 634, 711
guarantee ················ **300**
guidance ·················· 249
guideline ······· 216, 426, 473

H

hand ······· 090, 273, 522, 650
handle ···················· **301**
haphazard ················ 482
happen ···················· 583
hard ··············141, 164, 347
hardly ············ 170, 492, 511,
523, 693

headed ···················· 273
healthy ···················· 155
heavily ············ 167, 552, 564
held ···················112, 580
helpful ···················· **302**
helpless ··················· **302**
hence ······················ **303**
henceforth ··············· **304**
here ······· 001, 009, 018, 021,
050, 071, 072, 080, 135,
151, 181, 189, 201, 217,
229, 274, 281, 303, 322,
324, 337, 377, 379, 386,
410, 433, 441, 443, 469,
479, 485, 489, 504, 511,
519, 522, 539, 560, 563,
570, 608, 624, 628, 640,
654, 660, 711, 715
hereafter ················· **304**
heterogeneous ··········· 417
hidden ···················· 309
hierarchic(al) ············ **305**
hierarchically ············ **305**
hierarchy ················· **305**
high ······· 093, 209, 461, 472,
518, 525, 562, 617, 685
high-quality ·············· 525
higher ············ 061, 162, 518,
606, 634, 653
higher-level ··············· 653
highlight ·················· **306**
highly ····················· **307**
hindsight ················· **308**
hint ························ **086**
historical ······ 045, 314, 376,
460, 480, 487, 572, 706
history ·········· 112, 126, 229,
303, 314, 370, 404, 469,
507, 585, 594, 612
hitherto ··················· **309**
hold ················· 136, 162
holistic ···················· 044
homogeneous ············ 364
honorary ·················· 162
horizontal ················ **310**
horizontally ·············· **310**

host ························ **311**
hour ······················· 237
how ········ 119, 225, 288, 670
however ··················· 108
huge ······················· **219**
hugely ····················· **219**
human ········· 040, 053, 063,
074, 077, 087, 105,
113, 284, 429, 471,
542, 677, 682
hyperbole ················· 135
hypotheses ··············· **312**
hypothesis ················ **312**
hypothesize ·············· **312**
hypothetical ············· **312**
hypothetically ··········· **312**

I

idea ······· 064, 094, 116, 143,
160, 218, 227, 240, 265,
381, 420, 446, 447, 453,
464, 523, 599, 607, 652,
679, 687
ideal ······················· 611
identical ·················· **313**
identically ················ **313**
identifiable ··············· **313**
identification ············ **313**
identify ··················· **313**
idiom ······················ 644
idiosyncratic ············· 197
if ············ 013, 139, 177, 250,
258, 281, 490, 492,
504, 695
ignorance ················· **314**
ignorant ·················· **314**
ignore ····················· **314**
ill-suited ·················· 643
illogical ··················· 147
illuminate ················ **315**
illuminating ·············· **315**
illumination ·············· **315**
illustrate ·················· **316**
illustration ··············· **316**
image ············ 140, 471, 551,
598, 673

imagination ·············· 393	379, 595, 599,	inextricably ············· 394
imitation ·············· 439, 569	601, 653	infeasible ················ **271**
immanence ················ 687	including ················· 540	infer ························ **342**
immanent ·········· 340, 352	incoherence ············ **329**	inferable ·················· **342**
immaterial ················ **410**	incoherent ··············· **329**	inference ·················· **342**
immediate ················ **317**	incoherently ············ **329**	inferential ················ **342**
immediately ············· **317**	incoming ·················· 329	inferentially ············· **342**
immense ··················· **318**	incomparable ·········· **330**	inferior ······················ 305
immensely ················ **318**	incomparably ·········· **330**	infinite ····················· **343**
immensity ················· **318**	incompatibility ········ **331**	infinitely ·················· **343**
impact ······················· **319**	incompatible ············ **331**	infiniteness ·············· 275
imperfect ·················· **320**	incomplete ··············· **332**	infinity ····················· **343**
imperfection ············ **320**	incompletely ··········· **332**	influence ·················· **344**
imperfectly ··············· **320**	incompleteness ······· **332**	influential ················ **344**
implausibility ·········· **321**	incompletion ··········· **332**	informal ··················· **282**
implausible ·············· **321**	inconclusive ············ **108**	informally ················ **282**
implicate ·················· **322**	inconsistency ·········· **333**	information ···010, 062, 069,
implication ·············· **322**	inconsistent ············· **333**	159, 174, 197, 219, 240,
implicature ··············· 275	inconsistently ·········· **333**	254, 320, 329, 334, 377,
implicit ····················· **323**	incorrect ·················· **334**	419, 438, 438, 461, 467,
implicitly ·················· **323**	incorrectly ··············· **334**	563, 564, 576, 579, 641,
imply ························ **322**	increase ······· 003, 129, 141,	650, 688, 699, 712
importance ··············· **324**	319, 391, 393, 409,	inherence ················· **345**
important ·················· **324**	518, 566, 613	inherent ···················· **345**
importantly ·············· **324**	indebted ···················· 168	inherently ················· **345**
impose ······················· 501	independence ·········· **335**	inherit ······················· **346**
impossibility ············· 707	independent ············· **335**	inheritable ················ **346**
impossible ················ **492**	independently ········· **335**	inheritance ··············· **346**
improper ··················· **516**	indescribable ·········· **170**	initial ······················· **347**
improperly ··············· **516**	indeterminate ·········· **176**	initially ····················· **347**
improve ·············· 606, 661	indicate ···················· **337**	innate ··················· 430, 678
improvement ············ 010	indication ················ **337**	inner ························· **362**
in-depth ··················· **336**	indicative ················ **337**	innovation ················ **348**
inaccuracy ················ **325**	indirect ····················· **338**	innovative ················ **348**
inaccurate ················· **325**	indirectly ·················· **338**	input ······· 256, 359, 578, 610
inaccurately ············· **325**	indispensable ·········· **339**	inquire ······················ **349**
inadequacy ··············· **326**	indissociable ············ **378**	inquiry ······················ **349**
inadequate ················ **326**	indistinguishable ········ **196**	inseparable ··············· **600**
inadequately ············ **326**	individual ················· **340**	insight ······················ **350**
inappropriate ··········· **327**	individualism ············ 657	insightful ·················· **350**
inappropriately ········ **327**	individually ············· **340**	insignificant ············· **606**
inappropriateness ······ **327**	indivisible ················ **199**	insofar ······················· 106
incessant ··················· 549	ineffective ················ **208**	inspect ······················ **351**
incidental ················· **328**	inequality ················· **225**	inspection ················· **351**
incidentally ·············· **328**	inevitable ················· **341**	instance ···················· **352**
include ········· 037, 295, 364,	inevitably ················· **341**	instantiate ················· **352**

キーワード検索（英語）

instantiation ········· **352**
instead ········· 056, 627, 676
institute ········· **023**
instructive ········· **353**
instrument ········· **354**
instrumental ········· **354**
insufficiency ········· **355**
insufficient ········· **355**
insufficiently ········· **355**
intact ········· **356**
integral ········· **357**
integrate ········· **358**
integration ········· **358**
intellectual ········· 415
intelligence ········· 337, 561, 572, 654
intensity ········· 518
interact ········· **359**
interaction ········· **359**
interactional ········· **359**
interactionally ········· **359**
interactive ········· **359**
interactively ········· **359**
interdisciplinary ········· **188**
interest ········· **368**
interesting ········· **368**
interestingly ········· **368**
interface ········· **360**
interior ········· **362**
intermediate ········· **361**
intermingle ········· 445
internal ········· **362**
internally ········· **362**
international ········· 030, 112, 192, 197, 382, 451, 468, 513
Internet ········· 257
interpersonal ········· 369, 403, 506
interplay ········· **363**
interpret ········· **364**
interpretable ········· **364**
interpretation ········· **364**
interpretative ········· **364**
interpretive ········· **364**
interval ········· **365**

interview ········· 510
interwoven ········· 100
intimate ········· **366**
intimately ········· **366**
intricate ········· **367**
intricately ········· **367**
intrigue ········· **368**
intriguing ········· **368**
intriguingly ········· **368**
intrinsic ········· **369**
intrinsically ········· **369**
introduce ········· **370**
introduction ········· **370**
introductory ········· **370**
introspection ········· 415
intuition ········· **371**
intuitive ········· **371**
intuitively ········· **371**
invalid ········· **372**
invalidate ········· **372**
invaluable ········· **373**
inventory ········· **374**
inverse ········· **375**
inversely ········· **375**
investigate ········· **376**
investigation ········· **376**
invisible ········· 450
invited ········· 133, 189
invocation ········· **234**
invoke ········· **234**
involve ········· 410, 468
irreducible ········· **551**
irrefutable ········· **558**
irregular ········· 201
irrelevance ········· **377**
irrelevant ········· **377**
irrespective ········· 379, 451
isolate ········· **378**
isolation ········· **378**
issue ········· **379**
italic ········· **380**
italicize ········· **380**
italics ········· 072, 380, 398
item ········· 067, 305, 351, 424, 450, 491, 534, 579, 596, 688

itself ········· 113, 215, 593

J

jettison ········· **381**
joint ········· **382**
jointly ········· **382**
journal ········· **383**
judged ········· 006, 008, 139, 441, 500, 564, 643
judgment ········· 063, 074, 160, 249, 632
just ········· 414
justice ········· **384**
justifiable ········· **384**
justifiably ········· **384**
justification ········· **384**
justify ········· **384**

K

keeping ········· 356
key ········· 093, 101, 125, 180, 412, 451, 503, 682
kilometer ········· 237
kind ········· 083, 124, 154, 225, 227, 228, 245, 358, 364, 375, 559, 569, 579, 617, 698
kinds ········· 204, 224, 249, 583, 700, 711
knowledge ········· 034, 055, 071, 072, 074, 168, 176, 198, 234, 249, 309, 332, 349, 426, 451, 488, 552, 590, 618, 649, 672, 714
known ········· 091, 152, 172, 181, 214, 259, 282, 320, 355, 387, 454, 654, 668, 688, 714

L

label ········· **385**
laboratory ········· 219
lack ········· **386**
lacking ········· **386**
landmark ········· 248
language ········· 013, 045, 053,

065, 086, 099, 121, 173, 183, 186, 198, 227, 235, 246, 294, 311, 322, 340, 363, 405, 407, 502, 561, 626, 677, 691, 700, 701
large......034, 091, 167, 255, 343, 405, 472, 488, 518, 542, 699
large-scale......................093
largely..............................**387**
last..................090, 576, 603
later..................................**388**
latest................................376
latter................................**281**
law..............008, 116, 231, 266, 590, 677
lay............................215, 626
layer..................................256
lead..................................**389**
leading............................**389**
learn..................................438
learning..........................262
least......037, 060, 156, 256, 260, 323, 325, 371, 411, 416, 437, 467, 470, 534, 564, 590, 624, 631, 632, 654, 663
leave..............033, 356, 409
lecture............................**112**
lecturer..........................**572**
left 動................032, 561, 618, 693
left 名形..........090, 273, 397, 427, 650
left-hand........090, 273, 650
leftmost..................090, 274
lend................312, 629, 645
length............................**390**
lengthy..........................**390**
less........007, 137, 206, 286, 312, 497, 505, 556, 658, 695
lesser..............................255
let............070, 139, 504, 547
letters..............023, 030, 072, 398, 466

level......003, 013, 023, 093, 104, 124, 158, 241, 246, 254, 281, 290, 305, 313, 361, 369, 417, 443, 451, 468, 546, 551, 574, 593, 597, 604, 611, 653, 668, 713
levels....003, 033, 117, 170, 183, 294, 303, 305, 313, 360, 396, 424, 437, 442, 560, 700
liable..............................266
lie....................................503, 595
lieu..................................210
life..................053, 349, 478, 480, 542, 543
light............229, 249, 379, 587, 705
like........012, 181, 269, 275, 468, 512, 631, 653
likelihood....................**391**
likely..................220, 364, 682
likewise........................**392**
limit................................**393**
limitation......................**393**
limited............028, 292, 392, 393, 475, 495, 595
line............................**186, 273**
linear..............................225
lines......067, 141, 163, 186, 237, 250, 273, 310, 607
linguistic........004, 034, 102, 125, 198, 214, 374, 454, 562, 572, 619, 636, 646, 649, 663, 685, 712
link..................................**394**
linkage..........................**394**
linked............085, 141, 187, 256, 366, 394, 462
list..................................**374**
literal..............................411
literary..................318, 663
literature......................**395**
little......006, 012, 025, 119, 122, 187, 201, 243, 267, 479, 521, 561, 563, 564,

606, 691
locate..............................**396**
location..........................**396**
logic..............008, 282, 303
logical............088, 122, 276, 333, 561
logically........037, 139, 558
logics............................116
long......008, 018, 083, 237, 238, 497, 668
longer............246, 300, 314, 406, 645, 690
look..................070, 085, 701
low............................472, 518
lower............................**397**
lowercase......................**398**
lowest............................305
lucid..............................**399**
lucidity..........................**399**
lucidly............................**399**

M

made............044, 177, 293, 493, 642, 672
magnitude....................**400**
main..............................**401**
mainly..........................**401**
mainstream..................**402**
maintain......................**403**
major............................**404**
majority......................**405**
make......035, 059, 084, 093, 133, 137, 156, 157, 165, 183, 195, 199, 233, 241, 252, 254, 342, 394, 404, 406, 414, 492, 497, 553, 566, 617, 642, 648, 682, 691, 696
making..................669, 676
manifest........................**406**
manifestation..............**406**
manifestly....................**406**
manifold......................**407**
manipulation..............242
manner........................**269**
manuscript..................**408**

many ····· 012, 023, 076, 115, 124, 134, 203, 210, 258, 278, 368, 373, 430, 484, 533, 560, 572, 599, 605, 689, 705
map ································ 610
mapping ················ 186, 708
margin ···························· **409**
marginal ························· **409**
marginally ····················· **409**
mark ············· 068, 195, 529, 532, 557
master ············ 162, 590, 665
material ·························· **410**
materially ······················ **410**
mathematical ······· 112, 282, 370, 622
mathematics ············ 023, 535
matter ············ 009, 016, 046, 094, 121, 135, 162, 168, 183, 219, 233, 364, 415, 506, 508, 542, 547, 580, 606, 632, 637
maxim ···························· 131
may ················ 009, 010, 013, 014, 104, 120, 130, 135, 228, 262, 266, 267, 315, 327, 328, 340, 346, 430, 440, 459, 497, 553, 556, 604, 633, 642, 691, 695, 716
mean ······························ **411**
meaning ·························· **411**
meaningful ···················· **411**
meaningless ·················· **411**
means ····························· **411**
measure ········ 215, 225, 325, 400, 427, 526, 686
mechanism ···················· **412**
mediate ·························· **413**
mediation ······················ **413**
mediative ······················· **413**
meet ················ 110, 147, 571, 619, 640
member ········ 023, 197, 409, 475, 573, 673
membership ········· 074, 163

memory ········· 111, 120, 180, 246, 352, 393, 451, 611
mental ············ 104, 122, 225, 242, 243, 254, 342, 412, 478, 543, 552, 570, 621
mention ·························· **414**
mere ································ **415**
merely ···························· **415**
merit ······························· **416**
metaphor ········ 053, 077, 088, 125, 133, 146, 438, 460, 505, 618, 688
metaphorical ········ 088, 100, 106, 111, 174, 336, 429, 471, 606, 628, 670, 700, 708, 717
metaphorically ············· 364
meter ······························ 686
method ·························· **417**
methodological ············ **417**
methodologically ········· **417**
methodology ················ **417**
metonymy ·············· 272, 352
middle ··········· 090, 190, 396
might ············· 031, 205, 264, 440, 459, 552
million ···························· 103
mind ····· 204, 393, 542, 621
mine ··········· 228, 380, 565
minor ····························· **418**
minority ························· **405**
minute 形 ················ 034, 526
minute 名 ············· 047, 061, 365, 503
mirror ····························· 187
misleading ····················· **419**
misprint ·························· 004
mistake ··························· **420**
mistaken ························ **420**
mistakenly ····················· **420**
misunderstand ············· **682**
misunderstanding ········ **682**
mode ······························ 170
model ············ 016, 019, 024, 074, 082, 084, 089, 092, 096, 126, 178, 185, 203,

209, 247, 250, 266, 271, 283, 327, 334, 376, 386, 433, 489, 503, 542, 590, 603, 608, 643, 653, 661, 684, 691, 694, 695, 707, 708
modeled ························· 185
models ············ 016, 037, 065, 115, 394, 461, 474, 492, 503, 509, 514, 516, 531, 556, 601, 607, 648, 653
modern ··················· 071, 401
modification ·················· **421**
modify ···························· **421**
modularity ····················· 558
module ··························· 335
month ···························· 365
more ······· 007, 010, 014, 037, 046, 085, 095, 100, 108, 139, 156, 158, 163, 168, 171, 174, 176, 206, 209, 235, 252, 269, 286, 290, 294, 320, 324, 327, 330, 336, 366, 428, 477, 495, 497, 514, 542, 564, 571, 579, 582, 609, 613, 630, 632, 636, 642, 695, 701, 714
moreover ······················· **291**
most ······· 025, 049, 126, 134, 189, 203, 208, 210, 258, 320, 324, 344, 354, 364, 433, 436, 470, 584
mostly ···························· **422**
motion ··········· 100, 175, 209, 349, 507, 534
motivate ························· **423**
motivation ····················· **423**
move ······ 186, 269, 310, 704
movement ············ 060, 125, 268, 618
much ············· 091, 155, 167, 299, 541, 571
multidimensional ········· 185
multidisciplinary ·········· **188**
multiple ·························· **424**

N

multiplicity **424**
multitude **425**
must 008, 017, 088, 177, 196, 215, 231, 306, 313, 340, 349, 381, 428, 430, 451, 509, 549, 575, 600, 624, 626, 630, 649, 713
mutual **426**
mutually **426**
my 044, 222, 299, 429, 580
mystery 575, 677

N

name 072, 440, 642
namely **427**
narrow **428**
narrowly **428**
national 023
native 646
natural **429**
naturally **429**
nature **429**
near 473
nearly 129, 390, 473, 492, 610, 661
necessarily **430**
necessary **430**
necessitate **430**
necessity **430**
need 動 014, 037, 081, 083, 102, 139, 142, 178, 196, 209, 243, 253, 291, 516, 555, 587, 592, 635, 694
need 名 012, 021, 037, 081, 141, 159, 209, 212, 384, 406, 547, 555, 572, 586, 603, 615, 635, 640, 666, 714
needed 084, 098, 147, 153, 160, 201, 221, 249, 335, 463, 542, 624, 686
negative 051, 447, 491, 498
neglect **431**

negligible **431**
neighboring 188
network 055, 181, 192, 234, 305, 346, 364, 438, 549
neutral 491, 540
new **438**
newly **438**
next 170, 189, 192, 513, 521, 662
non- 156
nonexistent **246**
nonphysical 098
norm 237
normal **432**
normally **432**
notable **433**
notably **433**
notation **434**
notational **434**
note 007, 014, 112, 151, 179, 229, 250, 328, 454, 479, 617, 641, 715
noteworthy **435**
nothing 201, 206, 571
notice **436**
noticeable **436**
notion **437**
notional **437**
notionally **437**
notwithstanding 226, 660
novel **438**
novelly **438**
novelty **438**
now 051, 134, 168, 231, 678
nowadays 381
number 034, 069, 074, 096, 111, 143, 199, 203, 219, 224, 264, 274, 275, 343, 393, 397, 462, 489, 518, 531, 562, 577, 582, 667, 697, 711
numbers 061, 103, 380, 445, 466, 542, 601, 706

numerical 282
numerically 606
numerous **439**

O

object **440**
objection **440**
objective **441**
objectively **441**
objectivism 246, 316, 440, 558, 565
objectivity **441**
obligatory 303
obscure **693**
obscurely **693**
obscurity **693**
observable **442**
observation **442**
observational **442**
observe **442**
obtain **443**
obtainable **443**
obvious **444**
obviously **444**
occasion 046, 180, 469, 560, 691
occasionally 149
occupy 255, 361, 396, 491
occur 004, 013, 089, 129, 250, 332, 347, 429, 461, 482, 498, 549, 550, 601, 610, 614, 656
occurrence 195
odd **445**
oddly **445**
oddness **445**
offer 009, 144, 150, 250, 287, 336, 350, 417, 460, 592, 616, 645, 706
often 062, 079, 093, 217, 329, 420, 431, 442, 446, 532, 587, 682
often-neglected 431
often-quoted 532
old 408

キーワード検索（英語）

omissible ··················· **446**
omission ··················· **446**
omit ························ **446**
one ······· 010, 020, 026, 053, 054, 060, 073, 077, 104, 167, 196, 203, 227, 259, 261, 335, 389, 393, 436, 471, 472, 483, 502, 518, 519, 541, 561, 571, 585, 629, 647, 657, 665, 690, 708
one-dimensional ············ 185
one-to-one ················· 561
ongoing ··················· 155
only ······· 031, 086, 103, 104, 154, 170, 172, 238, 338, 411, 434, 449, 467, 472, 482, 491, 502, 549, 564, 579, 615, 656
onto ······················· 610
open ··············· 155, 159, 191, 492, 644
opening ··················· 192
operate ················ 409, 516
operation ······· 064, 083, 105, 136, 159, 364, 384, 413, 432, 474, 501, 580, 601, 608, 610, 643, 674
opinion ··················· 249
opponent ··················· **447**
opportunity ················ 286
oppose ···················· **447**
opposite ··················· **448**
opposition ················· **447**
optimal ···················· 300
optimality ················· 135
optimize ··················· 198
option ····················· **449**
optional ··················· **449**
optionally ················· **449**
oral ······················· 503
order ········ 011, 015, 016, 030, 048, 051, 108, 138, 177, 195, 221, 240, 262, 287, 297, 322, 374, 375, 491, 503, 525, 534, 547, 568,

601, 602, 677, 694
ordering ··················· 030
ordinarily ·················· **450**
ordinary ··················· **450**
organic ················ 075, 091
organization ··············· **451**
organizational ············· **451**
organize ··················· **451**
organizer ·················· **451**
origin ····················· **452**
original ··················· **452**
originality ················· **452**
originally ·················· **452**
originate ·················· **453**
origination ················ **453**
originative ················· **453**
orthodox ··················· 617
other ······· 023, 036, 043, 054, 064, 078, 097, 101, 122, 124, 133, 138, 183, 188, 196, 225, 258, 259, 263, 269, 274, 317, 345, 363, 405, 426, 430, 437, 447, 482, 492, 517, 560, 561, 563, 572, 577, 607, 620, 631, 648, 662, 675, 689, 692, 705
otherwise ·················· **454**
our ········· 044, 074, 168, 222, 299, 371, 480, 580, 603, 682
out ········· 089, 108, 139, 161, 169, 171, 185, 265, 279, 326, 328, 384, 487, 547, 554, 562, 585, 605, 612, 633, 640, 674, 683, 715, 716
outcome ··················· **455**
outer ······················ **256**
outline ··············· 107, 379, 589, 714
outlook ··············· 572, 663
output ····················· 578
outset ····················· **456**
outside ··············· 175, 396, 491, 543

over ······· 020, 270, 281, 293, 472, 494, 509, 535, 603
overall ···················· **457**
overemphasize ············· **215**
overestimate ··············· **232**
overestimation ············· **232**
overlap ···················· **458**
overlook ··················· **459**
override ········· 080, 561, 629
oversight ·················· **459**
oversimplify ··············· **608**
overstate ·················· **621**
overstatement ············· **621**
overt ······················ 412
overtly ···················· 542
overview ··················· **460**
overwhelm ················· **461**
overwhelming ·············· **461**
overwhelmingly ············ **461**
owe ·················· 229, 299
owing ····················· 674
own ················ 222, 429, 580

P

page ············· 066, 237, 279, 295, 380
paid ················· 154, 468
pair ······················· **462**
pairing ···················· **462**
pairwise ··················· **462**
paper ····················· **192**
paradigm ·················· **463**
paradigmatic ··············· **463**
paradox ················ 575, 615
paragraph ······· 239, 390, 638
parallel ···················· **464**
parallelism ················· **464**
parameter ··········· 246, 446, 449, 695
paraphrasable ·············· **465**
paraphrase ················· **465**
parentheses ················ **466**
parenthesis ················ **466**
parenthesize ··············· **466**
parenthetically ············· **466**
part ······················· **470**

481

part-time ……………………… 572	238, 600	plagiarism ……………………… 652
partial ……………………… **467**	peripheral ……………………… **475**	plausibility ……………………… **486**
partially ……………………… **467**	periphery ……………………… **475**	plausible ……………………… **486**
participant ……………………… **468**	permissible ……………………… 393	play …… 075, 148, 151, 157,
participate ……………………… **468**	permit ………… 238, 257, 314	262, 290, 324, 404,
participation ……………………… **468**	perpendicular ……………………… **704**	507, 664, 709
particular ……………………… **469**	person ……………………… 701	poetics ……………………… 669
particularity ……………………… **469**	personal ……………………… 480	point ……………………… **487**
particularly ……………………… **469**	personification …… 004, 013,	pointless ……………………… **487**
partly ……………………… **470**	074, 278, 352, 364,	polarity ……………………… 105
passage ……………………… 532	393, 628, 673	polysemous ………… 607, 670
past ……… 008, 229, 600, 677	perspective ……………………… **476**	polysemy ………… 159, 214,
path …… 222, 255, 618, 704	persuasion ……………………… **477**	421, 505
pattern ………… 041, 055, 091,	persuasive ……………………… **477**	poor ……………………… 342, 428
105, 109, 122, 129, 134,	persuasively ……………………… **477**	poorly ……………………… 174
172, 195, 197, 231, 232,	pertain ……………………… **478**	popular ……………………… 219
245, 250, 262, 352, 442,	pertinent ……………………… **479**	portion ……………………… **488**
448, 469, 480, 490, 496,	pervade ……………………… 480	portray ………… 195, 495, 611
497, 542, 546, 549, 556,	pervasion ……………………… 480	portrayal ……………………… 471
571, 573, 574, 579, 598,	pervasive ……………………… 480	pose ……………………… **489**
601, 607, 667, 673, 717	pervasively ……………………… 480	posit ……………………… **490**
patterns ………… 008, 074, 175,	pervasiveness ……………………… 480	position ……………………… **491**
213, 224, 257, 258, 274,	phase ……………………… **481**	positive ………… 156, 447, 491
313, 334, 342, 346, 364,	phenomena ……………………… **482**	positivism ……………………… 654
368, 411, 418, 425, 498,	phenomenon ……………………… **482**	possibility ……………………… **492**
510, 549, 593, 687	philosopher ……… 344, 368	possible ……………………… **492**
pay ……………………… 452, 617	philosophical …… 200, 212,	postulate ……………………… **493**
peculiar ……………………… **471**	349, 420, 480,	postulation ……………………… **493**
peculiarity ……………………… **471**	491, 523, 606	potentially ……………………… 115
peer ……………………… 585	philosophy …… 037, 105, 162,	power …… 126, 213, 229,
peer-reviewed ……………………… 585	229, 559, 594,	234, 238, 250,
per ……………………… 237	657, 668	386, 461
perceivable ……………………… 541	physical ………… 254, 440	powerful …… 219, 282,
perceive ……………………… 317	picture ……………………… 457	354, 412
percent ……………………… **472**	piecemeal ……………………… 269	practical ………… 043, 269,
percentage ……………………… **472**	pilot ……………………… 572, 583	354, 522
perception ……………………… 033	pinpoint ……………………… **487**	practically ………… 246, 676
perceptual ……………………… 040	pioneer ……………………… **483**	practice ………… 274, 511
perfect ……………………… **473**	pioneering ……………………… **483**	precede ……………………… **494**
perfection ……………………… **473**	pitfall ……………………… **484**	precedence ……………………… **494**
perfectly ……………………… **473**	pivot ……………………… **485**	preceding ……………………… **494**
perform ……………………… **474**	pivotal ……………………… **485**	precise ……………………… **495**
performance ……………………… **474**	pivotally ……………………… **485**	precisely ……………………… **495**
perhaps ………… 007, 323, 324,	place …… 075, 199, 215, 310,	precision ……………………… **495**
341, 368, 675	396, 491, 509, 626,	preclude ……………………… **496**
period ……………………… 077, 222,	668, 704	preclusion ……………………… **496**

キーワード検索（英語）

preclusive ·············· **496**
precondition ············ **501**
predict ················ **497**
predictability ········ 002, 055
predictable ············· **497**
predictably ············· **497**
prediction ·············· **497**
predominance ············ **498**
predominant ············· **498**
predominantly ··········· **498**
preface ················· **499**
prefer ··············· 281, 347
preferable ·············· **173**
preferably ·············· 691
preliminary ············· **499**
premature ··············· **500**
prematurely ············· **500**
premise ················· **501**
prepare ················ 617
prerequisite ············ **502**
presence ················ **503**
present ················· **503**
present-day ············· 168
presentation ············ **503**
presently ··············· **503**
preserved ··············· 517
press ·················· 023
pressure ············ 243, 452
presumably ·············· **258**
presume ················· **258**
presumption ············· **258**
presuppose ·············· **504**
presupposition ·········· **504**
prevailing ·············· **480**
prevent ············· 117, 682
previous ················ **505**
previously ·············· **505**
primarily ··············· **506**
primary ················· **506**
prime ··················· 106
principal ··············· **507**
principally ············· **507**
principle ··············· **508**
principled ·············· **508**
prior ··················· **509**
priority ················ **509**

private ················ 023
probably ··············· 011
probe ·················· **510**
problem ················ **511**
problematic ············· **511**
problematization ········ **511**
problematize ············ **511**
procedural ·············· **512**
procedure ··············· **512**
proceed ················· **513**
proceeding ·············· **513**
process 動 ·············· 610
process 名 ······ 037, 044, 060,
    083, 089, 104, 105, 126,
    129, 169, 172, 215, 220,
    242, 251, 287, 293, 323,
    344, 358, 455, 468, 497,
    548, 550, 593, 597, 610,
    687, 692, 709
processed ······ 029, 102, 129,
    208, 327, 550
processes ······· 070, 073, 093,
    100, 124, 129, 225, 232,
    244, 253, 254, 277, 342,
    426, 453, 478, 502, 549,
    556, 600, 608, 618, 659,
    670, 699, 700, 711
processing ····· 100, 173, 232,
    250, 262, 359, 464, 512,
    571, 601, 609, 621, 633
produce ············ 359, 438,
    445, 552
production ········· 395, 499
productively ············ 307
productivity ········ 140, 343
professor ··············· **572**
profiled ················ 432
profound ················ **514**
profoundly ·············· **514**
profundity ·············· **514**
profusion ··············· **515**
program ········ 076, 100, 296,
    550, 635
progress ················ 572
project 動 ·········· 310, 598
project 名 ·········· 089, 188,

    271, 348
projection ·············· 598
prominent ··········· 187, 630
prompt ·················· 542
pronunciation ······· 091, 228
proof ··················· **521**
proofread ··············· **521**
proofreading ············ **521**
propensity ·············· 540
proper ·················· **516**
properly ················ **516**
property ················ **517**
proponent ··············· **519**
proportion ·············· **518**
proportional ············ **518**
proportionality ········· **518**
proportionally ·········· **518**
proportionate ··········· **518**
proportionately ········· **518**
proposal ················ **519**
propose ················· **519**
proposition ············· **519**
propound ················ **520**
prospect ················ 663
protect ················· 565
prototypical ············ 156
prove ··················· **521**
provide ········ 014, 033, 046,
    065, 086, 088, 098, 102,
    144, 145, 242, 244, 250,
    287, 315, 350, 460, 461,
    539, 592, 635, 645, 666,
    684
provided ··········· 069, 508
providing ·············· 145
provisionally ··········· 659
psychological ······· 248, 250,
    292, 395, 540, 542,
    643, 666, 687, 695
psychologically ········· 046,
    321, 542
public ·················· 617
publication ············· **503**
publish ················· **503**
purely ················ 170, 317
purpose ················· **522**

P Q R

pursue ·· **523**
pursuit ··· **523**
purview ·· **524**
push ·· 062
put ········ 009, 050, 083, 084,
　107, 141, 144, 152, 183,
　215, 278, 312, 509, 609,
　　　　　613, 626, 639

Q

quadratic ·· 225
qualitative ···································· **525**
qualitatively ································· **525**
quality ·· **525**
quantification ······························· 313
quantitative ································· **526**
quantitatively ······························ **526**
quantity ··· **526**
quarterly ·· 503
quaternary ··································· **597**
query ·· **527**
quest ·· **528**
question ·· **529**
questionable ································ **529**
questionnaire ······························ **530**
quickly ································ 254, 271
quite ··· **531**
quotation ······································ **532**
quote ··· **532**

R

radical ·· **533**
radically ······································· **533**
raise ··· **489**
random ·· **534**
randomize ···································· **534**
randomly ······································ **534**
range ·· **535**
rapid ·· 381
rare ··· **536**
rarity ·· **536**
rate ·············· 018, 175, 241,
　　　　　　446, 634, 711
rather ··· **537**
rating ··· 685
ratio ··· **538**

rationale ·· **539**
rationalism ····································· 216
reach ································· 108, 597
react ··· **540**
reaction ··· **540**
read ················· 100, 521, 541
readability ···································· **591**
readable ······················ 291, 531
readers ·························· 461, 472
readily ··· **541**
reading ······················ 234, 411,
　　　　　　　　445, 565
real ·· **542**
realism ··············· 205, 329, 514
realistic ··· **542**
realistically ································· **542**
reality ·· **542**
realization ···································· **542**
realize ··· **542**
really ··· **542**
realm ··· **543**
reanalyses ···································· **037**
reanalysis ····································· **037**
reanalyze ······································ **037**
reason ··· **544**
reasonable ··································· **544**
reasonably ··································· **544**
recall ··· **545**
received ·················· 006, 035,
　　　　　　　　149, 641
recent ···· 219, 223, 227, 242,
　264, 274, 474, 503, 572,
　582, 585, 613, 642, 646,
　　　　　　663, 669, 703
recently ············ 155, 192, 562
recognition ································· **546**
recognizable ······························· **546**
recognize ····································· **546**
recommend ····· 281, 370, 594
reconsider ···································· **547**
reconsideration ·························· **547**
reconstruct ································· **126**
reconstruction ··························· **126**
record ······················ 010, 320,
　　　　　　　　332, 438
recording ······························· 178

recourse ······································· **548**
recur ·· **549**
recurrence ··································· **549**
recurrent ····································· **549**
recurrently ·································· **549**
recurring ····································· **549**
recursion ····································· **550**
recursive ······································ **550**
recursively ·································· **550**
red ·· 067
redefine ·· **159**
redefinition ································· **159**
reduce ··· **551**
reducible ······································ **551**
reduction ······································ **551**
reductive ······································ **551**
redundancy ································· **552**
redundant ···································· **552**
redundantly ································ **552**
reevaluate ······································ 455
reexamination ···························· **236**
reexamine ···································· **236**
refer ·· **553**
referee ··· **554**
reference ······································ **553**
refine ·· **555**
refinement ··································· **555**
reflect ··· **556**
reflection ····································· **556**
reflective ······································ **556**
reflex ··· 110
refrain ··· **557**
refuse ··· 161
refutable ······································ **558**
refutation ···································· **558**
refute ·· **558**
regard ··· **559**
regarding ····································· **559**
regardless ··································· **559**
regards ·· 559
region ····························· 163, 256,
　　　　　　　　396, 667
regular ····························· 365, 566
regularity ····································· 622
reinforce ·· 598
reject ··············· 098, 182, 519,

キーワード検索（英語）

	657, 687	
rejection	034	
relate	**560**	
related	**560**	
relatedness	**560**	
relation	**561**	
relationship	**561**	
relative	**562**	
relatively	**562**	
relativism	527	
relativity	**562**	
relevance	**563**	
relevant	**563**	
reliability	**564**	
reliable	**564**	
reliance	237	
rely	**564**	
remain	**565**	
remainder	**565**	
remaining	**565**	
remark	**566**	
remarkable	**566**	
remarkably	**566**	
reminiscent	**567**	
remnant	**565**	
remove	008	
render	208	
renowned	572	
reorganization	**451**	
reorganize	**451**	
repeat	235, 274, 343	
repeatedly	051, 149, 442	
repercussion	**568**	
repetition	006, 237, 352, 411, 676	
rephrase	**569**	
replace	266	
report	237, 274, 572, 583, 654, 656	
represent	**570**	
representation	**570**	
representative	**570**	
require	**571**	
requirement	**571**	
requisite	**502**	
research	**572**	
researcher	**572**	
resemblance	**573**	
resemble	**573**	
reside	**574**	
residual	**565**	
resolution	**575**	
resolvable	**575**	
resolve	**575**	
resort	**576**	
resource	275, 318, 373, 692	
respect	**577**	
respective	**578**	
respectively	**578**	
respond	**579**	
respondent	**579**	
response	**579**	
responsibility	**580**	
responsible	**580**	
rest	**581**	
restrict	**582**	
restriction	**582**	
restrictive	**582**	
restructure	649	
result	**583**	
resultant	**583**	
retain	077	
retest	231	
rethink	**587**	
rethinking	037, 571, 587	
rethought	587	
return	317, 388	
reveal	**584**	
revealing	**584**	
revealingly	**584**	
reverse	030	
review	**585**	
reviewer	**585**	
revise	**586**	
revision	**586**	
revisit	**587**	
rhetoric	082, 477	
rich	428	
rift	168	
right	087, 090, 106, 273, 397, 427, 687, 706	
right-hand	090, 273	
rightmost	090, 210	
rigid	**588**	
rigidity	**588**	
rigidly	**588**	
ripe	236	
rise	100, 258, 333	
risk	608	
robust	114	
role	070, 075, 081, 148, 151, 157, 189, 204, 262, 290, 322, 324, 404, 413, 471, 476, 485, 507, 587, 664, 677, 709	
roles	164, 578	
Roman	030	
rotate	237	
rough	**589**	
roughly	**589**	
round	069, 521	
row	**090**	
rudiment	**590**	
rudimentarily	**590**	
rudimentary	**590**	
rule 動	161, 169, 185,
rule 名	072, 107, 110, 169, 282, 304, 334, 342, 364, 438, 449, 496, 509, 512, 588, 618, 627, 651, 694
run	143, 292	

S

safe	108, 544	
said	037, 411	
sake	**591**	
salient	092, 210, 469	
same	007, 023, 034, 040, 043, 047, 064, 110, 127, 162, 172, 186, 190, 223, 230, 234, 235, 255, 269, 322, 337, 352, 396, 411, 450, 495, 497, 538, 544, 565, 566, 589, 589, 634, 696, 707, 714	
sample	037	

485

sampling··············534
satisfactorily··············**592**
satisfactory··············**592**
satisfy··············**592**
satisfying··············**592**
say······010, 264, 334, 419, 544, 640, 652, 695
scalar··············437
scale··············003, 109, 129, 185, 259, 397
scarcity··············146
scenario··············234
scene··············234
schema··············293, 451, 679
schematic··············**593**
schematically··············**593**
schematization··············**593**
schematize··············**593**
scholar··············**572**
school··············278, 572
science··············**594**
scientific··············**594**
scientifically··············**594**
scientist··············**594**
scope··············**595**
screen··············190
scrutinize··············**596**
scrutiny··············**596**
search··············564
second··············008, 090, 112, 248, 276, 481, 521
secondarily··············169
secondary··············**597**
section··············015, 079, 108, 170, 180, 220, 223, 251, 278, 370, 390, 414, 441, 451, 489, 494, 499, 501, 505, 513, 521, 560, 565, 578, 581, 633, 670
see······001, 042, 050, 174, 189, 209, 229, 254, 273, 279, 280, 283, 287, 374, 650
seem······004, 006, 029, 114, 118, 119, 135, 155, 173, 179, 233, 267, 286, 303, 321, 328, 409, 430, 445, 449, 492, 516, 544, 621, 643, 676, 678
seen······046, 059, 097, 130, 145, 153, 203, 308, 337, 430, 502, 556, 566, 686
segment··············225, 704
select··············**598**
selection··············**598**
selective··············**598**
selectively··············**598**
self······013, 158, 233, 453
self-evident··············**233**
self-originated··············453
semantic······022, 048, 070, 127, 179, 225, 282, 284, 294, 315, 473, 506, 528, 659, 664, 671, 679, 698
semantically······088, 329, 673
seminal··············**599**
sense······058, 097, 179, 204, 280, 293, 330, 428, 448, 475, 495, 514, 526, 542, 627, 647, 675, 696, 714
separable··············**600**
separate··············**600**
separately··············**600**
separation··············**600**
serial··············**601**
serially··············**601**
series··············**601**
serious··············120, 489, 568
seriously··············203
serve··············**602**
set··············097, 588, 619
several······020, 033, 079, 315, 479, 502, 503, 584, 711
shape··············100, 157, 345, 668, 713
share··············040, 060, 077, 277, 282
sharp··············**603**
sharpen··············**603**
sharply··············**603**
shed··············315, 379
shift··············**604**
short······365, 370, 473, 518
short-term··············111
short-time··············111
shortcoming··············**605**
should··············014, 033, 117, 142, 168, 215, 232, 236, 240, 252, 314, 328, 376, 381, 421, 431, 436, 451, 459, 487, 499, 547, 569, 576, 586, 596, 600, 609, 617, 626, 705
show··············**337**
side······256, 273, 362, 397
sign··············006
significance··············**606**
significant··············**606**
significantly··············**606**
similar··············**607**
similarity··············**607**
similarly··············**607**
simple··············**609**
simplicity··············**608**
simplification··············**608**
simplify··············**608**
simplistic··············**608**
simply··············**609**
simulation··············513
simultaneity··············**610**
simultaneous··············**610**
simultaneously··············**610**
since··············214
sincere··············299
single··············684
singular··············452
singularity··············060
situate··············**611**
situation··············**611**
situational··············**611**
situationally··············**611**
size······167, 219, 225, 362, 431, 518, 562
sized··············225
skepticism··············237
sketch··············**612**
sketchy··············**612**

slight ················· **613**	speaking ······· 037, 109, 282, 288, 294, 441, 466, 516, 589, 594, 627, 654, 714	statistics ····················· **622**
slightly ················ **613**		stem ················· **623**
slot ············ 370, 393		step ············· 169, 430
slowly ················ 237	special ···················· **617**	still ······· 011, 084, 219, 227, 326, 332, 355, 405, 592, 618
small ····· 034, 072, 074, 093, 103, 232, 250, 282, 343, 405, 472, 562	specialist ···················· **617**	
	specialization ··············· **617**	
	specialize ···················· **617**	stimuli ············· 033, 256, 540, 648
smoothly ················ 513	specially ···················· **617**	
so ········ 008, 041, 106, 111, 165, 233, 274, 436, 444, 519, 541, 557, 558, 625, 644, 650	specialty ···················· **617**	stimulus ··········· 540, 567, 579, 629
	species ···················· 515	
	specific ···················· **618**	stipulate ···················· **624**
	specifically ···················· **618**	stipulation ···················· **624**
so-called ···················· 165	specification ···················· **618**	store ············ 074, 333, 415, 550, 552
social ····· 025, 053, 060, 185, 193, 263, 290, 294, 319, 324, 344, 363, 379, 404, 421, 478, 482, 543, 560, 563, 568, 580, 594, 619, 651, 657, 663, 696	specificity ···················· **618**	
	specify ···················· **618**	story ············ 332, 643, 667
	specimen ···················· 242	straightforward ············· **625**
	spectrum ········ 222, 395, 713	straightforwardly ·········· **625**
	speculatively ···················· 028	strange ···················· **445**
	speed ···················· 237	strangely ···················· **445**
	spirit ···················· 376	strangeness ···················· **445**
socially ···················· 110	spite ······ 020, 080, 150, 203, 225, 325, 329, 440, 459, 480, 496, 630	strategy ········ 208, 266, 676, 679, 684
society ···················· **112**		
sole ···················· **614**		strength ···················· **629**
solely ···················· **614**		strengthen ···················· **629**
solid ···················· 273	split ···················· 074	stress ···················· **626**
solution ···················· **615**	spoken ············ 407, 428	strict ···················· **627**
solvable ···················· **615**	square ···················· 069	strictly ···················· **627**
solve ···················· **615**	squiggly ···················· 273	strictness ···················· **627**
some ····· 010, 041, 060, 087, 146, 162, 206, 238, 255, 319, 352, 396, 418, 447, 459, 507, 511, 563, 709	stability ···················· 630	striking ···················· **628**
	stable ·········· 504, 562, 611	strikingly ···················· **628**
	stage ····· 124, 199, 312, 361, 373, 388, 499, 506, 521, 597, 691	strong ···················· **629**
		strongly ···················· **629**
someone ···················· 521		structural ···················· **630**
sometimes ············ 170, 176, 274, 327	stance ···················· **491**	structuralism ···················· 662
	stand ········ 132, 326, 384, 447, 465	structurally ···················· **630**
somewhat ···················· **616**		structure ···················· **630**
sort ······· 030, 077, 125, 288, 325, 607, 693	standard ···················· **619**	student ·········· 023, 187, 491, 518, 540, 572
	standardly ···················· **619**	
sound ············ 525, 684	standpoint ···················· **620**	study ···················· **572**
source ········· 005, 117, 329, 438, 576	stark ···················· 132	style ············ 005, 219
	starkly ···················· 132	subcategory ·········· 164, 415
space ···· 210, 256, 312, 386, 393, 396, 495, 544, 547, 582, 598, 707	starting ···················· 602	subdivision ···················· 199
	state ···················· **621**	subdomain ···················· 543
	statement ···················· **621**	subject ···················· **631**
spatial ········ 083, 105, 106, 170, 208, 317, 428, 498, 561, 593	static ············ 122, 230	subjectification ···················· 313
	statistical ···················· **622**	subjective ···················· **632**
	statistically ···················· **622**	

subjectively ·················· **632**	supposedly ············ 146, 177	technical ························ **654**
subjectivism ···246, 384, 496	supposition ················· **504**	technically ····················· **654**
subjectivity ···················· **632**	suppress ······················ 656	technique ············· 018, 181, 575, 699
subsection ······················ 505	surface ············ 222, 256, 362	technology ····023, 473, 491, 513, 691
subsequent ····················· **633**	surmise ························· **258**	temperature ············ 375, 411
subsequently ·················· **633**	surprising ······· 226, 303, 455	template ·························· **655**
substance ·······246, 272, 369, 450, 518, 600, 641	surprisingly ·········· 045, 253	temporal ········· 033, 196, 226, 236, 336, 364, 365, 494, 498, 502
substantial ······················ **634**	surrounding ····················· 701	
substantially ··················· **634**	survey ····························· **646**	
substantiate ····················· **635**	susceptible ······················ 521	temporality ······················ 502
substantiation ·················· **635**	sweeping ························ 557	temporally ······················ 033
substantive ······················ **636**	symmetric(al) ·················· **647**	tenable ·····························**661**
substantively ··················· **636**	symmetrically ·················· **647**	tend ································· **656**
substitute ························· 058	symmetry ························ **647**	tendency ························· **656**
subtitle ···················· 223, 379	symposium ······················ **112**	tenet ································ **657**
subtle ····························· **637**	synonym ························· 691	tentative ·························· **658**
subtlety ··························· **637**	synonymous ·········· 098, 707	tentatively ······················· **658**
subtly ····························· **637**	synthesis ························· **648**	term ································· **659**
subtype ···························· 199	synthesize ······················· **648**	terminological ················· **660**
succeeding ······················ **638**	synthetic ·························· **648**	terminologically ·············· **660**
succession ························ 011	synthetically ···················· **648**	terminology ···················· **660**
succinct ··························· **639**	system ···························· **649**	tertiary ····························· **597**
succinctly ························· **639**	systematic ······················ **649**	test ································· **661**
suffer ······················ 203, 558	systematically ················· **649**	testable ·························· **661**
suffice ····························· **640**	systematization ··············· **649**	text ···························· 100, 542
sufficiency ······················· **641**	systematize ····················· **649**	than ·······002, 006, 061, 100, 121, 129, 136, 214, 250, 268, 330, 409, 464, 504, 505, 514, 537, 562, 571, 597, 606, 634, 637
sufficient ·························· **641**		
sufficiently ······················· **641**	**T**	
suggest ···························· **642**	table ······························ **650**	
suggestion ······················· **642**	tabulate ·························· **650**	
suggestive ······················· **642**	tacit ································ **651**	
suitable ···························· **643**	tacitly ····························· **651**	thank ······· 014, 229, 585, 617
suited ······························ **643**	tackle ······························ 706	thankful ··························· 572
sum ·································· **644**	take ·········· 009, 020, 076, 099, 162, 379, 396, 436, 491, 494, 509, 547	theme ············· 112, 292, 567
summarily ························ **644**		theorem ·························· **662**
summarize ······················· **644**		theoretical ······················ **663**
summary ·························· **644**	taken ····· 337, 338, 487, 491, 499, 547, 597, 617, 690	theoretically ···················· **663**
superficially ···················· 029		theorist ··························· **663**
superimpose ···················· 317	taking ······························ 491	theorize ·························· **664**
superior ···························· 305	talent ······························· 318	theorizing ······················· **664**
superiority ························ 337	talented ··························· 572	theory ···························· **663**
support ···························· **645**	tantamount ····················· **652**	there ·······004, 006, 012, 025, 035, 037, 055, 084, 086, 091, 108, 119, 125, 132, 141, 154, 195, 201, 203,
supportable ····················· **645**	task ························· 098, 100	
supportive ······················· **645**	taxonomic(al) ·················· **653**	
suppose ·························· **504**	taxonomically ················· **653**	
	taxonomy ······················· **653**	

206, 219, 300, 320, 331, 337, 340, 391, 406, 425, 447, 458, 461, 469, 491, 504, 511, 521, 543, 546, 561, 566, 607, 619, 622, 636, 656, 678, 683, 705, 707, 711
therefore··················**303**
theses·····················**665**
thesis······················**665**
thick·························273
thin··························273
thing··················411, 436
things························225
thinking····················594
third······008, 090, 245, 283, 579, 582, 650
thorough···················**666**
thoroughly················**666**
though········003, 013, 241, 313, 325, 334, 338, 430, 542, 701
thought······073, 127, 129, 135, 210, 248, 251, 255, 363, 378, 506, 600, 608
three-dimensional··········185
threefold····················**672**
through·······037, 057, 089, 159, 168, 169, 198, 217, 231, 234, 236, 243, 254, 266, 296, 336, 370, 413, 417, 421, 445, 525, 586, 617, 712
throughout······072, 150, 222, 549
throw························201
thus···························558
tied··························085
time······047, 052, 084, 121, 219, 232, 234, 318, 352, 356, 393, 497, 540, 551, 562, 570, 572, 582, 589, 629, 634
times··················411, 565
title·························**223**
together···········089, 391,

394, 499
too········003, 099, 282, 325, 428, 448, 550, 551, 582, 608, 616, 654, 693, 711
tool········030, 037, 135, 156, 219, 250, 339, 370, 477, 495, 664, 696
top················374, 491, 509
topic······098, 124, 128, 129, 215, 278, 414, 427, 503, 560, 682
total························**667**
totality·····················**667**
totally······················**667**
touch·······················**414**
toward(s)······083, 430, 491, 653, 684
tradition···················**668**
traditional················**668**
traditionally··············**668**
trait··················356, 459
translation···········141, 187
treat·······················**670**
treatise····················**669**
treatment················**670**
triangle···············256, 713
trichotomous··········**182**
trichotomy···············**182**
trigger·····················**671**
true············013, 188, 201, 235, 430, 469
trustworthy···············544
truth···················159, 523
turn························683
twice·······················235
two-dimensional········185
two-step··················169
twofold····················**672**
type······022, 085, 091, 145, 151, 254, 257, 367, 406, 511, 549, 550, 559, 600, 711
types······019, 062, 083, 122, 129, 148, 184, 196, 198, 199, 254, 291, 345, 401, 570, 600, 629, 648, 686,

700
typical······················**673**
typically···················**673**

U

ubiquitous················**674**
ubiquitously··············**674**
ubiquity···················**674**
ultimate···················**675**
ultimately················**675**
unacceptable···········**006**
unambiguous···········**033**
unambiguously·········**033**
unanswered···············529
unavoidable·············**676**
unaware············041, 667
uncertainty···············232
unchanged···············565
unclear····················**084**
uncommon···············**091**
uncommonly············**091**
unconditional············**110**
unconditionally·········**110**
unconstrained············417
uncontroversial·········**134**
unconvincing············**137**
uncover···················**677**
undeniable···············**678**
under·····037, 056, 078, 110, 126, 172, 189, 198, 223, 236, 249, 328, 351, 364, 376, 432, 473, 503, 516, 519, 547, 572, 582, 585, 596, 624, 643, 705
underestimate···········**232**
underestimation········**232**
undergo········421, 613, 621
undergraduate···········572
underlie···················**679**
underline·················**680**
underlying···············**679**
underscore··············**681**
understand··············**682**
understandable·········**682**
understandably········**682**
understanding··········**682**

undertake ············· 528	unpredictably ············· **497**	usually ·········· 113, 175, 494, 559, 632
undesirable ············· **173**	unproblematic ············· **511**	
undisputed ············· **191**	unpublished ········· 192, 408	utility ························· **692**
undoubtedly ············· **201**	unrealistic ············· **542**	utilization ················· **692**
unequal ····················· **225**	unrealistically ············· **542**	utilize ························· **692**
unequivocal ············· **227**	unreasonable ············· **544**	utterance ············· 036, 518, 560, 667
unequivocally ············· **227**	unrelated ············· **560**	
unexplainable ············· **250**	unreliable ············· **564**	utterly ············· 095, 564, 661, 710
unexplained ········· 250, 561	unresolved ······ 033, 565, 575	
unexplored ········· 253, 562	unrestricted ············· **582**	**V**
unexpressed ············· 032	unrevealed ············· 584	
unfair ····················· **264**	unsatisfactorily ············· **592**	vague ························· **693**
unforeseen ················· 455	unsatisfactory ············· **592**	vaguely ····················· **693**
unfortunate ············· **683**	unspecified ················· 618	vagueness ················· **693**
unfortunately ············· **683**	unstable ····················· 429	valid ························· **695**
unidentified ················· 440	unsuitable ············· **643**	validate ····················· **694**
unidimensional ············· 185	unsuited ····················· **643**	validation ················· **694**
unidirectional ············· 186	untenable ············· **690**	validity ····················· **695**
unification ············· **684**	untestable ············· **661**	valuable ····················· **696**
unified ····················· **684**	until ············· 098, 248, 562	value ························· **696**
uniform ····················· **685**	untouched ················· 222	variable ····················· **697**
uniformity ············· **685**	unusual ····················· 537	variant ····················· 434
uniformly ············· **685**	unveil ························· **677**	variation ················· **698**
unify ························· **684**	unverified ················· 594	varied ························· **701**
unimportant ············· 667	unwarrantable ············· **710**	variedly ····················· **701**
uninterpretable ············· **364**	unwarranted ············· **710**	variety ····················· **699**
unique ····················· **471**	unworkable ················· 652	various ····················· **700**
uniquely ····················· **471**	unworthy ············· **715**	variously ················· **700**
uniqueness ············· **471**	up ········· 076, 099, 329, 366, 487, 492, 519, 588, 619, 644	vary ························· **701**
unit ························· **686**		vast ························· **219**
universal ················· **687**		vastly ····················· **219**
universality ············· **687**	updated ············· 123, 295	vein ························· 607
universally ············· **687**	upon ······ 070, 110, 120, 167, 180, 201, 207, 247, 254, 315, 317, 414, 556, 564, 581, 691	velocity ············· 047, 518
universe ············· 516, 649		verifiability ············· **702**
university ················· **023**		verifiable ················· **702**
unjustifiable ············· **384**		verification ············· **702**
unknown ················· **688**		verify ························· **702**
unless ············· 125, 256, 454, 618	upper ························· **397**	version ····················· **703**
	uppercase ············· **398**	versus ························· 216
unlike ························· **689**	upshot ························· 037	vertical ····················· **704**
unlimited ················· **393**	upward ············· 186, 273	vertically ················· **704**
unnatural ················· **429**	usage ············· 219, 417	very ······ 033, 084, 085, 091, 136, 167, 192, 206, 238, 258, 267, 292, 325, 365, 367, 368, 399, 429, 456, 514, 539, 555, 607, 612,
unnaturally ············· **429**	use ························· **691**	
unnecessary ············· **430**	useful ····················· **691**	
unnoticed ················· 309	usefully ····················· **691**	
unpredictable ············· **497**	usefulness ············· **691**	
	useless ····················· **691**	

642, 693, 711
via ········086, 236, 263, 503, 510, 627, 700
view ···························· **705**
viewpoint ····················· **706**
violation ························041
virtual ··························· **707**
virtually ························· **707**
virtue ···························· **708**
visiting··························572
visual ·········241, 503, 551
vital ······························ **709**
vitality ···························004
viz. ································ **427**
void ······························ **179**
volume···························379
vs. ································216

W

warrant ·························· **710**
warrantable ··················· **710**
wavy ·····························273
way ······························ **269**
weak ····························· **711**
weaken ·························· **711**
weakly ··························· **711**
weakness ······················· **711**
wealth ··························· **712**
week ····················365, 388
weight·····························517
well ·······164, 181, 231, 238, 259, 423, 451, 459, 473, 480, 543, 544, 606, 643, 688
well-established ············· **231**
well-known ···················· **688**
Western ················594, 612

what ······059, 100, 135, 147, 151, 162, 205, 271, 278, 306, 322, 324, 368, 386, 411, 433, 435, 448, 453, 494, 529, 542, 563, 628, 689
whatever················423, 544
when ······006, 013, 093, 226, 229, 244, 246, 308, 596
where ····························396
whether··········018, 037, 049, 051, 084, 139, 155, 156, 177, 201, 206, 256, 346, 349, 377, 529, 559, 565, 614, 683, 704, 708, 711
which ············178, 255, 284
while ····························572
whole ···························· **713**
wholly···························· **713**
why ······················084, 250
wide ······························ **714**
widely ···························· **714**
widen ···························· **714**
widespread ····················025
width······························518
wisdom··························308
within ··········068, 113, 285, 301, 314, 393, 524, 543, 595, 668
without ··········043, 104, 172, 201, 234, 237, 250, 284, 349, 413, 493, 546, 548, 576, 624
wonder··························303
word······030, 033, 047, 055, 061, 072, 103, 177, 231, 292, 411, 462, 547, 670

work 動 ·················036, 119, 359, 473
work 名 ········014, 044, 055, 084, 085, 089, 168, 188, 209, 254, 284, 382, 388, 452, 483, 505, 571, 599, 605, 606, 644, 668
working ·········187, 252, 312, 350, 362, 367, 486, 542
workshop ······················ **112**
world ····170, 175, 256, 359, 407, 542, 707
worldview ······················195
worth ···························· **715**
worthwhile ···················· **715**
worthy ··························· **716**
would············010, 012, 016, 018, 033, 051, 084, 173, 233, 265, 267, 326, 327, 330, 332, 334, 353, 364, 454, 487, 492, 542, 652, 678, 695, 707, 716
writing ···························005
written ················382, 398, 399, 530
wrong ···························676

Y

year ··············219, 503, 535, 603, 638
yet ················119, 161, 248, 516, 641, 688
yield ······························ **717**

Z

zero ························225, 313

著者紹介

安原 和也（やすはら かずや）　名城大学准教授

1979年、岡山県生まれ。京都大学大学院人間・環境学研究科博士後期課程（言語科学講座）修了。博士（人間・環境学）。日本学術振興会特別研究員、京都大学高等教育研究開発推進機構特定外国語担当講師などを経て、2013年4月より現職。専門は、認知言語学（英語学／日本語学／意味論／語用論など）・学術英語教育（論文英語／科学英語など）。

主要著書に、『英語論文基礎表現717』（2011年, 三修社）、『認知文法論序説』（共訳, 2011年, 研究社）、『英語論文表現入門』（2011年, 大学教育出版）、『大学英語教育の可能性』（共編著, 2012年, 丸善プラネット）、『英語論文重要語彙717』（2012年, 三修社）、『Conceptual Blending and Anaphoric Phenomena: A Cognitive Semantics Approach』（2012年, 開拓社, 第47回市河賞受賞）、『基本例文200で学ぶ英語論文表現』（2013年, 三修社）、『農学英単―BASIC 1800―』（2014年, 三修社）、『英語論文数字表現717』（2015年, 三修社）、『ことばの認知プロセス―教養としての認知言語学入門―』（2017年、三修社）、『認知言語学の諸相』（2020年、英宝社）、『認知言語学の散歩道』（2021年、英宝社）などがある。

英語論文重要語彙717

2012年3月10日　第1刷発行
2023年6月10日　第6刷発行

著　者―――安原和也

発行者―――前田俊秀
発行所―――株式会社三修社
　　　　　〒150-0001　東京都渋谷区神宮前2-2-22
　　　　　TEL 03-3405-4511　FAX 03-3405-4522
　　　　　振替 00190-9-72758
　　　　　https://www.sanshusha.co.jp
　　　　　編集担当　斎藤俊樹

印刷製本―――倉敷印刷株式会社

©2012 Printed in Japan　　ISBN978-4-384-04470-6 C1082

DTP　トライアングル
カバーデザイン　峯岸孝之

JCOPY〈出版者著作権管理機構 委託出版物〉

本書の無断複製は著作権法上での例外を除き禁じられています。複製される場合は、そのつど事前に、出版者著作権管理機構（電話 03-5244-5088 FAX 03-5244-5089 e-mail: info@jcopy.or.jp）の許諾を得てください。

本書の姉妹編　好評発売中

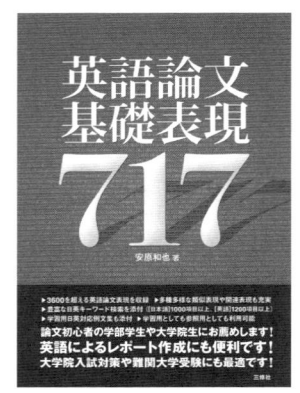

英語論文基礎表現 717

安原和也著
A5 判並製 228 ページ
定価 1,760 円（本体 1,600 円 + 税）
ISBN978-4-384-03352-6 C1082

▶ 3,600 を超える英語論文表現を収録
▶ 多種多様な類似表現や関連表現も充実
▶ 豊富な日英キーワード検索を添付
　［日本語］約 1,000 項目
　［英　語］約 1,200 項目
▶ 学習用日英対応例文集も添付
▶ 学習用としても参照用としても利用可能

英語学術論文を読解したり執筆したりする際に、どの学術分野の研究者でも必ず知っておかなければならない最低限の英語学術基礎表現をアルファベット順で、コンパクトに且つ網羅的に、そして機能的にまとめた一冊。見出し項目は厳選された 717 項目で、どの学術分野でも使用する可能性が高いと考えられる重要な英語学術表現を中心に選択。見出し項目と置き換えて使用可能な類似表現、見出し項目と接点のある関連表現も豊富に併記。巻末には、英語と日本語の両言語からの豊富なキーワード検索、オリジナル例文を整理した「日本語例文集」と「英語例文集」も収録。

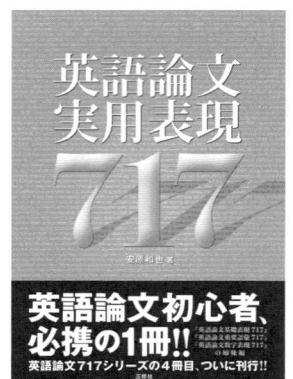

英語論文実用表現 717

安原和也著
A5 判並製 192 ページ
定価 1,760 円（本体 1,600 円 + 税）
ISBN978-4-384-05998-4 C1082

▶ 関連語彙を含めて約 3,500 語を収録
▶ 豊富な日英キーワード検索を添付
　［日本語］約 730 項目
　［英　語］約 760 項目

英語論文を読解したり、あるいは執筆したりする際に、覚えておくときわめて便利な表現パターンを 717 項目にわたって厳選。文系・理系の枠にとらわれずに、いずれの学術分野でも使用可能なフレーズをできる限り分かりやすい例文とともにコンパクトに収録。

本書の姉妹編　好評発売中

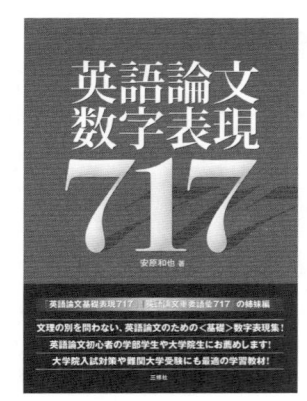

英語論文数字表現 717

安原和也著
A5 判並製 240 ページ
定価 1,870 円（本体 1,700 円 + 税）
ISBN978-4-384-05825-3 C1082

▶ 文理の別を問わない、英語論文のための基礎数字表現集
▶ 英語論文初心者の学部生や大学院生にお薦め
▶ 大学院入試対策や難関大学受験にも最適の学習教材
▶ 豊富な日英キーワード検索を添付
　［日本語］約 800 項目
　［英　語］約 720 項目

英語学術論文を読解したり執筆したりする際に、文理の別を問わずどの学術分野の研究者でも必ず知っておかなければならない最低限の英語数字表現を、機能項目ごとに、コンパクトにかつ網羅的にまとめた。見出し表現と置き換えて使用可能な類似表現や見出し表現と接点のある関連表現も豊富に併記され、約 5,000 例にも及ぶ多種多様な英語数字表現の学習ができる。

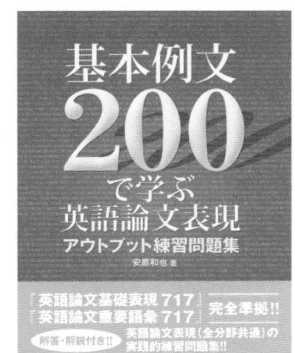

基本例文 200 で学ぶ英語論文表現
―アウトプット練習問題集―

安原和也著
A5 判並製 200 ページ
定価 1,760 円（本体 1,600 円 + 税）
ISBN978-4-384-05764-5 C1082

▶ 『英語論文基礎表現 717』
▶ 『英語論文重要語彙 717』完全準拠

英語論文表現についての知識のインプットではなく、アウトプットに重きをおいた練習問題集。大学生、大学院生が自習していけるよう、解答・解説を充実。「穴埋め問題 A・B」「語彙記述問題 A・B」「表現和訳問題」「全文和訳問題」「表現英訳問題」「全文英訳問題」各 200 問を解くことで、英語論文表現数を増やすことができる。「英語論文表現を練習できる何かが欲しい」という読者の声を反映させた 1 冊。